In mijn eigen wo

Cherie Blair

In mijn eigen woorden

Memoires

Ze noemden haar de First Lady van Engeland.
Dit is haar eigen verhaal

ARENA

Voor mijn moeder Gale en mijn grootmoeder Vera

Oorspronkelijke titel: *Speaking For Myself*
© Oorspronkelijke uitgave: 2008 by Cherie Blair
© Nederlandse uitgave: Arena Amsterdam, 2008
Toestemming voor het citeren uit 'In My Liverpool Home' van Peter McGovern
werd welwillend verleend door Spin Publications © 1961
Omslagontwerp: DPS, Amsterdam
Foto voorzijde omslag: John Swanell
Vertaling: Bep Fontijn, Amy Bais, Frans Reusink, Philia de Boer
Eindredactie: Frans Stoks
Boekverzorging: Asterisk*, Amsterdam
ISBN 978-90-8990-016-6
NUR 302

Inhoud

Woord vooraf 7

1   Begin 11
2   Jeugdjaren 27
3   Meisjestijd 34
4   Kloostermeisje 46
5   Studentenleven 57
6   Korte ontmoeting 73
7   Aanstelling 87
8   Romance 100
9   Huwelijk 112
10 Politiek 122
11 Sedgefield 137
12 Vertrekken 154
13 Verder 165
14 Allemaal veranderingen 175
15 We zijn er bijna 188
16 Obstakels 196
17 Thuis 208
18 Verkiezingskoorts 222
19 Eindspel 229
20 Nieuwe dageraad 242
21 Speciale band 256
22 Reizen 267
23 Hogere versnelling 282
24 Nieuwe einders 296

25   Onvoltooid toekomstige tijd *314*

26   Grenzen *326*

27   Ramkoers *339*

28   Mea culpa *353*

29   Familieaangelegenheden *370*

30   Volhouden *387*

31   Zegening *406*

32   Afscheid *423*

Woord van dank *431*

WOORD VOORAF

Juni 2007

'Oké jongens, de laatste keer dat we door die deur gaan. Vooruit met de geit.'

Het moment was eindelijk aangebroken: we hadden van iedereen afscheid genomen en de tranen weggepinkt. Op een teken van Tony opende de portier met een gemaakte buiging de beroemde voordeur, waarna wij zessen de junizon in liepen, de camera's tegemoet. Euan, Nicky, Kathryn, Leo, Tony en ik waren alle zes 'op ons 's zondags gekleed', zoals mijn grootmoeder zou zeggen. We stapten het historische gebouw uit en gingen voor de laatste keer 'onze plicht vervullen'. Ik glimlachte, ouder en wijzer dan bij die eerste ontmoeting met de pers in Downing Street op die zonnige morgen in mei, tien jaar geleden. Toen hadden we ons nieuwe huis nog niet eens vanbinnen gezien en leek alles mogelijk.

Hoewel ik niet had gewild dat Tony zijn functie neerlegde, aanvaardde ik dat nu het moment aangebroken was om te vertrekken. Met een hernieuwde vastberadenheid kuste ik elk van de kinderen en stuurde hen weer terug naar binnen. Daar stond Jackie, ons kindermeisje, hen op te wachten om met hen naar Chequers te gaan, het buitenverblijf van de premier. We zouden ons laatste gezinsweekend daar doorbrengen – de slottraditie voor de vertrekkende minister-president. Tony en ik moesten eerst nog naar ons eigen kiesdistrict. Hij had besloten er definitief mee te stoppen en daarom moest hij zijn zetel zo snel mogelijk afstaan, zodat er nog voor het zomerreces een tussentijdse verkiezing kon worden gehouden.

Het enige dat de *Right Honourable* Tony Blair, parlementslid voor Sedgefield, minister-president van het Verenigd Koninkrijk van Groot-Brittannië en Noord-Ierland, nog te doen stond, was officieel zijn ontslag indienen bij de koningin. Terwijl Tony aan de kant van het trottoir in de wachtende auto stapte – de ereplaats genoemd – liep ik volgens protocol om de auto heen naar de andere kant om achter de chauffeur plaats te nemen. Ik kwam dus dichter bij de wachtende fotografen die mijn naam riepen. Met de opnieuw fanatiek klikkende camera's klonken ook de sarcastische opmerkingen: 'Je zult het wel missen, hè..?' 'Wij zullen jou missen...!'

Het zonlicht schitterde op hun grote lenzen, en niet voor het eerst kwam de gedachte in me op dat die zo dreigend zijn. Net wapens. Ik had zojuist van al die mensen afscheid genomen van wie wij hielden en die van ons hielden en ik dacht: Ik zal iedereen missen, behalve jullie allemaal. En dat uitte ik ook. Ik kon me niet bedwingen: 'Tot ziens, jullie zal ik niet missen!' En ik lachte.

'De verleiding was te groot, hè?' zei Tony met zijn kaken op elkaar ge-klemd toen het portier achter me gesloten werd. 'Alsjeblieft, je behoort je waardig te gedragen. Je moet vriendelijk zijn!'

Toen de auto Whitehall in reed, hoorde ik boven ons hoofd een helikop-ter, en plotseling had ik het gevoel van een déjà vu. Ik weet nog dat ik in 1997 naar buiten kwam bij ons huis in Richmond Crescent, me wat opge-laten voelend in het rode mantelpakje dat ik speciaal voor die gelegenheid had gekocht. Plotseling hoorde ik een stem roepen: 'Hallo mama!' Toen ik opkeek naar Kathryn en haar nichtje Lucy die naar ons zwaaiden vanaf de bovenste verdieping, zag ik het silhouet van een helikopter tegen de blauwe hemel afgetekend. Ik vroeg me af wat die daar deed. Het kwam niet in me op dat we vanuit die helikopter gefilmd werden. Al onze buren stonden buiten om ons uit te zwaaien en helemaal tot aan Euston Road en in de richting van het paleis stonden er rijen mensen langs de kant van de weg te juichen en te zwaaien. En dit alles werd overheerst door het geluid van de draaiende helikopterwieken boven ons hoofd, en de donkere schaduw die ons de hele route volgde.

Tien jaar later, op de achterbank van de Daimler en Tony met een strak gezicht naast me, zuchtte ik. Hij kon toch niet beweren dat mijn uitval hem verbaasde. Het was niet de eerste keer, en waarschijnlijk ook niet de laat-ste. Hij noemt me zelfs zijn *bolshie Scouser*, zijn recalcitrante Liverpoolse. Scousers, zoals de inwoners van Liverpool genoemd worden, mogen dan bekendstaan als een stelletje onbuigzame, lichtgeraakte ruziezoekers, ze hebben ook andere eigenschappen. Ze durven risico's te nemen, zijn heel loyaal en trots en staan hun mannetje. Dat moesten ze ook wel: Scousers hebben er nooit echt bij gehoord, vandaar de humor. Een oud Liverpools spreekwoord zegt: 'Als je iets niet kunt veranderen, wees er dan trots op.'

Wat de pers betreft en haar voortdurende pogingen mij af te schilderen als een inhalige, berekenende sta-in-de-weg, besefte ik dat ze me in al mijn onvolmaaktheid alleen maar gebruikte om via mij mijn man te raken. Ik werd geboren in een harde wereld, werd door sterke vrouwen opgevoed en ik heb voor mezelf leren opkomen. Het was paradoxaal dat ik in mijn werk als advocaat en rechter – de loopbaan waarvoor ik gekozen en gestreden had – namens anderen sprak en gewend was dat er naar me geluisterd werd, terwijl men nu, in dit andere leven, mijn mening letterlijk niet eens kende. Terwijl we over de Mall reden, besefte ik plotseling tot mijn vreugde dat die beperkingen niet langer bestonden. Ik was van ver gekomen en had zo veel geleerd dat de tijd aangebroken was, besloot ik, om mijn kant van het verhaal te laten horen.

Mijn geheugen is niet onfeilbaar en dit is geen geschiedenisboek. Het is slechts een boek waarin één vrouw op haar leven tracht terug te kijken. Het zijn de memoires van iemand die gedurende een bepaalde periode een figurantenrol in de geschiedenis heeft gespeeld.

Cherie Blair
april 2008

1

Begin

Het verhaal begint in de vroege jaren vijftig met de ontmoeting van een door het land reizende jonge acteur en actrice. Zoals zo vaak in dit soort verhalen worden ze verliefd en stichten ze al snel een gezinnetje. Wanneer er een dochtertje geboren wordt, zijn ze de koning te rijk maar ze zitten tegelijkertijd met de handen in het haar. De combinatie van wonen op kamers, geldgebrek, te weinig werk en de zorg voor een kleine baby blijkt hun helaas te veel te worden. En daarom laten ze hun zes weken oude baby in Liverpool achter bij de ouders van de vader, waarna ze naar de grote stad vertrekken om daar hun geluk te zoeken.

Dat was in 1954, en die baby was ik. Van de verhalen over de eerste ontmoeting van mijn ouders, over hun jeugd en natuurlijk over hoe ik aan mijn bijzonder naam ben gekomen, kan ik geen genoeg krijgen.

Mijn vader, Tony Booth, werd eigenlijk toevallig acteur. Tijdens zijn militaire dienst probeerde hij een tijdlang de vrouw van een kolonel te versieren. Omdat zij zich heel actief met amateurtoneel bezighield, concludeerde hij dat dit de manier was om met haar in contact te komen. En zo werd de koers bepaald voor de rest van zijn leven. Hoewel hij er regelmatig over klaagde dat de theaterwereld grotendeels uit homo's bestond, betekende dit wel dat er voor hemzelf heel veel kansen lagen op het versierfront.

Mijn moeder nam daarentegen haar beroep heel wat serieuzer. Joyce Smith was een jaar jonger dan mijn vader en was geboren en opgegroeid in Ilkeston, een mijnwerkersdorp ten westen van Nottingham.

Haar moeder, die van zichzelf Hannah Meer heette, blijft enigszins een raadsel. Behalve haar ongebruikelijke meisjesnaam en het feit dat ze een plaatselijke schone was met dik blauwzwart haar, weet ik verder niets van haar. Mijn grootvader van moederskant was echter een bijzondere man, in alle opzichten een autodidact. Jack Smith daalde voor het eerst in de mijn af toen hij veertien was, als eenvoudige kompel. Al snel maakte hij promotie en werd schiethouwer. Hij moest als eerste, voordat een ploeg naar beneden ging, met slechts een mijnwerkerslamp gewapend de schacht in om te controleren of er mijngas aanwezig was. Aan het eind van zijn loopbaan had hij zich weten op te werken tot manager van een kolenmijn.

We gingen zo nu en dan bij mijn grootvader in Ilkeston op bezoek en ik kan me nog herinneren dat ik doodsbang was voor het enorme blauwe litteken op zijn gezicht. Als je in de mijn een ongeluk kreeg, legde hij later uit, bleef er altijd wat kolengruis in de wond zitten waardoor het litteken uiteindelijk blauw werd. Nog iets wat me intrigeerde, was de hoeveelheid water die hij gebruikte om zich te wassen. In die tijd werkte hij al niet meer onder de grond en hoefde zichzelf niet meer zo grondig af te boenen, maar oude gewoonten zijn hardnekkig. Hij woonde nog steeds in het huis waar mijn moeder was opgegroeid. De badkamer waar Hannah zijn rug afschrobde, was nog altijd beneden en in plaats van toiletpapier hing er net als vroeger krantenpapier aan een haakje.

Grootvader Jack had altijd dokter willen worden maar dat zat er voor hem als oudste van elf kinderen niet in. Wat het dichtst daarbij in de buurt kwam, was zijn werk voor de St Johns Ambulance Brigade en zijn betrokkenheid bij reddingsoperaties in de mijn. Later gaf hij EHBO-cursussen, waarbij hij mijn tegenstribbelende moeder als proefkonijn gebruikte. Hij was iemand met buitengewoon veel energie en was actief binnen de Labourpartij en het Leger des Heils. Ook schreef hij poëzie en behaalde – tegen het eind van zijn leven – een graad aan de Open Universiteit. Hij werkte tot zijn tachtigste – lang nadat de mijnen gesloten waren – en na zijn pensionering werd hij nachtwaker.

Alsof dat niet genoeg was, was hij ook nog voetbalscheidsrechter en organiseerde sport- en netbalclubs voor de jeugd. Dit waren activiteiten waaraan mijn moeder zeer tegen haar zin ook moest meedoen. Zelf vond ze de jeugdclub die hij tijdens de oorlog had geleid leuker. Hij was behoorlijk muzikaal en kon op bijna elk koperinstrument spelen. Nadat hij de jongens en meisjes de instrumenten had leren bespelen, bezochten ze bejaardentehuizen en ziekenhuizen, waar ze kleine optredens hadden. Daarbij zorgde mijn moeder voor de muzikale begeleiding op de piano, fluit of viool.

Ze volgde een voor die tijd bijzonder soort onderwijs en ging naar Michael House, een van de eerste vrije scholen van Rudolf Steiner. Het is nog altijd een goedlopende school aan de rand van wat nu Shipley Country Park heet. Alles daaraan was modern. Ze begon in 1936 toen ze drieëneenhalf jaar oud was. Muziek en beweging ('euritmie' genoemd) stonden centraal in de visie. Michael House had zelfs een eigen theater en mijn moeder was vanaf het begin altijd betrokken bij toneelvoorstellingen van de school.

Maar plotseling sloeg het noodlot toe. Kort na het eind van de oorlog stierf de grootmoeder die ik nooit gekend heb. Ze was pas tweeënveertig. Hoewel Hannah uit de plaats zelf afkomstig was, was er niet veel contact met de familie Meer, en niemand van haar zussen bood na grootmoeders dood hulp aan. Naast dat ze naar school ging, moest de veertienjarige Joyce nu ook voor het huishouden, haar tienjarige broertje en haar vader zorgen. Voordat hij 's ochtends in alle vroegte van huis vertrok, zorgde hij ervoor dat het vuur brandde, maar daar bleef het bij en alle andere huishoudelijke karweitjes kwamen op de schouders van mijn moeder neer: boodschappen doen, koken, wassen, strijken, schoonmaken, om nog maar te zwijgen over het schrobben van haar vaders rug als hij uit de mijn thuiskwam. Omdat ze een intelligent meisje was, was het de bedoeling geweest dat ze tot haar achttiende naar school zou gaan en haar *matric* zou halen, toentertijd het toelatingsdiploma tot de universiteit. Maar nadat ze een jaar lang geprobeerd had school en huishoudelijke sleur te combineren, kreeg ze van Michael House het advies om met school te stoppen.

In de tussentijd had ze Beryl John ontmoet, een vrouw die haar loopbaan op het toneel door ziekte had moeten afbreken. Wel leidde ze nog een amateurtoneelgezelschap en gaf privélessen. Hoe mijn grootvader zich zo'n uitgave heeft kunnen veroorloven, weet ik nog steeds niet, maar het lukte hem. Alles ging goed totdat hij van de een op de andere dag aankondigde dat hij ging hertrouwen met een vrouw die mijn moeder zelfs nooit gezien had en van wie ze alleen de naam kende: Mabel. Het wekt nauwelijks verbazing dat mijn moeder vreselijk aanstoot nam aan deze indringster en op de dag dat haar vader hertrouwde, pakte zij haar koffer en trok de deur achter zich dicht. Het was alsof haar stiefmoeder door de voordeur binnenkwam en mijn moeder door de achterdeur vertrok. Ze woonde nooit meer met hen onder een dak.

Aangemoedigd door mijn tante Beryl (zoals ik haar later noemde) had mijn moeder zich aangemeld voor de Royal Academy of Dramatic Art, beter bekend als de RADA, waar ze ook werd aangenomen. Deze theateropleiding stond toen al net zo hoog aangeschreven als nu. Ze had ook een studiebeurs aangevraagd bij het graafschapsbestuur van Derbyshire, maar die werd haar geweigerd. Er bestonden al studiebeurzen in de jaren vijftig maar er werd heel argwanend tegen theateropleidingen aangekeken. Uiteindelijk betaalde haar vader de opleiding. Volgens haar niet omdat hij ervan overtuigd was dat dit een logische stap was, maar uit schuldgevoel.

Aan het eind van haar eerste jaar aan de RADA ontbrak het haar niet alleen aan geld om de vakantie te overbruggen, maar ze had ook de Heilige Graal van de ervaring nodig. Daarom nam ze een vakantiebaantje bij een repertoiregezelschap. De Earl Armstrong Repertory Company had Yorkshire als thuisbasis en was een rondreizend gezelschap, onder leiding van een echtpaar.

Na een week van repetities vertrok het gezelschap naar Wales en de net tot Gale Howard gedoopte actrice speelde al snel romantische rollen met een jonge acteur uit Liverpool die geen opleiding had maar wel een vurige passie. (Beryl John had de naam Gay Howard voor haar eigen geknakte carrière willen gebruiken, vandaar de naam Gale Howard.) Het bleek een heuse vuurdoop. Op een keer, zo herinnert mijn moeder zich, hadden ze dertig optredens achter de rug en daarbij hadden ze alles zelf moeten doen: kostuums naaien, kaartjes verkopen, decor maken, schilderen en verwisselen. Het eigenlijke toneelspel was slechts het toefje op de pudding. Als er meer spelers nodig waren – en er werden voortdurende nieuwe theaterstukken toegevoegd – stonden er overal waar ze kwamen enthousiaste amateurspelers klaar om gratis mee te werken.

Naarmate de weken verstreken, werden de toneelkussen van de twee jonge mensen steeds echter. Het was september voordat ze het beseften en het nieuwe schooljaar aan de RADA zou beginnen. Theaterscholen zijn prachtig maar, zoals elke professionele acteur zal vertellen, niets kan tippen aan het echte theater, en Gale Howard ging nooit meer terug naar school. Er volgden nog meer steden in Wales, en in een daarvan – de geschiedenis vertelt niet welke dat was – werd ik verwekt. Misschien in Rhayader, niet ver van Llandrindod Wells in Midden-Wales. Dat lijkt me wel mooi. Naast het theater was een café waar het gezelschap regelmatig kwam. Achter de bar stonden de moeder en grootmoeder van een achtjarig meisje dat zo in het theater geïnteresseerd was dat ze elke avond uit haar slaapkamerraam op de begane grond klauterde en iemand bij de artiesteningang overhaalde om haar binnen te laten. Na de show brachten Tony en Gale – op hun twintigste en eenentwintigste zelf nog bijna kinderen – de kleine deugniet weer terug naar huis en hielpen haar onopgemerkt door het raam naar binnen te klauteren. Ze raakten steeds meer aan haar gehecht. Die kerst kwamen ze weer terug in Rhayader, waar ze drie mimespelen en een kerststuk opvoerden. De naam van dat stuk is niet terug te vinden, maar aan het stuk deden twee honden mee die Schmozzle en Kerfuffle heetten. In de pantomimes speelde mijn moeder Assepoester, *De prinses en de zwijnenhoeder* en een van de *Kinderen in het bos*. Het andere kind werd gespeeld door het laaiend enthousiaste dochtertje van de caféhoudster die haar droom zag uitkomen om op het toneel te verschijnen, ook al had ze geen tekst.

Tegen het eind van het seizoen wisten mijn ouders dat mijn moeder in verwachting was en toen meneer en mevrouw Armstrong weigerden hun opslag te geven, konden ze niet anders dan naar Londen terugkeren. Het kleine meisje was er ondersteboven van dat ze haar nieuwe vrienden kwijt zou raken. Mijn moeder beloofde haar dat ze haar nooit zou vergeten. Als hun baby een meisje was, zei ze, zouden het naar haar vernoemen. En zo gebeurde het: Cherie.

Tony Booth en Gale Howard trouwden met elkaar op het stadhuis van Marylebone, keurig zes maanden voordat ik geboren werd. Het ging uiteindelijk allemaal wat gehaast: er had zich een baan aangediend bij het repertoiregezelschap Castleford en ze moesten de volgende dag met repetities beginnen. Als getuigen waren aanwezig de broer van mijn moeders hospita tijdens haar studie aan de RADA, en de assistent van de ambtenaar van de burgerlijke stand, een zekere meneer Christmas. Na afloop nam de broer van de hospita de twee pasgehuwden mee naar de bovenste verdieping van Lyons Corner House, op de hoek van Piccadilly Circus. Daar vierden ze, met een strijkje op de achtergrond en met thee en gebak, het huwelijk en bereidden ze zich voor op de vier uur durende treinreis naar Yorkshire.

De volgende herfst waren ze nog steeds in het noorden. Mijn vader maakte nu deel uit van de Frank H. Fortescue Famous Players en volgens mijn geboorteakte werd Cherie Booth op 23 september 1954 in Fairfield Hospital in Bury geboren. Mijn vader maakte deze gebeurtenis die avond vanaf het toneel bekend aan een nogal verbijsterd publiek. Zijn verzoek om twee weken vrij te krijgen, zodat hij voor de baby kon zorgen, werd echter afgewezen en dus maakte Tony Booth het voor hem zo karakteristieke obscene tweevingergebaar en vertrok. Zonder uitzicht op werk maar met een huurachterstand legde het jonge echtpaar hun dochtertje in een met luiers beklede mand die naar schmink rook, en stapte op de trein naar Liverpool.

Crosby ligt in het noorden van Liverpool, de rooms-katholieke hoek waar duizenden, zo niet miljoenen Ierse gezinnen van de schepen stapten waarmee ze hun vaderland waren ontvlucht. Ze waren ervan overtuigd dat ze hier maar een paar weken zouden blijven – op z'n hoogst maanden – voordat ze aan de andere kant van de Atlantische Oceaan een nieuw leven zouden gaan opbouwen in Amerika. Voor sommigen werd die droom werkelijkheid, maar voor velen niet. In plaats van de skyline van Manhattan moesten ze het met het Livergebouw en de kranen en bokken van de havens van Liverpool doen.

Crosby was een stad met ambities. Mijn grootouders van vaders kant, Vera en George Booth, woonden in een wat beter rijtjeshuis in Waterloo, het armere deel van Crosby. Boven waren twee slaapkamers en nog een kleine bergruimte boven de voordeur, waarin amper een eenpersoonsbed paste. Beneden hadden ze een voorkamer (de 'salon'), een achterkamer (de woonkamer), een keuken en een bijkeuken. Er was stromend water en sanitair, al was het eenvoudig. Het was beslist geen huis om je voor te schamen en ze hadden het zelfs gekocht. Aan het eind van onze straat was een park met schommels en een draaimolen. Dit gaf de grens aan tussen Waterloo (rijtjeshuizen) en Great Crosby (twee-onder-een-kapwoningen). Ferndale Road was de laatste straat van een buurt met andere 'dales': Thorndale, Oakdale enzovoort, die allemaal op St John's Road uitkwamen, onze levendige winkelstraat. Hier waren slagers en pandjeshuizen en kruideniers en kappers en tweedehandswinkels te vinden. In mijn ogen was dit het middelpunt van het heelal.

Net als alle andere huizen in onze straat had nummer 15 een erker, een voortuintje en een iets grotere achtertuin waarin veel ruimte werd ingenomen door een oude golfplaten abri die nog uit de oorlogsjaren dateerde. In tegenstelling tot de andere geelstenen huizen in Ferndale Road was dat van ons beige en groen geschilderd. Dit stamde uit de tijd – zo gaat het verhaal – dat mijn overgrootvader besloot zo opzichtig mogelijk te laten zien waar zijn politieke voorkeur lag.

Liverpool, met de grootste rooms-katholieke bevolking van Engeland, is altijd al een zeer politiek geëngageerde stad geweest. Men was er trots op dat er geen industrie was – dat werd aan mindere plaatsen als Manchester overgelaten. Dat was met recht iets om trots op te zijn nog vóór de *Clean Air Act* (Wet op de luchtverontreiniging) van 1956, toen het industriële noorden in rook gehuld ging en je er de was alleen buiten kon hangen als de wind uit de juiste hoek kwam. Het was bovenal een havenstad en Merseyside dreef daarom op tijdelijke arbeidskrachten. Gevolg daarvan was veel werkloosheid. Je hielp je buren vandaag omdat je morgen zelf hulp nodig had. In de jaren vóór de overwinning van de Labourpartij bij de algemene verkiezingen in 1945 en de komst van de *National Health Service* en de welvaartsstaat hielden de inwoners van Liverpool het hoofd boven water door netwerken van vrijwilligers, en die gewoonte bestaat nog steeds: anderen helpen was bij ons thuis niet iets wat je deed of niet deed. Het was vanzelfsprekend dat je hielp, zelfs als je jezelf daarmee benadeelde.

Op Ferndale Road 15 woonde een heel katholieke familie. Mijn grootmoeder, die van zichzelf Vera Thompson heette, was een Ierse huisvrouw van de oude stempel, hoewel ze in Liverpool was geboren en een sterk Scouse-accent had. Ze had twee broers, Edgar en William, en tegen de tijd dat ik arriveerde, was oom Bill de trotse eigenaar van drie kleine kruideniersswinkels, een imperium dat hij had opgebouwd door thee te verkopen vanuit een kistje op de bagagedrager van zijn fiets. Vera's moeder – mijn overgrootmoeder Matilda, die Tilly genoemd werd – was met haar familie overgekomen vanuit het Ierse graafschap Mayo (of Cork, afhankelijk van wie je gelooft). Ze waren onderweg naar Amerika geweest. Zij was de jongste van zeven kleine McNamara's maar ze kwamen – zoals zo veel lotgenoten – niet verder dan de haven van Liverpool. Op een bepaald moment ontmoette ze mijn overgrootvader, en dat was dat.

Binnen de familie is veel discussie over de herkomst van haar echtgenoot Robert Thompson. De versie die mijn oma vertelde, was dat hij uit Yorkshire kwam en een jongeman was die lid was van een zekere familie Tankard. Zij hadden een restaurant ergens in de buurt van Halifax. Nadat hij tijdens de Eerste Wereldoorlog gedeserteerd was, was hij naar Ierland gevlucht, waar hij zijn naam veranderde in Thompson, zodat ze hem niet konden vinden. Een andere versie wil dat hij gewoon ook een Ierse immigrant was die er evenmin in was geslaagd een plaatsje aan boord van een schip naar het Beloofde Land te bemachtigen.

Waarover geen onzekerheid bestaat, is dat hij nogal heetgebakerd was en talent had voor paarden, drank en het verliezen van geld. En hij was radicaal. In 1926 had hij tijdens de algehele staking in het stakingscomité gezeten van de havenwerkers en als gevolg daarvan was hij op de zwarte lijst gekomen van de Mersey Docks en het havenbestuur. Vanaf die tijd verdiende hij zijn geld als barbier. Hij zat op een oranje kistje net buiten het hek van de haven zeelieden te scheren en knippen als die van een maandenlange zeereis terugkeerden en hun het geld in de zakken brandde. Niet iedereen wilde echter van zijn geld af en mijn overgrootmoeder vertelde verhalen over hoe hij de gekste dingen kreeg als betaling, waaronder een papegaai die jaren bij hen in huis bleef, en een aap die ze niet binnen wilde hebben.

Uiteindelijk opende hij zijn eigen kapsalon op de hoek van Denmark Street, in een buurt die Little Scandinavia werd genoemd. De nauwe straten met kinderkopjes – rug-aan-rugwoningen met een buiten-wc – werden mijn vaste route naar de lagere school.

Helaas heb ik Robert Thomspon nooit gekend. Hij overleed in 1946 en mijn vader, die zijn grootvader aanbad, zei dat het langs de straten van Waterloo vanaf Ferndale Road helemaal tot aan de Sint-Edmundskerk zwart zag van de mensen die om hem rouwden toen zijn kist langs kwam.

Na het overlijden van haar man trok Matilda bij haar dochter in waar de bergruimte haar privédomein werd. Daar bleef ze wonen tot aan haar dood, toen ik zeven was. Zij was de enige in het huis die een eigen kamer had, en toch kan ik me van de jaren dat ze daar woonde niet herinneren dat ze ook maar een hand uitstak om te helpen. Wel zag je haar ze zo nu dan met een plumeau zwaaien om te laten zien dat ze bereid was iets te doen. Als belangrijkste bezigheid hield ze van achter haar vitrage in de gaten wat er beneden op straat gebeurde. Het was een heel klein vrouwtje met grijs haar waarin nog steeds iets doorschemerde van de vurige roodharige vrouw die ze vroeger was geweest. Haar beroemde temperament was echter nog beslist niet verdwenen. Toch was ze opmerkelijk toegeeflijk als ik haar in mijn verpleegstersuniformpje met een plastic spuitje een 'injectie' in haar arm kwam geven, en altijd was er bij haar een zesstuiverstuk te halen.

Gezien door de ogen van een fantasierijk jong meisje had mijn grootvader een heel wat minder opwindende achtergrond. Zijn familie was op-en-top Engels, zonder onopgeloste mysteries, althans, dat dacht ik toen. De familie van mijn grootvaders moeder had een kleine vissersvloot voor de kust van Formby, terwijl de familie van mijn overgrootvader boeren waren op de heuvels van Westmorland. Niets in mijn familie is echter ongecompliceerd en na de dood van mijn grootvader ontdekte ik dat zijn vader – mijn overgrootvader Booth – in de Eerste Wereldoorlog pacifist geweest was en daarvoor in de gevangenis had gezeten. Later ging hij naar het Belgische Bergen als ziekendrager, waar hij heel veel gas binnenkreeg, terwijl de vader van mijn overgrootmoeder een beroemde smokkelaar bleek te zijn geweest die daarnaast ook nog leiding gaf aan een afpersersbende.

In tegenstelling tot de Ierse tak van de familie was George Booth, mijn grootvader, nooit een grote prater, hoewel het ook niet hielp dat hij meer af- dan aanwezig was in huis. Toen ik in Ferndale Road kwam wonen, was hij tien dagen thuis tegen zes weken op zee. In die periode was hij purser op de *Auriel*, een schip dat van Liverpool naar Nigeria voer. En door zijn verhalen over wat hij in Lagos zag en hoorde, zag ik Afrika als het ware voor me. Hij was pas echt zichzelf als hij piano speelde en dat deed hij als er maar even een instrument in de buurt was. Mijn vader beweert dat hij een beurs voor de Royal Academy of Music in Londen had moeten afwijzen toen hij jong was. En dat hij later werk aangeboden kreeg bij de beroemde bandleider Geraldo. Misschien klopt dat, maar mijn grootvader heeft tegenover mij daar nooit iets over gezegd. Hij was echter veel meer dan een gewone barpianist. De pianokruk lag vol bladmuziek die hij in New York gekocht had toen hij met de Cunard Line voer. Dankzij hem kan ik nog steeds de meeste liedjes uit de shows van de jaren vijftig en zestig zingen; al is het de vraag of dat positief is.

Mijn grootvader was een aardige, gevoelige man met een prachtig maar heel fijn handschrift. Hij was voor mijn grootmoeder niet de eerst keus geweest als echtgenoot. Grootmoeder vertelde me hoe ze van de weeromstuit met hem getrouwd was nadat 'de liefde van haar leven' (een protestant) geweigerd had zich te bekeren. Pas toen zag de pianospelende George zijn kans schoon. Hij was een vriend van haar broer en bleek al jaren een geheime liefde voor haar te koesteren. Hoewel beide families de wenkbrauwen fronsten over het voorgenomen huwelijk, begon de tijd te dringen voor Vera, die toen al negenentwintig was. Zij besefte waarschijnlijk dat de liefde voor een goede man alle afkeurende blikken van de familie waard was. En van haar houden deed hij zeker, hoewel ze hem met een 'doe niet zo gek' van zich af duwde als hij haar in onze aanwezigheid probeerde te kussen. Pas jaren later kwam aan het licht dat hij evenmin rooms-katholiek was. Op papier wel. Hij had zich bekeerd – anders zou mijn grootmoeder nooit met hem getrouwd zijn – maar geloof betekende niets voor hem. Hij ging zelden naar de kerk maar omdat hij zo vaak van huis was, kwam dat niet vreemd over, en de familie had trouwens toch genoeg priesters om ervoor te zorgen dat ze allemaal in de hemel kwamen. Bernard Harvey, een neef van mijn grootmoeder, was de pastoor van onze plaatselijke parochie. Hij was een van de zonen van Tilly's zus. Dan waren er ook nog de broers van George Thompson. Onze oudoom Bill (twee van zijn vijf kinderen waren priester) zorgde er ook voor dat de familie er geestelijk gezien goed voorstond. Pater John was even oud als mijn vader, maar pater Paul was slechts een paar jaar ouder dan ik en ik kan me nog het aura herinneren dat om hem heen hing als hij vanuit het seminarie op bezoek kwam. Mijn grootmoeder stond er dan altijd op dat wij meisjes wat afstand behielden, zodat we zijn kuisheid niet op de proef stelden met onze nabijheid.

Mijn relatie met de rooms-katholieke Kerk is echter, hoewel heel belangrijk voor me, nooit helemaal volgens de regels geweest. Het begon al bij mijn doop. Hoewel mijn ouders mijn geboorte in Bury hadden aangegeven, stond een niet-gedoopt kind voor een katholiek als mijn grootmoeder gelijk aan een doodzonde. Gelukkig wist ze dat haar neef, pater Bernard, de situatie snel recht zou zetten en nog geen paar uur nadat ik op Ferndale Road was aangekomen, ging ze hem al opzoeken.

'En hoe moet de kleine meid dan heten, Vera?'

'Cherie.'

'Wat zei je?'

'Cherie.'

'Dat is alles?'

'Dat is het.'

'Nou, Vera. Ik hoef juist jou toch niet te vertellen dat de heilige Kerk...'

Dat hoefde hij ook niet. Dit was in 1954, tien jaar vóór het Tweede Vaticaans Concilie. De missen waren nog altijd in het Latijn. Nonnen gingen volledig gesluierd in habijten tot aan de grond, en Vera Booth wist maar al te goed dat een rooms-katholiek kind alleen met de naam van een katholieke heilige kon worden gedoopt. Hoewel er daar meer dan zevenduizend van zijn, kwam er ook na grondig onderzoek naar ongebruikelijke namen van heiligen (en dat zijn er heel wat) geen Sint-Cherie bovendrijven.

Uiteindelijk kwamen ze tot een compromis en werd ik Theresa Cara gedoopt: Theresa was een degelijke heilige en Cara was de Latijnse vorm van Cherie, waarmee pater Bernard waarschijnlijk de vrede trachtte te bewaren. Bij die gelegenheid opende mijn grootmoeder ook een spaarrekening voor me bij Lloyds Bank, Waterloo, natuurlijk ten name van T.C. Booth, die ik tot 1997 bleef gebruiken.

Mijn moeder had vanzelfsprekend helemaal niets in te brengen bij deze beslissingen. Hoewel ze zelf wel een godsdienstige achtergrond had – haar vader was een heilsoldaat en ze had als kind de zondagsschool bezocht – beweert ze dat ze het prima vond dat ik rooms-katholiek gedoopt werd. Ze had geen bepaalde voorkeur voor het ene of het andere kerkgenootschap. Er was misschien nog een andere reden dat ze zo toegeeflijk was. De degens kruisen met een van de meest geduchte vrouwen ter wereld was niet iets wat je vrijwillige deed – met name nu ze onder hetzelfde dak woonden. Niemand nam een loopje met Vera Booth.

Wie de vooroorlogse crisisjaren heeft meegemaakt, vergeet die nooit meer. Alles tot op de draad verslijten was niet een soort milieubewuste bezigheid voor mijn grootmoeder, het was het gevolg van een jarenlange draconische zuinigheid. Tussen 1930 en 1940 had mijn grootvader vrijwel geen werk. De handel tussen Engeland en Amerika lag volkomen stil. Geen schepen, overal lege kades, alleen werk voor mensen die een kruiwagen hadden. Onder die omstandigheden werden de vrouwen kostwinner. Mijn grootmoeder deed wat ze maar kon: huizen schoonmaken van de welgestelden die in het nabijgelegen Blundellsands woonden. Dit was geografisch gezien een korte afstand, maar lichtjaren verwijderd van Crosby wat geld en vooruitzichten in het leven betrof. Haar wereld was verdeeld in rijk en arm, en wij behoorden duidelijk tot de armen.

Vóór haar trouwen had ze in een manufacturenzaak gewerkt in Blundellsands, 'Pullers of Perth' geheten, en ze vertelde hoe daar op een dag een jonge vrouw binnenstapte met een pasgeboren baby. Mijn grootmoeder was niet bij baby's weg te slaan en nadat ze hem onder zijn kinnetje had gekriebeld, vroeg ze hoe hij heette.

'Anthony,' was het antwoord, uitgesproken met de Engelse 'th' in plaats van een 't'.

'O,' antwoordde ze, 'wat een mooie naam. Als ik ooit een zoontje krijg, noem ik hem misschien ook wel Anthony.'

Ze zei dat ze nooit de uitdrukking op het gezicht van die vrouw zou vergeten: 'Mensen als jullie hebben geen Anthony's zoals mijn Anthony.' Mijn grootmoeder bleef heel haar leven klassenbewust en ze bleef altijd geloven dat er een wet bestond voor rijken en een andere wet voor armen. Toen mijn vader een jaar of tien was, kreeg hij roodvonk en werd hij – zoals in die tijd het geval was – naar het ziekenhuis gestuurd waar hij in quarantaine moest. Daar mocht zijn moeder hem alleen door een soort raam zien. Toen hij uiteindelijk weer thuiskwam, vroeg hij waarom ze nooit bij hem aan zijn bed was komen zitten. 'Omdat dat niet mocht,' antwoordde ze. Daarop vertelde hij haar hoe het jongetje in het bed naast hem regelmatig bezoek van zijn ouders had gehad; die jongen kwam uit Blundellsands. Ik weet niet hoe lang mijn vader daar heeft gelegen, in ieder geval een paar weken zo niet maanden, en dat heeft ongetwijfeld sporen bij hem nagelaten. Ik denk ook dat het van invloed was op mijn grootmoeders houding ten opzichte van hem. Ze voelde zich ontzettend schuldig dat ze gewoonweg aangenomen had wat haar verteld was, en dat ze er niet op had aangedrongen dat ze bij hem mocht. En in tegenstelling tot mijn grootvader, die het mijn vader nooit vergaf dat hij mijn moeder in de steek had gelaten (jaren later natuurlijk), kon mijn grootmoeder er nooit toe komen alle contact met hem te verbreken.

Toen ik opgroeide, was mijn grootmoeder degene die me verhalen vertelde over mijn vaders jeugd omdat hij, toen ik oud genoeg was om van die verhalen te genieten, volledig uit ons leven verdwenen was. Hij was in 1932 geboren en werd vanzelfsprekend naar die superieure baby in Blundellsands genoemd. Daarna kwam mijn tante Audrey in 1935, en ten slotte mijn oom Bob, die tijdens het eerste bombardement van de Luftwaffe op Liverpool, in mei 1940, werd geboren.

Met het uitbreken van de oorlog veranderde alles. Ten eerste kwamen de havens plotseling weer tot leven. De koopvaardij was wanhopig op zoek naar mannen voor de trans-Atlantische transporten, en daar ging mijn grootvader aan het werk. Hoe gevaarlijk het ook was – er kwamen meer zeelui op de koopvaardijvaart om het leven dan bij de marine – het was in ieder geval werk, en het was voor het vaderland. Gewoon in Liverpool blijven was nauwelijks veiliger, omdat de havens er een belangrijk doelwit van de Luftwaffe vormden. Dit was met name het geval in mei 1941, toen er bij bombardementen van een weeklang meer dan zeventienhonderd mensen omkwamen, tienduizend huizen verwoest werden en zeventigduizend mensen dakloos werden.

Oorlog of geen oorlog, in die jaren groeide mijn vader op. In 1943 kreeg hij een studiebeurs voor St Mary's College, een atheneum van de roomskatholieke congregatie van de Christelijke Broeders van Ierland. Het lag nog geen zevenhonderd meter verderop aan Liverpool Road in Crosby. Hij zou het nog ver schoppen. Van de jongens die aan St Mary afstudeerden, was bekend dat ze een kerkelijk ambt zouden gaan bekleden of naar de universiteit gingen. (Tot de oud-leerlingen behoorden onder anderen ouddirecteur-generaal van de BBC John Birt en dichter Roger McGough.) Mijn grootmoeder hoopte stilletjes dat hij verder zou gaan studeren, bekende ze later. Misschien om haar geweten te sussen over deze zondige voorkeur, dwong ze (in zijn woorden) de jonge Tony Booth om misdienaar te worden, wat hij tot zijn achttiende zou blijven.

Tot een academische studie kwam het echter niet. Kort nadat mijn grootvader van de oorlog terugkeerde in 1946, werd hij door een kraan geraakt, viel ruim vijfentwintig meter naar beneden in het ruim van een schip en brak daarbij zijn bekken. Hij had geluk dat hij het overleefd had. Zijn loon werd met onmiddellijke ingang stopgezet en hij was bijna twee jaar werkloos. Via de vakbond kreeg hij uiteindelijk een uitkering, maar zodra hij weer aan het werk kon, reageerde Cunard daarop door hem te ontslaan.

In de periode na het ongeluk deed mijn grootmoeder er alles aan om werk voor zichzelf te vinden, maar geen enkel baantje leverde voldoende op. Uiteindelijk moest ze zich bij het onvermijdelijke neerleggen en mijn vader ging van St Mary's College af. Niet dat er zo veel rekeningen binnenkwamen, maar in het gezin Booth moesten nu vijf monden gevoed worden, waaronder die van de zevenjarige Bob en de twaalfjarige Audrey, zonder dat daar geld voor was. En dus moest mijn vader op zijn vijftiende gaan werken op de trans-Atlantische route van de Cunard Line – uiteindelijk kreeg hij een kantoorbaan aan het Amerikaanse consulaat in Liverpool – hoewel het te laat was voor de aspiraties van mijn vader en grootmoeder.

Ik bleef ruim twee jaar bij mijn grootouders nadat ik daar als simpele duif was gebracht. Mijn ouders kwamen op bezoek als het werk het toeliet. In die periode werkten ze een zomer lang in Blackpool, wat dicht genoeg in de buurt was om me in de weekenden (zondag en maandag dus) te komen opzoeken. Soms bleef mijn moeder dan bij ons in Crosby, maar meestal niet en ze hebben me in ieder geval niet mee op tournee genomen. Ik bleef bij mijn grootmoeder achter, naar mijn moeder nu zegt omdat ze regelmaat voor me wilde, een 'rustige' plaats. Maar ik vermoed wel dat ze al besefte dat ze als het ware aan mijn vader moest blijven plakken om hem niet kwijt te raken. En ze wílde natuurlijk ook graag in zijn buurt zijn: hij had gevoel voor humor en was knap, en zij was begin twintig en verliefd.

Tegen het eind van 1956 begon mijn vader naam te maken, ook mede dankzij het toneelstuk *No Time for Sergeants* dat anderhalf jaar in West End liep. Toen mijn zusje Lyndsey geboren werd, had hij samen met Gale (zoals mijn moeder altijd wordt genoemd) een vaste woonplek gevonden. Ze hadden een groot Victoriaans huis in Stoke Newington, in het noorden van Londen. Toen Lyndsey een maand of drie was, namen mijn grootouders me daarnaar toe, zodat ik haar voor het eerst kon zien.

Na aankomst ging mijn grootmoeder rechtstreeks naar de dichtstbijzijnde rooms-katholieke kerk en regelde daar dat de baby de dag daarop kon worden gedoopt. De enige rooms-katholieke persoon die mijn moeder kende – in Llandudno hadden ze een actrice ontmoet die in het huis woonde – werd erbij gesleept om Lyndsey's peetmoeder te worden. Nadat deze plicht vervuld was, vertrokken mijn grootouders weer en dat was het moment waarop ik achter de vreselijke waarheid kwam: ik ging niet met hen mee terug. Volgens mijn moeder waren mijn grootmoeders laatste woorden tegen me toen ze samen met mijn grootvader het huis verliet: 'Jij blijft voortaan bij je moeder wonen. Je zult me waarschijnlijk nooit meer zien.'

Ik was ontroostbaar, schreeuwde alles bij elkaar en gaf op de enige manier waarover ik beschikte uiting aan mijn woede en wanhoop. De vrouw die ik 'mama' noemde, was voorgoed verdwenen. Hoe erg het voor mijn arme moeder geweest moet zijn, kan ik me nauwelijks voorstellen. Ze zal ongetwijfeld enorm geworsteld hebben met een gevoel van schuld, wroeging en misschien zelfs jaloezie. Wat mijn grootmoeder betreft, hoe traumatisch het ook was, ze had me duidelijk aan zichzelf gebonden en zo het gevoel versterkt dat ik in de steek gelaten was. Later, toen we allemaal gelukkig (zoals ik het zag) terug in Crosby waren, vertelde ze me herhaaldelijk dat ze nooit zonder tranen kon luisteren naar *I Could Have Danced All Night* (het klassieke nummer van Julie Andrews in *My Fair Lady*) omdat dit vaak op de radio te horen was toen haar 'baby' haar was afgenomen. Mijn moeder noemt het gedrag van haar schoonmoeder nu 'ondeugend'. Ikzelf ben misschien geneigd een sterker woord te gebruiken, maar ik was altijd mijn grootmoeders kleine meid – haar vierde kind – en kan mezelf er niet toe brengen haar te veroordelen.

Ik bleef wel zo lang in Stoke Newington dat er foto's gemaakt konden worden van de verbijsterd kijkende peuter Cherie in Clissold Park, naast de kinderwagen waarin haar babyzusje overeind is gezet. De foto is van slechte kwaliteit maar komt niet over als een blij plaatje, en ik vermoed dat het wel klopte. Wat waarschijnlijk ook niet meehielp, was dat mijn ouders eigenlijk in een studentenhuis woonden zonder de orde en regelmaat van een normaal gezinsleven. Mijn vader kwam 's avonds laat thuis van zijn werk in het theater en dan werd ik natuurlijk wakker gemaakt. Ik kan me ook vaag herinneren dat er een ander flamboyant artiestenechtpaar was, gezegend met eenzelfde vrijbuitershouding ten aanzien van kinderen en hun behoeften. Behalve mijn moeder – die ik op dat moment werkelijk nauwelijks kende – was mijn tante Diane de meest stabiele persoon in het huis. Zij was geen echte tante van me maar mijn moeders vriendin (en dat is ze nog steeds). Ze woonde met nog een meisje in het souterrain en ze studeerden allebei voor modeontwerpster aan de North London Poly, zoals die universiteit toen genoemd werd. Om de eindjes aan elkaar te knopen pakte mijn moeder elke dag urenlang *sherbet fountains* in, een zoetzuur poeder met een dropstaafje erin. Later kon ik mezelf er nooit toe brengen om die te eten; de geur alleen al was genoeg om het bange gevoel van toen weer boven te laten komen.

Kerst ging voorbij. (De enige kerst die ik zonder mijn grootmoeder heb doorgebracht tot aan haar dood. Ik heb nooit een verjaardag overgeslagen.) Daarna kwam het voorjaar. Ik denk dat ze erop hoopten dat ik me er wel bij zou neerleggen, maar dat deed ik niet. De twee jaar daarvoor was ik mijn grootmoeders oogappel geweest en nu was ik slechts een meisje dat met haar zusje om aandacht concurreerde. Ondanks de ijzeren wil van mijn grootmoeder was ik natuurlijk een vreselijk verwend wicht. Die zomer trouwde mijn tante Audrey; zij was mijn vaders jongste zus bij wie ik op de kamer sliep toen ik nog op Ferndale Road woonde. We gingen allemaal naar Crosby voor de bruiloft. Ik was haar bruidsmeisje en droeg een lichtblauw jurkje met pofmouwtjes, witte schoenen en witte sokken, en een bloemenkransje op mijn hoofd. Daarna, kort voor kerst, was mijn vaders contract bij de show afgelopen en omdat hij de huur van Stoke Newington niet meer kon betalen, keerde ons gezinnetje terug naar Ferndale Road. Zelfs nu weet ik nog hoe blij ik was dat ik weer bij mijn grootmoeder in bed mocht slapen.

Wat ik me van vroeger herinner, is allemaal van de periode nadat ik weer in Ferndale Road terug was, te beginnen met de geuren: de Senior Service-sigaretten van mijn grootvader, de zoete gecondenseerde melk voor zijn thee, de brandende kolen in de haard, het drogen van je haren voor de kachel. En dan de dieren. Naast al de mensen in het huis hadden we ook ooit een kat en altijd wel honden (Duitse herders die allemaal Sheba heetten, en de poedel Quin) en dan nog allerlei witte muizen en schildpadden. In die periode bracht niemand mijn regelmatig terugkerende astma-aanvallen met de huisdieren in verband. Ik weet nog dat ik naar het verzoekplatenprogramma *Two-Way Family Favourites* luisterde op de radio. Mijn grootvader had de radio vanuit de huiskamer naar de keuken doorverbonden, zodat mijn grootmoeder tijdens het bereiden van de zondagse maaltijd naar dat programma kon luisteren. Ik herinner me ook nog de ronde gesloten asbak waarin de sigarettenpeuken verdwenen als je op een knop drukte. Zeil op de vloer dat aan de randen opkrulde. De gasmeter achter de voordeur waarin we shillingmunten moesten stoppen. Heel speciaal was het als ik ze erin mocht gooien en mijn grootvader de knop omdraaide.

De anderhalf jaar na onze terugkeer werkte mijn vader in allerlei theaters in het noorden. Hij woonde bij ons maar kwam in feite alleen in de weekenden op bezoek. Het was in deze periode dat hij voor het eerst tegenover Pat Phoenix stond. Zij was in die tijd nog de onbekende jonge actrice Patricia Dean maar zou later een belangrijk persoon in zijn leven worden – en ook in dat van mij. Of ze in die tijd een relatie hadden (wat hij beweert), weet ik niet. Het is best mogelijk: het kostte mijn vader weinig moeite de andere sekse in bekoring te leiden.

De enige keer dat hij echt bij ons woonde, was toen hij een seizoen in het Liverpool Playhouse werkte, maar daar kwam een einde aan toen hij weer terugging naar Londen. Eerlijk gezegd was dat ook de enige plaats waar hij carrière kon maken. Zodra hij een huis gevonden had, zo vertelde hij mijn moeder, zou hij ons naar Londen laten overkomen. Het kwam er nooit van.

2

Jeugdjaren

Ik weet nog goed hoe ik na mijn eerste schooldag naar huis ging. Toen ik bij de drogist afsloeg en Ferndale Road op liep, zag ik Lindsey en haar vriendinnetje Suzanne op me staan wachten bij ons tuinhek. Ik rende naar hen toe en voelde me zo volwassen. Ik vertelde alles over school en hoe leuk het was.

Die school was natuurlijk St Edmund's Catholic Primary, waar mijn vader, tante Audrey en oom Bob ook op hadden gezeten. De school hoorde bij de Sin-Edmundkerk waar Bernard Harvey, mijn grootmoeders neef (die me ook gedoopt had), pastoor was.

Ik vermoed dat ik de eerste paar dagen naar school gebracht werd, maar daarna moest ik er alleen naartoe en later nam ik Lyndsey mee. Hand in hand liepen of huppelden we dan over St John's Road, langs Ronnie de schoenmaker die bij mijn vader op school gezeten had en die ons altijd groette. Verderop zat het pandjeshuis op de hoek met zijn drie gouden ballen en een raam tot aan de grond dat helemaal van zwart glas was. Als je je neus tegen het glas drukte en een arm en een been in de lucht stak, leek het net alsof je aan het vliegen was. Daarna moesten we het spoor over. Als er een trein aankwam, stonden we stil op de meccanoachtige voetgangersbrug en schreeuwden als de stoomwolken onder ons door vlogen, onze rokjes optilden en 's winters onze blote benen verwarmden. Er was een gelijkvloerse overgang maar we liepen zelden het spoor over omdat we wisten dat er elk moment een trein aan kon komen stormen. Wel vonden we het leuk om aan de grote witte spoorbomen te schommelen. Helemaal aan de andere kant lag Little Scandinavia, een netwerk van nauwe straten en steegjes die *entries* genoemd werden en tussen de rug-aan-rugwoningen met hun buiten-wc liepen. Zo konden we een stuk afsnijden naar school. Op straat lagen nog steeds kinderkopjes en het spelletje dat je je voeten niet op de ruimte tussen de keitjes mocht zetten, was veel spannender dan op de hinkelbaan van Ferndale Road. Midden in dit doolhof stond het paard van de voddenboer. Crosby lag tegen de duinen – kilometers- en kilometerslang – en je kon zelfs vanuit het raam van mijn klas de zee zien. Maar dichter bij het platteland dan het paard kwamen we niet en als de oude voddenboer niet in de buurt was, klommen we omhoog en keken over de muur naar dit arme dier. Als we betrapt werden, schold de voddenboer ons uit en dan klauterden we snel weer naar beneden, waarbij we onze knieën schaafden die we dan weer beter wreven met spuug. Een ander spelletje was het kapot gooien van lege melkflessen. Omdat ze als kegels bij elkaar klaarstonden, hoefde je er maar een om te gooien. Vervolgens renden we hard door een steegje weg voordat de huisvrouwen met hun schort aan de voordeur bereikt hadden. Op een ochtend had iemand echter mijn vriendin Margot en mij gezien, en ik vergeet nooit de schande toen we ten aanschouwen van de hele school als straf klappen met een liniaal op onze handen kregen. Op de terugweg naar huis gingen we soms bij de winkel van mijn oom langs. Hij had een kruidenierswinkeltje waar ook snoep te koop was en dan kochten we voor een halve penny aan kauwgom of mijn favoriete winegums. We moesten wel betalen, want mijn oom Bill was te geslepen als zakenman om ook maar iets gratis weg te geven, zelfs niet aan ons. Wel had hij die kleine cornflakesdoosjes als decoratiemateriaal. En als hij zijn etalage opnieuw inrichtte, mochten wij die hebben om winkeltje mee te spelen.

Er is nu niets meer van over: Denmark Street, Sweden Street en Norway Street. Little Scandinavia werd in de jaren zestig afgebroken. Het is nu een open ruimte. Zelfs de oude kleuterschool is verdwenen en het terrein is nu onderdeel van de speelruimte van het hoofdschoolgebouw.

Zodra ik oud genoeg was, werd ik eropuit gestuurd voor boodschappen. Nummer 15 was maar een paar huizen van St John's Road verwijderd. Daar kon je alles krijgen, van muizenval tot een kappersbeurt, van een half pond fruitsnoepjes tot een ons tabak, of een fles donker bier. Niet dat ik die moest gaan halen maar door de variatie aan winkeltjes was de korte wandeling naar de slager of de bakker een avontuur op zich. Alles werd gewogen: suiker, meel, bacon, zelfs in de Co-op. Ik kan me nog ons dividendnummer herinneren van de Co-op: 74101.

Dan waren er ook nog de boodschappen die we voor mijn grootmoeder uit het hoofd moesten leren en die we tot op de letter moesten overbrengen: 'Vier mooie magere lamskoteletten alstublieft voor mevrouw Booth.'

En o wee als ikzelf of de slager een fout maakte. De vraag voor de bakker was: 'Is het vers?' Als dat niet het geval was, keek dan maar uit. Ik kreeg het oude brood weer in mijn handen gedrukt en moest gaan zeggen: 'Mevrouw Booth is niet tevreden.' Er was een prachtig voorval (achteraf terugkijkend) waarin mijn arme zusje frites moest gaan halen: één zakje van acht penny en één van zes penny. Ze kwam terug met acht zakjes van zes penny... De friteswinkel was behoorlijk ver weg – aan de andere kant van de spoorweg in Little Scandinavia. Maar ze moest toch al huilend terug met alle frites die met de minuut kouder werd, om het geld terug te krijgen én de juiste bestelling te doen. 'Mevrouw Booth zegt dat het toch onmogelijk acht zakjes van zes penny konden zijn... en ze wil dat u ze terugneemt.' En zo gebeurde het. Er had wat voor haar gezwaaid als dat niet gebeurd was. Arme Lyndsey. Het was een totale vernedering. Hoewel ze klein, behoorlijk gezet en over het algemeen een onopvallende uiterlijk had, was Vera Booth een natuurkracht, een eenpersoonstsunami. Haar daden kwamen voort uit een sterk rechtvaardigheidsgevoel en ze was niet alleen voor haar familie maar ook voor de buren iemand bij wie je om raad kon vragen. Toch sidderde iedereen voor haar, van familie tot winkeliers.

Het leven zal voor mijn moeder niet gemakkelijk geweest zijn. Haar schoonmoeder maakte vanaf het begin duidelijk dat wij, kleinkinderen of geen kleinkinderen, voor onze eigen kosten moesten opdraaien, en wat was Gale van plan te doen? Als zij of Gale verwacht had dat mijn vader zijn gezin zou onderhouden, hadden ze het mis.

Op een morgen werd mijn moeder bij de armen gepakt en meegesleurd door Waterloo naar Seaforth, ongeveer drie kilometer naar het zuiden. De bestemming was een fish-and-chipszaak. De werktijden die overeengekomen waren, stonden met name mevrouw Booth aan. Mijn moeder zou 's morgens tijd hebben om Lyndsey en mij uit bed te halen, ons ontbijt te geven en naar school te sturen voordat ze op de fiets stapte die ergens vandaan gehaald werd. Vervolgens werkte ze in de winkel van tien tot twee uur. Wij kregen dan het middageten van mijn grootmoeder, maar mijn moeder was weer op tijd in Ferndale Road om na school thee met ons te drinken, waarna ze van vier tot zes werkte, daarna naar huis ging om ons naar bed te brengen, en weer terug fietste voor de laatste uren van acht tot middernacht. En dat alles voor het vorstelijke loon van vier pond en één shilling per week. Ze kon er niet onderuit. Het was, zegt mijn moeder nu, een kwestie van: 'Je woont in mijn huis dus doe je wat ik zeg.' Niet dat ze slechter behandeld werd dan anderen. Vera was ook hard voor zichzelf, maar ze had het zelf in het verleden ook niet gemakkelijk gehad. Ze besefte ook dat Gale geen moeder had en behandelde haar zo veel mogelijk als haar eigen dochter.

Je kunt je moeilijk voorstellen hoe het werk in de fish-and-chipszaak in Seaforth voor mijn moeder was. Nog geen paar jaar daarvoor was Gale Howard een rijzende ster geweest aan de theaterschool, charmant, geslaagd – Jackie Collins was een van haar tijdgenoten – een jonge vrouw voor wie schijnbaar de wereld aan haar voeten lag. En nu verkocht ze vis en frites en cervelaatworst aan dronken zeelieden die zich vast gelukkig prezen dat ze door zo'n knappe jonge vrouw geholpen werden. Ik kan me voorstellen dat ze 's avonds laat nageroepen werd. Niemand kan zich nu herinneren hoe lang haar lijdensweg duurde. In ieder geval een aantal maanden. Gelukkig bracht tante Diane, haar vriendin in Stoke Newington, uitkomst. Nadat ze als modeontwerpster was afgestudeerd, kreeg ze werk bij het warenhuis Selfridges als leerling-inkoopster. Selfridges behoorde tot de warenhuisketen Lewis en was zelfs door Lewis opgekocht. Het paradepaardje van Lewis was het warenhuis in Liverpool. Lewis was oorspronkelijk Liverpools meest vooraanstaande herenkledingzaak en het lukte Diane haar vriendin in de vervolgopleiding voor hoger personeel te krijgen. Of liever, ze regelde het sollicitatiegesprek voor haar, maar mijn moeder zelf kreeg de baan.

In tegenstelling tot de gewone verkoopsters die zeven pond per week verdienden, kreeg mijn moeder meteen elf pond. Dat was bijna drie keer zo veel als wat ze in de fish-and-chipszaak verdiende. Vanaf die tijd stond ze de helft van haar inkomen af aan haar schoonmoeder. Daarnaast bleef ze de was en het strijkwerk doen – hoewel de baan betekende dat we al snel een wasmachine (een bovenlader) kregen, zodat het met de hand wassen en door de wringer halen voorbij was. Ze kocht natuurlijk ook onze kleren: een ander voordeel van het werken bij Lewis was dat ze een korting kreeg die opliep naarmate ze er langer werkte. De fiets kon ook weg. Voortaan nam mijn moeder naar haar werk de bus, die van het eind van St John's Road door Liverpool Road reed, en dan kon ze voor de winkel van Lewis uitstappen. Na een hele dag werken stapte ze dan weer op de bus en was op tijd thuis om ons naar bed te brengen. Maar wat haar eigen leven betreft, dat moest wachten tot later. Ze bleef een tijdje de hoop koesteren dat haar man weer terug zou komen, maar dat gebeurde niet. Het geld hield op, de bezoekjes hielden op. Hij belde ook niet meer, of tenminste wat ik me kan herinneren, totdat dat rampzalige telefoontje kwam.

Het was april 1963. De paasvakantie. Ik was acht en Lyndsey zes. Als speciaal uitje had mijn moeder ons meegenomen naar *Summer Holiday*, de nieuwste film van Cliff Richard over een buschauffeur (Cliff) die met een dubbeldekkerbus helemaal naar Griekenland rijdt voor een vakantie. We gingen niet vaak naar de bioscoop en ik had er al naar uitgekeken sinds ik hoorde dat deze film in Crosby zou draaien. Ik was al een fan van hem en had een poster van Cliff op mijn slaapkamerdeur hangen. Toen we terugkwamen, werden Lyndsey en ik naar bed gestuurd. We mochten niet meer naar beneden komen en speelden dan maar een van onze favoriete spelletjes: 'politieagentesopleiding'. We waren daarmee begonnen omdat mijn grootmoeder altijd maar bang was dat er inbrekers zouden komen om onze niet-bestaande kostbaarheden te stelen. Daarbij moesten we naar beneden sluipen, de voordeur aanraken en weer snel naar boven klauteren voordat mijn moeder of grootmoeder (die televisie zaten te kijken) de krakende treden hoorde. De regels waren: geen lawaai en geen gegiechel. Soms tilde ik Lyndsey op de trapleuning en dan gaf ik haar een zetje, zodat ze naar beneden gleed. Een keer gleed mijn hand uit en in plaats van haar op de leuning te zetten, duwde ik haar erover heen en zo viel ze naar beneden in de hal. Het giechelen was nu niet meer het probleem – er klonk plotseling een schreeuw van beneden en Lyndsey brulde zo hard ze kon: 'Cherie probeerde me te vermoorden!'

Ze waren zo opgelucht dat Lyndsey niet echt gewond was geraakt – ze was alleen buiten adem – dat we geen van beiden straf kregen. Maar ik kan me nog wel herinneren dat ik me bevend van angst achter mijn grootmoeders slaapkamerdeur verstopt had. Behalve wanneer mijn grootvader thuis was, sliep ik altijd in mijn grootmoeders bed, terwijl Lyndsey in dat van mijn moeder sliep. Ze hebben zelfs in hetzelfde doorgezakte tweepersoonsbed geslapen totdat Lyndsey uit huis ging.

Maar op deze specifieke donderdagavond waren we politieagentesopleiding aan het spelen toen de telefoon ging. Snel schoten we weer naar boven. Ik hurkte neer bij de badkamerdeur terwijl mijn moeder de hal in kwam lopen en de telefoon opnam. Ze leek helemaal niets te zeggen, behalve 'hallo' aan het begin. Plotseling begon ze te huilen. Ik had haar wel eerder zien huilen maar nooit zoals nu, en het leek ook erger omdat ze helemaal niets zei om het uit te leggen. Daarna kwam mijn grootmoeder de hal in en begon met zachte stem dingen te fluisteren als: 'Hoe durft hij... het is absoluut onvergeeflijk... wat de *Crosby Herald* betreft...' En ze legde een arm om mijn moeder heen, wat ze normaal gesproken ook niet deed.

Uiteindelijk liepen ze weer terug naar de voorkamer en ik zat daar maar op de overloop. Ik voelde mijn ogen prikken alsof ik zou gaan huilen. Ten slotte liep ik naar Lyndsey en vertelde haar dat er iets vreselijks was gebeurd, al wist ik niet wat.

De volgende morgen was iedereen stil. Mijn moeder had duidelijk de hele nacht gehuild maar er werd niets gezegd.

'Waarom gaan jullie niet in het park spelen?' stelde mijn grootmoeder voor.

En dat deden we. Het park lag aan het eind van onze straat. Het was een prachtige zonnige dag in april en er was altijd wel iemand om mee te spelen. Ik weet nog dat Lyndsey haar springtouw meegenomen had, en er was wat discussie of we onze trui aanmoesten of niet.

Op het moment dat ze ons zagen aankomen, begonnen andere kinderen ons aan te staren en te fluisteren. Eindelijk vatte ik moed en zei iets. 'Wat is er aan de hand?' vroeg ik een van mijn vriendinnetjes. 'Waarom kijken jullie zo naar me? Wat is er gebeurd?'

'Dat moet je toch weten,' antwoordde ze, haalde haar schouders weer op en keek naar de grond. Vervolgens begon een groepje jongens te grinniken en mijn vaders naam te roepen.

'Tony Booth, Tony Booth, Tony Booth!'

Hoewel hij daar al jaren niet meer woonde, wist iedereen in Crosby wie mijn vader was. Hij was op de televisie te zien!

En toen werd het duidelijk: de *Crosby Herald* kwam op vrijdag uit, maar de eerste oplage verscheen al de avond ervoor en die week stond er een advertentie bovenaan op de pagina met familieberichten:

BOOTH, Anthony, voorheen wonende Ferndale Road 15, Waterloo, en Julie, geboren Allan, maken bekend dat in de London Clinic geboren is: hun dochtertje Jenia, halfzusje van Cherie en Lindsay.

We hadden er geen idee van. Mijn moeder had geen idee. Mijn grootmoeder had geen idee. Crosby had geen idee.

Het werd in de familie algemeen aanvaard dat mijn vader ons in de steek gelaten had, en mijn moeder wist op dat moment al wel dat hij een relatie met iemand anders had. Ze overwoog zelfs van hem te gaan scheiden. Maar toen de nieuwe vrouw, Julie Alan, haar daartoe dwong met deze advertentie, kwam de klap wel heel hard aan. Een echtscheiding was het enige dat ze kon tegenhouden.

De vernedering van mijn moeder, zijn moeder en natuurlijk van ons, zijn kinderen, was onmetelijk. Dit was in 1963, in het hart van het rooms-katholieke Liverpool. Mensen gingen niet van elkaar scheiden, en als ze dat wel deden, praatten ze er niet over. Meisjes die het ongeluk hadden zwager te raken, werden naar een klooster gestuurd waar ze hun baby kregen die vervolgens ter adoptie werd afgestaan. De term alleenstaande ouder was nog niet eens uitgevonden. Om je zonden zo aan de wereld bekend te maken met een advertentie in onze plaatselijke krant die iedereen kon lezen, was een misdaad tegen de maatschappij, tegen de Kerk, tegen alles waar elk fatsoenlijk mens voor stond.

En hij had Lyndsey's naam niet eens goed gespeld.

3

Meisjestijd

Mijn oom Bob was pas veertien toen ik in Ferndale Road kwam wonen en hij was in veel opzichten meer een broer dan een oom. Hij was alles wat een grote broer moest zijn: knap, moedig, plagerig, ondeugend, leuk om mee om te gaan. Voetbal was alles voor hem en hij speelde ooit zelfs voor de Tranmere Rovers, nu een club in de Eerste Divisie, maar toen met de hakken over de sloot in de Derde. Ze speelden over de Mersey-rivier in Birkenhead.

Toen Lyndsey en ik vier en zes waren, kregen we waterpokken en op die bewuste zaterdag moest Tranmere een uitwedstrijd spelen. En dus ging oom Bob met de rest van het team met de bus naar de plaats waar ze moesten spelen. Maar toen ze daar aankwamen, zat hij helemaal onder de bultjes. Opschudding... De wedstrijd werd afgeblazen en het hele team moest in quarantaine. Lyndsey en ik waren de enige leden van het gezin die hij niet meer kon aansteken, en dus moest hij bij ons op de kamer. Om de tijd door te brengen, vergastte hij ons op zelfbedachte verhalen over Ena Sharples, de altijd aanwezige bemoeial en dragonder van de tv-serie *Coronation Street* die net begonnen was op ITV. Het was een enorm succes en mijn vader had zelfs een kleine rol in de serie. Bob kon altijd geweldig goed verhalen vertellen en ik weet zeker, voor zover ik hem nu ken, dat ze behoorlijk platvloers waren. Hij was ontzettend ondeugend, tilde ons op en zette ons boven op de linnenkast, waarna hij ons op het bed liet springen. Eerst kwam de angst en het gillen en daarna het smeken: 'Meer, meer!' Oom Bob was wat volwassenen 'iemand met een slechte invloed' zouden noemen, maar wij vonden hem geweldig.

In 1961, toen ik bijna zeven was, overleed mijn overgrootmoeder. Ze begon tegen het eind haar verstand een beetje te verliezen en zwierf door het huis met de woorden: 'Als ik doodga, ga ik als spook bij jullie rondwaren!' Ze bedoelde dat niet kwaad, maar ze vond het zelf heel grappig. Haar overlijden betekende in ieder geval dat Bob eindelijk zijn eigen kamer kreeg. Tot die tijd had hij waar er maar plaats was op een veldbed geslapen. Wat hij wel al had in die tijd, was een eigen auto. En wat voor een! Het was een Triumph Roadster, een en al glimmend chroom, glanzende gouden vormen en leren stoelen – hij zag er toen al ouderwets uit. Om de een of andere reden was mijn grootmoeder bij vrienden op bezoek toen Bob eenentwintig werd en was mijn grootvader (gelukkig) op dat moment op zee.

Op de middag van zijn verjaardag reed oom Bob door de straten van Waterloo, met het dak naar beneden en met een megafoon die voor het laatst gebruikt was tijdens de verkiezingen van 1959. Daarmee riep hij luid: 'Er wordt een feestje gehouden!' Zoiets was in dit huis nog nooit gebeurd, en ook voor mij was het nieuw. Ik weet nog hoe ik dacht dat mijn grootmoeder woest zou zijn als ze hierachter kwam. Het was een prachtige avond in mei, elk raam en elke deur stond open en het krioelde in huis van de mensen. Er schalde muziek over straat uit de draagbare grammofoon van mijn oom en het meubilair stond te schudden op het dreunende ritme van *Come On, Baby, Let's do the Twist.* Later die avond vroeg Elvis: '*Are You Lonesome Tonight.*' Nou, dat waren wij niet, dat was wel zeker. En dat was ook mijn moeder niet. Zij had ook eens een plezier. Ze was immers zelf ook nog geen dertig! Al de kamers van het huis waren barstensvol, ook die van mij, of liever die van mijn grootmoeder. Meisjes met hoge hakken lagen languit op bed, zaten op de vloer of op de vensterbank sigaretten te roken, te drinken en wat al niet meer. En Lyndsey en ik keken onze ogen uit. Er leek geen eind te komen aan het lachen en giebelen. Ze hadden het over niets anders dan over oom Bob. Wat was hij knap! Natuurlijk was ik het met hen eens. Zelfs als hij zijn bril op had, was hij lang, slank en atletisch gebouwd met steil donker haar. Hij deed onmiskenbaar alle harten van de meisjes uit de buurt sneller kloppen.

De auto werd niet alleen gebruikt om indruk te maken op het andere geslacht. Als we ons heel goed gedroegen, mochten we met hem meerijden. Een bepaald ritje ging naar de dierentuin in Chester en ik zal het nooit vergeten. Bob en zijn vriendinnetje zaten voorin, terwijl Lyndsey, mijn moeder en ik achterin zaten. Eigenlijk was het een two-seater, maar als de klep van de kofferbak geopend werd, ontstond er waar doorgaans de bagage in moest, de kattenbak, zoals hij die noemde. Het was een klein bankje dat zelfs een eigen raampje had, parallel aan de voorruit. Alles verliep goed totdat we op de terugweg een stortbui over ons heen kregen. Mijn oom maakte zich er zo veel zorgen over dat het leer nat zou worden, dat hij de auto langs de kant van de weg zette en de achterklep zo ver mogelijk dicht deed als maar kon met ons erin. Lyndsey en ik vonden het schitterend. Om opgepropt in de kofferbank van deze scheurende auto te zitten was zo'n avontuur. Maar mijn arme moeder, die de hele weg terug naar Crosby dubbelgevouwen moest zitten, vond het allemaal niet zo leuk.

Kort na de pijnlijke toestand met mijn vader en de aankondiging van Jenia's geboorte ging oom Bob het huis uit. Ook hij had besloten dat hij acteur wilde worden en ging aan de Central School of Speech and Drama studeren. Het huis was plotseling heel leeg. Het enige voordeel was dat ik zijn kamer kreeg, maar die had ik graag weer opgegeven om hem terug te krijgen.

Ik veranderde in een lastig meisje. Kinderen kunnen vreselijk wreed zijn voor anderen die in hun ogen kwetsbaar of anders zijn, en ik kan me herinneren dat ik in een hoekje van het schoolplein stond, terwijl gejouw in mijn oren nagalmde in de trant van: 'Jullie zijn geen echt gezin. Je vader houdt niet van je.'

De derde wet van Newton zegt dat elke actie een gelijke, tegenovergestelde reactie uitlokt, en die van mij was: vechten. Ik trok aan haren, ik stompte, ik beet. Vriendinnetjes klopten niet langer aan de deur om te vragen of ik met hen kwam spelen. Of dit hun eigen beslissing was of van hun ouders die niet wilden dat hun kind met het soort mensen als de familie Booth omging, weet ik niet. Het resultaat was hetzelfde. Ik weet nog dat ik naar de schommels in het park ging en zo hoog schommelde als ik maar kon. Fanatiek boog en strekte ik mijn benen, en hoopte dat er een touw zou knappen en dat ik net als Katy in Susan Coolidges boek *Wat Katy deed* op de grond zou vallen, mijn nek zou breken en mijn leven lang verlamd zou blijven. Dan zouden ze wel medelijden met me hebben.

Tijdens die vreselijke maanden vluchtte ik in de boeken. Hoewel mijn grootmoeder geen noemenswaardige opleiding had genoten, had ze altijd wel veel gelezen en ze gaf mij boeken die ik naar haar idee wel leuk zou vinden. Die waren van een veel hoger niveau dan de boeken die een tienjarig kind in die tijd normaal gesproken in handen kreeg, en ik had intussen al de kinderboeken in de plaatselijke bibliotheek gelezen. Een van haar favoriete schrijfsters was Daphne du Maurier en in *Frenchman's Creek* en *Jamaica Inn* kon ik de ellende van het schoolplein ontvluchten naar negentiendeeeuws Cornwall en andere graafschappen. Dankzij haar ontdekte ik *Woeste hoogten* en werd ik verliefd op Heathcliff, Emily Brontës donkere wees uit Liverpool. Gelukkig was mevrouw Savage, mijn klasseonderwijzeres, een vrouw met gevoel en een gezond verstand. Ze regelde niet alleen dat de bibliotheek soepel met de regels omging, maar had ook een gesprek met mijn moeder waarin ze voorstelde dat ik in september een klas zou overslaan. Ik verveelde me, zei ze, en het was geen wonder dat ik lastig was. Ik had eenvoudigweg niet genoeg uitdagingen.

Ik weet nog dat mijn moeder die avond op de rand van het bed kwam zitten. Ze hield mijn hand vast en vertelde me wat er besloten was, maar ze waarschuwde me ook.

'Je moet er wel aan denken, Cherie, dat je bij kinderen zult zitten die een heel jaar ouder zijn dan jij, en dat zal niet gemakkelijk zijn.'

Maar evengoed leek het alsof ik een kleine overwinning behaald had en door mijn recente ervaring met het pesten was ik des te vastberadener geworden. Ik was, zoals mijn grootmoeder pleegde te zeggen, 'tegendraads'. Als mijn moeder zei dat het moeilijk zou worden, zou ik haar laten zien dat het niet zo was. Ik nam me heilig voor te bewijzen dat het niet uit zou maken. Het zou me gaan lukken. Aan het eind van het jaar, mijn laatste jaar aan St Edmund, was ik de beste van de klas en ik ben er nog steeds van overtuigd dat deze betrokken lerares met die vooruitziende blik door haar ingrijpen wist te voorkomen dat ik helemaal ontspoorde.

Het enige dat door het overslaan van een klas wel te lijden had, was mijn handschrift. Om in te halen moest ik extra rekenwerk doen terwijl de anderen in de klas schoonschrijfles kregen. Met als gevolg dat mijn handschrift nog steeds afgrijselijk is en mijn grootvader zou er vreselijk van schrikken. Toen ik eenmaal op de middelbare school zat, schreef ik te snel om me zorgen te maken over *hoe* ik schreef, en toen was het al te laat om er nog wat aan te doen.

Het laatste jaar van de lagere school was een betoverende tijd voor me. Mijn klassenonderwijzer, meneer Smerdon, was een van die charismatische leraren die je nooit meer vergeet. Hij was in de oorlog gevechtspiloot geweest en kon urenlang over zijn ervaringen vertellen, en hoe ongebruikelijk het onderwijs ook was, ik ondervond er geen schade van. Hij was enorm lang en wilde aan het theater. Daarom vertrok hij zo nu en dan naar Londen voor audities. Ook had hij de leiding van het schoolkoor waarvan ik een heel enthousiast lid was. We gingen zelfs naar het International Eisteddfod, een folkloristisch muziekfestival in Wales. Hij werd een belangrijke mannenfiguur in mijn leven, het soort man dat mijn vader misschien geweest was als hij het huis niet had verlaten voor de schijnwerpers.

Nu Bob er niet meer was om ons mee uit te nemen, hadden we volgens mijn grootmoeder zelf een auto nodig. En daarom kocht ze in 1964, in een unieke gulle en dwaze bui, een Mini. Ik weet zelfs het nummerbord nog: ALV 236B. Ze was niet van plan hem zelf te besturen: dit meesterstuk van moderne techniek en ontwerp was voor mijn grootvader. Hij was gek van die Mini en was er belachelijk trots op. Wist ik niet dat zelfs Stirling Moss er een had? Er was echter een klein probleem: het lukte hem maar niet om zijn rijexamen te halen. Ik weet niet hoeveel keer hij het wel geprobeerd heeft, maar hij zakte steeds weer. Niet dat het hem tegenhield, hij reed wel, al was het niet ver. Samen met mijn grootmoeder nam hij ons mee naar het strand waar Lyndsey en ik in het zand konden spelen, terwijl zij naar de grote oceaanstomers keken – zoals de *Queen Elizabeth* en de *Queen Mary* – die statig wegvoeren van de haven naar de open zee, op weg naar New York. Mijn grootvader was toen al met pensioen vanwege zijn hart, maar de zee en de schepen zaten nog steeds in zijn bloed.

Het leven in Ferndale Road ging verder zijn gangetje. Mijn moeder ging uit werken en mijn grootmoeder bleef thuis. Mijn moeder zorgde voor de was en de strijk, terwijl mijn grootmoeder het koken voor haar rekening nam. Ze was wat je toen noemde een 'eenvoudige kok', maar wel een goede. Het menu varieerde nooit: op zondag gebraden lamsschouder, maandag kliekjes, dinsdag 'scouse' (een stoofpot van schapenvlees en aardappels), op woensdag werd er gebakken: pastei met rundvlees en niertjes, en appeltaart – niemand kon bakken als mijn grootmoeder. Op donderdag aten we de 'vier mooie magere lamskoteletten' waarom ik leerde vragen, op vrijdag natuurlijk altijd gebakken vis met patat, en zaterdag was gehaktdag. En zo ging het maar door, week in, week uit. We aten zelden kip omdat die, voordat de intensieve veehouderij bestond, duur was. Lamsschouder was goedkoop (al zat er nog wel veel bot aan) omdat die in bevroren toestand uit Nieuw-Zeeland ingevoerd werd, en we genoten er 's zondags van om het heerlijke vlees van het bot te kluiven. Ik zal nooit vergeten hoe onthutst mijn grootmoeder was toen mijn nichtje Catherine, het dochtertje van tante Audrey, halverwege de mis hardop riep: 'Oma, eten we vandaag kluifjes?'

De zondagmis was een belangrijk ritueel. Het was niet alleen een wekelijkse ontmoeting met God, maar ook met de diverse takken van de familie. De enige die niet meedeed, was mijn moeder, hoewel ze wel altijd meeging bij speciale feestdagen zoals de eerste communie of Pasen. Hoe groot je problemen op een bepaald ogenblik ook waren, alles moest zijn zoals het hoorde en je droeg altijd je beste mantel en hoed. Toen ik nog heel jong was, werd de mis helemaal in het Latijn opgedragen, zelfs de evangelielezing. Nadat de invloed van het Tweede Vaticaanse Concilie merkbaar was geworden, was het evangelie tenminste in het Engels, hoewel de gezongen hoogmis in het Latijn bleef. Het heeft wel als voordeel dat ik waar ook ter wereld de dienst kan begrijpen.

In de jaren nadat ontdekt was dat mijn vader nog een ander gezin had, hield hij zo nu en dan contact met zijn moeder, maar hij kwam zelden thuis. Op een bepaald moment werd mijn moeder een belangrijker lid van de familie dan hij. Mijn grootvader was met name gek op haar en hij weigerde consequent iets met mijn vader te maken te hebben.

Mijn oom Bob zag hem echter van tijd tot tijd in Londen, en ik weet nog dat hij me tijdens een bezoek aan Liverpool een foto liet zien met daarop mijn vader breed glimlachend met een peuter en een nieuwe aanwinst: Jenia en Bronwen, die al een jaar later was geboren. Ik moet vast van streek geweest zijn – ik kan me niet voorstellen dat het niet zo was – maar of ik dat toen verborgen wist te houden of niet, kan ik me nu niet meer herinneren. En waarom Bob me die foto liet zien... Wie zal het zeggen? Misschien dacht hij dat het een manier was om me erop voor te bereiden.

De daaropvolgende tien of elf jaar zag ik mijn vader slechts zelden. De eerste keer was toen ik in de hoogste klas van St Edmund zat. Crosby Baths was een hypermodern overdekt zwembad dat kort daarvoor op braakliggend land achter het strand van Crosby was gebouwd. Omdat St Edmund maar even verderop lag, had onze klas zwemles gekregen. Mijn fysieke coordinatie was niet denderend en ik was wat zwemmen betreft net zo'n hopeloos geval als met fietsen (dat kan ik nog steeds niet). Toch zou er aan het eind van het semester een sportfeest zijn en om de een of andere reden kwam mijn vader ook, ogenschijnlijk om naar mij te komen kijken.

Toen hij arriveerde, was het een heksenketel. De trailer voor *Till Death Do Us Part* was net getoond en was meteen een hit geworden. Tony Booth zou al snel een van de bekendste gezichten worden op televisie. En omdat hij een linkse arbeider uit Liverpool speelde (een hoofdpersoon die door de schrijver Johnny Speight op mijn vader zelf gebaseerd was), werd hij verafgood in het linkse, proletarische Liverpool. Terwijl iedereen om hem heen zwermde, verdween ik in het niets.

Mijn vader was niet bepaald tactisch en in de loop der jaren sprak hij altijd tijdens krantinterviews over zijn huidige dochters. Dat waren tijdens het sportfeest in de Crosby Baths Jenia en Bronwen. Later werd hun plaats weer ingenomen door dochters uit zijn volgende relatie: Sarah (die later Lauren genoemd werd) en Emma. Ik deed net of het me niets deed. Maar het raakte me wel.

De enige keer dat ik hem thuis zag, was na het overlijden van mijn grootvader in september 1968. Op de overlijdensakte stond dat hij aan een hartkwaal was overleden, maar het ging al een poosje achteruit met hem vanwege zijn roken. Hij stierf aan hartfalen voordat de longkanker hem te grazen kon krijgen.

Totdat ik de slaapkamer van oom Bob erfde, had ik een ambivalente relatie met mijn grootvader. Natuurlijk hield ik van hem maar als hij van zee thuis kwam, moest ik mijn plaatsje in grootmoeders bed afstaan en op een veldbed gaan slapen in mijn moeders kamer, die ze ook al met Lyndsey deelde.

Maar mijn wrevel daarover was altijd van korte duur. Wie kon iemand weerstaan die al je favoriete liedjes speelde? De eerste zondag terug aan land zat onze voorkamer vol met ooms, tantes, neven en nichten die samen kwamen zingen. Mijn grootvader begon altijd met *Thank Heaven for Little Girls*, opgedragen aan Lyndsey en mij. Daarna vloeide het ene lied over in het andere. Mensen vroegen om hun favoriete nummer en dan zongen we allemaal mee. Het waren voornamelijk Broadwaymusicals, zoals *My Fair Lady*, *South Pacific*, *West Side Story* en de beste van allemaal *The Sound of Music*. Ooit kende ik alle woorden uit mijn hoofd.

Hij had natuurlijk ook zijn negatieve kanten. Ten eerste de paardenraces. Hij probeerde altijd verschillende 'systemen' bij het wedden maar hij leek nooit te winnen. Ten tweede was er het roken. Sigaretten waren goedkoop op zee en hij rookte veertig filterloze Senior Service-sigaretten per dag en hoestte zich de laatste paar jaar van zijn leven de longen uit het lijf. Met als gevolg dat ik heel mijn leven nog nooit een sigaret heb aangeraakt. Zijn derde probleem was het drinken. Niet alcohol: hij had een zwak voor heel sterke thee met een scheut zoete gecondenseerde melk (die ook van pas kwam om tegels op de muren te plakken in de badkamer als die eraf vielen, wat regelmatig gebeurde).

De uitvaart van mijn grootvader was de eerste begrafenis die me echt raakte. Ik was pas zeven toen mijn overgrootmoeder stierf, en mijn moeder vond me toen te jong om bij die begrafenis aanwezig te zijn. Niet dat ik niet gewend was aan de Ierse rituelen bij een overlijden. Als mijn grootmoeders favoriete kleindochter was ik naar heel wat nachtwaken geweest toen de verschillende leden van de Thompson-clan naar hun Schepper terugkeerden. Maar grootvader was grootvader en ik was volkomen van mijn stuk. Zijn lichaam werd in onze voorkamer opgebaard en ik wilde hem, ondanks bezwaar van mijn moeder, per se zien.

En daar zaten we allemaal in de kerk met rode ogen en bedroefde gezichten te wachten tot de uitvaartdienst begon. Ik probeerde niet naar die vreselijke glanzende kist te kijken waarin zijn oude lichaam lag, of me af te vragen wat er met hem zou gebeuren als hij in de grond verdween en hoe lang hij in het vagevuur zou moeten blijven, of zou God mededogen hebben met zijn ziel en hem rechtstreeks naar de hemel laten gaan? Plotseling was er het lawaai van de deur die luid open- en dichtging, en klonken er zware voetstappen door het gangpad. Daar was opeens mijn vader. Hij liep tussen de rijen rouwende familieleden naar voren. Ik had hem al vier jaar niet gezien sinds Crosby Baths en ik kan me nog duidelijk herinneren dat ik daar als veertienjarig meisje zat en dacht: Wat doet *hij* hier? Het was niet alleen woede dat hij zelfs niet op tijd had kunnen komen. Ik was meer bezorgd over mijn moeder en wat zij voelde. Ik was op een leeftijd gekomen waarop ik de bredere implicaties ging inzien van wat hij gedaan had, met name wat het voor haar betekende. Ironisch genoeg bleef hij steeds toch weer in ons leven opduiken, ook al had hij ons in de steek gelaten. Mijn zus en ik maakten heel erg deel uit van zijn familie waarin hij een centrale, doch afwezige figuur was, terwijl wij eigenlijk helemaal geen deel uitmaakten van mijn moeders familie. Toen we klein waren, zorgde mijn grootmoeder voor mijn moeder, die immers zelf geen moeder meer had. Maar naarmate we ouder werden, ontstond er de gebruikelijke wrijving tussen schoonmoeder en schoondochter over onze opvoeding.

Het stond onmiskenbaar vast waar ik na de St Edward-school naartoe zou gaan en er werd altijd van uitgegaan dat ik het *eleven-plus*, het toelatingsexamen voor het middelbaar onderwijs, zou halen (wat gezien het feit dat ik een jaar overgeslagen had, erg optimistisch was). Hoewel er in 1964 een Labourregering gekozen was in Groot-Brittannië, zou het nog jaren duren voordat de veranderingen in het onderwijsstelsel werden doorgevoerd. In 1964 hing waar je naartoe ging af van je capaciteiten. We hadden in Crosby zelfs een particuliere kostschool, Merchant Taylor (van de anglicaanse Kerk), met aparte jongens- en meisjesscholen. Rooms-katholieke jongens gingen naar St Mary's College (de alma mater van mijn vader) en rooms-katholieke meisjes naar Seafield Grammar School. Net zoals St Mary door de Christelijke Broeders geleid werd, stond Seafield onder leiding van nonnen van een Franse orde, de Sacré-Cœur de Marie.

Seafield was een *direct grant school* – het schoolgeld van een deel van de meisjes werd door de overheid betaald, de ouders van de andere meisjes moesten het zelf betalen. Omdat niet iedereen het toelatingsexamen voor de middelbare school had gedaan, varieerde het niveau van de leerlingen meer dan vaak wordt aangenomen.

St Bede was de rooms-katholieke *secondary modern school*, een vorm van onderwijs zonder doorstroommogelijkheden, maar er was geen sprake van dat ik daarnaar toe zou gaan. Mijn grootmoeder was vastbesloten dat ik zou gaan studeren. Door het noodlot was er niets gekomen van de plannen die ze voor mijn vader had gehad, dat zou haar niet nog een keer overkomen. Bovendien voldeed Seafield aan haar ideeën van alles wat tot de hogere klasse behoorde. Het snobisme heerste alom. Ik herinner me dat ik (veel later toen ik in de zesde klas zat) plotseling bij mij in de straat een van de leraressen tegenkwam. Het was een aardige dame die heel bezorgd keek.

'Och, Cherie,' zei ze. 'Wat heb jij hier te zoeken?' Volgens mij dacht ze dat ik verdwaald was. Tot mijn schande moest ik bekennen dat ik hier woonde. Onze wijk van Crosby – Waterloo – lag duidelijk aan de verkeerde kant van de spoorweg.

Hoewel er geen kosten waren voor 'de studiebeursmeisjes' (zoals wij, de meisjes die het toelatingsexamen hadden gehaald, genoemd werden), waren er ander, meer verborgen uitgaven, met name het uniform. In tegenstelling tot St Bede, waar je alleen een embleem had dat je moeder op je jasje moest naaien, had Seafield een marineblauwe blazer met het schoolembleem direct op het borstzakje geborduurd. Het was duur maar verplicht. En dan waren er nog de hoeden. De eerste drie jaar had je een ronde fluwelen muts voor de winter en een strohoed voor de zomer. In de vierde en vijfde klas hoorden er bij het winteruniform een blauwe baret met een blauw kwastje, en in de zesde klas moest je een blauwe baret hebben met een zilveren kwastje. En dan waren er nog de schoenen voor binnen en voor buiten en, zoals elke ouder weet, voeten groeien met een alarmerende snelheid. Van de zeventig leerlingen van mijn klas op St Edmund gingen er maar drie naar Seafield Grammar School. Er was ook een meisje dat wel toegelaten werd maar uiteindelijk niet ging omdat haar ouders geen geld voor het uniform hadden. Ze ging naar Manor Park, het gemengde niet-confessionele atheneum. Voor de jongens van St Mary was het niet anders.

Toen Lyndsey drie jaar later ook naar Seafield kwam, erfde ze mijn oude blazer en kreeg ik een nieuwe. Op de eerste schooldag op haar nieuwe school werd ze er door de directrice van de school uitgepikt. 'Waarom draag je deze versleten blazer?' wilde ze weten. De arme Lyndsey zei later dat ze hakkelde en bloosde en wel door de grond had willen zakken. De waarheid was natuurlijk dat mijn moeder geen geld had voor twee blazers, ook al kreeg ze korting omdat Lewis de speciale kleding voor Seafield verkocht.

Na een paar jaar op verschillende afdelingen van Lewis gewerkt te hebben, werd mijn moeder uiteindelijk overgeplaatst naar het reisbureau en daar had ze echt haar plekje gevonden. Het was de beste plaats in het gebouw, op de tussenverdieping tussen de begane grond en de eerste verdieping, in een hoekje een beetje achteraf, recht onder het bronzen beeld van Epstein dat bezongen wordt in het refrein van *In My Liverpool Home*.

In my Liverpool home
We speak with an accent exceedingly rare
And meet under a statue exceedingly bare
If you want a cathedral we've got one to spare
In my Liverpool home.

[Thuis bij mij in Liverpool
Spreken we met een bijzonder zeldzaam accent
En ontmoeten we elkaar onder een bijzonder bloot beeld
Als je een kathedraal wilt, we hebben er een over
Thuis bij mij in Liverpool.]

Aan het eind van de jaren zestig was Liverpool, nadat het jarenlang weinig voorstelde, het centrum van de wereld geworden. Hoewel ik nog te jong was om naar de Cavern te gaan en de Beatles te zien, waren we wel allemaal heel trots dat we in Liverpool woonden en Scousers waren. En de Beatles waren niet de enigen. Je had ook nog de Searchers, de Swinging Blue Jeans, de Merseybeats, Cilla Black, Gerry and the Pacemakers, en tientallen anderen die nu vergeten zijn. Toen ik oud genoeg was om alleen uit te gaan, hield ik me meer bezig met folkmuziek. Samen met mijn vriendin Cathy Broadhurst van Seafield had ik gitaar leren spelen en we deden versies van traditionele liedjes die de Spinners voor een grote publiek zongen. Zij waren een band van eigen bodem die *Scarborough Fair* al lang zongen voordat Simon and Garfunkel dat opgenomen hadden. Ze werden beroemd door liedjes over Liverpool, zoals *Maggie Mae* – dat ging oorspronkelijk over een zeeman uit Liverpool en een prostituee, heel anders dan de versie van Rod Stewart. En natuurlijk *In My Liverpool Home.*

I was born in Liverpool, down by the docks
Me Religion was Catholic, occupation Hard-Knocks
At stealing from lorries I was adept,
And under old overcoats each night I slept.

[Ik ben in Liverpool geboren, dicht bij de havens
Mijn geloof was katholiek, beroep het harde leven
Stelen van vrachtwagens kon ik goed,
En onder oude overjassen sliep ik elke nacht.]

Toen ik eenmaal op Seafield zat, zag ik mijn vriendinnetjes van de basis-school die naar de St Bede-school gegaan waren niet meer. Niet dat ik vijan-dig tegenover hen stond, maar zij wel tegenover mij. Ik was nu 'bekakt'.

Het duurde een poosje voordat ik eraan gewend was. De discipline was in verhouding streng. Hoewel de meerderheid van de leraressen geen non was, hadden de nonnen wel de leiding en zij woonden in het klooster dat met de school verbonden was. Een gedeelte van het gebouw was helemaal verboden terrein omdat daar de cellen van de nonnen waren. Rokken moesten verplicht vijf centimeter boven de knie zijn (hoewel we natuurlijk wat vrijmoediger werden naarmate we ouder werden en dan sjorden we ze altijd iets op). Als je de school binnenstapte, moest je je schoenen uitdoen en speciale schoenen voor binnen aantrekken, en natuurlijk mocht er ook niet door de gangen worden gerend. De nonnen hielden de eiken vloeren als spiegels gepoetst, en o wee als je de regels overtrad.

Het ergste aan het leven in Seafield was de lunch. Toen ik op St Edmund zat, was ik dicht genoeg bij huis om tussen de middag naar huis te gaan. Seafield was echter zeker twintig minuten lopen. Tegen de tijd dat ik thuis aankwam, zou ik al weer terug moeten. Was het eten op Seafield werkelijk zo vreselijk? Dat is moeilijk na te gaan. Onder mijn leeftijdgenoten gaan nog wel wat verhalen rond over afschuwelijke gestolde jus, kraakbeen en gekookte knolraap. De waarheid is dat ik nooit anders dan het eten van mijn grootmoeder had gehad, en zij gaf mij de indruk dat niemand zo goed kon koken als zij. Voor het blok gezet was er maar één oplossing: ik sloeg de maaltijd over.

Ik was altijd al wat in die tijd 'broodmager' werd genoemd, en het eerste teken dat er iets niet in orde was, was een astma-aanval. Bij die gelegenheid concludeerden de artsen dat ik ondervoed was. Ik kon niet de hele dag zonder maaltijd, zeiden ze, hoe stevig mijn ontbijt ook was. Er moest iets aan worden gedaan. Toevallig woonde mijn tante Audrey op nog geen vijftig meter van de school, aan de overkant van de weg. Ze was daarheen verhuisd toen ze trouwde. Omdat Robert, haar derde baby, net geboren was, was ze overdag thuis en ik mocht wel elke dag tussen de middag bij haar komen eten. We bleven dit doen totdat ik veertien was en mijn oom Bill, de man van tante, een promotie kreeg tot bankmanager. Daarom verkochten ze hun huis en verhuisden naar Warrington, in Cheshire.

In die drie zo vormende jaren kreeg ik een heel nauwe band met tante Audrey. Ik werd zelfs voor het eerst ongesteld bij haar thuis. In die tijd werd dit nog gezien als iets waarvoor je je moet schamen, maar dankzij haar werd me dat bespaard. Hoewel zij nooit gestudeerd had, was ze wel politiek betrokken. Ik was eraan gewend dat mijn grootvader en de andere mannen in de familie over politiek spraken – om nog maar te zwijgen over de verhalen van mijn vader, die zo'n publiek figuur was. Maar vrouwen mengden zich in het algemeen niet in dit soort gesprekken. Terugkijkend vermoed ik dat ik het aan haar te danken heb dat ik al vroeg in de politiek geïnteresseerd was. Hoe dan ook, als me gevraagd werd wat ik later wilde worden, antwoordde ik toen ik veertien was: 'Minister-president!' Of dat slechts het slimme antwoord van een tiener was die indruk wilde maken, weet ik niet meer. Wat wel vaststaat, is dat ik in 1970, toen ik zestien was, betrokken genoeg was om me aan te sluiten bij de Labourpartij, hiertoe aangemoedigd door een van mijn leraressen, een zekere mevrouw Speight.

4

Kloostermeisje

Wat mijn studieresultaten betreft was ik, hoewel ik wel bij de besten hoorde, nooit de allerbeste van mijn klas totdat ik in de zesde klas van de middelbare school zat. Ik bracht totaal niets van de talen terecht en totdat ik die kon laten vallen, haalden ze mijn gemiddelde omlaag. Achteraf besef ik dat dit een fout was omdat ik – heel ongebruikelijk voor die tijd – volop gelegenheid had om praktijkervaring op te doen.

Al vanaf de tijd dat Lyndsey en ik klein waren, gingen we met vakantie. Terugkijkend besef ik dat dit de enige kans was voor mijn moeder om ons voor zichzelf te hebben. Behalve de vakanties was er geen aannemelijke reden om uit Crosby weg te gaan. Met zijn zandduinen en het kilometers lange strand was er meer dan genoeg voor iedereen. Als ik de kans kreeg, bracht ik daar de hele dag door. We maakten ons toen niet druk over te lang in de zon zitten en elke zomer werd ik superbruin. Als Crosby ging vervelen, waren er altijd dagtochtjes: picknicken op Hilbre Island, aan de andere kant van het schiereiland Wirral, met de spanning wanneer je door hoogwater afgesneden werd en het kijken naar de zeehonden die op de rotsen speelden. Ook kon je naar Rhyl, in Noord-Wales, waar de mijnwerkers van Derbyshire een vakantiepark hadden. Mijn grootvader Jack ging daar elk jaar naartoe. Ilkeston was zonder auto relatief moeilijk te bereiken en mijn moeder heeft nooit een rijbewijs gehaald, daarom was het voor ons het gemakkelijkst om hem in Wales op te zoeken. Rhyl was voor ons meisjes geweldig omdat er snoepautomaten stonden en er een zwembad was.

We gingen meer dan eens naar Butlins in Pwllheli. Dat moet voor mijn moeder een geschenk uit de hemel zijn geweest: een verwarmd buitenbad voor als het niet regende, en een rolschaatsbaan voor slecht weer, en natuurlijk optredens en wedstrijden met de Redcoats, om nog maar te zwijgen over het genot in ons eigen kleine houten huisje te logeren.

Toen mijn moeder eenmaal haar plekje had gevonden op de reisafdeling, werd onze horizon verbreed. Baliemedewerkers kregen gratis vakantiereizen aangeboden van de maatschappijen waarvoor ze vakanties verkochten, en er werd in het algemeen op aangedrongen dat ze gebruikmaakten van die mogelijkheid. Dit gold met name voor nieuwe bestemmingen. Niet alleen mocht mijn moeder zelf gratis reizen, voor een klein bedrag kon ze Lyndsey en mij meenemen.

Mijn eerste ervaring met 'het buitenland' was onze busreis naar Spanje toen ik ongeveer twaalf was. Er werden nog maar kort geheel verzorgde vakanties verkocht en de Costa Brava was nog relatief weinig ontwikkeld als toeristengebied. Op weg door Frankrijk kwamen er stapelbedden van het dak waarop we moesten slapen, en ik schrok van de hurktoiletten (gewoon een gat in de grond) die we onderweg moesten gebruiken. Voor iemand die opgevoed was met oma's bijna heilige houding ten aanzien van hygiënische toiletten, was dat een nuttige les. Ik weet nog hoe verbaasd ik was toen we uiteindelijk Calella (in die tijd niet meer dan een visserdorpje) bereikten en ik daar sinaasappels en citroenen aan de boom zag hangen en vers vruchtensap te drinken kreeg in plaats van citroenlimonade.

Het jaar daarop gingen we naar Italië, naar een dorpje aan de Ligurische kust net over de grens bij Nice. Dit keer vlogen we ernaartoe en alles leek ongelooflijk luxe en opwindend. Ik vond het geweldig, en vind dat nog steeds. Onze volgende reis was nog exotischer – naar Roemenië. Omdat het kort na het overlijden van mijn grootvader was, voelde mijn moeder zich verplicht mijn grootmoeder mee te nemen. Ik heb haar nog nooit zo zenuwachtig gezien. Voor het eerst Engeland uit, voor het eerst in het vliegtuig, voor het eerst buitenlandse stemmen horen, en wat het eten betreft... Roemenië was nog een communistisch land en we kregen het advies nylonkousen mee te nemen als cadeautje voor de kamermeisjes. We vlogen naar Boekarest maar verbleven voornamelijk in een haveloos vakantieoord aan de Zwarte Zee. In het kader van mijn moeders onderzoek naar de situatie bezochten we een kuuroord dat als heel belangrijk gezien werd, en waar de behandeling bestond uit modderbaden. Het was allemaal heel on-Engels. Het hielp dan misschien niet bij mijn talenkennis, maar ik kreeg er wel een grote interesse door voor de bredere wereld.

In die periode draaide mijn sociale leven rond de Young Christian Students (YCS) – de beste kans voor een goed rooms-katholiek meisje om een goede rooms-katholieke jongen tegen te komen. (Voor de meisjes van Sea-field waren dat de jongens van de St Mary.) Hoewel de twee scholen te-genover elkaar stonden aan Liverpool Road, waren de kansen om elkaar te leren kennen uiterst beperkt. Bij de bushalte rondhangen haalde meestal niets uit, en het debatteren begon eigenlijk pas in groep zes. Ik sloot me bij de YCS aan tegelijk met mijn vriendinnen Cathy Broadhurst, Cathy Mc-Nabb, Maureen Dacey en Jackie Maddox. Zij werden er allemaal op aange-keken toen ik op vijftienjarige leeftijd begon uit te gaan met Patrick Taaffe, een jongen die een klas lager zat dan wij. (In feite waren we even oud omdat ik een klas overgeslagen had op school.)

Patricks vader werkte als huisarts op Scotland Road, wat in die tijd het armoedigste gedeelte van Liverpool 8 was. Toevallig was dokter Attwood de andere partner in de praktijk; later kreeg ik verkering met diens zoon, maar ik had hen onafhankelijk van elkaar ontmoet.

De familie Taaffe was de eerste familie uit een middenklassenmilieu die ik ooit ontmoet had, en ze woonden in een vrijstaand huis in Blundell-sands, compleet met oprit, serre en garage. Ze hadden ook een vakantie-huisje in Dolgellau, in de buurt van Barmouth in Noord-Wales. Tijdens de twee jaar dat Patrick en ik verkering hadden, mocht ik met hen mee tijdens het weekend. Het was een volkomen andere wereld. Het was bijvoorbeeld de eerste keer dat ik een Rayburn-fornuis in een keuken zag staan.

Patricks moeder Meriel was verpleegster en ze mocht me heel graag. (Ze kwam samen met haar man zelfs naar mijn huwelijk.) 'Je doet me zo erg aan mezelf denken toen ik jouw leeftijd had, Cherie,' zei ze dan nostalgisch. Ze was een heel intelligente vrouw die, hoewel ze dat nooit zou toegeven, zich nooit helemaal had kunnen ontplooien en ik denk dat ze wilde dat ik dat wel zou doen. Later, toen ik over de universiteit moest gaan nadenken, was het Meriel die met het idee kwam dat mijn leven zou veranderen.

'Je bent heel goed in debatteren,' zei ze. 'Je bent goed in toneel, heb je er ooit aan gedacht om advocaat te worden?'

Nadat ik mijn *O-level* (het examen van het eerste deel van het middel-baar onderwijs) had gehaald, gaf dokter Taaffe me een baantje in de prak-tijk om de receptioniste tijdens de zomer te helpen. Soms kreeg ik na het werk een lift van hem naar huis. Meestal moest hij dan onderweg een of twee visites afleggen en in plaats van in de auto te wachten ging ik dan met hem mee naar binnen. Het was voor het eerst dat ik zo'n grote armoede zag en ik schrok ervan. Geen inpandig toilet. Vies. Vochtig. Somber. Soms oude rug-aan-rugwoningen. Soms etagewoningen. Overal schimmel. En te veel kinderen. De moeders met wallen onder de ogen en doodmoe van alles.

'U kunt zich niet voorstellen hoe het daar is,' vertelde ik mijn grootmoeder nadat Patricks vader me thuis afgezet had.

'Maar dan kan ik wel, jongedame. We hebben het niet altijd zo luxe als nu gehad, weet je.' Waar zij opgegroeid was, vertelde ze, kwamen de deuren meteen op straat uit. Er was zelfs geen trottoir. De enige mensen die daar woonden, waren vissers en dokwerkers. 'Visvrouwen' noemde ze die. Onder die omstandigheden konden ze hun kinderen alleen maar eten geven en schoon houden. Meer niet.

De YCS richtten zich voornamelijk op buurtwerk. Aan het eind van de jaren zestig werd de binnenstad van Liverpool gesaneerd en moesten mensen verhuizen naar nieuwe buitenwijken. Zelfs toen al werd duidelijk dat het beleid rampzalig was. De mensen die hiervan de leiding hadden, waren vergeten dat er in een buurt meer nodig is dan flats en huizen alleen. Het is als een lichaam met ledematen maar zonder hoofd. Deze *new towns* werden zonder sociale voorzieningen gebouwd. Geen artsenpraktijken, geen bioscopen, geen pubs, geen busverbindingen, niets. Het waren slechts slaapsteden. De inwoners waren volkomen afgesneden van alles.

De dichtstbijzijnde new town was voor ons Kirkby, een paar kilometer ten noordoosten van Crosby. De YCS organiseerden een zomerschool en een speelveldproject: heel wat vakantieactiviteiten voor de kinderen. We gebruikten een van de plaatselijke basisscholen als uitvalsbasis. Het was een project waarbij we dag en nacht betrokken waren en we sliepen in slaapzakken op de grond. Aan de ene kant was het natuurlijk leuk om te doen. En tot mijn spijt moet ik toegeven dat we het waarschijnlijk niet zo enthousiast hadden gedaan als dat niet het geval was geweest. Maar in feite schrok ik er echt van. Wat je ook mag zeggen over de buurt waar ik woonde, het was immers wel een echte gemeenschap. Deze new towns vormden geen echte gemeenschap en de mensen die ernaartoe moesten verhuizen, wisten dat.

Een van de liedjes die we met onze folkgroep zongen, drukte het veel beter uit dan ik zelf ooit kon:

A fella from the Council, just out of planning school,
Has told us that we're being moved right out of Liverpool.
They're sending us to Kirkby, to Skelmerdale or Speke,
But don't wanna go from all we know in Back Buchanan Street.

[Een kerel van de gemeente, net als stadplanner afgestudeerd,
Heeft ons verteld dat we uit Liverpool moeten verhuizen.
Ze sturen ons naar Kirkby, naar Skelmerdale of Speke,
Maar we willen niet weg van onze vertrouwde Back Buchanan Street.]

Deze verzen legden nog steeds het leven van Oud-Liverpool vast. Geen bad-kamers of warm water, dat is zeker, maar wel een echte gemeenschap. Het gevolg van dit experiment in 'stedelijke zuivering' was vandalisme, misdaad en corruptie. We deden wat we konden, maar het was als een druppel op een gloeiende plaat.

Het alternatief voor buurtwerk – waaraan je minstens twee weken mee moest doen – was een week geestelijke reflectie. En de volgende zomer ging ik naar zo'n week in Rugeley, vlak bij Lichfield in Staffordshire. Het was 1971 en overal om ons heen braken vrede en liefde uit; de retraite van YCS vormde daarop geen uitzondering. Er werd heel wat in het donker geschar-reld terwijl de meer geestelijke zielen liedjes rond het kampvuur zongen. In de uren voor zonsopkomst gingen de discussies evenzeer over de politiek als over geestelijke zaken. Maar hoe revolutionair we ook waren, we waren nog tamelijk tam. Wel behoorden we in onze eigen ogen tot een soort jaren-zestigbeweging van het type 'proletariërs aller landen, verenigt u'. Het was allemaal vaag links christensocialisme.

Tot die tijd gingen de jongens die ik ontmoette via de YCS allemaal naar St Mary. De jongen met wie ik in Rugeley omging, woonde echter in Leeds, een behoorlijke afstand, dus het vereiste wel wat inventiviteit om de ro-mance in stand te houden. Hij heette Steven Ellis en hij was de nationale se-cretaris van de YCS, wat vreselijk veel indruk maakte op mijn vriendinnen. We konden ook met elkaar corresponderen maar dat nam te veel tijd. Het simpelst was nog de telefoon, maar dat was in die tijd behoorlijk duur, met name interlokale telefoontjes. En wat telefoontjes betreft was mijn groot-moeder heel streng. Ze had een speciaal spaarpotje op het tafeltje in de hal naast de telefoon gezet, waarop stond: 'Bel wanneer je wilt, maar als je hebt gebeld, vergeet dan niet het geld.'

Zolang jij niet degene was die gebeld had, kon je zo lang praten als je maar wilde. En daarom bedachten Steve en ik een geweldig plannetje, hoe-wel, achteraf gezien zou je het beter bedrog kunnen noemen. Het ging heel eenvoudig. Steve belde me vanuit een telefooncel (omdat zijn ouders geen telefoon hadden) ik nam hem dan aan en deed vervolgens de gangdeur dicht. Dit was volkomen logisch gedrag als je vriendje je belde. Grootmoeder dacht dan: geen probleem, hij betaalt toch. En zij bleef naar *Coronation Street* of wat dan ook kijken. Dan legde ik heel zacht de hoorn neer en belde hem meteen terug – geen haan die ernaar kraaide!

Nadat we deze naar mijn idee lichte misleiding een paar maanden hadden volgehouden, gebeurde het onvermijdelijke. De telefoonrekening kwam. Een behoorlijk hoge telefoonrekening. Mijn grootmoeder was in alle staten: de rekening voor dat ene kwartaal was hoger dan voor het hele vorige jaar, en ze wist niet hoe dat kwam. Dat moest een fout zijn, zei ze. En ze belde de telefoonmaatschappij om die ervanlangs te geven.

'Er is een fout gemaakt,' zei ze.

'Ik ben bang van niet, mevrouw Booth. Het klopt precies.'

Dit liet ze niet over haar kant gaan. Ze zouden haar een gespecificeerde rekening sturen ter verduidelijking.

'Ik begrijp er niets van,' zei ze op een avond toen mijn moeder van haar werk kwam en de gespecificeerde rekening gearriveerd was.

'Er zijn schijnbaar heel veel interlokale gesprekken geweest. Wij bellen niet interlokaal,' mompelde ze, terwijl ze de brief grondig bestudeerde. Niet dat er veel in stond. Toentertijd werden de individuele telefoontjes niet bijgehouden. De rekening werd alleen opgedeeld in lokaal, interlokaal en internationaal, dat was alles.

'Ik bedoel, wat zijn al die interlokale gesprekken? Heb jij die gemaakt, Gale? Ik weet dat ik het niet was. Hoe vaak bel jij je vader in Ilkeston?'

Plotseling ging me een lichtje op. Ik had me echt helemaal niet gerealiseerd hoeveel mijn korte gesprekjes met de overzijde van het Penninisch Gebergte kostten en ik wist dat mijn moeder er de schuld van zou krijgen als ik het niet opbiechtte. Ik had geen keus. Zeggen dat ik een scheldkanonnade over me heen kreeg is nog te licht uitgedrukt. Mijn grootmoeder was woest. Geen denken aan dat zij het zou betalen, zei ze. Wat ging ik eraan doen? Ik kon er niets aan doen. Ik kon het niet betalen, want ik bezat geen penny. Uiteindelijk moest mijn arme moeder ervoor opdraaien, maar ze kreeg in ieder geval nu niet de schuld. Daarna waren er geen telefoontjes meer.

Als we de relatie tussen Steve en mij in stand wilden houden, was liften de enige oplossing. En dat bleek zo goed te lukken dat ik sinds die tijd overal in het land naartoe liftte. Toen de snelweg M52 (zoals die toen genoemd werd) in 1973 geopend werd, was ik een van de eersten die daarvan profiteerden. Ik stond op die historische dag met mijn duim in de lucht langs de oprit van de weg op een lift te wachten naar Leeds.

Eindexamen van de middelbare school deed ik in de vakken geschiedenis, aardrijkskunde, economie en algemene studies. Tegen die tijd wisten de nonnen al wel dat ik goede resultaten zou behalen, maar het leek hun kennelijk niet gepast mij of mijn moeder dat goede nieuws mee te delen. Bij de uiteindelijke prijsuitreiking schrok ze en voelde ze zich meteen opgelaten – al weet ik niet zeker in welke volgorde – toen ze ontdekte dat ik alle prijzen gewonnen had, behalve die voor godsdienst. Toen ik steeds maar weer naar het podium liep om de verschillende prijzen op te halen, zakte mijn moeder bijna door de grond, zo opgelaten voelde ze zich naar haar zeggen. Tot dan toe waren de enige prijzen die ik had gewonnen sinds ik op Seafield zat, die voor geschiedenis: voor de beste resultaten in *O-level* en in het derde jaar voor een project dat ik gedaan had over historische kleding, uitgebreid geïllustreerd met plaatjes verzameld bij de theezakjes van PG Tips. (Ik ontving daarvoor *The Age of Baldwin* – niet bepaald een boek dat een inspiratiebron kan vormen voor een dertienjarige geschiedkundige in de dop.) Mijn rapporten waren helemaal niet bijzonder en wat de ouderavonden betreft, als je gezien de normale omstandigheden een beetje meer diepgang had verwacht, zeiden de nonnen niet meer dan dat ze mijn handschrift niet konden lezen en dat het een schande was dat zij er niet eerder wat aan gedaan had. En waarom behandelden ze haar zo? Omdat zij geen man had. Ondanks al hun zogenaamde ophemelen van onafhankelijkheid en individualiteit waren ze, als het erop aankwam, precies als alle anderen. En mijn arme moeder die haar carrière opgegeven had en heel haar leven zo hard voor ons gewerkt had als ze maar kon, werd met minachting behandeld.

Meriel Taaffe had niet kunnen weten hoe goed haar idee om rechten te gaan studeren ontvangen zou worden in Ferndale Road. Mijn grootmoeder had altijd al bewondering gehad voor sterke, onafhankelijke vrouwen die hun sporen nalaten in de wereld. Rose Heilbron, de bekendste advocate van haar generatie, voldeed aan al die criteria. Zij was een ware pionierster. De eerste vrouw die een beurs won voor Gray's Inn. De eerste vrouw die het tot King's Counsel bracht, de hoogte rang in de Britse advocatuur. De eerste vrouw die de verdachten in een moordzaak verdedigde – een zaak die in Liverpool, de stad waar zij vandaan kwam, voor de rechter kwam. De eerste vrouwelijke rechter die in de Old Bailey (de centrale rechtbank voor strafzaken) zitting had. Alsof dat nog niet genoeg was, was ze ook nog een knappe vrouw en in de jaren vijftig was ze met tientallen moordzaken op haar naam een beroemdheid geworden op grond van haar eigen verdiensten. Zozeer zelfs dat er een televisieserie op haar gebaseerd werd met de naam *Justice*, waarin Margaret Lockwood een hoofdrol speelde. Omdat Rose Heilbron met een arts uit Liverpool getrouwd was, bleef ze actief in het noorden van het land en had ze een kantoor in Liverpool. Van tijd tot tijd ging mijn grootmoeder erheen om haar in actie te zien bij de strafzaken in de plaatselijke rechtbank – toen de rechtszaken nog in de barokke pracht en praal werden gehouden van St George's Hall. Mijn grootmoeder was er dan helemaal vol van als ze weer thuiskwam.

Aangespoord door mijn grootmoeder had ik ook gekeken hoe Margaret Lockwood op televisie rechtsprak, compleet met pruik en toga. Toen Meriel Taaffe het idee opperde om rechten te gaan studeren, was dat beeld het eerste dat in me opkwam: ik kan ook een Margaret Lockwood zijn!

De grote vraag in het laatste schooljaar was: welke universiteit? Niemand in de familie Booth noch Thompson had ooit zoiets gedaan. Ik kon ook niemand om raad vragen. De London School of Economics (LSE) kon ik me herinneren, stond onder aan het lijstje van vijf dat ik had. Ik had die universiteit daar deels bij gezet om de nonnen op stang te jagen die toch al vonden dat ik een rebelse inslag had. Begin jaren zeventig werd de LSE als een revolutionair broeinest gezien. Een andere school op mijn lijstje die ik me kan herinneren, was Durham. Tijdens het YCS-kamp van het jaar daarvoor was ik bevriend geraakt met een meisje uit Whitley Bay. Ik vond het leuk om weer eens met haar bij te praten, vertelde ik mijn moeder en ik kon dan op de terugweg van het aanmeldingsgesprek in Durham bij haar overnachten.

Omdat Durham een *collegiate university* is (een universiteit met verschillende autonome afdelingen in plaats van een faculteit) moest je je bij een van de colleges aanmelden. Ik zou een gesprek hebben met het Trevelyan College, in die tijd alleen toegankelijk voor vrouwen. Het leek op dat moment een goed idee, maar binnen twee minuten na aankomst kwam er een gedachte in me op die niet meer weg wilde. 'Dit is een heel slecht idee.' Ik had net zeven jaar op een meisjesschool doorgebracht en nu wilde ik nog eens drie jaar naar een school met alleen meisjes gaan. Ik moest wel gek zijn. Ik voerde het gesprek en vertrok weer.

Wat Whitley Bay betreft, ik ben daar nooit aangekomen. In plaats daarvan nam ik de trein naar Leeds, waar Steve me op het station opwachtte (wat vanaf het begin onze opzet was geweest). Hij had een heel toegeeflijke grootmoeder die ons heel lief de nacht liet doorbrengen in haar gemeenteflat. Tot op de dag van vandaag doet mijn moeder alsof ze niet in de gaten had wat er zich afspeelde.

De relatie ging uiteindelijk als een nachtkaarsje uit. Steve was geen onverdienstelijk rokkenjager, dus het was waarschijnlijk maar beter zo. Ondertussen was daar Pete Clark die me bezighield. Pete was een van de links georiënteerde jongens van de YCS, hoewel we elkaar pas echt beter leerden kennen door de debatclub op school. Hij had ook op St Mary gezeten. Mijn recente ervaring met liften bleek van pas te komen, en we voerden het oude foefje uit van het meisje dat langs de weg staat en de jongen die pas tevoorschijn komt als er een auto stopt. Het lukte altijd. Op die manier konden we binnen een uur van Crosby naar het Lake District gaan om daar een dag heerlijk te wandelen.

De volgende halte was de LSE. Londen was in de ogen van veel van mijn tijdgenoten in Liverpool het voorportaal van de hel, maar daar liet ik me niet door afschrikken. Mijn vader woonde er, oom Bob woonde er en mijn moeder ging regelmatig naar Londen voor haar werk. Toen ik een aanbod kreeg van de LSE, wachtte ik niet of de andere plaatsen waarvoor ik me aangemeld had nog iets van zich lieten horen. Ik hapte meteen toe.

Wat de nonnen betreft, zij stonden er nog steeds afkeurend tegenover. Ze begrepen niet waarom ik niet in Liverpool kon blijven. Als ik echt mijn vleugels wilde uitspreiden, was Manchester toch ook heel goed? 'Heel veel meisjes van Seafield gaan daarheen,' zeiden ze. Precies.

'Weet je, Cherie, je kunt een goede leider worden, maar je bent heel koppig. Als je naar Londen gaat, kun je maar beter heel voorzichtig zijn.'

Ze hadden geen hoge verwachtingen van me, en wie kon het ze kwalijk nemen? Ik was op school zelfs niet aangesteld om op jongere leerlingen toezicht te houden, dus ik kwam helemaal niet in aanmerking voor de rol van hoofdmonitrice. Discipline hield in dat je ervoor zorgde dat de meisjes hun hoed op hadden als ze het schoolterrein verlieten. Ik haatte mijn hoed en deed er alles aan om hem kwijt te raken. Ik zou anderen zeker niet onder druk zetten om hem te dragen. Toen ik in de zesde klas zat, brak ik het wereldrecord te laat komen. Ik had geen zin in de dagopening en kwam vaak pas op school als die al voorbij was. De nonnen zagen het door de vingers, simpel en alleen omdat ze mijn intellectuele capaciteiten zagen. En lang voordat de kwaliteitsmeting van scholen een veelbesproken onderwerp werd, waren dat soort dingen belangrijker dan hoeden.

Ik had altijd vakantiebaantjes. Voor het eerst bij dokter Taaffe in de zomer van 1969, maar zodra ik kon, ging ik natuurlijk bij Lewis werken. Die eerste zomer van 1971 zetten ze me op de afdeling babykleding – waar ik me als een kat in een vreemd pakhuis voelde. Maar net als mijn grootmoeder hield ik veel van kinderen, dus eigenlijk kon het niet beter. De zomer daarop, meteen na het eindexamen van de middelbare school, werkte ik op de afdeling schooluniformen, waarvan ik heel wat meer wist, met name van hoeden. Op dezelfde verdieping, even verderop, was de herenkleding waar ik onwillekeurig de blik opving van een andere student die er even verveeld uitzag. Het waren blauwe ogen en hij was slank en donker, met haar dat behoorlijk wat langer was dan de jongens van St Mary was toegestaan. Hij had zelfs een leuk baardje! Met zijn John Lennon-brilletje en keurige pak volgde hij exact de laatste mode. We begonnen op dezelfde tijd pauze te houden en kletsten dan wat tijdens de koffie in de kantine. Hij heette David Attwood, hij was twee jaar ouder dan ik en studeerde rechten aan de Universiteit van Liverpool. Zijn vader was huisarts en werkte zoals gezegd aan Scotland Road in dezelfde praktijk als dokter Taaffe. De familie Attwood woonde net als de familie Taaffe in Blundellsands. Met al die toevalligheden hadden we heel wat gespreksstof.

Tegen het eind van de zomer gingen mijn zusje en ik met mijn moeder op onze jaarlijkse vakantie. Dit keer was de bestemming Ibiza, dat toen nog een gewoon vakantie-eiland was, zonder het uitbundige drinken en dansen waar het later om bekendstond. En wie zag ik tot mijn grote verbazing op het strand? Mijn versierende collega van de herenafdeling! Hij was daar met een groep vrienden van de universiteit. Het was de volmaakte vakantieliefde: zon, zee, zand en... sangria. En mijn moeder? Die was als was in zijn handen.

Ik moest eind september aan de lse beginnen, maar terug in Crosby benutten David en ik de paar weken die ons nog restten ten volle. Het weer was prachtig en de avonden waren nog lang. Heel wat kansen voor duinwandelingen met meestal een romantische zonsondergang, en daar waren we altijd wel voor te vinden.

Het enige minpuntje in deze romantische relatie was het verschil tussen Blundellsands en Waterloo. Dat was bij de familie Taaffe nooit een probleem geweest, maar hoewel Davids moeder altijd goed met me omging, vond hij het beter om voorzichtig te zijn. Hij vertelde haar alleen dat ik in de buurt van Merchant Taylors' woonde, de mooie protestantse school die een herkenningspunt vormt in Crosby (en dat was niet helemaal bezijden de waarheid). Dit had echter wel praktische consequenties. Meneer en mevrouw Attwood waren altijd heel aardig, met name mevrouw, en ze vond het niet goed dat ik in het donker alleen naar huis liep. Ze stond erop me even met de auto weg te brengen.

'Waar zal ik je afzetten, Cherie?'

'O, hier ergens in de buurt is prima. Dank u wel, mevrouw Attwood.'

'Ik zet je eigenlijk veel liever even voor je deur af...'

'Alstublieft, dit is net zo gemakkelijk, en eigenlijk sneller. Het is net bij het park!'

De auto stopte, ik was er binnen een paar tellen uit en liep enthousiast zwaaiend de verkeerde richting op. Ja, we woonden inderdaad bij het park, maar aan de andere kant. De ene kant kon ermee door, de andere niet.

Ze kwam er uiteindelijk wel achter, hoewel meer dan een jaar later, en zoals David al voorspeld had: toen brak de hel los.

5

Studentenleven

O p 24 september 1972, de dag na mijn achttiende verjaardag, namen mijn moeder en ik de trein van Liverpool Lime Street naar London Euston. De avond daarvoor had ik bij ons thuis een gecombineerd verjaardags- en afscheidsfeest gevierd met een paar van mijn YCS-vriendinnen. Ik had een toespraakje gehouden en gezegd hoe ik alles aan mijn moeder te danken had, gevoelens die overschaduwd werden door gêne omdat ze in tranen uitbarstte toen ze in het studentengebouw afscheid van me moest nemen. Maar het was niet anders. De eerste dag van de rest van mijn leven.

Het studiejaar begon pas de week daarop, maar de eerstejaars kwamen vroeger om hun weg te leren vinden. Omdat ik als eerste van onze familie naar de universiteit ging, was er een aantal belangrijke zaken waarbij ik niet had stilgestaan – bijvoorbeeld waar ik zou gaan wonen. Hoewel er op korte termijn iets voor me werd gevonden, was er een andere oplossing nodig voor de rest van het jaar, zo werd me verteld. Ik werd naar een adres gestuurd in Pembridge Villas, Notting Hill, wat een studentenhuis bleek van het Digby Stuart Teacher Training College, de lerarenopleiding. Dit was van de nonnen van het Heilige Hart: slaapzalen en om tien uur binnen zijn. Ik kan me voorstellen wat ze gedacht moeten hebben: een goed rooms-katholiek meisje van net achttien – een klooster is precies wat ze nodig heeft. Nou, dan hadden ze het mis. Ik ging niet naar een klooster. Ik wilde geen goed rooms meisje zijn. Ik was van plan dat alles achter me te laten en een beetje plezier te gaan hebben. Ik ging rechtstreeks terug naar Passfield Hall, het studentenhuis midden in Bloomsbury waar ik tot dan geslapen had. En nadat ik voor mezelf had staan pleiten als een advocaat bij een moorzaak, werd ik in een kamer gestopt met twee andere meisjes: Caroline Grace en Louise Oddy, die allebei ook rechten studeerden.

Met een diploma in de rechtsgeleerdheid kun je wat werk betreft nog niet veel doen. Of je nu *solicitor* (raadsman of raadsvrouw en het eerste aanspreekpunt voor het publiek) wordt of besluit *barrister* (pleitend advocaat) te worden – door een *solicitor* ingezet om de zaak van hun cliënt voor de rechter te brengen, of om juridisch advies te geven voordat het zover komt – er is na het examen op z'n minst een jaar vervolgstudie nodig met aansluitend een opleiding in de praktijk voordat iemand wat aan je heeft.

Er zijn zes hoofdvakken die aan alle universiteiten met een rechtenfaculteit in het Verenigd Koninkrijk gevolgd moeten worden: contractrecht, aansprakelijkheidsrecht, staats- en bestuursrecht, strafrecht, trustrecht en grondeigendomsrecht. Deze vakken komen aan de orde tijdens de eerste twee jaar. In het derde jaar ga je je dan specialiseren. De gebruikelijke richtingen waaruit gekozen kan worden zijn onder andere ondernemingsrecht, familierecht en belastingrecht. Maar de London School of Economics had een breder aanbod dan de meeste andere universiteiten en uiteindelijk koos ik een heel gevarieerde combinatie van specialisaties.

Aan het eind van het tweede jaar wist ik dat ik geen commercieel jurist wilde worden. Ondernemingsrecht en het gerichtere handelsrecht vielen daarom af. Ik koos voor burgerrechten en mensenrechten en combineerde die keuze met traditioneel recht. (Deze specialisatie werd voornamelijk door studenten uit het Gemenebest gekozen, maar ik vond haar erg fascinerend.) Een andere tamelijk ongebruikelijke keuze was de geschiedenis van het Engelse recht. Dit ging helemaal terug naar Hendrik ii en de assisenhoven. We leerden daarin over het onvervreemdbaar erfgoed, over hoe je het familievermogen kunt beschermen – niet alleen een centraal onderwerp in Jane Austens romans, maar heel relevant vandaag de dag in veel Afrikaanse en Arabische landen. De belangrijkste specialisatie die ik koos, bleek later, was het arbeidsrecht, dat in die tijd nog helemaal niet als specialisatie werd erkend. De lse was een van de weinige plaatsen waar dit werd gedoceerd.

De industriële relaties waren begin jaren zeventig op een kritiek punt aanbeland in Groot-Brittannië. In haar strijd tegen de inflatie had de Conservatieve regering een plafond op loonsverhogingen vastgesteld. Omdat de prijzen maar bleven stijgen, begonnen de vakbonden zich te verzetten op de enige manier die ze kenden. Toen de mijnwerkers gingen staken, begonnen de brandstofreserves gevaarlijk laag te worden en tijdens de eerste maanden van 1974 mocht er van de regering in het hele land maar drie dagen per week gewerkt worden om het elektriciteitsverbruik te beperken.

De lse verschilt in zoverre van alle andere Engelse universiteiten dat ze altijd al een politieke universiteit is geweest. Hoewel de LSE nu deel uitmaakt van de Universiteit van Londen, werd ze oorspronkelijk aan het eind van de negentiende eeuw gesticht door Beatrice en Sidney Webb – grondleggers van de Fabian Society, een reformistisch-socialistische groep intellectuelen die aan de basis stond van de Labourpartij. Zij geloofden dat zaken waarvoor socialisten zich inzetten, niet door revolutionaire middelen maar door hervormingen konden worden bereikt. De volledige naam van de LSE is 'The London School of Economics and Political Science', en de Fabians zagen de LSE als een onderzoeksinstituut dat zich op de problemen van armoede, ongelijkheid en dat soort zaken zou richten. En zeker in de jaren zeventig stond deze gedacht centraal bij de LSE (een van de redenen waarom ik daar in de eerste plaats naartoe wilde). De LSE wilde geen rechten doceren om een massa advocaten af te leveren, maar zag het veel meer in termen van de socialistische invloed de ze konden hebben. En dat was het soort werk dat ik ook voor mezelf voor ogen had: hulp bieden op de meer politiek relevante vlakken, waar mensen van oudsher door juristen tekort waren gedaan.

Tijdens de eerste paar jaar dat ik in Londen was, hield ik me eigenlijk niet erg met politiek bezig. De studenten van de LSE leefden nog steeds in de nadagen van 1968, toen de LSE het epicentrum van de studentenopstand in Groot-Brittannië was. Toenmalige premier Edward Heath had in 1971 voor veel beroering gezorgd door de prominente West-Duitse studentenleider Rudi Dutschke het land uit te zetten, en de LSE was in de ogen van heel het land het centrum van dissidentie geworden. Het merendeel van de betrokkenen kwam van privéscholen – ze bedoelden het goed maar hadden romantische ideeën over wat het betekent om arm te zijn. Ik wist maar al te goed (en had te veel haast om snel de wereld in te gaan) dat ik mijn tijd niet wilde verdoen met de studentenpolitiek die toen in zwang was. Zo was er een Labourclub, maar daar nam ik niet actief aan deel. Wie er wel bij betrokken was, was Glenys Thornton, de huidige barones Thornton of Manningham. Zij en haar man John Carr studeerden allebei in Passfield Hall en waren net als ik arbeidskinderen uit het noorden, hoewel we duidelijk in de minderheid waren. Ik raakte bevriend met hen en als zodanig ging ik mee om hen te steunen, maar veel meer was dat niet.

Tijdens het eerste semester kwam David Attwood me zo nu en dan vanuit Liverpool opzoeken, maar als je een kamer deelt met twee andere meisjes, is er weinig ruimte voor romantiek. Als ik op bezoek kwam in Crosby, was het niet beter. Hij leende dan de auto van zijn moeder en we parkeerden op

Marine Road waar maar heel weinig straatlantaarns stonden. Ook hadden we daar natuurlijk de duinen nog, maar in december is het aan de oever van de Mersey koud, en kou en jeugdige passie gaan niet goed samen.

Ik had zo naar dit bezoek aan huis uitgekeken dat ik me niet gerealiseerd had hoe ik al aan mijn nieuwe leventje gewend was. Mijn familie was uitzonderlijk trots op me maar ze wist niets van universiteiten af, had geen idee wat ik daar deed, wat het allemaal voorstelde. Wat de rechtenstudie betreft, met het bijbehorende geheimzinnig jargon, dat was een andere wereld. Het was alsof er een kloof tussen ons was ontstaan die alleen maar steeds wijder kon worden.

Ik begon in te zien hoe wereldvreemd ze waren. In Passfield Hall nam ik elke dag een douche. Op Ferndale Road namen we eenmaal per week een bad, omdat er heet water op de kolenkachel in de huiskamer moest worden opgewarmd. Lyndsey en ik namen eerst een bad en vervolgens gebruikten mijn moeder en grootmoeder hetzelfde water nadat ze er een of twee ketels water aan hadden toegevoegd om het op temperatuur te houden. Ondertussen wasten wij ons haar en gingen we voor de kachel zitten om het te laten drogen. Als we boven verwarming nodig hadden – bijvoorbeeld als er iemand ziek was – was daar een petroleumkacheltje en ik kan me nog herinneren hoe dat rook.

Die kerst nam David me mee uit en ik at voor het eerst van mijn leven in een restaurant: de Berni Inn, een steakhouse in Southport (een paar kilometer verder langs de kust), het toppunt van sophistication in 1972. Ik weet zelfs nu nog wat ik at: garnalencocktail, gevolgd door biefstuk en roomijs, en ter afsluiting Irish coffee. Ik denk dat er ook wijn bij was, of misschien wel een groot glas sherry. Ik kwam helemaal in de wolken weer thuis, maar mijn grootmoeder zette daar meteen een domper op: 'Zonde van het geld; daar hadden we thuis goed van kunnen eten.'

Die oudejaarsavond nam David me mee naar een feestje bij een van zijn studievrienden in Liverpool en we bleven de hele nacht op. Toen we uiteindelijk thuiskwamen, deed mijn moeder er niet moeilijk over. Ik herinner me wel haar opmerking dat ze hoopte dat ik voorzichtig geweest was...

Later die middag werd er op de deur geklopt. Het was Davids jongere broertje Michael. Ikzelf zat boven.

'Cherie, er is iemand voor je,' riep mijn moeder. Ik keek naar beneden en zag Michael op de stoep staan. Hij zag er koud en ellendig uit. Ik voelde onmiddellijk aan dat er iets mis was. Michael was nog nooit eerder bij ons thuis geweest.

'Wat is er aan de hand? Is alles goed met David?'

'Alles is goed met hem. Maar...'

'Kom maar even binnen,' zei ik. 'Je vat nog kou als je daar blijft staan.' Het was een leuke jongen van zestien en we konden het altijd goed met elkaar vinden.

'David zegt dat hij niet kan komen...,' begon hij.

'Ik verwachtte hem ook niet...'

'Nee, weet je... wat ik bedoel...'

Het bleek dat Davids moeder helemaal door het lint was gegaan, zoals hij al voorspeld had. Hoewel hij had ontkend dat er 'iets was gebeurd', geloofde ze hem niet. Als hij mij bleef zien, zei ze, zou ze zijn studietoelage stopzetten en dat zou dan natuurlijk het einde van zijn universitaire loopbaan betekenen. Ze had hem steeds gezegd dat ze dacht dat ik achter zijn geld aan zat, en uit het feit dat hij door mijn schuld de hele nacht weg was gebleven, zei ze, bleek wel dat ik heel slechte bedoelingen had.

'Ik moet je van hem vertellen dat hij het een paar dagen rustig aan moet doen, een paar dagen tot ze weer bijdraait. Maar je mag hem niet opbellen.'

Ik kon er niet veel aan doen, behalve Michael geruststellen, maar het was niettemin heel akelig. Ik had hun moeder altijd erg gemogen. 'Maak je geen zorgen,' zei ik tegen hem. 'Het komt wel goed. Dat weet ik zeker.' En ik bleef hem in de deurpost nakijken toen hij Ferndale Road af liep in de richting van het park.

Later die avond, toen we televisie zaten te kijken, ging de telefoon.

'Het zal wel voor jou zijn, Cherie,' zei mijn grootmoeder en knikte in de richting van de telefoon.

Ik zuchtte. Ze zou woest zijn bij het idee dat ik niet goed genoeg was voor mevrouw Attwood. Ik haastte me niet, er werd toch niet gebeld door de enige persoon die ik graag wilde spreken.

Ik had het mis. Ik voelde het bloed naar mijn hoofd stijgen toen ik Davids stem herkende.

'Ik dacht dat je me niet zou bellen?' zei ik

'Ik moest...' Hij zweeg even: 'Er is iets vreselijks gebeurd.' Langzaam begon ik te begrijpen wat hij me vertelde. Het was Michael, zijn broer. Ongeveer een uur nadat hij bij mij geweest was, was hij in elkaar gezakt tijdens het golfen. Hij was naar het ziekenhuis vervoerd en daar was ontdekt dat hij een vergrote milt had. Leukemie. Onze kleine plaatselijke probleempjes leken plotseling heel onbelangrijk.

Vanaf dat moment werd er niet meer over gesproken dat David en ik uit elkaar moesten gaan. Ik heb mevrouw Attwood niet meer gezien voor ik naar Londen terugging. Toen ik de volgende keer weer in Crosby was, merkte ze amper dat ik er was. Ze had duidelijk besloten dat er belangrijkere dingen in het leven waren dan zich zorgen maken over de vraag of David wel met het juiste soort meisje omging.

Negen maanden later was Michael dood.

De uitvaart was heel ingrijpend. Het is hartverscheurend als er zo'n jong iemand overlijdt. Ik had eerder begrafenissen van familieleden bijgewoond, en die van mijn grootvader was om allerlei redenen heel pijnlijk geweest. Maar zelfs grootvader was, hoe belangrijk hij ook was, al oud geweest. Dit was iets heel anders. De kerk zat vol jongens van St Mary – allemaal zestien jaar, even oud als Michael. Even oud als Lyndsey. Dit was vreselijk voor dokter Attwood. Dat voelde je als je alleen al naar hem keek. Daar zat hij nu, een arts, en hij kon niet eens zijn eigen zoon redden.

Rond deze tijd nam ik ook weer contact op met mijn vader. Misschien om dezelfde reden – het gevoel dat het leven te kort is om wrok te koesteren tegen mensen van wie je houdt. Mijn grootmoeder had op haar eigen manier altijd gewild dat ik contact met hem bleef houden, evenals mijn moeder, hoewel haar gevoelens natuurlijk veel ingewikkelder waren.

Na de begrafenis van mijn grootvader ontdooide de situatie enigszins tussen mijn ouders. De relatie van mijn vader met Julie Allan, de moeder van Jenia en Bronwen, was toen al voorbij. Zijn alcoholisme was haar uiteindelijk te veel geworden en ze was naar Amerika vertrokken met haar dochtertjes. Haar vader was een succesvolle Canadese scenarioschrijver en ze wist dat hij zijn kleinkinderen praktisch en emotioneel zou steunen. Vanuit mijn moeder gezien werd alles er wat gemakkelijker door. Voor mijn vader was het echter vreselijk. Hij zag hen jarenlang niet.

Toen ik ongeveer elf jaar was, begon mijn vader ons te schrijven. Hij stuurde ook boeken. Het eerste dat ik me kan herinneren, was een in leer gebonden *Pride and Prejudice* van Jane Austen, waarvan ik helemaal weg was. De meeste boeken waren echter wat radicaler en apart. Ik kan me met name herinneren *De vrouw als eunuch* van Germaine Greer en later *De nachtmerrie van de technologie* van Gordon Rattray Taylor. (Ik kwam er nog gemakkelijk van af. Lyndsey stuurde hij Philip Roths *Portnoy's klacht*.) *De nachtmerrie* was een van de eerste brede studies over de milieuramp die de wereld op korte termijn zou treffen. Het spreekt vanzelf dat ik, met dergelijke boeken, heel wat stof had om over te corresponderen met hem. En zo groeiden we geleidelijk dichter naar elkaar toe. Met Lyndsey lag dat anders.

Ze heeft hem nooit teruggeschreven. Omdat ze zo'n nauwe band met mijn moeder heeft, voelde ze zich, denk ik, meer verraden dan ik. Ik was meer geneigd net zo over hem te denken als mijn grootmoeder, als een soort verloren zoon. En zoals mijn vader altijd zegt als het over zijn begrafenis gaat: 'Lyndsey zal degene zijn die op mijn graf danst.' Ik ben ervan overtuigd dat dit verschil in onze ervaring als kind de belangrijkste reden is waarom ik meer vergevend tegenover mijn vader sta dan Lyndsey.

Mijn vader was nu beroemd. *Till Death Us Do Part* was een van de populairste series in de Britse televisiegeschiedenis (waar later *In voor- en tegenspoed* en in Amerika *All in the family* op werd gebaseerd). De serie liep in Engeland van 1966 tot 1975, en de *Scouse Git*, die sukkel uit Liverpool, werd overal waar hij kwam herkend. Omdat hij als prominent iemand achter de Labourpartij stond, werd Tony zelfs door Harold Wilson uitgenodigd in Downing Street, waarop ik enorm trots was. En hij was de levende belichaming van de Scouse Git: als hij de linkse politici niet achter de broek aan zat, viel hij de tory's, de Conservatieven, wel lastig.

In 1970 verscheen zijn naam weer in de krantenkoppen als een van de oorspronkelijke spelers in *Oh! Calcutta!*, een 'erotische revue' waarin de volledige cast, zowel mannen als vrouwen, naakt optrad. De combinatie van ernstige, hoewel expliciete, teksten en volledige naaktheid werd door critici als een doorbraak omschreven. Kromme tenen gevend zou mijn oordeel geweest zijn. Niet dat ik het ooit gezien heb. Nadat het eerst zes weken in het Roundhouse gedraaid had, werd het naar het Royalty Theatre verplaatst, net achter de LSE. Gelukkig voor mij werkte hij er toen ik aan mijn studie begon al niet meer aan mee. Maar elke keer als ik langs die enorme aanplakbiljetten (met vlaggen en boeken op bepaalde plaatsen) liep, kromp ik even in elkaar.

Mijn vader slaagde er altijd weer in ons in verlegenheid te brengen. In 1974, in mijn tweede jaar aan de LSE, speelde hij mee in *Confessions of a Window Cleaner* ('Bekentenissen van een glazenwasser'), een goedkope seksklucht. Tenminste, dat heb ik gehoord. Overbodig om te zeggen dat ik die evenmin heb gezien. Mijn grootmoeder liet echter gaan kans voorbij gaan om haar afgedwaalde zoon te zien, en toen de film in het Odeon van Waterloo draaide, vertelde ze bij de kassa dat zij de moeder van de hoofdrolspeler was en eiste een gratis kaartje, wat ze nog kreeg ook! Ze vertelde me later dat ze niet begreep waar al die ophef voor nodig was.

Misschien was het wel zo grappig als hij beweert – het was inderdaad een enorm commercieel succes en leidde tot nog meer *Confessions of...*-films.

Maar bij elke film voelde ik me enorm ellendig. De opmerkingen van me-destudenten waren nog het minst. De meeste kinderen hebben enigszins moeite met de seksualiteit van hun ouders. Maar dat het zo in het openbaar was, daar had ik veel moeite mee. De paradox is dat ik, ook al was ik zo geschokt, tegelijkertijd enorm trots op mijn vader was, zelfs toen. Trots op wat hij bereikt had binnen het beroep dat hij gekozen had. Trots op zijn on-omwonden mening over de politiek. Trots dat ik zijn dochter was. Het was een heel intelligente, gevatte man die zich door niemand liet kisten.

Ondanks het succes dat hij in de ogen van het publiek had, was zijn privé-leven een complete ramp. Nadat Julie Allan bij hem weg was gegaan, begon hij zelfs nog meer te drinken en marihuana te roken – nog een reden waarom mijn moeder er niet blij mee was dat ik hem ontmoette. Hij had ondertussen nog twee dochters gekregen. Hun moeder was Susie Riley, die mijn vader had ontmoet toen hij aan het bijkomen was van het vertrek van Julie.

Hoewel ik in die periode niet positief tegenover haar stond, was Julie wel een goede vrouw. Ze was actrice in het gezelschap van Joan Littlewood, aan het Theatre Royal Stratford East, toen mijn vader haar ontmoette. Later werd ze een succesvol schrijfster en producente. Susie was model en mijn vader beschrijft hun relatie nu als 'wederzijds verwoestend'. Volwassenen moeten verantwoordelijk zijn voor hun eigen daden, maar als er kinderen bij betrokken zijn, kunnen de gevolgen rampzalig zijn.

Toen ik hen voor het eerst ontmoette, waren Sarah en Emma zo'n vijf en twee jaar oud, en ik ging regelmatig naar de flat in West Heath Road, Hampstead, om op te passen. De situatie daar was niet best. Soms moesten de meisjes 's morgens zelf uit bed komen en zich aankleden. Hun leven kende geen regelmaat. En zelfs als ik het eerst niet van plan was geweest, bleef ik er overnachten. Ik had het gevoel dat ik mijn halfzusjes niet aan deze zogenaamde ouders kon overlaten. Nadat ze de meisjes gewekt had-den, lieten ze hen aan hun lot over.

Hoewel ik daar toentertijd niet verder over nadacht, vermoed ik dat dit een van de redenen was waarom ik mezelf nooit met drugs heb ingelaten, hoewel die overal te krijgen waren. Ik kan me zelfs niet herinneren dat ik in de verleiding werd gebracht, maar als je vader zich zo gedraagt, heb je er vanzelf al geen zin in. Wie wil er nu zo stom overkomen?

Wat Sarah en Emma betreft, deed ik wat in mijn vermogen lag, maar ik bleef automatisch om mezelf te beschermen wat afstand houden. De enige stabiele factor in hun leven kwam van Susies ouders die de meisjes in het weekend ophaalden en wat liefde en aandacht schonken.

Aan het eind van mijn derde jaar werd duidelijk dat ik goede cijfers zou halen en daarom moedigden mijn mentoren me aan om mijn *Bachelor of Civil Law* (BCL) te doen, de mastersopleiding in de rechtsgeleerdheid. Het studentenleven had zo zijn voordelen en daarom dacht ik: Waarom niet? Het was mei 1974 en ik was pas twintig.

Ik nam de trein naar Oxford en liep van het station naar Wadham College, waarmee de LSE contact had. Dit was ook een radicaler college; het eerste van de traditionele colleges van Oxford met alleen mannen, dat een vrouwelijke studente aannam. Bovendien werden er in 1974 voor het eerst vrouwen toegelaten tot alle studiejaren. Ik was nooit eerder in Oxford geweest, noch had ik ooit iets dergelijks gezien. Het gebouw van de LSE leek op een bank. Dit was heel wat anders. Overal waar ik keek, zag ik rechthoekige gebouwen en binnenplaatsen, pilaren, beelden, koepels en torens, allemaal van goudkleurig kalksteen.

Op Wadham College had ik een toelatingsgesprek met Ian Brownlie, hoogleraar internationaal recht die later adviseur was van de Amerikaanse president Jimmy Carter bij de Iraanse gijzelingscrisis in 1979. Alles leek goed te verlopen. Hoewel hij me niet kon vertellen of ik toegelaten was of niet, verraadde zijn gedrag tegen het eind van het gesprek dat het wel goed zat. Hij moest nog een laatste punt naar voren brengen voordat ik vertrok.

'Zelfs als je van plan bent om jurist te worden, moet je toch je officiële bevoegdheid halen,' legde hij uit. Met andere woorden: ik moest óf de opleiding tot pleitend advocaat doen om tot de balie toegelaten worden, óf raadsvrouw worden, wat zes maanden studie en twee jaar stage was. Hij zag dit echter niet als een probleem. 'Je kunt gemakkelijk je *Bar Finals* doen terwijl je hier bent.'

De *Bar Finals* vormen een niet zozeer theoretische als wel praktische opleiding tot advocaat, onder auspiciën van een van de vier Inns of Court, de juridische genootschappen of orden van advocaten waartoe alle pleitende advocaten en rechters behoren.

Het was een van die Engelse zomermiddagen in Oxford waarop alle buitenlandse bezoekers hopen. De examens waren waarschijnlijk net achter de rug en waar je ook maar keek, zag je feestvierende studenten die champagneflessen bij de hals vasthielden en jonge mensen die op elk stukje gras zaten of boven op muren en balustrades. Misschien waren ze wel even oud als ik, maar dat was dan ook het enige dat we gemeen hadden. Erger was het accent dat ik niet kon uitstaan. Zou het beter worden als ik daar eenmaal studeerde? Mijn grootmoeder was verrukt toen ze hoorde dat ik naar

Oxford ging voor een toelatingsgesprek. Dit betekende veel meer voor haar dan de LSE. Ik voelde me helemaal niet op mijn gemak en in mijn hoofd was een stemmetje dat zei: 'Dit is niets voor mij.'

Mijn toelatingsgesprek was goed verlopen. Binnen een week had ik een brief waarin mij een plaats werd aangeboden op Wadham College om daar mijn BCL te doen. Toen de brief werd bezorgd, had ik elk van de Inns of Court al aangeschreven voor een aanmeldingsformulier voor lidmaatschap. Ik had geen idee hoe ik dat zou gaan betalen. Alleen het aanmelden al kostte vijfenzeventig pond – een maandsalaris voor mijn moeder. Bovendien moest ik volgens de eeuwenoude regels elk semester een bepaald aantal diners bij de Inn eten. Dat was pas het begin. Als ik eenmaal aangenomen was, moest ik ook het toelatingsexamen tot de balie betalen.

Alle vier de juridische genootschappen reageerden netjes en een ervan (Lincoln's Inn) sloot er een aanmeldingsformulier bij in voor een beurs voor de toelating tot het genootschap. Natuurlijk vroeg ik die aan. Tot mijn verbazing kreeg ik die ook nog... ik hoefde geen vijfenzeventig pond te betalen en kreeg al mijn diners gratis! Dit was de eerste keer dat ik dacht: Wacht eens even. Waarom zou ik een academische jurist worden als ik ook zelf het echte werk kan doen? Als strafpleiter zou ik de wet kunnen maken. Ik zou niet hoeven schrijven over hoe andere mensen wetten maakten. Plotseling werd het me duidelijk.

Ik wees Wadham College af. Geen spijt, alleen opluchting. Pas jaren later ontdekte ik hoe woedend ze geweest waren. Om aangenomen te worden en dan 'nee' te zeggen, was ongehoord en Wadham nam daarna een paar jaar geen enkele student van de LSE aan om de Londense school een lesje te leren, tenminste, zo wordt gezegd. Natuurlijk had ik Ian Brownlie moeten schrijven om mijn excuses aan te bieden en om mijn redenen uiteen te zetten. Maar dat had ik niet gedaan. Ik was zo naïef dat dit niet eens in me opkwam.

De volgende fase was dat ik moest uitvinden hoe ik de daaropvolgende twaalf maanden in leven kon blijven. Tijdens mijn eerste drie jaar aan de LSE had ik een volledige studiebeurs gehad. Hierdoor was ik beter af dan veel studenten uit een middenklassenmilieu, zoals David, wiens ouders niet altijd de studiefinanciering konden aanvullen die hij had weten te krijgen. Er kwam nu een eind aan deze bevoorrechte positie.

Toentertijd konden alle studenten die nog geen doctoraal gehaald hadden, zonodig een beurs krijgen, maar voor postdoctorale of andere verdere opleidingen, zoals de *Bar Finals*, werd geen gelijksoortige toelage gegeven.

Ik diende een verzoek in bij het graafschapbestuur van Lancashire en kreeg een van mijn inkomen afhankelijke beurs toegewezen die voldoende was voor de studiekosten. Maar hoe ik in mijn levensbehoeften kon voorzien, was een ander verhaal. Ik concludeerde dat ik werk moest zoeken voor mijn onderhoud. Ik werd er door iemand op gewezen dat ik les zou kunnen gaan geven en daarom meldde ik me aan voor de Polytechnic van Centraal-Londen, en ik werd aangenomen. Afgezien van mijn leeftijd had ik goede kwalificaties: ik wist toen al dat ik een *First* had gekregen en met de allerbeste resultaten geslaagd was.

In die tijd bood de Central London Poly, zoals die toen genoemd werd, een groot aantal cursussen voor buitenstaanders aan. En al snel gaf ik les in aansprakelijkheidsrecht, trustrecht en grondeigendomsrecht terwijl ik die onderwerpen zelfs nog studeerde voor de *Bar Finals*. Ik had ze natuurlijk ook gedaan tijdens mijn rechtenstudie maar binnen het kader van deze beroepsopleiding werden ze vanuit een praktische hoek benaderd. Omdat de Poly niet vastlegde wat er gevraagd kon worden, moest ik het hele curriculum doceren – meer dan ik zelf oorspronkelijk bestudeerd had – omdat ik nooit zeker kon weten over welke gebieden mijn studenten aan de tand zouden worden gevoeld.

Ik bewonderde die studenten enorm. Ze hadden allemaal een fulltime baan maar wilden zo graag jurist worden dat ze jarenlang al hun vrije tijd aan de studie besteedden. En daar was ik, net eenentwintig geworden, geen verantwoordelijkheden, niemand om rekening mee te houden behalve mezelf.

Mijn eenentwintigste verjaardag bleek in meer dan een opzicht een mijlpaal. Mijn vader nam me mee uit eten ergens in Soho. Het was de eerste keer dat hij me mee uit nam en de eerste keer dat ik in een restaurant in Londen kwam dat geen goedkope pizzeria was. In het verleden haalden we als we elkaar zagen altijd wat bij de Chinees, altijd favoriet wat mij betreft. Hij wilde echter dat dit een speciale avond zou worden. En dat was het ook. Het was een Frans restaurant en heel chic. Hij kwam daar duidelijk vaker en toen hij me voorstelde als zijn dochter, kreeg ik een hele reeks handkusjes. We begonnen met slakken en vervolgens nog meer van dat soort gerechten. Aan het eind was ik vreselijk misselijk. Of het de slakken waren of de hoeveelheid wijn waaraan ik niet gewend was, kan ik niet zeggen.

Tijdens mijn rechtenstudie had ik het geluk gehad dat ik drie jaar in Passfield Hall mocht wonen, maar 'thuis' was nu een akelige zit-slaapkamer in Weech Road, West Hampstead. De enige keer dat mijn grootmoeder op bezoek kwam – om me wat potten en pannen te brengen die ik naar haar idee nodig had – huilde ze tranen met tuiten, omdat ze het daar zo vreselijk vond. Properheid was alles voor haar. Ik zie haar nog om het hoekje van de badkamer gluren waar ze bijna een hartstilstand kreeg. Het kraanwater van Londen staat erom bekend dat het veel ijzer bevat, en door de combinatie van kalkafzetting en roest zag alle sanitair er vreselijk uit. Verder was het zoals in die tijd gebruikelijk was: vies zeil, afbladderende verf, ramen waardoor je niets kon zien, gas- en elektriciteitsmeters waarin je een shilling moest gooien die altijd net op een ongelegen moment op was. Een geiser voor het badwater die sputterde en giftige dampen uitstootte, en een waakvlammetje dat altijd uitging. Ik deelde een gasstel op de overloop met een ander meisje en ik had zelfs geen koelkast. Alles wat gekoeld moest blijven, zette ik op mijn vensterbank.

Aan de LSE studeerde een redelijk aantal vrouwen, maar de advocatuur was nog altijd een mannenbolwerk. Dat jaar was het aantal vrouwen aan Lincoln's Inn voor het eerst boven de tien procent. Tijdens de formele diners in Lincoln's Inn zaten we meestal met een groepje bij elkaar en dan was ik de enige vrouw. Peter Farrell was een jongen die van St Mary kwam en hij had rechten gestudeerd met David, in Liverpool, evenals David Robinson, die met Bruce Roe op school had gezeten. John Higham – nu Queen's Counsel (de hoogste rang van de Britse advocatuur) – kwam ook uit Crosby, hoewel hij niet rooms-katholiek was, maar hij was naar school gegaan in Shrewsbury. Ik begon in te zien dat de wereld maar klein was, met name de advocatuur.

In tegenstelling tot de meeste jongens die ik ontmoet had toen ik rechten studeerde aan de LSE, was mijn volgende vriendje niet naar een privéschool geweest. Ik was niet op zoek naar iemand. Ik kwam John toevallig tegen en daarna werd het serieuzer. Hij was de zoon van een raadsman die zijn kinderen, uit principe, allemaal naar de plaatselijke scholengemeenschap had gestuurd.

Hoewel David en ik elkaar wel bleven zien als ik terug in Liverpool kwam, is het moeilijk een relatie op afstand in stand te houden, hoezeer je dat ook zou willen. Zelfs aan de LSE had ik zo nu en dan een vriendje in Londen gehad, hoewel niets serieus. In Passfield Hall had ik tenminste volop gezelschap door de week, en in het weekend ging ik dan of terug naar Liverpool, of David kwam naar Londen. En dan waren er ook nog de vakanties. Iedereen verwachtte dat we met elkaar zouden trouwen, inclusief mijn moeder. Maar toen ik eenmaal naar Weech Road verhuisd was, voelde ik me veel eenzamer. Ik had niet meer het drukke sociale leven om me heen dat je in een studentengebouw hebt, met name in het centrum van Londen. En mijn zit-slaapkamer was in vergelijking met dat leven triest, deprimerend en kilometers ver weg. Wat de zaak nog moeilijker maakte, was dat de familie bij wie ik inwoonde Pools was en dat de enige andere kamerbewoner de hele dag weg was.

Omdat ik nu geen studiebeurs meer had, stond ik er slechter voor dan ooit en ik kon niet meer zo vaak naar huis gaan als eerst. David was nu bezig met zijn stage om raadsman te worden en hij had minder tijd om naar Londen te komen. Het is moeilijk enthousiast te blijven als je elkaar wekenlang niet ziet. Je probeert je frustraties voor je te houden en je wilt geen belangrijke dingen over de telefoon bespreken omdat een verkeerd woord of een moment van zwijgen op de verkeerde plaats niet direct goedgemaakt kan worden door een blik, een aanraking of een kus. Gesprekken op de gang met mensen die de hele tijd langs je heen lopen zijn meestal niet ontspannen en in de jaren zeventig waren interlokale telefoongesprekken duur. De munten werden met een alarmerende snelheid door de telefoon opgeslokt. Boodschappen kwamen gemakkelijk verkeerd over, en dat gebeurde ook vaak. Er bestond toen nog niet zoiets als een antwoordapparaat. Brieven boden meer perspectief maar romantische epistels die rond middernacht geschreven zijn, komen soms anders over om negen uur 's morgens boven in een stadsbus als je te laat voor het college bent. Mijn dubbelleven was in een bepaald opzicht een situatie waarin ik gewoon verzeild geraakt was, en het betekende niets. John was een leuke jongen en hij woonde in een mooie studentenflat, maar ik maakte altijd duidelijk dat ik voor David koos.

Halverwege het jaar kreeg ik het advies om op zoek te gaan naar een advocaat bij wie ik stage kon lopen. Tegenwoordig is er iets wat de *Bar Vocational Course* (BVC) wordt genoemd, een cursus waarin studenten het dagelijkse reilen en zeilen van het advocatenvak leren: het houden van een pleidooi, het opstellen van processtukken, overleg met cliënten, procesvoering, veroordeling, het voorbereiden van een zaak, analyse en al de verdere dagelijkse bezigheden die bij het werk van een advocaat horen. Tijdens ons studiejaar waren we net begonnen met de zogenaamde praktische oefeningen. Daarbij leerden we de techniek van het schrijven van een advies en processtukken, maar het was niet een van de belangrijkste onderdelen van de cursus. De belangrijkste manier om de advocatuur onder de knie te krijgen, was toen, en ook nu nog, door een ervaren advocaat te helpen en observeren die de *pupil master* of patroon genoemd wordt. In die dagen moest je die op goed geluk zoeken. Sommige patroons namen hun onderwijstaak serieus, anderen zagen hun advocaat-stagiairs als onbetaalde loopjongens of -meisjes. Dit stelsel werkt nu nog steeds zo, maar is veel meer vastgelegd, zowel wat de opleiding van stagiairs betreft als de manier waarop ze worden geselecteerd. Ze krijgen nu ook betaald voor hun werk, al is het niet veel.

Een van de voordelen van een *split legal system* (opgesplitste advocatuur met twee soorten advocaten: de raadslieden en de pleitende advocaten) zoals Engeland dat kent, is dat pleitende advocaten de kans hebben en grijpen om zich te specialiseren. Een klein advocatenkantoor van raadslieden kan een beroep doen op de heel specifieke expertise van pleitende advocaten als ze die nodig hebben. Ze hoeven die dan niet zelf in huis te hebben. Van alle specialisaties is handelsrecht wel het meest lucratieve, maar ik had al besloten dat dit niets voor mij was. Uiteindelijk koos ik voor het arbeidsrecht. Ten eerste omdat dit intellectueel een uitdagende richting was. De richting kwam net van de grond als gevolg van de *Industrial Relations Act*, een wet aangaande de relatie tussen werkgevers en werknemers die in 1970 door de Conservatieve regering was ingevoerd. Dit was de eerste keer dat de arbeidswet echt formeel vastgelegd werd. Tot dan toe was het niet meer dan een onderdeel van het contractrecht en van 'de wet van meester en dienstknecht', de toen gebruikelijke termen. Alleen op plaatsen als de LSE spraken we over werkers of werknemers en werkgevers. Edward Heath had ook het *National Industrial Relations Court*, het nationale hof van arbeidsrelaties, opgezet om de macht van de vakbonden in te perken. Er werden mensen naar de gevangenis gestuurd – de zaak van de *Pentonville Five* kwam het meest in het nieuws – en daarom was het erg actueel. Het NIRC werd zelfs in 1974 door de nieuwe Labourregering afgeschaft en daarom viel het duidelijk binnen het juridisch gebied dat mij interesseerde: mensen en politiek. Vanuit een carrièreoogpunt had het een doorslaggevend voordeel: het was allemaal heel nieuw en er was dus een echt tekort aan mensen die zich ermee bezighielden.

Professor Grunfeld, die het lesboek over de werkloosheidsuitkeringen had geschreven die de regering-Wilson eind jaren zestig had ingevoerd, was mijn docent arbeidsrecht geweest. Toen ik hem advies vroeg over stagemogelijkheden, vertelde hij me dat er maar heel weinig juristen waren die zichzelf arbeidsrechtjuristen noemden, en hij kon slechts drie namen aanbevelen. Ik kan me er nu maar twee herinneren: Alan Pardoe en Alexander Iriving, die altijd Derry werd genoemd. Zij boden me allebei een plaats aan en daarom was ik in de bijzonder fortuinlijke positie dat ik kon kiezen.

In die periode werkte Alan Pardoe – nu een rechter – in een meer traditioneel advocatenkantoor dat zich voornamelijk bezighield met handelsrecht. Zijn interesse in het arbeidsrecht maakte daar maar een klein deel van uit, zo legde hij uit. Alan zelf was gereserveerd en innemend – het traditionele soort advocaat. Derry was het tegenovergestelde. Zelfs toen was hij al kolossaal: veel te dik, drammerig, recht voor zijn raap. Hij vertelde me dat hij met beide voeten op de grond stond en een arbeidsjongen was die naar Glasgow University was gegaan en op de een of andere manier in Cambridge terecht was gekomen. In een bepaald opzicht begreep ik wel waar hij vandaan kwam. Als je je patroon een jaar lang op de voet volgt, is de relatie van essentieel belang. Dit zijn de mensen die gaan bepalen hoe je leven als advocaat er in essentie zal gaan uitzien. Als alles goed gaat, hoop je dat je aangenomen wordt om als zelfstandig advocaat binnen hetzelfde advocatenkantoor te gaan werken – huurder gaan worden binnen de 'advocatenkamers', zoals dat in Engeland genoemd wordt. Daarom is het werken aan een goede relatie van cruciaal belang.

Het sollicitatiegesprek begon niet goed.

Het eerste dat Derry zei was: 'Waarom draag je die jurk?'

'Wat is daar mis mee?' vroeg ik. Ik had hem tijdens de januari-uitverkoop gekocht bij George Henry Lee, de Liverpoolse tak van John Lewis. Het was een donkerblauwe jurk met een druppelvormig paislypatroontje en ik was er eigenlijk best blij mee. Ik was in die tijd heel slank en omdat er rond de taille stroken zaten, kwam mijn niet zo rijk gewelfde figuur er het best in uit.

'Weet je niet dat vrouwelijk advocaten in het zwart en wit gekleed horen te gaan?'

Ik kan me nog herinneren dat ik dacht: Hoe durf je! Dat was allemaal mooi voor jou met al je geld, maar dit is de enige nette jurk die ik heb en ik moet hem ook voor andere gelegenheden kunnen dragen behalve sollicitatiegesprekken bij opgeblazen advocaten.

Wat ik letterlijk zei was: 'Nou, dit is de enige keurige jurk die ik heb en ik heb hem speciaal voor sollicitatiegesprekken gekocht. Het spijt me dat hij niet zwart is.'

Het was duidelijk niet in mijn nadeel, want hij bood me ter plekke een stageplaats aan, of, zoals hij het zei: 'Oké, je kunt in juli beginnen.' Tegenwoordig zou dat nooit meer op die manier gaan. Derry was zelf docent geweest aan de LSE en wist dat het echt iets betekende als je daar een *First* was.

Tegenwoordig worden advocaat-stagiairs aangenomen door een commissie (leden van het advocatenkantoor) en aanname of afwijzing is nu niet meer afhankelijk van de grillen van individuele advocaten.

'Tussen twee haakjes,' zei hij. 'Ik zal het stagegeld laten zitten, maar mijn griffier wil wel zijn tien procent.'

Het was niet meer dan een grapje van hem, maar ik weet nog dat mijn hart plotseling sneller begon te kloppen. In die tijd hadden ze in theorie nog steeds het recht om stagegeld te vragen en dat was honderd guinea (ruim honderd pond).

'O, en nog iets,' ging hij verder toen ik op het punt stond te vertrekken, 'ik heb deze stageplek min of meer aan iemand anders beloofd, aan een knul uit Oxford.' Hij wachtte even en grijnsde naar me. 'Maar maak je geen zorgen. Ik raak hem wel kwijt en dan neem ik jou in zijn plaats aan.'

Lincoln's Inn had naast toelatingsbeurzen ook grote studiebeurzen voor bijdragen aan de kosten van het stagejaar. Je hoefde dan niet voor het voorrecht te betalen om stage te mogen lopen, maar je kreeg geen salaris en je moest in je eigen levensonderhoud voorzien.

De blauwe paisleyjurk werd opnieuw van stal gehaald en zo zat ik op de afgesproken dag in de wachtruimte naast iemand anders die op een studiebeurs hoopte. Zijn kostuum was veel minder geschikt dan mijn blauwe jurk, concludeerde ik. Het was van een soort tweed; een ouderwets pak compleet met omgeslagen randen aan de pijpen. Hij was duidelijk het *public school*-type en had zo te zien net zijn haar laten knippen. Hij zag er heel geknipt en geschoren uit. Omdat we daar maar met z'n tweeën zaten, besloot ik de stilte te verbreken.

'Ik denk dat onze achternamen dicht op elkaar volgen,' zei ik en stelde mezelf voor. 'Ik ben Cherie Booth.'

'Dan mag ik nog vóór jou naar binnen,' antwoordde hij. 'Tony Blair.'

Hij kreeg een brede glimlach op zijn gezicht. Zijn stem klonk niet zo privéschoolachtig als ik bij het zien van zijn uiterlijk verwacht had. Hij had een licht accent dat ik niet kon plaatsen. Pas later realiseerde me dat er iets Schots in doorklonk dat hij had overgehouden van zijn studietijd aan Fettes College, net buiten Edinburgh.

We praatten een paar minuten met elkaar totdat ik hem vroeg of hij al een stageplaats had.

'Ja, goddank. Op Crown Office Row, nummer twee. Derry Irvine. En jij?'

Voor het eerst in mijn leven stond ik met een mond vol tanden. Ik wilde net iets gaan zeggen toen hij naar binnen werd geroepen.

6

Korte ontmoeting

Tijdens de lente en zomer van 1976 bracht ik de meeste uren dat ik geen les hoefde geven door in de bibliotheek van Lincoln's Inn. Terwijl iedereen lunchpauze nam, bleef ik daar verder lezen, aantekeningen maken en mijn brood opeten. Ondanks het geld dat ik met het lesgeven verdiende, moest ik het zuinig aan doen. Ik kocht elke week een brood en een rond doosje met zes puntjes kaas in zilverfolie. Die legde ik dan op de vensterbank en maakte daar elke dag mijn boterhammen mee klaar. De kaas werd steeds zachter naarmate het in de zomer heter werd. Maar het was het enige dat ik me kon veroorloven. Hoewel ik het indertijd niet wist, werden mijn eetgewoonten tijdens de lunchtijd wel gageslagen.

'Weet je dat Tony Blair in je geïnteresseerd is?' vroeg Charles Harpum, een aparte maar intelligente knul, me op een dag, tijdens het avondeten in de Great Hall – een van de twaalf verplichte. Het waren de enige echte maaltijden (zoals mijn grootmoeder die noemde) die ik kreeg.

'Hoe kan dat dan? Ik ken hem niet eens.'

'Nou, ik denk dat hij jou wel kent.'

Een paar dagen later hoorde ik hetzelfde van Bruce Roe.

Ik was niet in hem geïnteresseerd. Ik had al een vriend; eigenlijk twee. John wist over David, maar David had geen idee over John. Het lijkt misschien vreemd dat een rooms-katholiek opgevoed meisje zo wispelturig was. Maar het is net als met voorbehoedmiddelen: de meeste rooms-katholieken gebruiken ze net zo vaak als iedere ander, anders zouden hun gezinnen dubbel zo groot zijn. Je kunt immers toch gaan biechten, hoewel ik zelf nooit 'onkuisheid' in de biecht beleden heb. Misschien doe ik dat nog op een dag: 'Vader, vergeef het me. Ik probeer er spijt van te hebben, maar dat vind ik nog steeds moeilijk!'

Niet dat het toentertijd heel erg leek. We leefden in andere tijden, na de pil en voor aids.

De zomer na de *Bar Finals* hadden John en ik zelfs kans gezien samen met vakantie te gaan. We gingen een week naar Corfu, dat in die tijd nog helemaal ongerept was. Toen dat voorbij was, ging ik terug naar Liverpool voor nog een vakantie, dit keer met David en mijn moeder. Mijn moeder was heel erg op David gesteld geraakt en er werd door beide families, inclusief zijn moeder, van uitgegaan dat we met elkaar zouden trouwen.

In de herfst van 1975 had ik daar heel hard over nagedacht. David was altijd van plan geweest raadsman te worden. Hij liep nu stage om de studie af te ronden en praktijkervaring op te doen. Hij ging ervan uit dat ik terug naar Liverpool zou komen na mijn toelating tot de balie. Maar als ik dat deed, zou ik me bij de noordelijke advocaten voegen en mijn loopbaan in Londen zou dan voorgoed voorbij zijn. Ik was toen al tot de conclusie gekomen dat ik geen strafrecht wilde doen en daarom was ik op zoek naar een civielrechtelijk advocatenkantoor. Ik nam met verschillende daarvan in Liverpool contact op en ik had ook een gesprek bij een van die kantoren, maar ze boden me geen werk aan. Als ze me een plaats aangeboden hadden, zou het moeilijker geweest zijn om die af te slaan, maar mijn instinct vertelde me dat ik in Liverpool geen arbeidsrecht zou kunnen doen als ik dat wilde. Het zou veel meer de algemene praktijk zijn. Ik zou me misschien wel nooit meer met arbeidsrecht bezig kunnen houden, omdat ze zelfs niet begrepen waarover ik het had tijdens het sollicitatiegesprek. Ik wist wel dat ik het bij Derry wel zou kunnen blijven doen. Ik was me ervan bewust dat het iets was waarin ik goed was, iets wat me interesseerde, en daarom besloot ik Derry's aanbod aan te nemen.

Ik rondde mijn examens eind juni af en de maandag daarop begon ik bij Derry te werken. De meeste mensen begonnen pas aan hun stage nadat ze de uitslag van het examen binnen hadden en ze officieel tot advocaat toegelaten waren. Maar ik zag er het nut niet van in om naar Liverpool terug te gaan. Waarom daar naar werk zoeken als ik hier meteen aan de slag kon?

Derry's kantoor – of *chambers* zoals een advocatenkantoor van zelfstandige advocaten genoemd werd – was op Crown Office Row nummer 2. Het was een Georgian herenhuis in een deel van Londen dat bekendstaat als de 'Temple', tussen Fleet Street en de Theems. Dit gebouw was tijdens de Tweede Wereldoorlog gebombardeerd maar was min of meer weer in oorspronkelijke staat herbouwd, hoewel er dit keer een lift in was geplaatst. Er waren geen computers, zelfs geen typmachines, behalve in de kamers van de griffiers. Op de vierkante pleinen buiten stapten nog advocaten in wijde toga's rond, of ze stonden bij elkaar in een hoek, ieder met stapels documenten op de arm met een roze lint bijeengebonden. Slechts het incidentele gerinkel van een telefoon herinnerde je eraan dat je in de twintigste eeuw leefde. Advocaten werden meneer (of mejuffrouw) genoemd door de griffiers, terwijl wij hen bij hun voornaam noemden, ook als ze dit werk hun hele leven al hadden gedaan en meer geld verdienden dan een succesvolle Queen's Counsel. De leidinggevende griffier heette David. Zijn indrukwekkende vrouw Cassie deed de boekhouding (een van de weinige vrouwen die je regelmatig in het gebouw zag). Er werkten zestien advocaten, onder wie slechts twee vrouwen, maar hun praktijk werd als minder goed beschouwd als die van de mannen omdat commerciële raadslieden – waar het grote geld lag – hen nooit serieus namen.

De senioriteit van advocaten wordt afgemeten aan het aantal jaren dat ze al toegelaten zijn tot de advocatuur. De leeftijd van de persoon doet er niet toe. Derry was een relatief nieuw lid van het kantoor, en was waarschijnlijk slechts acht jaar geleden toegelaten. Niettemin speelde hij er een grote rol. Hij was begonnen als jurist en zo kon hij twee stagiairs aannemen, hoewel ik daar pas later achterkwam.

Ongeveer in de derde week van juli werden de eindexamenresultaten bekend van de *Bar Finals* en rond negen uur zat ik al bij de Council of Legal Education in Gray's Inn waar de uitslagen bekend werden gemaakt. Er waren borden opgehangen met de namen in alfabetische volgorde erop. Een grote groep mensen stond er al omheen naar hun eigen naam te zoeken. Ik vond Blair A. die tot de Derde Klasse behoorde, maar Booth C. stond nergens.

Ik stond daar beduusd te kijken. Zou ik dan toch finaal gezakt zijn? Maar net op dat moment kwam Charles Harpum aan lopen. Hij was de aparte maar heel intelligente jongen die me had verteld dat Tony Blair me wel leuk vond. (Een '*old fogey*', een ouderwets figuur, zouden we nu zeggen.) Hij was iemand die de allerhoogste resultaten van Cambridge had weten te halen, niet precies een vriend, maar ik at regelmatig met hem samen in het studentengebouw en dan spraken we uren over juridische onderwerpen.

'Nou, Cherie, ik denk dat ik je moet feliciteren,' zei hij met een vreemde uitdrukking op zijn gezicht.

'Het zou leuker zijn als ik mijn naam op de lijst kon vinden,' antwoordde ik.

'Weet je het dan nog niet?'

'Wat dan?'

'Dat je de beste van allemaal bent geworden!'

Hij greep me bij mijn schouder en sleepte me naar het laatste bord waar de namen prijkten van degenen die bovenaan stonden, maar niet op alfabetische volgorde. En daar stond het: Booth C. Boven aan de lijst. Het bloed dat net nog uit mijn gezicht was weggetrokken, stroomde nu weer terug en ik voelde hoe ik knalrood werd. Het ironische van het geval was dat iedereen verwacht had dat Charles Harpum bovenaan zou komen te staan. Dat zou wel bij hem gepast hebben: eerste op de privéschool, Cambridge enzovoort. En nu stond ik daar: het meisje uit Liverpool dat naar de openbare school was geweest en naar de LSE.

Ik rende helemaal naar Crown Office Row om het aan Derry te vertellen. Meteen bazuinde hij overal rond hoe knap hij zelf wel was dat hij deze briljante stagiaire had ontdekt. Op de een of andere manier had *hij* dit gepresteerd! Het zou niet de laatste keer zijn dat Derry op wonderbaarlijke wijze met andermans eer ging strijken.

Roem is één ding, maar voor mij was het praktische voordeel van het feit dat ik *First* was, dat ik als eerste de Ede & Ravenscroft-prijs ontving. Ede & Ravenscroft was de zaak waar je je pruik en toga kocht en omdat je niet zonder kon, had ik me de pruik en toga vast laten aanmeten, al had ik nog geen idee hoe ik die ooit zou kunnen betalen. Nu hoefde dat niet meer omdat ik die als beloning kreeg! Bovendien kreeg ik een zwart met gouden pruikendoos waarop met gouden letters mijn naam gedrukt stond, en die zou ik anders nooit gekocht hebben. Ik kreeg ook een blauwe zak met een koordje waarop met witte letters mijn initialen geborduurd stonden. Die gebruikte je doorgaans om je toga in te vervoeren, hoewel ik eerlijk moet toegeven dat ik hem alleen maar voor de was gebruikte.

De plechtigheid vond een paar weken later plaats en David kwam er met mijn moeder en grootmoeder voor naar Londen. Omdat hij zelf ook geslaagd was, was John ook aanwezig, maar aangezien hij van de situatie op de hoogte was, bleef hij ver uit onze buurt. Ik had mijn vader uitgenodigd, maar die verkeerde weer in een of andere crisis en kon niet komen. Daar was ik om verschillende redenen wel blij mee. Ik wilde niet dat het een vervelende situatie zou worden voor mijn moeder. Het was tenslotte allemaal aan haar te danken dat ik het zo ver geschopt had.

Ongeveer een week voordat ik beëdigd werd, had ik informatie moeten indienen over hoe ik voorgesteld wilde worden. Op het formulier moest ik mijn vaders naam en beroep invullen. Ik had het doorgestreept en daar mijn moeders naam en beroep ingevuld. Ik wilde niet dat zij moest horen dat ik als dochter van Tony Booth tot de balie geroepen werd, terwijl zijzelf degene was die alle offers hiervoor had gebracht. Mijn vader had helemaal niets gedaan om me hierin te steunen. Er werden wat wenkbrauwen gefronst door degenen bij wie het formulier terechtkwam, maar ik hield vol. En dus klonk het toen het moment aanbrak: 'Cherie Booth, dochter van Gale Booth, reisagente.'

Omdat ik *valedictiorian* was, degene die het beste gepresteerd had, moest ik de afscheidsrede houden. Het was normaal dat Lincoln's Inn ook een groot aantal studenten uit de Gemenebest aannam, en velen van hen werden later opperrechter van hun eigen land. De enige instructie die ik kreeg voor de toespraak was dat ik hen moest noemen en moest zeggen hoe blij we waren dat het onderlinge contact tijdens onze generatie voortgezet zou worden via de *Common Law*, ons gemeenschappelijk rechtsstelsel.

Het enige dat me als *valedictorian* speet, was dat ik naast het hoofd van Lincoln's Inn, de *Treasurer* genoemd, moest zitten. Dat was in die tijd een saaie districtsrechter van de Old Bailey en daarom kon ik helaas niet naast lord Denning zitten die *Master of the Rolls* (de op twee na hoogste rechter van Engeland) was en de beroemdste rechter van zijn generatie. Ik had zo graag eens de kans gekregen om met hem te praten, met name omdat hij fel tegen vrouwen binnen de advocatuur was (hoewel zijn stiefdochter Hazel Fox zelf ook advocate was). Hij was niet de enige die er zo over dacht. Het was heel erg de houding van die tijd.

Ik nam dat jaar geen vakantie maar deed mijn best om snel deel te gaan uitmaken van het meubilair in Derry's kamer op de eerste verdieping van Crown Office Row 2. Derry's stagiairs leerden al snel wat de term 'duivelstoejager' betekent. Het hield in dat je als stagiair alle werk voor je patroon opknapte. Hij controleerde het vervolgens, ondertekende het en vanaf dat moment was het zijn werkstuk. Derry gebruikte al zijn stagiairs als duivelstoejager.

Chris Carr, de stagiair die hij net vóór mij had gehad, en een van mijn tutors aan de LSE, had al Derry's handelsrechtelijke zaken voor hem opgeknapt. Ik deed de rest. Hij liet me eerst wat onbelangrijke dingen doen maar toen hij er eenmaal achter kwam dat ik mijn arbeidsrecht kende, liet hij mij het advies voor hem op papier zetten, wat hij vervolgens ondertekende. Je moest het voor Derry allemaal met de hand opschrijven en daarbij een regel overslaan en brede kantlijnen aanhouden. Dat gaf je hem dan vervolgens en hij corrigeerde het voordat hij het doorstuurde naar de typiste.

Hoewel de stage maar een jaar hoefde te duren, bleven jonge advocaten in die tijd net zo lang zitten als 'krakers' totdat ze een baan hadden. Er waren heel wat kleine zaken die ze voor hun rekening konden nemen, ook al hadden ze geen vast werk. In die periode breidde de rechtsbijstand zich uit en werden er overal nieuwe advocatenkantoren geopend. Dat waren misschien wel niet heel goede advocatenkantoren, maar je kon met de rechtsbijstand je brood verdienen.

Ondanks al zijn tekortkomingen was Derry een heel goede leraar. Hij was heel streng maar begeleidde je persoonlijk en liep alles woord voor woord met je na. Hij was erg op de stijl gericht en je mocht de werkwoorden in de onbepaalde wijs ook niet uit elkaar halen. Steeds maar weer vertelde hij me dat ik naar zijn idee dyslexie had. De reden dat dit nog niet officieel vastgesteld was, concludeerde hij, was omdat mijn handschrift zo slecht was dat niemand merkte hoe vreselijk mijn spelling was.

Om het werk van zijn stagiairs voor zijn eigen werk te kunnen laten doorgaan, moest hij zorgen dat ze zijn stijl letterlijk imiteerden. Ik ben nooit vergeten wat ik van Derry geleerd heb. Wat het attest betrof bijvoorbeeld, vertelde hij me dat je nooit moest vergeten dat je het verhaal moest vertellen. De techniek van het pleiten, en de techniek die ik nog steeds gebruik in mijn advies, is nog steeds gebaseerd op wat ik van hem heb geleerd.

Hoewel ik Derry's geschreven stijl goed kon overnemen, was hij als advocaat duidelijk heel agressief – niet bepaald het ideale voorbeeld om na te volgen voor een tweeëntwintigjarige advocate. Maar hoe ontwikkel je als vrouw een bepaalde stijl in een mannenwereld, als de manier die bij mannen effectief is, niet geschikt geacht wordt voor een vrouw? Toen ik eenmaal stagiaire was, zag ik hoe weinig vrouwen er waren en hoe moeilijk het zou worden vrouwelijke rolmodellen te vinden. De meeste advocatenkantoren hadden nog een 'vrouwen-hoeven-niet-te-solliciterenhouding', en tijdens mijn stageperiode bij Derry ontmoette ik niet één keer een vrouwelijke advocaat. Verhalen over vrouwelijke advocaten waren allemaal negatief: ze waren met hun werk gestopt vanwege de kinderen of omdat het hun niet gelukt was een praktijk op te bouwen. Zelfs nadat ik een eigen praktijk was begonnen, gebeurde het maar zelden dat ik het tegen een vrouw moest opnemen, behalve zo nu en dan bij een familierechtszaak. De vrouwen die ik tegenkwam, waren net als ik pas begonnen.

De samenwerking met Derry was echter niet altijd rozengeur en maneschijn, vooral niet als je in dezelfde kamer met hem werkte zoals ik. Hij was persoonlijk heel grof – met name in de zomer als het heet was. Dan kwam hij de kamer binnen en zei: 'Het stinkt hier. Ik zet even het raam open.'

John vertelde me dat ik in mijn slaap begon te praten en zei: 'Dat kun je niet zomaar tegen me zeggen.' Niet dat ik hem dat recht in zijn gezicht had durven zeggen.

Een van mijn vriendinnen aan de LSE was Veena Russell. Ze was oorspronkelijk opgeleid tot balletdanseres aan de *Royal Ballet School*, maar omdat ze te lang werd, maakte ze de overstap naar de LSE, waar ze tegelijkertijd met mij rechten studeerde. Ze was bijzonder knap. Haar ouders waren Aziatische Zuid-Afrikanen en woonden nog steeds in Durban. Ze waren welgesteld maar mochten toentertijd geen geld het land mee uitnemen, hoewel het hun wel gelukt was voor Veena een flat te kopen in St John's Wood. Veena was aan de LSE verliefd geraakt op een advocaat uit Wales en ze zouden die zomer gaan trouwen. Omdat ze een stageplek in Wales had gevonden, zou de flat vanaf eind september leeg zijn, zei ze. Haar ouders kwamen zo nu en dan op bezoek, dus ze kon hem niet verhuren. Ze had iemand nodig om op het huis te passen. Of ik interesse had. Mijn leven veranderde van het ene ogenblik op het andere. Tot ziens zit-slaapkamer, hallo luxe – zeker volgens mijn normen. Mijn eigen badkamer. Een koelkast. Ik hoefde alleen de rekeningen maar te betalen, zei ze. De flat had een tweepersoons- en een eenpersoonsslaapkamer. De dubbele slaapkamer moest gereserveerd blijven voor Veena of haar ouders als ze uit Zuid-Afrika overkwamen. Ik trok er in die maand september in.

Als Veena al knap was, dan was haar moeder helemaal oogverblindend. Ze was pas in de veertig en toen ze kwamen logeren, kon ik haar alleen maar aanstaren. Het was des te choquerender dat ik door de familie Russell voor het eerst in aanraking kwam met rassendiscriminatie. Veena's vader was op een keer alleen op zakenreis overgekomen en op een avond nodigde hij me uit om met hem uit eten te gaan.

'Ik ken een heel goed restaurant in Willesden Lane,' zei hij.

Ik weet nog dat ik in de bus zat met die vriendelijke, intelligente, ontwikkelde man en me er ineens van bewust werd dat iedereen in de bus met een schuine blik naar me zat te kijken. Hij leek het zelf niet te merken en toen viel ineens het kwartje. Ze keken naar mij. Hier zat ik, een blank meisje, met deze knappe, oudere Indiase man. Ik voelde de haat die uit hun ogen straalde, net als vonken uit een straalgeweer in een tekenfilmpje. Het was de eerste keer dat ik zelf iets ervaarde van wat het betekent om op basis van je huidskleur te worden gediscrimineerd.

Ik was er in een bepaalde mate als rooms-katholiek en als Liverpoolse aan gewend me een buitenstaander te voelen, maar het was niet zo dat mensen op grond van mijn gevoel van anders-zijn boven in een bus naar me zaten te staren. In het arbeidersmilieu in Londen was rassendiscriminatie nog iets heel gewoons. *Till Death Us Do Part* stond niet los van de werkelijkheid. De hoofdpersoon Alf Garnett kwam velen niet al te onbekend voor – een reden waarom de serie zo veel succes had. Het was nog niet eens zo lang geleden dat er na de eerste naoorlogse immigrantengolf in pensions bordjes hingen met: 'Geen toegang voor zwarten en Ieren en honden.' De eerste antidiscriminatiewet, de *Race Relations Act*, was van 1965 en daarna kwam de Labourpartij in 1976 met een nieuwe *Race Relations Act* die discriminerende reclame verbood en waaronder de Commissie voor Raciale Gelijkheid werd opgezet. Maar nog geen maand voordat ik als advocaat toegelaten werd, waren er rellen tijdens het carnaval in Notting Hill, dat juist voor het eerst georganiseerd was in de nasleep van de rassenrellen van 1958.

Mijn patroon stond al bekend om zijn geweldige stel hersenen en zijn aanvallende pleidooien. Ik zag dit met eigen ogen toen ik getuige was van een botsing der Titanen: Derry nam een vakbondszaak op zich en kwam tegenover Tom Bingham te staan die de regering vertegenwoordigde. Tom was toen Queen's Counsel maar werd later de *Lord Chief Justice* (opperrechter) en *Senior Law Lord* in het Hogerhuis. Hoewel ze beiden briljante advocaten waren, verschilden ze hemelsbreed in hun modi operandi. Derry was als een aanvallende neushoorn. Tom Bingham was daarentegen als een slang, die gladjes en innemend bijna hypnotiseerde, waarna hij dan plotseling aanviel. Dan wist hij zonder stemverheffing de zwakke punten in de argumenten van de tegenpartij naar voren te halen. Bingham werd geleidelijk aan mijn rolmodel. Als vrouw kon ik nooit een felle advocaat worden als Derry Irvine. Ik zou er dan van beschuldigd worden dat ik te scherp was, en het zou rechters beslist afgestoten hebben. Ze waren toch al niet zo zeker over de rol van vrouwen binnen de rechtbank. Maar net zoals mannen als Tom Bingham binnen de advocatuur succes konden hebben door subtiel op te treden in plaats van aanvallend, konden vrouwelijke advocaten een minder harde maar even effectieve stijl ontwikkelen die meer aansloot bij de moderne stijl van pleiten.

In overeenstemming met zijn zware werklast was Derry's kamer op de eerste verdieping, die ik nu met hem deelde, groter dan de meeste anderen. Op een prominente plaats stond een kolossaal bureau waaraan Derry met zijn rug naar het raam zat. Mijn veel kleinere bureau stond tegenover hem met mijn gezicht naar hem toe. Tegen de muur tussen ons in, tegenover de deur, waren planken vol met boeken. Achter de deur was een tafel waar hoog opgestapeld dossiers van allerlei rechtszaken lagen; stapels A4'tjes met een roze lintje bijeengebonden die hij aan een van de advocaten zou toewijzen. Boven mijn hoofd hing een groot olieverfschilderij waarnaar Derry zat te staren als hij nadacht. Hij was een groot kunstverzamelaar en naast zijn bureau hing een schets van een baby. Die had hij van de kunstenaar Philip Sutton gekregen die hem getekende had toen zijn eerste zoon David geboren was, ongeveer een jaar voordat ik kwam.

Ergens in oktober keek er een bekend gezicht om het hoekje van Derry's deur.

'Hallo,' zei de nieuwkomer en merkte mij niet op achter mijn bureau tegenover het raam. 'Ik kom even zeggen dat ik er ben.' Hij had een oud attachékoffertje in zijn hand en zijn haar was aanzienlijk langer dan de vorige keer.

'O ja. Tony!' zei Derry. Vervolgens wuifde hij met zijn hand vaag in mijn richting. 'Cherie Booth, Tony Blair. Zie je, Tony, ik heb jullie allebei nu als stagiair en ik ben bang dat de jonge Cherie je voor was. Ik ga je boven neerzetten.'

En dat is waar hij bleef.

Tony had zijn stageplaats op de aloude manier gekregen: via een kruiwagen, en zo wordt het nog steeds meestal gedaan. Zijn vader was advocaat geweest in Newcastle voordat een beroerte een einde aan zijn carrière maakte, en zijn oudere broer Bill werkte in de Middle Temple al in een advocatenkantoor dat zich met handelsrecht bezighield.

Het is verleidelijk te denken dat zowel Tony als ik ons aangetrokken voelde tot Derry's kantoor vanwege zijn politieke betrokkenheid. Hij was in 1970 verkiesbaar geweest voor de Labourpartij in Hendon North, maar het was een verloren zaak. Hoewel veel advocaten politicus worden, is de advocatuur vreemd genoeg doorgaans apolitiek. In de advocatuur draait het erom hoe effectief je bent en hoe je aanzien is binnen de advocatuur, niet om je politieke kleur (al was er nooit enige twijfel over dat ik mezelf als iemand zag die de kant van de arbeiders koos).

Het was onvermijdelijk dat Tony en ik als Derry's twee stagiairs heel wat tijd samen doorbrachten. Afgezien van al het andere moest ik mijn rivaal in de gaten houden. Derry zou onmogelijk de ruimte krijgen om allebei zijn stagiairs straks als advocaat aan te nemen voor het kantoor. Ik moest hem ervan overtuigen dat ikzelf van ons tweeën de beste kandidaat was. Tony en ik gingen samen naar rechtszaken, waar altijd veel tijd wachtend moet worden doorgebracht. Hij vergastte me dan op verhalen over zijn recente bezoek aan Frankrijk met Bruce Roe. Na hun eindexamen waren ze samen naar Parijs gegaan, waar ze in een bar gewerkt hadden. Vervolgens waren ze met het daarmee verdiende geld door de Dordogne en Languedoc getrokken. Hij vertelde me vervolgens over zijn liefdesleven. Hij had in die periode geen vaste vriendin maar ik hoorde over de debutantentypes die een flat hadden in Fulham en hem altijd mee uit vroegen. Er was een bepaald meisje, kan ik me herinneren, dat hem maar bleef bellen, en daar was hij niet blij mee. Uiteindelijk zei hij ja tegen een feestje waarvoor ze hem uitnodigde en toen hij daar aankwam, bleek hij de enige gast te zijn... Wat ik daarvan dacht, als zijn eigen 'Lieve Lita'? Ik gaf hem in alle ernst advies. Een meisje met wie hij in Frankrijk uit was geweest, nam contact op en had het erover hem in Londen te komen opzoeken. Wat vond ik daarvan? Hij wist over mijn vriendje in Londen, evenals Derry, omdat 'de worm', zoals ze hem noemden, soms binnen kwam vallen op kantoor. Derry was bijzonder afkeurend, maar hij was van nature bezitterig. Ik durfde hun niet over mijn vriend in Liverpool te vertellen.

John en ik gingen meestal naar zijn flat in Blackheath, hoewel dat behoorlijk ver uit het centrum van Londen was. Maar ik had een weekkaart voor de bus die je bepaalde voordelen gaf. Een ervan was dat er in het weekend een vriend gratis mee mocht. Dat jaar gingen John en ik overal naartoe met de bus. We gingen naar Plumstead Common, of bleven zitten tot het eind van de lijn en zochten uit waar die helemaal naartoe ging. Dat was onze manier om ons te vermaken.

Die kerst besloot John samen met zijn huisgenoot een kerstdiner te organiseren. Hij wees mij aan als vrijwilliger om te koken. Toen al vond ik koken en de kans om iets goeds te bereiden leuk, in plaats van bacon te bakken op een gasstelletje op de overloop, en het was dus iets om naar uit te kijken. De oven was niet groot genoeg voor een kalkoen, dus aten we kip. Ik kreeg te horen dat ik iemand mocht meebrengen, en het leek mij een goed idee om Tony uit te nodigen.

Het was een echt kerstfeest met spelletjes. Zo moest je een ballon onder je kin vasthouden en aan je buurman doorgeven. Omdat Tony maar een paar gasten kende, hadden ze hem naast mij neergezet en terwijl we die ballon probeerden over te hevelen, dacht ik plotseling: Wacht even... Ik weet niet wat het was. Misschien de geur van zijn huid, iets vluchtigs, een lichte trilling, maar er gebeurde beslist iets. Tot op dat moment was het werkelijk nooit in me opgekomen dat hij iets anders zou kunnen zijn dan een rivaal.

De waarheid was, begon ik te beseffen, dat hij een heel knappe jongeman was, lang en slank en toch met brede schouders. Echt een sterk lichaam. Het korte kapsel dat hij de eerste keer dat we elkaar ontmoetten had gehad, was uitgegroeid tot een wilde bos krullen die op zo'n manier over zijn kraag hing dat ik het om mijn vinger zou willen winden. Hij had doordringende helder blauwe ogen, wat me nooit eerder opgevallen was. Doordringend omdat ze wel door me heen leken te kijken, zozeer dat ik diep uit mijn binnenste een blos voelde opkomen die zich over mijn gezicht verspreidde.

Tegen het eind van het semester besloot Derry ons mee uit te nemen voor een kerstdiner. Het was geen echt bedrijfsfeest, want met zovelen waren we niet. Het was gewoon iets typisch voor Derry; hij hield ervan groot uit te pakken. De tafel was voor half één 's middags besproken bij Luigi in Soho – een plek waar Derry graag kwam. Het was een van die Italiaanse restaurants waar ze foto's van beroemde mensen aan de muur hebben hangen. Er kwam geen eind aan de maaltijd en Derry bleef maar uitwijden over de toestand in de wereld. Ik herinner me nog dat het al vier uur was en dat het nog weer later werd. Derry bestelde nog een fles. Hoe dan ook, om half elf 's avonds zaten we er nog. Er werd heel wat gedronken. De tafel was afgeruimd en daar zat ik, tussen die twee mannen in. Een van hen – Derry – was duidelijk onder invloed, de andere – Tony – probeerde me duidelijk het hof te maken. Zodra ik zou zeggen dat het tijd voor me was om te gaan, zou Derry opspringen, wist ik. En dan moest ik samen met hem een taxi nemen. Hij woonde boven aan Abbey Road, vlak bij mijn huis op Abercorn Place. Hoe moe ik ook was, ik besloot te blijven zitten totdat Derry alleen naar huis was gegaan. En uiteindelijk gebeurde dat. Vervolgens namen Tony en ik de bus in ongeveer dezelfde richting: hij woonde in Primrose Hill met drie van zijn vrienden van Oxford. Het was een dubbeldekker en we gingen bovenin zitten waar toevallig niemand anders zat. En tegen de tijd dat we uitstapten, kenden we elkaar beter dan toen we instapten. En zelfs nog beter de volgende morgen.

De volgende dag kwam Tony naar beneden vanuit zijn kantoor op zolder voor het gebruikelijke ochtendoverleg. Als belangrijkste stagiaire zat ik naast Derry, terwijl Tony aan mijn bureau daartegenover zat. Hij beweert – al geloof ik dat niet – dat ik de hele tijd naar hem heb zitten knipogen.

Daar zat ik nu met drie mannen in mijn leven. Tony wist over John maar niet over David. John wist over David maar niet over Tony. En die arme David geloofde naïef dat ik een hardwerkend bestaan leidde in het saaie Londen, opgefleurd met incidentele bezoekjes aan Liverpool. Lieve help.

Naarmate de maanden verstreken, dacht ik natuurlijk wel na over mijn kansen om een aanstelling bij Derry te krijgen. Een van de dingen die Derry maar bleef herhalen, was dat de advocatuur een harde wereld was voor een vrouw. Hij dacht ook dat ik van ons tweeën, Tony en mij, degene was die zich meer met politiek bezighield. In werkelijkheid was het tegenovergestelde het geval omdat Tony zijn hart nooit helemaal op de advocatuur had gezet zoals ik. Ik was gewoon meer open over mijn politieke voorkeuren. Toen ik op Weech Road woonde, had ik me bij de plaatselijke afdeling (West Hampstead) van de Labourpartij aangesloten en ik was door de partij aangesteld voor Quinton Kynaston School. Iedereen in het advocatenkantoor was daarvan op de hoogte. Tony was zelf lid van de Labourpartij in Wandsworth, maar daar hield hij zijn mond over. Er waren ook pragmatische redenen waarom Derry een voorkeur voor Tony had. Omdat hij handelsrecht deed, zou hij van meer nut zijn omdat dat meer geld inbrengt voor een kantoor dan arbeidsrecht. En Derry wilde immers graag de afdeling handelsrecht van de praktijk verder uitbouwen. Ik was gewoon het linkse meisje dat die andere zaken deed. Ironisch genoeg had ik niet het minste idee hoe ik politiek moest denken.

Er waren ook nog andere namen behalve die van Tony en mij waaruit kon worden gekozen. Niet elke patroon kan al zijn stagiairs elk jaar ergens onderbrengen – er zijn gewoonweg niet genoeg plaatsen.

Ondertussen begon het een wat verhitte strijd te worden op het kantoor. Hoewel mijn positie als belangrijkste stagiair niet in twijfel werd getrokken, had het ook nadelen om voortdurend bij Derry te moeten zitten. Op de bovenste verdieping deelde Tony een kamer met twee jonge advocaten. Hierdoor was Tony veel beter in staat een netwerk op te bouwen, terwijl ik beneden voor Derry zat te ploeteren.

Boven ons – op de tweede verdieping – zat een ander advocatenkantoor en op de derde verdieping (waar vroeger de bedienden woonden, vermoed ik) was naast Tony's werkkamer nog een kantoorruimte van dat advocatenkantoor. Een van de jonge advocaten die daar werkten, was iemand die Tony nog uit Schotland kende. Ze hadden iets te maken met elkaar vanwege een bepaald meisje. Amanda Mackenzie Stewart, de dochter van de voorzitter van het bestuur van Fettes College. Het bestuur had als experiment besloten om één meisje tot de zesde klas toe te laten en Tony had zijn zinnen op haar gezet. Maar na wat achter-het-fietsenhokromantiek liet ze hem zitten voor die jongen van een andere school, en dat was Charlie Falconer. Toen we uiteindelijk allemaal in Crown Office Row werkten, waren de negatieve gevoelens tussen de twee rivalen vergeten en voorbij, en een jaar of zo later, toen Charlie genoeg verdiende om een huis te kopen in Wandsworth, trok Tony bij hem in.

Ik mocht Charlie al vanaf het begin. Hij was persoonlijk op een aandoenlijke manier chaotisch. Een van die vrolijke mensen die altijd lachen. Als je naast hem ging zitten tijdens een dinertje, ontfutselde hij je binnen vijf minuten je hele levensverhaal, inclusief al je diepste geheimen, omdat hij zo innemend en geïnteresseerd is. Hij weet alles wat er te weten valt over popmuziek van de jaren zestig, tot en met de onbekendste b-kanten van grammofoonplaatjes. Zelf kon hij niet echt zingen, dus dan gaf hij mij de woorden die ik vervolgens zong.

Ik was altijd het soort meisje geweest dat haar hand opstak in de klas omdat ze het antwoord wist. En ik was daar nog steeds op gespitst, al weet ik dat het heel irritant kan zijn voor de mensen om me heen. Dat maakte op school waarschijnlijk niet uit, maar het begon nu wel een rol te spelen.

Tony werkte aan een van Derry's handelsrechtszaken. We gingen naar de behandeling van de zaak door de *Master of the Rolls* lord Denning. Ik had maar even heel globaal naar het dossier gekeken omdat ik er niet echt bij betrokken was. We zaten er allemaal samen over te praten toen ik plotseling een ingeving kreeg: 'Maar natuurlijk,' onderbrak ik hen, 'zus en zo is het antwoord.'

Vervolgens zei Derry: 'O, dat is een goed idee.' En ik had gelijk. Maar het viel niet erg goed bij alle anderen. Ik was slechts een stagiaire en stagiairs moeten hun plaats kennen.

Een ander incident vond plaats toen Derry een zaak behandelde voor Michael Sherrard, QC, de toenmalige *Head of Chambers* (deken van advocaten). Ik was aanwezig bij een overleg met de cliënt. Michael Sherrard zei op een gegeven ogenblik iets waarvan ik wist dat het niet klopte.

En daar zegt juffrouw weetal: 'Maar dat is niet zo!'

Michael Sherrard heeft me dat nooit vergeven en dat is niet zo mooi als de Head of Chambers zo over je denkt. Na die tijd stond ik bij hem te boek als dat grietje dat hem voor gek had gezet. Dat was nooit mijn bedoeling geweest. Het was helemaal niet in me opgekomen.

Ik was in veel opzichten inderdaad gewoon een grietje. Ik was tweeëntwintig maar zag eruit als twaalf, en was extreem slank nog voordat het in de mode kwam. Ik had niet die privéschooluitstraling die het merendeel van mijn studiegenoten en -genotes had. Ik had nooit geleerd dat heldenmoed en discretie altijd met elkaar moeten samengaan. Met andere woorden: weten wanneer je je mond moest houden. De nonnen zullen het vast genoemd hebben, maar het was duidelijk langs me heen gegaan.

Het werd steeds duidelijker dat ik bij het vinden van een aanstelling bij een advocatenkantoor gehinderd werd door het feit dat ik een vrouw was: ik was van het verkeerde geslacht. Dat jaar was slechts zestien procent van degenen die toegelaten werd tot de balie van het vrouwelijk geslacht. Het jaar daarvoor was het negen procent, en het jaar daarvoor nog minder. Het percentage nam weliswaar toe, maar de houding onder senioradvocaten (de mensen die beslisten wie als advocaat bij hen mocht komen werken) veranderde niet. Een verplicht studieboek tijdens mijn eerste jaar rechten-studie was *Learning the Law* van professor Glanville Williams, QC. In de uitgave van 1973 waarschuwde hij dat het heel moeilijk was voor vrouwen om binnen de advocatuur te slagen. 'Het werk binnen de advocatuur is een veeleisende taak voor een man,' schreef hij, 'laat staan voor een vrouw. Het is niet gemakkelijk voor een jonge man om op te staan en de rechtbank toe te spreken. Veel vrouwen vinden dat echter nog veel moeilijker. De stem van een vrouw draagt niet zo ver als die van een man.' Hij raadde jonge vrou-wen aan 'om raadsvrouw te worden'.

Ik zal nooit vergeten hoe, kort nadat ik advocaat was geworden, een hele kleedkamer vol mannen geschrokken en in shock zweeg toen het tot hen doordrong dat ik me daar te midden van de kerels ook in mijn pruik en toga moest gaan staan hullen.

Derry verschilde in veel opzichten niet van de rest van hen. Maar hij had me aangenomen en hij had al behoorlijk geprofiteerd van het feit dat hij op wonderbaarlijke wijze de allerbeste afgestudeerde rechtenstudent van het land in huis had weten te halen. Ik had ook gezien hoe hij zijn vroegere stagairs naar voren schoof en aan werk hielp. Hij was iemand die zijn ver-plichtingen nakwam. Daar zou ik op moeten vertrouwen.

7

Aanstelling

Ik heb me altijd verantwoordelijk gevoeld voor mijn zusje. Onze vroege jeugd was zo ontwricht en veel meer dan ik voelde zij zich verraden door het vertrek van onze vader uit ons leven. Hoewel ik maar twee jaar ouder ben, besefte ik dat het op de een of andere manier voor haar moeilijker was. Mijn vriendinnen op school accepteerden dat Lyndsey overal waar ik naartoe ging meeging. Iemand achter je aan hebben lopen die twee jaar jonger is, was niet bepaald ideaal voor meisjes van onze leeftijd. Het was alsof ze niet meer het risico wilde lopen dat er nog iemand uit haar leven verdween. Toen ik mijn eerste communie deed, droeg ik net als alle rooms-katholieke meisjes al eeuwenlang overal ter wereld een wit jurkje. Lyndsey was zo van streek dat ze niet mee mocht doen, dat mijn moeder er voor haar ook een kocht. Bij Lewis waren ze op de hoogte van onze omstandigheden en ze lieten mijn moeder altijd uitkiezen tijdens de uitverkoop. Toen Lyndsey uiteindelijk van school ging, verbaasde het niemand dat ze rechten ging studeren. Ze deed dat in Cardiff aan de University of Wales Institute of Science and Technology (UWIST). Davids zus was net van de universiteit afgestudeerd en werkte daar als stedenbouwkundige. Lyndsey begon met haar studie in 1975, en David en ik reden er regelmatig naartoe om onze zussen op te zoeken.

Toen Lyndsey en ik eenmaal het huis uit waren, bleef er geen reden meer over voor mijn moeder om op Ferndale Road te blijven. Het is een ding om met je schoonmoeder in een huis te wonen als je geen keus hebt, maar mijn grootmoeder was nu al een eind in de zeventig en mijn moeder moest haar steeds meer verzorgen. Uiteindelijk was het niet mijn moeder die de knoop doorhakte. Toen mijn moeder op een dag uit haar werk kwam, vroeg mijn grootmoeder of ze even wilde gaan zitten. Ze had haar iets te vertellen, zei ze. 'Zeg, Gale, heb je erover nagedacht wat je gaat doen als ik er niet meer ben?'

'Wat bedoelt u?'

'Nou, als ik overlijd, wordt dit huis verkocht en over mijn drie kinderen verdeeld. En wat gaat er dan met jou gebeuren?'

Volgens mijn moeder begonnen toen bij haar de alarmbellen te rinkelen. Daarom belde ze het gemeentehuis en schreef zich in voor een flat. Er kwam een taxateur langs op Ferndale Road en mijn moeder zei dat ze die hele nacht heeft gehuild. Ze had plotseling ingezien hoe ze ervoor stond door de ogen van buitenstaanders. Ze bezat niets. Niets behalve wat er in haar linnenkast hing. Het bed dat ze met Lyndsey gedeeld had, was doorgezakt en viel uit elkaar. Ze had nooit iets mogen bezitten of kopen van mijn grootmoeder. Het enige dat ze had mogen kopen, was een televisie, die ze bij Lewis had gekocht en achterliet toen ze verhuisde.

Omdat ze nog steeds een dochter had die fulltime studeerde, kreeg mijn moeder een driekamerflat toegewezen in Seaforth, bij de haven in een tamelijk moeilijke buurt. Het was niet ver van de fish-and-chipszaak waar ze jaren geleden had gewerkt. De flat lag op de zesde verdieping en was best wel leuk, met een prachtig uitzicht over de zee. Ik logeerde daar die kerst maar het voelde nooit aan als thuis.

Op een middag kort voor Nieuwjaar ging de telefoon. Mijn moeder nam op en gaf de hoorn aan me door met een vreemde uitdrukking op haar gezicht. 'Voor jou,' zei ze.

Tot mijn grote verbazing was het Tony. Omdat we allebei in het noorden zouden zijn, had hij vaag voorgesteld dat ik tijdens de vakantie bij zijn vaders huis in Durham langs zou kunnen komen. Nu belde hij om te horen of het nog doorging. Ik zei oké.

'Wie was dat?' vroeg mijn moeder op beschuldigende toon. 'In ieder geval niet iemand hier uit de buurt. Niet met zo'n accent.'

'Tony Blair. Weet je nog? Derry's andere stagiair. Je hebt hem ontmoet tijdens de plechtigheid.' En dat was ook zo. Terwijl ik tegen John gezegd had dat hij bij haar uit de buurt moest blijven, had ik er geen moeite mee om haar aan Tony voor te stellen omdat hij op dat moment niet meer dan een rivaal was.

'Ik kan hem me niet herinneren.'

'Wel.'

'Wat wilde hij eigenlijk?'

'Hij wil dat ik naar hem toe kom.'

'Waar dan?'

'Een dorpje in de buurt van Durham. Waar zijn vader woont. Zijn zus is er ook en hij dacht dat ik haar wel zou willen ontmoeten. Zij studeert rechten in Oxford.'

Ze vertrouwde her niet. Ik wist dat David beloofd had te komen om de flat te schilderen.

'Ik heb hem gezegd dat ik kom.'

'Dat heb ik gehoord. Nou ja, je weet wat je doet, hoop ik.'

'Ik ga er wel heen op de terugweg naar Londen.'

'Je moet alleen niet vergeten Cherie, dat een dergelijk accent even goed een accent is als een Liverpools accent.'

Hoewel ik niet bij mijn grootmoeder logeerde, lukte het me toch om haar veel te zien. Ze was duidelijk niet te spreken over mijn moeders verhuizing, hoewel zijzelf het initiatief daarvoor had genomen. Voor mij bracht het de oude verwarring weer boven; alsof er aan twee kanten aan me werd getrokken: door mijn grootmoeder en door mijn moeder.

Omdat ze nu weinig te doen had in Ferndale Road, ging ze regelmatig naar het buurtwinkeltje op de hoek en paste op de zaak. Er werden schoonmaakproducten verkocht en allerlei prulletjes. Het was allemaal heel goedkoop en daarom sloeg ik vaak een voorraadje in als ik weer naar Londen terugging.

De ochtend dat ik naar Durham vertrok, ging ik afscheid van haar nemen en liep ze mee naar het winkeltje waar ik een fles schoonmaakmiddel kocht, wat goedkope chloor en wat rollen toiletpapier. Het was een hele plastic tas vol die ik in mijn weekendtas propte.

Het ging allemaal prima totdat ik in Durham aankwam, waar de plastic tas uit de weekendtas viel. Alsof het niet erg genoeg was, was Tony er niet om me af te halen, zoals hij beloofd had. Ik ergerde me zo dat ik besloot een taxi te nemen en er rechtstreeks naartoe te rijden. Ik stapte in die taxi met de walm van een goedkoop schoonmaakmiddel op me heen en gaf de chauffeur het adres van Tony's vader. Net toen we wegreden, zag ik Tony uit de auto achter ons stappen. Ik was zo woest dat ik er niets over tegen de taxichauffeur zei. Maar Tony moet me hebben zien instappen, want toen we verder reden, bleef de chauffeur maar zeggen: 'Er zit een man achter ons die maar met zijn lichten blijft seinen.' Ik zei dat hij door moest rijden en dacht: Ik heb mezelf voor hem uitgesloofd, hij heeft het maar te slikken.

We kwamen tegelijk aan. Ik moet toegeven dat het niet zo'n goed begin was, maar ik had het tenminste naar mijn idee juist opgelost. En hij betaalde voor de taxi.

Ik weet nu niet meer wat ik verwachtte, maar het huis was niet zo indrukwekkend als ik had gedacht. Ze woonden er feitelijk ook nog niet zo lang. Ik kende een deel van het verhaal al en dat was heel triest. Toen Tony pas tien was, had zijn vader een beroerte gehad. Hij was docent in de rechtsgeleerdheid aan de Universiteit van Durham, en parttime advocaat in Newcastle. Hij was van plan fulltime als advocaat te gaan werken en er was een kans dat hij voor de Conservatieven in het parlement zou komen toen het gebeurde. Daarna, nog geen tien jaar later, overleed Tony's moeder Hazel aan keelkanker. Ze hadden het er altijd over gehad om naar het dorp Shincliffe te verhuizen, en uiteindelijk hadden ze na alle tegenslagen dit huis gevonden dat hen echt beviel. Maar Tony's moeder had er nooit gewoond en dat maakte het allemaal heel triest.

Ik had nog geen paar uur daarvoor op Ferndale Road gezeten, en nu was ik hier. Ik verbaasde me er zelf over hoe gemakkelijk het was om van de ene wereld in de andere over te stappen. Iets wat ik me een paar jaar daarvoor nooit voor had kunnen stellen.

We waren alle vijf juristen. Leo (Tony's vader), zijn broer Bill die een praktijk in de Middle Temple had in handelsrecht, Tony en ik natuurlijk, en Sarah die – in navolging van haar broers – toen in Oxford rechten studeerde. (Hoewel ze daar niet helemaal gelukkig mee was, zoals ik later ontdekte.) Toen ik naar het rijtje Blairs in de keuken keek, was ik verbaasd hoe lang Tony ineens leek in vergelijking met de anderen. Hij is ruim een meter tachtig lang, terwijl zijn vader en Bill, evenals Sarah, bijna vijftien centimeter kleiner zijn.

Sarah en ik konden het onmiddellijk met elkaar vinden. Leo bleek politiek gezien behoorlijk rechts te zijn, daarom kwam hij soms op de proppen met iets wat wij ronduit schandalig vonden. Ik hapte altijd meteen toe en dan deed Sarah ook mee, waarna we de feministische stellingen betrokken. Het was echter niet alleen mannen tegen vrouwen. Ik vergat nooit dat Tony mijn rivaal was, en ik probeerde te strijden tegen de simpele gedachte dat iedereen die niet van een privéschool kwam en Oxford of Cambridge, het niet zou kunnen maken.

Ik kan me niet voorstellen wat zijn familie van dit nogal vreemde meisje moet hebben gedacht dat in die keuken een uur in de wind stonk naar goedkoop schoonmaakmiddel, hun vader maar bleef lastigvallen dat vrouwen net zo goed zijn als mannen, terwijl zijn zus het vanaf de zijlijn toejuichte. Mijn moeder, die aan de RADA gestudeerd had, had altijd een goede uitspraak gehad. Daardoor waren de scherpe kantjes van het Liverpools accent dat overal om ons heen klonk, enigszins afgesleten, maar toch twijfelde niemand eraan dat ik uit het noorden kwam. Bovendien hadden de nonnen ervoor gezorgd dat we les kregen in welsprekendheid. Dat soort zaken was belangrijk als je vooruit wilde in het leven.

Meteen toen Tony en ik weer terug op kantoor waren, begon Derry aan een grote zaak. In tegenstelling tot wat hij gewoonlijk deed, was het een strafrechtszaak over een enorm schandaal in Singapore. De regering van Singapore probeerde een aantal Britse zakenmannen uitgeleverd te krijgen die terecht moesten staan voor fraude. Derry vertegenwoordigde een van hen, Dick Tarling, de directeur van Slater Walkers dochteronderneming in Singapore. De belangrijkste gedaagde was Jim Slater, die door een beroemd strafrechtadvocaat vertegenwoordigd werd. De zaak kwam voor de rechter in Horseferry Road Magistrates Court, en Tony en ik gingen natuurlijk mee. Het was onze taak ervoor te zorgen dat Derry kon beschikken over alles wat hij die dag nodig had. We moesten de benodigde documenten aanreiken, aantekeningen maken enzovoort. De rechtbank was vlak bij de Tate Gallery, en Tony en ik gingen er elke keer tijdens de middagpauze naartoe. Pas daar begon hij heel open over zichzelf te praten.

Hij sprak met me over zijn moeder die pas het jaar daarvoor overleden was, net twee weken nadat hij afgestudeerd was. Ook over het geloof, dat blijkbaar heel belangrijk voor hem was. Hij vertelde me over zijn confirmatie in de anglicaanse Kerk tijdens zijn studie in Oxford. Hoewel de Blairs geen kerkgangers waren, hadden ze de twee jongens wel naar de Chorister School gestuurd die bij de kathedraal van Durham hoorde. Zijn vader was echter niet gelovig. Misschien was dat wel waarom de confirmatie van Tony niet eerder plaatsvond.

In Oxford ontmoette hij Peter Thomson, een Australische priester die als wat oudere student theologie studeerde. Hun discussies gingen keer op keer over de bevrijdingstheologie: de radicaliteit van Christus en hoe dit allemaal aansluit bij, en zijn weerklank vindt binnen, het socialisme. Dat was precies het onderwerp waarover zo fel gediscussieerd werd rond het kampvuur bij de YCS. We hadden bijvoorbeeld allebei het boek *Eerlijk voor God* van John Robinson gelezen.

Zelfs in dat prille begin van de relatie tussen Tony en mij brachten we uren door met gesprekken over dit soort zaken, over God en de reden van ons bestaan. Ik denk niet dat het overdreven is als ik zeg dat we juist hierdoor een steeds nauwere band kregen. Dat en het feit dat hij net zijn moeder verloren had. Hij had een vaste overtuiging wat zijn visie op het huwelijk betreft bijvoorbeeld. Hij geloofde oprecht dat het mogelijk was dat twee mensen hun hele leven lang bij elkaar bleven. Omdat ik gezien had wat er met mijn moeder gebeurd was, leek het iets geweldigs om naartoe te werken, hoewel ik niet zeker wist of mannen dit wel aankonden. Ik wilde echt trouw zijn, niet het minst omdat ik zelf gezien had wat een schade een man voor zijn gezin en zijn kinderen kan aanrichten als hij wegloopt. Op dat moment had mijn vader zes kinderen bij drie verschillende vrouwen – althans voor zover we het wisten. En toch leek het niet meer dan een doodgewoon gesprek als Tony het over liefde en trouw had. Hij liet me wat dat betreft altijd in het duister, wat ik intrigerend vond en niet zo'n beetje uitdagend. Wat ik echt bewonderde, was zijn eerlijkheid en zijn verlangen tot de kern van dingen door te dringen, en zijn geloof dat ons leven een bedoeling heeft. Ik vond het heerlijk om met hem te praten en die uitzonderlijke keren dat we niet samen de middagpauze in de Tate Gallery konden doorbrengen, had ik het gevoel dat ik iets miste.

Hij stelde me nu aan zijn vrienden voor als zijn nieuwe vriendin en dan zei ik: 'Ik weet niet zeker of ik je nieuwe vriendin ben,' maar ik mocht zijn vrienden wel.

Het huis waar hij woonde in Primrose Hill was eigendom van de moeder van Marc Palley, iemand die hij uit Oxford kende. De familie kwam oorspronkelijk uit Rhodesië, waar Marcs vader parlementslid was geweest. Ian Smith noemde hem een 'eenmansoppositie'. Zijn moeder Claire Palley doceerde rechten in Oxford. Ze was net zo uitgesproken als haar ex-man wat de Afrikaanse emancipatie betreft. Het was een indrukwekkende vrouw, hoewel een niet heel moederlijk type. Marc woonde in een van de appartementen met zijn vriendin Bina (afkorting van Sabina), terwijl zijn broer Dave – die ook op St John gezeten had – in het appartement daaronder woonde met Tony en Martin Stanley, nog een vriend van St John. Ze waren allemaal nogal 'bekakt' maar tot mijn verbazing mocht ik hen wel. Aan de LSE was ik dat soort mensen uit de weg gegaan. Ik kan me nog herinneren dat ik Marc voor het eerst ontmoette. Hij zei toen tegen me: 'O, Tony heeft het over je gehad. Je bent anders dan de vriendinnetjes die hij meestal heeft. Die gaan niet langer mee dan een bloem op zijn revers.' Toentertijd dacht ik dat het een steek onder water was omdat ik niet van het debutantentype was. Later besefte ik dat het als compliment bedoeld was, en dat ik meer was dan alleen een knap gezichtje.

Toen ik eenmaal door de Oxfordvrienden goedgekeurd was, kwamen zijn schoolvrienden aan de beurt. Hij was me nu echt het hof aan het maken. Tijdens een weekend wilde hij me meenemen naar Reading, waar Ian Craig landbouwkunde studeerde. Dit was nog een vriend van zijn tijd op Fettes College. Om mee te kunnen gaan, had ik helaas John verteld dat een vriendin van de LSE net door haar vriendje in de steek gelaten was, en dat ik het weekend bij haar moest blijven om haar te troosten.

Het was rond die tijd dat ik Geoff Gallop en zijn vrouw Beverley voor het eerst ontmoette. Geoff, die later minister-president van West-Australië zou worden, was een paar jaar ouder dan Tony en ze hadden elkaar op St John leren kennen toen Geoff met een Rhodes-beurs de combinatie filosofie, politiek en economie studeerde. Hij zat in die tijd in de trotskistische International Marxist Group (IMG) en het was via Geoff dat Tony in aanraking kwam met linkse politiek. Het was ook Geoff die hem aan Peter Thomson had voorgesteld (die Tony's interesse in de theologie weer aanwakkerde). Hij speelde een heel belangrijke rol in Tony's leven. Toen ik hem ontmoette, was Geoff net in Oxford teruggekeerd voor zijn promotieonderzoek. Ik was enorm onder de indruk van hem. Ik voel me erg aangetrokken tot intellectuelen en hij was niet alleen een heel intelligente man, maar ook een van de vriendelijkste en grappigste mensen die ik ken.

Hoewel John aan Cambridge gestudeerd had, waren de gesprekken die ik met zijn vrienden voerde naar mijn idee toch heel anders. Ondertussen trad hij meer op de voorgrond dan ooit. Hij wilde altijd naar de flat komen en was over het algemeen veel te opdringerig en kleverig. Hij zal vast aangevoeld hebben dat ik mijn interesse in hem aan het verliezen was. Hij zal ook ongetwijfeld gemerkt hebben dat er iets aan de hand was tussen mijn medestagiair en mij, al wist hij niet wat. Ik begon me heel onbehaaglijk te voelen met deze situatie.

En dan was David er ook nog.

De zomer daarvoor was Davids zus getrouwd met haar advocatenvriend uit Wales. Het was een bruiloft zoals je die in Blundellsands zou verwachten: jacquetten, japonnen, hoeden, luxe partytent, bloemen, champagne... Ik moet toen al beseft hebben dat het tussen David en mij niets zou worden, want ik deed al het mogelijke om maar niet op de foto te komen. Het had niets met Tony te maken – die kende ik toen nog maar nauwelijks – en zelfs niet met John. Het was gewoon dat David en ik, hoezeer we in veel opzichten ook bij elkaar pasten, het op politiek gebied niet eens waren. Hij was een overtuigd Conservatief en ik was een overtuigd niet-Conservatief. Hoewel we nooit over politiek spraken, was het een fundamenteel verschil tussen ons en dat was belangrijk. Wat het zo moeilijk maakte, was dat ik heel erg gek op hem was. We hadden een band, een behoorlijk diepe band, die al heel lang bestond.

Het was een prachtige bruiloft. En wat Davids moeder betrof, zij was al lang mijn eenvoudige afkomst vergeten en deed haar best me naast David te krijgen voor de foto's. Ikzelf daarentegen probeerde buiten beeld te blijven. We waren inmiddels echt vriendinnen geworden en ik voelde me schuldig dat ik niet meewerkte, maar ik had besloten dat het diplomatieker was niet te prominent in beeld te komen. Ik wilde namelijk voorkomen dat de toekomstige mevrouw Attwood – en ik wist toen al dat ik dat niet zou zijn – zich later opgelaten zou voelen.

Ik had het David proberen te vertellen tijdens die kerst, en zei bijvoorbeeld: 'Hier zit geen toekomst in.' In feite was ik te lafhartig en had ik niet de moed om datgene te doen wat ik moest doen. Het hielp ook niet dat hij zo'n nauwe band met mijn moeder had gekregen. Ze had iemand ontmoet in Canada tijdens een van haar reizen, en was aan de toekomst gaan denken – zelfs aan emigratie – en David hielp haar nu de echtscheiding erdoor te krijgen op basis van meer dan vijf jaar scheiding van tafel en bed.

Tot plotseling op een avond, ergens in het voorjaar, David zomaar bij me op de stoep stond in Abercorn Place. Ik weet niet hoe het kwam, maar daar was hij. Hij klopte op de deur en John deed open met een schoen in zijn hand. Mijn schoen. Hij behoorde tot het soort mannen dat graag schoenen poetst. En op dat moment besefte David dat het voorbij was. Hij was heel, heel erg kwaad en vertrok meteen.

Mijn moeder kon het amper opbrengen met me te praten. David was naar huis teruggegaan en had zijn hart bij haar uitgestort. Geen wonder dat ze heel erg boos was, en waarschijnlijk had ze daar wel gelijk in. Het stond als een paal boven water dat dit ongelooflijk slecht van me was geweest. Er zijn niet veel dingen in mijn leven waarvan ik spijt heb, maar ik betreur wel hoe ik met David ben omgegaan. Ik wist al een tijdje dat we niet samen de toekomst zouden delen, maar toch kon ik niet de moed opbrengen hem dat te vertellen. Ik weet dat hij het heel moeilijk vond me dat te vergeven, en dat is te begrijpen. Gelukkig kunnen jonge mensen tegen een stootje, en twee jaar later ontmoette David een vriendin van mijn zus en werd verliefd op haar. Ze zijn nu getrouwd en hebben twee dochters. Ik ben blij dat David en zijn vrouw ons een paar jaar geleden zijn komen opzoeken in Downing Street. Ik hoop maar dat hij me dit enigszins heeft vergeven.

Na dit incident dacht John natuurlijk dat hij er weer beter voorstond.

Het leek ook gemakkelijker voor hem om daarvan uit te gaan. Opnieuw kreeg de lafhartigheid de overhand in me. Alhoewel, hoe meer tijd ik met Tony doorbracht, hoe minder graag ik bij John wilde zijn. De situatie werd nog ingewikkelder doordat Tony en ik nog steeds rivalen waren, en dat zou pas voorbij zijn als er duidelijkheid kwam over de vraag wie de aanstelling als advocaat zou gaan krijgen.

Ergens dat voorjaar nodigde Derry Tony en mij uit voor een etentje bij hem thuis. Dat deed hij niet vaak met stagiairs, maar ik denk dat anderen hadden afgezegd.

Een van de andere gasten was de schilder Euan Uglow. Hij was ongeveer van mijn vaders leeftijd. Een kleine schriele man met een keurige snor die altijd heel excentriek gekleed ging (wat voor weer het ook was, hij droeg bijvoorbeeld altijd sandalen). Maar hij was niettemin innemend, heel gevoelig, had een zachte stem en manieren die aan de vorige eeuw deden denken. Hij vertelde me dat hij altijd op zoek was naar nieuwe modellen, en of ik voor hem wilde poseren? Hij wist genoeg van de balie om te beseffen dat advocaat-stagiairs altijd op zoek waren naar extra inkomen. De standaardvergoeding was drie pond per uur, dus ik dacht: Waarom niet? Het zou niet veel tijd kosten, dacht ik, en ik was altijd te vinden voor nieuwe ervaringen. Daarom stemde ik ermee in en hij zou me opbellen.

Op een middag, toen het op kantoor een beetje dode boel was, ging ik naar zijn studio in Battersea. Op mijn weg ernaartoe had ik er geen idee van dat hij een van de belangrijkste figuratieve schilders van de tweede helft van de vorige eeuw was. Op de schilderijen in de studio waren voornamelijk vrouwen te zien.

'Ik ben op het ogenblik bezig met twee schilderijen van een staand naakt,' legde hij uit. 'Het ene is van een blond meisje en jij wordt het donkere. Hier is het schilderij waaraan ik al begonnen ben.'

Het blonde meisje keek naar links en het viel me op dat ze vrijwel niets droeg.

Ik zou de andere kant op kijken, zei hij, en gaf me vervolgens 'een blauwe jurk' zoals hij die noemde, die ik van hem moest aantrekken. Het was nooit in me opgekomen toen hij me vroeg om model te komen staan, dat ik dan naakt zou moeten poseren. Of, zo goed als. Wat kon ik nu zeggen?

'Prima.'

De blauwe jurk bleek niet meer dan een lap stof te zijn die hij in elkaar genaaid had tot een soort halflange vest. Hij stond helemaal open in het midden. De pose die ik van hem moest innemen, was heel gemakkelijk. Ik moest een been naar voren zetten en het andere naar achteren, alsof ik net een stap aan het zetten was.

Om me doodstil en geïnteresseerd te laten blijven, zette hij schilderijen die hij mooi vond op een ezel voor me neer en praatte er dan over. Het kleine beetje dat ik over kunst weet, heb ik aan Euan Uglow te danken.

Het werk van een advocaat is, met name in de eerste paar jaar, in hoge mate een kwestie van hollen of stilstaan. Als ik niets te doen had, belde ik hem op en vroeg: 'Heb je wat tijd voor me?' Vervolgens ging ik naar zijn studio. Of soms, als ik 's morgens bij de rechtbank net om de hoek was, ging ik na afloop naar de studio waar ik van hem wat te eten kreeg. We praatten dan over wat hij aan het doen was en waarom, over het systeem van lood-lijnen dat hij gebruikte, en hoe het licht veranderde, en het effect daarvan op mijn huid en buik, en hoe hij verschillende kleuren zag. In de talloze maanden waarin ik voor hem poseerde, konden we steeds beter met elkaar opschieten. We hadden geen van beiden veel geld. We spraken af om elkaar kerstcadeautjes te geven. Ik gaf hem twee pannenlappen met twee verschil-lende patronen die ik ijverig had zitten breien. Hij maakte op zijn beurt een miniatuurlessenaar met een marmeren voet. Het was te zwaar om mee naar de rechtbank te nemen, maar ik heb het nog steeds.

Ik was helemaal weg van hem. Het was zo'n vriendelijke, intelligente man met een prachtige glimlach. Na ongeveer anderhalf – of twee – jaar besefte ik dat ik gewoon geen tijd had om ermee door te gaan. Ook kreeg ik nu vragen van Tony waarom ik zo veel tijd bij deze man doorbracht...

Ik vond het heel moeilijk Euan te moeten vertellen dat ik moest stoppen, maar uiteindelijk zei ik dat ik het niet eerlijk vond tegenover hem. Ik dacht: Hij moet zo zijn brood verdienen, hij verspilt tijd aan mij waarin hij eigen-lijk iemand anders zou moeten schilderen. Ik hoefde me geen zorgen te ma-ken, zei hij, en hij zou een ander model zoeken om mijn plaats in te nemen. Hij is er nooit aan toegekomen om mijn gezicht te schilderen, maar je kunt wel zien dat ik het ben. Ik denk dat hij wel geprobeerd heeft om iemand te vinden, maar dat het niet lukte. En daarom besloot hij mijn schilderij niet verder af te maken. Het bestaat nog steeds, al weet ik niet waar het is. Ik zou het natuurlijk graag willen hebben, maar zijn schilderijen zijn heel veel waard, des te meer nu hij er niet meer is. Hij overleed in 2000 en ik was er heel trots op bij zijn herdenkingsdienst aanwezig te kunnen zijn.

Ik weet nog dat ik tijdens de eerste paar sessies daar stond en wanhopig mijn best deed om stil te blijven staan, en me afvroeg: Waarom doe ik dit in vredesnaam? Maar het schoot tegelijkertijd door mijn hoofd dat ik misschien wilde dat mijn kinderen later zouden weten dat ik toch niet zo'n saai, stijf heilig boontje was.

Al die tijd dat ik naar Battersea ging om model te staan voor Euan, wist Tony niet dat ik naakt poseerde. Ikzelf heb het hem beslist niet verteld. Er kwam een moment dat Derry het volgens mij insinueerde. Het kan zijn dat Derry het schilderij in wording gezien had, ik weet het niet. Hoe dan ook, Tony voelde zich er niet prettig bij. En nog steeds niet.

Ondertussen was er nog steeds de vraag wat er zou gaan gebeuren als er een eind aan mijn stageperiode kwam. Het bleef als een vervelende hoofdpijn doorzeuren die, hoeveel aspirine je ook neemt, niet weggaat. Advocatenkantoren zijn als een familie. Verschillende leden hebben verschillende rollen, en leveren op verschillende manieren hun bijdragen. De vaste advocaten die commerciële zaken deden, verdienden grote sommen geld, waarvan ze een percentage afstonden als 'huur'. Aangezien hun financiële bijdrage groter was dan die van alle anderen, wilden ze ook meer te zeggen hebben over wie er als advocaat werd aangenomen bij hun kantoor. Ondertussen zeiden degenen die strafrechtszaken of familierechtszaken deden: 'Wij leveren een goede dienst. Jullie commerciële jongens eisen maar steeds dat wij jullie stagiaires voor onze rekening nemen, maar wij hebben ook mensen nodig voor ons eigen werk. En de advocaten die we via jullie hier opnemen, willen ons werk niet doen. Dat is niet eerlijk. Daarom willen we dat er iemand voor ons aangenomen wordt.'

In het voorjaar van 1977 was er een interne machtsstrijd gaande binnen Crown Office Row 2. De laatste vier of zelfs vijf stagiairs die aangenomen waren, waren allemaal van Derry afkomstig, en Michael Burton, die een goedbetaalde commerciële advocatenpraktijk had, zei dat hij nu aan de beurt was. Net als Derry was hij een carrière-advocaat die binnen niet al te lange tijd Queen's Counsel zou worden. Het was dus ook een beetje spierballentaal.

Op een avond tegen het eind van de lente nam Derry me mee uit om iets te gaan drinken. Hij zei dat hij naar zijn idee niet voor Tony en mij allebei een plaats als advocaat kon krijgen. En omdat een van ons een meisje was, zou het eerder lukken de jongen als advocaat aangenomen te krijgen. Niet dat hij kon garanderen dat dit voor Tony zou lukken. Michael Burton deed immers ook zijn best voor zijn stagiair, maar Tony maakte in ieder geval meer kans. Wat mezelf betreft, stelde hij voor dat hij mij ergens anders zou proberen onder te brengen.

Natuurlijk deed dat pijn. Dit was de eerste keer dat ik gediscrimineerd werd omdat ik een vrouw was, en het was moeilijk te aanvaarden dat ik er uitgezet werd simpel en alleen omdat ik een rok droeg. Maar op dat moment dacht ik alleen: Zo is het leven nu eenmaal. Ik was niet uit op een gevecht.

Hij bracht me in contact met Freddie Reynolds, die kantoor hield in Essex Court 5. Gelukkig konden Freddie en ik het meteen prima met elkaar vinden. Hij kwam uit een familie van geïmmigreerde Duitse joden en was van ongeveer dezelfde leeftijd als Derry. Ze hadden elkaar leren kennen doordat ze voor dezelfde vakbondsraadslieden werkten. Freddie deed zelf heel veel vakbondswerk en dat was nog een reden waarom Derry vermoedde dat deze oplossing wel zou werken. Hij stelde me voor aan een overtuigd linkse advocaat. Natuurlijk was het niet aan Freddie om me een plaats als advocaat aan te bieden. Dat besluit zou uiteindelijk door het hoofd van het advocatenkantoor worden genomen. Maar David McNeil, QC, was ergens in het noorden van Engeland... Freddie zei in principe ja.

Toen Chris Carr hoorde wat er gebeurd was, kon hij zijn oren niet geloven. 'Luister eens, Cherie, jij bent veel geschikter dan Tony. Je bent niet wijs dat je zelfs maar overweegt om over te stappen. Je moet blijven en voor je plek blijven vechten, want je verdient een plaats.'

Misschien. Maar dan was er ook nog de heel romantische complicatie waar noch Chris noch iemand anders op kantoor van op de hoogte was. Hoewel ik het niet tegenover mezelf wilde toegeven, was het wel zo dat ik verliefd was op mijn gevatte, innemende en toch kwetsbare rivaal, en het laatste dat ik wilde, was dat in gevaar te brengen, zelfs niet onbewust. Uiteindelijk liep de strijd in Crown Office Row 2 zo af dat Michael Burton zijn stagiair niet geplaatst wist te krijgen, terwijl Derry (die een hogere positie had) zijn genomineerde, Tony dus, wel een baan kon aanbieden.

Chris Carr gaf me inderdaad het juiste advies. Ik had moeten blijven en moeten vechten. Maar het had net zo goed gekund dat ik die aanstelling niet had gekregen. En wat had ik dan moeten doen? Net als die andere 'krakers' nog een halfjaar, en nog een halfjaar blijven rondhangen, en in leven blijven van de kruimeltjes die Derry en de anderen me zouden toewerpen? En voeg daar Tony nog aan toe, dat maakte alles echt helemaal chaotisch. Nu Freddie eenmaal ja had gezegd, had ik tenminste werk. Als je werd aangenomen bij een bepaald advocatenkantoor, betekende dat in die tijd dat je voor de rest van je leven werk had. Uiteindelijk ben ik natuurlijk niet mijn hele leven in Essex Court gebleven, maar ik zat er wel tussen. Ik wist waar ik was en ik kon mijn schulden gaan afbetalen en mijn familie gaan helpen.

Lyndsey zat in haar laatste jaar in Cardiff en had zich aangemeld voor haar examen als raadsvrouw aan de rechtenfaculteit in Chester. Omdat dit als een postdoctorale opleiding werd gezien, had het graafschapbestuur van Lancashire haar studiebeurs stopgezet. Daarom moesten we een andere manier vinden om Lyndsey te kunnen laten doorstuderen. Nu ik een baan had, kon ik geld lenen om haar te helpen. En dat deden we dus.

8

Romance

De verhuizing van Crown Office Row 2 naar Essex Court 5 was alsof ik terug in de tijd ging. Op de benedenverdiepingen waren behoorlijk grote kamers, maar op de bovenverdiepingen waren de personeelskamertjes met krakende vloeren en slecht sluitende ramen. Met andere woorden: er was nog niets veranderd sinds het pand gebouwd was. De hoofdpersonen uit Charles Dickens' boeken over rechtbanken zouden zich er vast thuis gevoeld hebben. We hadden zelfs gaslampen buiten die elke avond aangestoken werden door de portiers van het gebouw. Ik had een kamer op de bovenste verdieping die ik deelde met Malcolm Knott, een vroegere raadsman die tot de balie toegelaten werd nadat hij zijn eigen kantoor was begonnen in Noord-Londen. Hij was een pietje-precies, en ik niet, maar hij accepteerde me en verkocht me zelfs zijn eigen kleine Victoriaanse bureau, waarna hij zelf een grotere versie kocht.

Daar zat ik dan als tweeëntwintigjarige. Niet langer iemands stagiaire maar een zelfstandig advocate. Ik kon nu mijn eigen zaken aannemen en advies geven onder mijn eigen naam. Ik was dan misschien niet de laagste van de laagste (een stagiaire) maar ik stond niettemin onder aan de ladder van de advocatuur. Boven aan de ladder stonden de Queen's Counsels, daaronder de senioradvocaten met jaren ervaring, en zo verder naar beneden tot de beginnende advocaten als ik. In die tijd werd de Head of Chambers niet gekozen maar was hij eenvoudig de Queen's Counsel met de meeste ervaring. Wie tot rechter benoemd werd, moest vertrekken en zo kwam er weer plaats voor anderen die op de ladder onder hem stonden.

Net als alle beginnende advocaten kreeg ik mijn werk voornamelijk toebedeeld door de griffier die in die dagen zo'n beetje als tussenpersoon fungeerde en tien procent van het honorarium kreeg. Hij was ook degene die over het honorarium onderhandelde. Raadslieden gingen naar een bepaald groot advocatenkantoor omdat dat de expertise bood die zij voor een bepaalde zaak nodig hadden. Net als altijd in de Engelse advocatuur werd, en wordt, het systeem van doorschuiven naar de volgende onder je gehanteerd. Als de gevraagde advocaat niet kan helpen, wordt de zaak doorgegeven aan iemand (meestal lager in de rangorde) binnen hetzelfde advocatenkantoor. Dit betekent dat je geen zaak kan weigeren omdat hij je niet aanstaat, of omdat hij tegen je politieke overtuiging of gevoel ingaat, zoals een verkrachtingszaak. Je kunt alleen een zaak weigeren als je al met andere zaken bezig bent. Uitzonderingen zijn er niet. Op deze wijze bouwt een beginnende advocaat ervaring op. Hij neemt zaken voor zijn rekening waarvoor anderen geen tijd hebben en krijgt zo al doende meer ervaring. Ik had heel veel geluk. De jongste advocaat tot mijn komst was Charles Howard, een getalenteerd advocaat. Hij is nu een Queen's Counsel in het familierecht. Toen ik arriveerde, was hij al een goede praktijk aan het opbouwen onder de groeiende groep links georiënteerde rechtsbijstandverleners. Charles en ik werden goede collega's en als hij een zaak niet op zich kon nemen, verwees hij die door naar mij. Op die manier begon ik ook ervaring op te doen.

Het kantoor op Essex Court 5 was bijzonder omdat het merendeel van de Queen's Counsels – de grootverdieners wier inkomsten het kantoor draaiende hielden – in Manchester en Liverpool werkte en zelden naar Londen kwam. Dit was zo door Ronnie Lynch, de hoofdgriffier, opgezet. Hij was een griffier van de oude school met oog voor talent. Freddie Reynold en Alistair Hill waren de twee eerste in Londen werkende junioradvocaten die aangenomen werden. Freddie was van dezelfde generatie als Derry, en net als Derry werd hij, kort nadat ik er kwam werken, zelf Queen's Counsel. Omdat de andere advocaten zich voornamelijk met algemeen rechtszaken bezighielden, merkte Freddie dat hij hulp nodig had bij zijn vakbondscliënten als het ging om arbeidsrecht. En ik kwam op het juiste moment. Toen ik er kwam werken, waren er ongeveer twaalf advocaten met verschillende specialisaties, en vijf of zes Queen's Counsels in het noorden. De meesten van hen zag ik zelden maar ze waren stuk voor stuk bijzonder goed. De bekendste van hen was George Carman die voor het eerst nationale bekendheid kreeg toen hij in 1979 Jeremy Thorpe, de leider van de Liberale Partij, met succes verdedigde toen die van moord beschuldigd werd. Daarna stond hij bekend als advocaat gespecialiseerd in aanklachten voor smaad en hij had diverse beroemde cliënten.

Overbodig te zeggen dat ik de enige vrouw was.

Praktisch gezien leefde ik van alles waar de advocaten boven mij niet aan toekwamen. En zo had ik een algemene praktijk waarin ik strafrecht, familierecht en letselschade voor mijn rekening nam, naast al het arbeidsrecht dat ik van Freddie kreeg. Ondertussen bleef ik als duvelstoejager van Derry werken. Dat is een praktijk die in de advocatuur normaal gevonden wordt en zo had ik een redelijk inkomen door werk te doen dat zogenaamd door Alexander Irvine uitgevoerd was en door het opstellen van adviezen in het arbeidsrecht. Derry stelde me van tijd tot tijd aan de raadslieden voor van wie de opdrachten afkomstig waren en zij zonden me soms rechtstreeks kleine zaken. Op deze wijze kon ik mijn contacten binnen het arbeidsrecht in stand houden, hoewel niet zo goed als wanneer ik op Crown Office Row zou zijn gebleven.

Ik deed over het algemeen eenvoudige zaken. Mijn eerste zaak was een verzoek om borgtocht in de rechtbank aan Bow Street. Ik was er niet goed op voorbereid, er waren geen documenten. Ik had alleen te horen gekregen dat ik ernaartoe moest en om borgtocht moest vragen. 'Pleit zo goed je kunt,' luidde de basisinstructie van die tijd.

Ik was er om tien uur en stond buiten de rechtszaal waar iedereen door elkaar liep. Er komen dagelijks tientallen zaken voor en het was er een komen en gaan van gedaagden, getuigen, advocaten, raadslieden en wat dies meer zij. Iedereen leek op elkaar – raadslieden in het pak, strafpleiters in toga, zelfs de gedaagden en getuigen zagen er op hun paasbest uit. En daar liep ik de naam van mijn cliënt te roepen: 'Meneer Bloggs?' en liep op vreemden af die nog op zichzelf leken te staan. Totdat het tot me doordrong: meneer Bloggs staat niet bij de rechtszaal te wachten, want hij dient een verzoek in om op borgtocht te worden vrijgelaten. Hij zit in de cel.

Daarop rende ik de trap af, naar de deur, net op tijd om te horen afkondigen dat meneer Bloggs naar voren mocht komen in verband met zijn verzoek tot borgtocht. Ik kan me niet meer herinneren of hij op borgtocht vrij kwam of niet, maar het was bijna op een ontzettende ramp uitgedraaid. Ik had daar nog steeds kunnen staan. En dan was er die strafzaak, aan het begin van mijn loopbaan, waarin iemand schuldig was bevonden. Dit keer speelde het in Highbury Corner Magistrates Court. Ondanks mijn vurige pleidooi dat mijn cliënt een tweede kans moest krijgen, werd hij tot een gevangenisstraf veroordeeld. Toen hij naar de cel gestuurd werd, liep ik met hem mee naar beneden, wat gebruikelijk is. De straf was licht, en ik moest hem vertellen dat hij er nog goed mee weg was gekomen. Nadat we afscheid genomen hadden, ging ik terug en stapte in wat naar mijn idee de lift was. Ik drukte op de knop om naar boven te gaan en toen ik uitstapte en rondkeek, was het niet de plaats die ik verwacht had. Ik kwam in een ruimte uit met aan beide zijden deuren en verder niets. Achter me ging de liftdeur weer dicht en ik hoorde hem naar beneden gaan. Op hetzelfde moment werd het pikdonker.

Ik had geen idee waar ik was en ik kon geen hand voor ogen zien. Eerst tastte ik langs de wand op zoek naar een liftknop. Niets. Ik tastte verder langs de muur op zoek naar een lichtknopje. Niets. Vervolgens begon ik op de muren te bonzen en op de liftdeur, en te roepen. En ik weet nog dat ik dacht: Ik ga hier dood! Ze zullen mijn lichaam vinden en mijn moeder zal zo'n verdriet hebben... Ze vinden straks een skelet in de hoek dat ze alleen herkennen aan haar attachékoffertje. Het tragische eind van een veelbelovende carrière.

Plotseling hoorde ik de lift weer naar boven komen. De deuren gingen open en ik viel vrijwel in de armen van twee rechtbankmedewerkers.

'Rustig maar,' zei de ene. 'Alles is in orde, mevrouwtje. U bent tussen rechtbank één en rechtbank twee komen vast te zitten. U maakte zo'n lawaai dat ze de zitting in rechtbank twee even moesten schorsen!'

Nadat ze me weer naar de cellen beneden hadden gebracht, moest ik me uitgebreid verontschuldigen tegenover de rechters, voordat ik ongemerkt kon wegsluipen.

De lift die ik had genomen, was de gevangenenlift en ik kwam uiteindelijk in een wachtruimte terecht tussen de twee rechtbanken. Natuurlijk zaten deze deuren op slot en hadden alleen de gevangenbewaarders de sleutels ervoor.

Omdat Essex Court 5 in de Middle Temple was, aten we meestal in Middle Temple Hall. Ook gebruikten we de bibliotheek van de Middle Temple. In Crown Office Row gingen ze daarentegen meestal naar de Inner Temple en gebruikten ook de bibliotheek daar. Maar Tony en ik bleven toch naar de bibliotheek van de Middle Temple komen. Ik vermeed de bibliotheek van de Inner Temple waar mijn vriendje John vaak te vinden was. Omdat ik nog steeds karweitjes opknapte voor Derry, ging ik zelf regelmatig terug naar Crown Office Row.

Wat Essex Court betreft was John mijn vaste vriend. John zelf wist ondertussen wel dat Tony er ook was. Hij wist dat we soms uitgingen, maar hij wist niet hoe diep onze relatie was en hij wilde maar al te graag dat we niet langer samen op stap gingen.

Op een zaterdagmiddag was John op bezoek in Veena's flat. Het was ergens in oktober. Plotseling werd er op de deur geklopt. De flat lag op de vijfde verdieping van een flatgebouw uit de jaren dertig. De persoon die voor de deur stond, had de lift genomen en was over de galerij gelopen.

Ik weet niet meer wat ik aan het doen was. Ik herinner me alleen de klop op de deur nog en een stem die zei: 'Ik ben het.'

Tony.

Ik weet nog dat ik zag hoe John naar de deur liep en door het spionnetje keek. Daarna hoorde ik hem de sleutel in het slot omdraaien. Niet om de deur open te doen, maar om hem op slot te doen. Ik herinner me nog dat ik stomverbaasd naar hem keek. Hij leunde tegen de deur met zijn hoofd in zijn handen. Het was eigenlijk afschuwelijk.

Het kloppen ging maar door. John schreeuwde dat hij kon vertrekken, maar Tony gaf niet op. Als hij het al niet eerder had geweten, wist hij nu dat John er was. Hij wist dat ik nooit de deur voor hem op slot zou doen.

'Cherie? Wat is er aan de hand? Laat me erin. Ik beloof je dat wat er ook gebeurt, ik zal je nooit tegen je wil tegenhouden.'

Dit was mijn huis. Misschien was het wel niet mijn eigen flat, maar het was thuis.

Ik dacht: Goed. Ik liep naar de deur, draaide de sleutel om en deed hem open. Tony stapte met woedende ogen binnen.

'Prima,' zei John onmiddellijk. 'Jij hebt je keuze gemaakt. Ik ben weg.' En hij pakte zijn tas en vertrok.

Er was geen krachtmeting. Geen aandringen dat ik moest kiezen voor de een of de ander. John hield nooit van drama's. Hij bleef altijd heel kalm. En zo waren ze feitelijk allebei.

Maar hij had gelijk. Ik had mijn keuze gemaakt.

John zou de gemakkelijke keuze voor me geweest zijn omdat hij van een openbare school kwam, en hij was intelligent en vriendelijk en wat al niet meer, maar ik was waarschijnlijk de dominante persoon in de relatie.

In de relatie met Tony was ik niet dominant. Tony zou zich op geen enkele wijze door mij laten overheersen, maar ik zou me ook niet door hem laten overheersen. We stonden veel meer op voet van gelijkheid, wat daarom veel uitdagender was.

Mijn vriendin Felicity zegt altijd: 'Je kunt wel zien waarom Tony Cherie koos, maar we weten niet zeker waarom Cherie ermee instemde om Tony te nemen!' Misschien bedoelde ze dat hij een meisje uit de arbeidsklasse nodig had om hem bij de arbeidersklasse geloofwaardig te laten zijn. Maar ze kon wellicht niet begrijpen waarom ik een innemende jongen van een privéschool nodig had als mijn principes zo duidelijk links georiënteerd waren.

Politiek en religie speelden zeker een rol. John was niet in politiek geïnteresseerd hoewel hij zichzelf beslist zou omschrijven als gematigd links.. David was verre van gematigd links, maar hij was rooms-katholiek. Hij zou de veilige keus geweest zijn, om terug te gaan naar de stad waar ik vandaan kwam en om het goed te hebben, maar ik zou dan nooit echt mijn vleugels hebben kunnen uitslaan. Tony was weliswaar niet rooms-katholiek, maar ik kende niemand voor wie geloof belangrijker was, afgezien van priesters. Wat politiek betreft, waren we het niet altijd over de details eens, maar ver uit elkaar lagen we nooit.

Natuurlijk heb ik er in de loop der jaren over nagedacht waarom ik voor Tony koos. Het was deels chemie – ik was helemaal weg van hem en nog – deels ook omdat ik toen al vond dat hij iets had. Achter zijn charme ging een innerlijke kracht schuil. Ik was zo in hem geïnteresseerd omdat ik nooit tevoren zo iemand had ontmoet, niet iemand die mij zo goed tegengas gaf.

Het leven met de anderen zou beslist makkelijker zijn geweest maar uiteindelijk niet zo uitdagend. Dwaas kind – te denken dat mijn leven zo eenvoudig geweest had kunnen zijn...

Er bleken grote overeenkomsten te zijn tussen Tony's achtergrond en die van mij. Zijn grootouders aan vaders kant waren acteurs geweest – die optraden in variététheaters en die elkaar op tournee door het noorden van Engeland ontmoetten. Er werd in 1923 in Yorkshire een zoon geboren: Tony's vader. Een week of twee later kwamen ze in Schotland aan en besloten – ongetwijfeld om goede redenen, net als mijn eigen ouders – dat het leven van een rondtrekkende artiest niet geschikt was voor een baby – met name, zoals in hun geval, als die buitenechtelijk was. Daarom kwam hun baby bij pleegouders in huis: een elektricien uit Glasgow en zijn vrouw: James en Mary Blair. De naam van zijn vader kwam terug in zijn nieuwe naam: Leo Charles Lynton Blair. Hij werd Charles genoemd naar zijn vader (geboren als Charles Parsons) en Lynton naar zijn vaders artiestennaam: Jimmy Lynton. Dit was naar mijn idee wel een beetje hard voor zijn moeder, die heel weinig dank krijgt voor haar bijdrage. Ter informatie, zij heette Mary Wilson, meisjesnaam Bridson, artiestennaam Celia Ridgeway. Bij zijn doop kreeg Tony diezelfde tweede en derde naam. Hoewel Leo's biologische ouders uiteindelijk met elkaar trouwden en hun enige zoon wanhopig graag terug wilden hebben, weigerde Mary Blair haar duidelijk zeer dierbare adoptiekind af te staan. Als je overeenkomsten zoekt, hoef je alleen maar aan mijn grootmoeder te denken.

Iets anders wat Tony en ik met elkaar gemeen hebben, is onze ambitie. We zijn allebei gedreven mensen. Er wordt wel gezegd dat Tony datgene moest bereiken wat voor zijn vader vanwege diens beroerte onmogelijk was. Ikzelf voelde duidelijk de behoefte iets terug te doen voor mijn moeder en grootmoeder die zo veel teleurstellingen te verwerken hadden gehad. De vader van mijn moeder, grootvader Jack, had buitengewone gaven maar hij werd op de verkeerde tijd op de verkeerde plaats geboren. En mijn vader, met al zijn innemendheid, gevatheid en intelligentie, deed niet echt zijn best om zijn moeder reden tot trots te geven. Niet dat zijn moeder niet trots op hem was. Integendeel. Ze was juist enorm trots op hem. En met reden: hij was een heel talentvolle acteur. Helaas ontplooide hij zich nooit ten volle. Misschien was dat aan zijn innemendheid te wijten. Tony is in een bepaalde mate net zo innemend als mijn vader. Maar uiteindelijk had Tony de ruggengraat waaraan het mijn vader ontbrak.

Zag ik in Tony de man die mijn vader had kunnen zijn als hij die innerlijke kracht had gehad? Nee. Die persoon ben ik zelf. Zoals mijn vader altijd zegt: 'Mijn moeder zal nooit dood zijn zolang jij nog in leven bent.'

Mijn moeder is uiteindelijk nooit naar Canada gegaan – er kwam een eind aan de relatie. Ze verhuisde in november 1977 naar Oxford. Het reisbureau van Selfridges in Oxford had wat problemen en het hoofdkantoor had haar gevraagd orde op zaken te stellen en daarna het management ervan over te nemen. Toen ik aan de LSE studeerde, werd zij naar Selfridges in Londen gestuurd om daar problemen op te sporen. Ze hadden haar toen ook Oxford aangeboden maar dat had ze geweigerd. Lyndsey zat toen nog op school. Mijn moeder had haar dochter ooit in de steek gelaten en dat zou ze niet nog eens doen. Inmiddels was Lyndsey van plan haar afrondende studie voor raadsvrouw in Londen te gaan doen. Pas nu we allebei het huis uit waren, kon mijn moeder naar haar idee aan zichzelf gaan denken. Het zou een promotie betekenen. Ze was bij Lewis in Liverpool adjunct-manager en met het salaris dat ze nu zou gaan verdienen, kon ze ook een huisje kopen. Zoals ze toentertijd tegen me zei: 'Of ik blijf de rest van mijn leven in Liverpool, óf ik grijp deze ene kans om dichter bij jullie te komen wonen en een beter leven voor mezelf op te bouwen.'

Ze hield de flat in Seaforth nog een paar maanden aan, zodat Lyndsey vanuit Chester ergens naartoe kon in het weekend, maar in feite nam ze afscheid van Crosby waar ze meer dan de helft van haar leven had gewoond. Lyndsey had al duidelijk gemaakt dat zij niet in het noorden wilde blijven, en met beide dochters in Londen was het logisch om naar het zuiden te verhuizen. Nu wij beiden ons eigen leven hadden, kon ze eindelijk zelf wat financiële zekerheid opbouwen. Ze had daar immers lang genoeg naar uitgekeken.

In het voorjaar van 1978 verhuisde Lyndsey nadat ze haar eindexamen gedaan had naar Londen. Via een van de kantoren van vakbondsraadslieden waaraan Derry me had voorgesteld, vond mijn zus een stageplaats waar ze in het kader van haar studie voor raadsvrouw als griffier ervaring kon opdoen. Ze verdiende er niet veel, maar dankzij Veena's flat kon ze gratis in Abercorn Place wonen.

Op een avond laat, kort voordat Derry die Pasen tot Queen's Counsel benoemd werd, waren Lyndsey en ik samen in de flat. En wie stond er voor de deur: mijn vroegere patroon. Hij kwam wel eens vaker aan als hij onderweg naar huis was. Abercorn Place lag langs zijn route naar huis. Dit keer was hij vreselijk dronken. 'Lieve hemel,' zei hij met een dikke tong. 'Jullie hebben hier helemaal niets te drinken!' Ik kon hem in de keuken horen stommelen in de buurt van de koelkast en overal waar hij verder nog iets dacht te kunnen vinden. Hij had gelijk, er was niets. Goed, dan zou hij zo wel weer vertrekken. Maar toen sloeg het noodlot toe.

'Aha! Wat is dit? Ooo, ja. Heel lekker. Dachten jullie dat jullie die Derry voor de gek konden houden?' Even wist ik niet waarover hij het had, maar toen drong het tot me door. O, nee hè.

Een jaar eerder, tijdens het etentje bij Derry waar ik Euan Uglow ontmoet had, hadden Tony en Euan een weddenschap afgesloten. Iets over het fauvisme. Tony bleek uiteindelijk gelijk te hebben en hij had deze bijzonder goede, bijzonder oude, bijzonder dure fles wijn gewonnen. Er was nog geen gelegenheid geweest die bijzonder genoeg was om de wijn op te drinken, en daarom had ik er al die tijd op gepast. Ik had hem in de werkkast gezet; niet om hem te verstoppen maar omdat het de koelste plaats in de flat was.

Ik sprong op van de bank, maar het was al te laat. Voor ik in de keuken kwam, hoorde ik de kurk al knallen en hij schonk zichzelf een glas vol, waarna hij weer terugliep naar zijn 'Liverpoolse liefjes'.

Lyndsey en ik waren inmiddels hysterisch. De flat was klein en Derry was groot en strompelde wankelend door de kamer. De telefoon was in de hal en had een lang snoer. We sloten onszelf op in de badkamer, vanwaar we Tony opbelden. Ik wist dat hij even verderop in Primrose Hill was.

'Het is Derry,' zei ik. 'Je moet hierheen komen en iets doen. Hij is vreselijk dronken. Breng hem alsjeblieft naar huis. Wij krijgen hem hier niet weg. Hij is op rooftocht!' Ik durfde hem niets over de dure wijn te vertellen.

Tony was er binnen vijf minuten. Derry was ondertussen gelukkig bijna in coma. Tony kwam binnen en geloofde duidelijk niet dat de situatie zo penibel was als ik gezegd had, maar hij stond stokstijf stil toen hij het corpulente lichaam breeduit over de bank zag hangen. Hij was nog het meest geschokt toen zijn oog op de bekende fles viel, een fles waarover hij al bijna een jaar had zitten watertanden. Hij voerde Derry af als een boer met een tevreden stier. Als het nu weer zou gebeuren, zou ik niet zo vriendelijk zijn. Maar die keer wilde ik Derry te vriend houden, niet het minst omdat hij me van werk voorzag.

De volgende dag was alles weer normaal. Derry was een fenomeen. Het was een grote man en kon een behoorlijk hoeveelheid drinken, maar na een paar uurtjes slaap stond hij om zes uur weer op met zijn absolute heldere verstand.

Nu mijn moeder in Oxford woonde, was het gemakkelijker haar op te zoeken. Omdat we beseften dat ze tijd nodig had om wat mensen te leren kennen en een eigen vriendenkring op te bouwen, gingen Tony en ik er vrijwel elk weekend heen. Ze had een klein rijtjeshuis gekocht, net achter Iffley Road, met twee slaapkamers. Dat was perfect. Het lijkt nu vreemd, maar de eerste vrienden die mijn moeder in Oxford kreeg, waren Geoff en Beverley Gallop, met wie we altijd afspraken. Zij woonden in een klein flatje in Noord-Oxford en we werden als een kleine familie. Geoff deed nu zijn promotieonderzoek aan Nuffield College. Zijn vrouw Beverley was in Australië lerares geweest en werd later een succesvolle pottenbakster. Omdat Gale slechts twintig jaar ouder was dan ik, was het leeftijdsverschil nooit een probleem. Ondanks de kwestie met David konden mijn moeder en Tony het vanaf het eerste begin goed met elkaar vinden en ze werd in een bepaald opzicht als een moeder voor hem. Tony was in haar ogen nog maar een jongen.

Ik begon eindelijk te beseffen hoe moeilijk het voor haar geweest moet zijn om al die jaren met haar schoonmoeder te hebben moeten samenwonen. Er was een familielid van mijn grootmoeder, een chauffeur wiens werkgevers in het noordoosten woonden, die ons soms in zijn auto meenam voor een weekendje weg. Ik kan me nog een reisje naar Schotland herinneren toen ik ongeveer negen was en mijn zusje zeven. Achteraf gezien was er duidelijk iets gaande daar en het was een aardige man, maar Lyndsey en ik waren op z'n zachtst gezegd niet bijzonder positief. Maar mijn moeder klaagde nooit en daarom drong het pas veel later tot me door hoezeer wij een obstakel hadden gevormd voor haar eventuele nieuwe relaties.

De keren dat Veena's ouders naar Londen kwamen, verhuisden Lyndsey en ik uit de flat en dan logeerden we bij Charlie Falconer, in het huis dat hij pas had gekocht in Wandsworth. Toen hij het huis had bezichtigd, was Charlie vooral gevallen voor de kleine tuin. 'Dit zal geweldig zijn voor het ontbijt 's morgens,' had hij tegen de vrouw gezegd die hem het huis liet zien. Hij kan zich nog herinneren dat ze hem aankeek alsof er een steekje aan hem loszat, maar hij dacht er verder niet meer over na. Dit huis stond net onder de spoorbrug, recht onder de aanvliegroute naar Heathrow en precies naast de tunnel-rotonde-snelweg. In die tuin zou je nooit kunnen zitten.

Toen Charlie en Tony daar eenmaal samen woonden, leerde ik het huis goed kennen met al hun huiselijke gewoonten. Wat het huishouden betreft waren ze een ramp. Het waren allebei sloddervossen. Ik bracht mijn hele tijd daar, evenals Lyndsey als ze er was, poetsend door. Ik verschoonde de bedden, om van de badkamer nog maar te zwijgen. Ik leek voortdurend het toilet schoon te maken. Als je er kwam, bleef je aan de keukenvloer vastplakken omdat het er zo vies was. Als eerste ging ik die dan maar op handen en voeten schrobben.

Die zomer gingen Geoff, Bev, Tony en ik samen met vakantie naar Bretagne. In tegenstelling tot mij had Tony een hekel aan vliegen en omdat Bev net in verwachting was, stapten we allemaal op de veerboot. Voor deze onderneming was een auto nodig en Tony kwam op het idee om een Morris Minor te kopen. Hij vond er een via een advertentie in de plaatselijke krant. Maar na twee weken gaf die de geest – volgestouwd en wel. Tony was woest. Het was wel duidelijk dat hij een kat in de zak gekocht had en daarom ging hij terug naar de persoon van wie hij hem gekocht had. Hij dreigde met juridische stappen als hij zijn geld niet terug zou krijgen. Het leek op een kloppartij te gaan uitlopen tot hij zo slim was om te zeggen: 'Ik ben advocaat,' waarop de man hem zijn geld teruggaf. Gelukkig verkocht een van mijn collega's in Essex Court zijn oude Volkswagen Kever, en die kocht Tony toen maar.

Omdat mijn moeder nooit haar rijbewijs gehaald had, waren we altijd op volledig verzorgde vakanties gegaan. Deze vakantie op de bonnefooi was een geheel nieuwe ervaring, en ik vond het geweldig. Alleen als het op kaartlezen aankwam, verslechterde de sfeer. Tony was wel aan zo'n 'pak-alles-maar-in-de-autovakantie' gewend. Zijn moeder kwam uit Ballyshannon in de Ierse Republiek. Toen hij nog klein was, gingen ze elke zomer naar de woonplaats van zijn moeder. Later, nadat de 'problemen' in Noord-Ierland waren begonnen, gingen ze naar Frankrijk.

We hadden over het geheel genomen een leuke tijd en door de vakantie werd de vriendschap met Geoff en Bev ook verdiept. We zijn al jarenlang vrienden en Tony en ik waren ook surrogaat peetouders van Tom (Bevs buikje). Hoewel het Geoff was die Tony aan Peter Thomson had voorgesteld, waren Bev en hij zelf niet gelovig, en daarom werden hun kinderen niet gedoopt.

Die eerste zomer volgden we de kust zo'n beetje. De zwangerschap viel Bev niet gemakkelijk en het enige dat ik me nog kan herinneren, is dat we de toiletten inspecteerden van de verschillende plaatsen waar we overnachtten, om te zien of ze geschikt waren voor haar als ze misselijk was. Ik had ook mijn eerste ervaring met oesters.

We stonden versteld van de grote rechtopstaande stenen van Carnac: rijen en rijen stonden er, wel drieduizend stenen. En het zwemmen: van kleine grotten tot grote uitgestrekte Atlantische kusten van geel zand. Niet zo heel anders dan Crosby, behalve dan de temperatuur. In Nantes reden we met de Kever naar het binnenland en gingen richting Loiredal.

Tony en ik waren nu echt een stel. Als hij me als zijn vriendin voorstelde, trok ik niet langer een gezicht. Ook ging ik nu naar 'toestanden' van het advocatenkantoor als 'advocatenechtgenote'. Ondanks mijn vrees dat hij er moeite mee zou hebben, vond Derry het uiteindelijk prima.

De september daarop reden we naar Italië. Tom Gallop was al geboren en daarom waren we nu met z'n tweetjes. Liefde en huwelijk hingen echt in de lucht. Marc en Bina trouwden en Tony was getuige. Iedereen zei dat zijn toespraak de beste was die zomer. Net als veel jonge advocaten werkten we allebei in augustus door terwijl iedereen weg was. Het was een goede periode om wat werk in te halen. We begonnen in Calais en reden dan via Frankrijk en Zwitserland naar Italië, naar het Chianti-gebied, waar we de benedenverdieping van een villa gehuurd hadden. De lichtblauwe Kever had het een jaar overleefd, maar dan ook maar net. Ik weet nog goed hoe we tegen de Sint-Bernhardpas op klommen en het gevoel hadden dat we op de pedalen moesten staan. We haalden de top maar net. In die tijd stond er in de Michelingids een categorie: 'Goed eten tegen redelijke prijzen', wat op de kaart aangegeven werd met een rode R. We planden onze route nauwkeurig langs de rode letters R.

Totdat hij mij leerde kennen, waren Tony's debutantenvriendinnetjes allemaal kieskeurig geweest wat hun eten betrof. Om dan nu uit te gaan met een meisje dat van haar eten genoot, was een ontdekking voor hem.

'Het heeft waarschijnlijk iets met hun milieu te maken,' zei hij.

Wat verwachtte hij dan? Wat ik wil zeggen is: hier zat ik, een arbeidersmeisje, en we hadden geld betaald voor dit eten, dus ik zou het opeten ook. Het idee om maar een paar blaadjes aan de vork te prikken op een damesachtige manier, kwam zelfs bijna misdadig op me over.

Derryl hield er ook van om een meisje te zien genieten en als hij een gulle bui had, nam hij ons mee uit eten naar ongelooflijk chique eetgelegenheden, zoals Le Gavroche. Hij liet ons ook kennismaken met El Vino, het gevierde café bij Fleet Street, waar advocaten en journalisten kwamen. Het was ongelooflijk duur. De enige keren dat ik er iets dronk, was als Derry voor ons betaalde.

Genieten van eten is maar een stapje verwijderd van genieten van koken en doordat we een huis huurden, kon ik eten kopen op de markt. Hoewel ik graag kookte in Londen, was het in de jaren zeventig zelfs moeilijk om knoflook te krijgen, laat staan de aubergines en paprika's die in Siena opgestapeld lagen. De bladzijden van het notitieboekje dat ik die zomer bijhield, staan net zo vol met beschrijvingen van maaltijden, als van de kerken en architectuur.

De twee weken waren al snel weer om en de laatste ochtend was ik vroeg opgestaan. Ik schrobde de vloeren en liet de villa achter zoals ik hem zelf graag zou aantreffen. Tony was natuurlijk nergens te bekennen. Mijn laatste taak was, onontkoombaar, het toilet.

En daar zat ik op mijn knieën het toilet schoon te maken toen Tony achter me kwam staan.

'Weet je, Cherie, ik denk dat we maar moesten gaan trouwen.'

En, beste lezer, ik zei: 'Ja.'

9

Huwelijk

Al sinds het begin van die zomer woonde ik niet meer in Veena's flat. Haar ouders hadden hem weer nodig. Na daar twee jaar luxe gewoond te hebben zonder huur te betalen, had ik niets te klagen.

De balie is het ultieme niet-lineaire netwerkweb, waarbij elk advocatenkantoor als zelfstandige kleine kern fungeert. Wat je ook maar nodig hebt, het advocatenkantoor is altijd de beste plaats om met zoeken te beginnen, en dat bleek ook nu weer. Een vroegere stagiaire, zo hoorde ik, had net een huis in Hackney gekocht en was op zoek naar iemand met wie ze de kosten kon delen.

Ik had Maggie Rae al eerder tijdens mijn werk ontmoet. Na haar stageperiode was ze advocaat geworden bij het kantoor van Tony Gifford. Dit was een experiment in *radical chic*, de omgang van socialisten met radicalen. Het was als een van de eerste kantoren buiten de Inns of Court opgezet en lag tegenover de civiele rechtbank in Lambeth. Toen ze daar eenmaal was, besloot ze dat de advocatuur als strafpleiter niets voor haar was, en ze had zich omgeschoold tot raadsvrouw. Het experiment met het radicale kantoor werd ook niets; Lambeth was net te ver van het griffiersnetwerk verwijderd, en daarom verhuisden ze naar Covent Garden. Nu Maggie eenmaal bevoegd was, werd ze partner in de links georiënteerde maatschap van Hodge, Jones & Allen, die regelmatig familierechtszaken naar Charles Howard stuurde, bij ons op kantoor. En zo begon ik werk te doen voor Maggie.

Het huis dat ze zojuist had gekocht, was op Wilton Way, Hackney, één straat noordelijk van London Fields, het enige stukje groen in de buurt. Ik was nog nooit zo ver naar het noorden geweest en West Hampstead en St John's Wood (zelfs Blackheath en Wandsworth) waren in vergelijking daarmee zo chic als Mayfair. De buurt was niet altijd zo verloederd geweest, zoals te zien was aan de huizen– een groot aantal was in Georgian stijl gebouwd. De straten waren zowel breed als ver uit elkaar, zodat er grote tuinen waren. Doordat Hackney dicht bij de Londense City ligt, was het zwaar gebombardeerd tijdens de Tweede Wereldoorlog, en waar de bomkraters opgevuld waren, stonden nu slecht gebouwde huizen en flatgebouwen.

Maggies huis was een compleet bouwval – zelfs de hele voorgevel ontbrak. Het was vroeger opgedeeld in zit-slaapkamers en de enige verwarming was een fornuis op de bovenverdieping (mijn slaapkamer) in wat eens een keukentje was geweest. Daar zaten we in mijn slaapkamer. De voorgevel was afgedekt met zeildoek en we zaten om het openstaande deurtje van de oven geschaard.

Ze was een fervent doe-het-zelver en elk vrije ogenblik was ik daar met mijn schuurpapier bezig: van vloeren tot deuren tot plinten. Tony deed er zo min mogelijk aan mee. Hij heeft heel veel goede eigenschappen maar klussen hoort daar niet bij. Maggie had zelfs haar eigen bed in elkaar gezet, al was het wel van een bouwpakket, en ze haalde me over dat ook te doen. Dit keer riep ik Tony's hulp in. Hij zou er immers zelf van profiteren. Het resultaat was een ramp. Niet alleen wiebelde het maar het stortte ook in op het verkeerde ogenblik. Het in elkaar zetten van het bed had echter één voordeel: we leerden al heel snel dat klussen niets voor ons was, en toen we dan ook naar een eigen huis uitkeken, vielen bouwvallen af.

Tijdens de lange rit van Siena terug naar huis was mijn hoofd vol geweest met toekomstplannen. Tony's aanzoek was dan wel wat ongewoon geweest – duidelijk de verkeerde persoon op de knieën – maar ik had geen bedenktijd nodig gehad. We waren goede maatjes en hielden veel van elkaar, wat toch de ultieme combinatie was voor een gelukkig en geslaagd huwelijk. En er was tussen ons voortdurend zo'n dynamiek dat ik wist dat het leven met Tony nooit saai zou zijn. Wat kon een vrouw nog meer wensen?

Misschien een ring. Hoewel, ik had altijd een hekel aan mijn vingers gehad en Tony had het gevoel dat we alles wat we bezaten in het huis moesten stoppen. Er was echter één ding dat hij zeker wilde weten, zei hij, terwijl we met de Kever van de veerboot reden in Dover.

'En dat is, schat?' vroeg ik en kneep even in zijn knie. Wilde hij dat ik hem opnieuw zou verzekeren dat ik heel veel van hem hield...?

'Beloof me dat je niemand hier iets over vertelt.'

Ik weet nog dat ik daar zat en dacht. Wat? In plaats daarvan zei ik: 'Ik begrijp het.'

'Niets om je zorgen over te maken. Ik denk dat we niet te hard van stapel moeten lopen, dat is alles.'

Het klonk als: 'Voor het geval ik van gedachten verander...' Mijn kleine ballonnetje van geluk liep ogenblikkelijk leeg.

Hij was het er wel mee eens dat we het aan mijn moeder zouden vertellen, en het eerste weekend dat we thuis waren, reden we naar Oxford om haar op te zoeken. Zelfs toen hield mijn aanstaande echtgenoot zich in en sprak er uitvoerig over dat we een huis wilden kopen. Mijn moeder, die heel ruimdenkend was, begreep dat hij bedoelde: Cherie en ik gaan samenwonen. Pas aan het eind toen Tony voorstelde om een fles champagne te gaan kopen, viel het kwartje.

'Bedoel je dat jullie gaan trouwen?' vroeg ze. Tot dat ogenblik was het grote woord er nog steeds niet uit.

Tony maakte zich echt zorgen over Derry. Als die het er niet mee eens was, kon dat negatieve gevolgen hebben, zei hij. Het was nooit een vraag van 'indien' wat mij betrof. Natuurlijk zou Derry het er niet mee eens zijn. Hij had altijd een bezitterige houding ten opzichte van mij gehad, hoewel hij dat natuurlijk nooit zo zei.

'Je bent veel te jong om te trouwen,' zei Derry tot niemands verrassing toen Tony het hem uiteindelijk vertelde. 'Niet doen.'

Maar paradoxaal genoeg was het Derry die het mogelijk maakte, tenminste in financieel opzicht. Hij betrok Tony bij een zaak die met de Bank of Oman te maken had; die moest daarom de daaropvolgende paar maanden steeds heen en weer vliegen naar de Golf. Het verdiende leuk en zo kreeg hij zijn eerste grote honorarium, zodat we naar een huis konden gaan uitkijken.

Waar ik me persoonlijk zorgen over maakte, lag dichter bij huis. Hoe zou mijn moeder reageren als mijn vader me weggaf? In tegenstelling tot de toelating tot de balie was het nooit eerder voorgekomen dat de bruid door haar moeder aan de bruidegom werd gegeven... Dit was een onoplosbaar probleem.

Op een morgen begin november was ik thuis en luisterde afwezig naar Capital Radio. Ik stond op het punt naar mijn werk te gaan toen ik plotseling mijn vaders naam hoorde noemen.

'Tony Booth, de acteur uit *Till Death Us Do Part*, is in het ziekenhuis opgenomen nadat hij ernstige brandwonden opliep bij een brand bij hem thuis. De andere bewoners van het gebouw zijn niet gewond geraakt.'

De eerste gedachte die in me opkwam, was om Susie te bellen, hoewel ik haar en mijn vader al maanden niet had gezien. Ze was heel, heel erg kwaad. Hij was naar het Mount Vernon-ziekenhuis gebracht, zei ze. Verder was het enige dat ik te weten kwam: dronken... hem buitengesloten... probeerde alles in brand te zetten... hij kan naar de hel lopen.

Vervolgens belde ik het Mount Vernon-ziekenhuis. Ik moest maar zo snel mogelijk proberen te komen, zeiden ze.

Ik ging alleen. Ik had voor die ochtend niets gepland en Lyndsey moest naar haar werk. En haar gevoelens ten opzichte van de man die haar had verraden, waren toch al niet goed.

Northwood, de dichtstbijzijnde metrohalte in de richting van Mount Vernon, is drie haltes verder dan Harrow op de Metropolitan Line. Er is geen ondergrondse in Hackney en daarom nam ik de bus naar Liverpool Street en vandaar was er een directe, maar wel langzame verbinding. In Northwood moest ik nog een bus nemen naar het ziekenhuis. De reis duurde meer dan twee uur.

Mijn vader vertelt een ingewikkeld verhaal over wat er nu de vorige avond gebeurd was. Daarbij gaat het over de SAS (de Britse speciale eenheden), de contraspionage, de IRA en ook nog een mislukte moordaanslag. Twee SAS-leden, beweert hij (die hij natuurlijk in de pub ontmoette), hielpen hem om in zijn eigen huis in te breken door op twee petroleumvaten te klimmen, zodat hij bij een zolderluikje kon komen. Maar toen hadden ze besloten dat het gemakkelijker was de voordeur in brand te steken. Daarop staken ze een fakkel in de petroleum die vervolgens explodeerde, waardoor er overal om hem heen vlammen waren. Ik vond die versie van het verhaal heel vreemd en heb die nooit geloofd. De twee belangrijke getuigen zijn ook nooit opgedoken. Sommige feiten kloppen echter wel. Hij was inderdaad buitengesloten bij de flat. Hij was inderdaad verbrand. En hij was inderdaad heel, heel erg dronken.

Ik kende de situatie in het huis doordat ik er op de kinderen had gepast. Zijn flat lag op de bovenste verdieping van een groot vooroorlogs huizenblok. Tegenover zijn voordeur was een bergruimte waar hij onder andere reservepetroleum bewaarde voor de kachel. Hij moet op het vat geklommen zijn om bij het zolderluik te komen. Als hij daar eenmaal was, kon hij over de zolder kruipen naar een luik dat in zijn eigen flat uitkwam. Dat had hij al eerder gedaan. Mijn vader rookte veel en dat was dit keer heel onverstandig. Gooi daar nog wat petroleum bij en dan is het geen verrassing wat er gebeurde. Hij had waarschijnlijk een sigaret in zijn hand. Terwijl hij zichzelf in het luik hees, viel die op het vat petroleum – waarop blijkbaar wat petroleum geknoeid was – en dat vloog in brand. Vervolgens explodeerde het en viel hij met zijn voeten naar beneden in een vuurzee.

Behalve zijn voeten en onderbenen waren zijn handen het ergst verbrand. Zelfs in deze extreme situatie besefte mijn vader nog wat zijn kostbaarste lichaamsdeel was en instinctief had hij dat willen beschermen. Ik weet dat, omdat hij daar in de maanden daarna als ik hem regelmatig bezocht door geobsedeerd was. Toen ik hem voor het eerst zag, was hij er vreselijk aan toe. Zijn handen waren ingepakt in een soort plastic zakken en hij ijlde.

Een van de verpleegsters wisselde een biljet van een pond voor wat muntstukken en ik belde mijn grootmoeder op via de telefoon in de hal. Hij was er niet zo slecht aan toe als ik verwacht had, vertelde ik haar. Het was een leugen. Ik kon het gewoon niet over mijn hart verkrijgen om haar de waarheid te vertellen. Alleen al door het horen van haar stem sprongen de tranen in mijn ogen, wat niet het geval was geweest toen ik mijn vader zo zag liggen. Toen was ik gewoon in shock geweest. Vervolgens belde ik tante Audrey. Haar vertelde ik wel de waarheid. Hij was er vreselijk aan toe, zei ik. Alles was vreselijk. Dit gebouw was niet meer dan systeembouw en er was voortdurend lawaai van mensen die het van pijn uitschreeuwden.

Toen er niets meer was wat ik kon doen, kuste ik mijn vader op zijn hoofd en vertrok. (Later was dergelijk gewoon menselijk contact vreemd genoeg niet meer mogelijk.) Ik had ondertussen Tony gebeld en een boodschap achtergelaten. David, de hoofdgriffier, zei dat hij al terug was uit Oman, maar hij was bij Derry om verslag uit te brengen. Ik vertelde dat mijn vader een ongeluk had gehad, dat ik naar kantoor zou gaan, en dat ik het zou uit-leggen als ik hem zag en vroeg of hij me alsjeblieft kon terugbellen.

Terug in Essex Court zat ik maar te wachten tot Tony belde. Toen hij dat uiteindelijk deed, was dan niet vanuit het kantoor. Ik kon aan de achter-grondgeluiden horen dat hij in een bar was.

'Ik ben even iets drinken met Derry in El Vino. Waarom kom je hier ook niet even naartoe?'

'Tony, mijn vader is er heel slecht aan toe. Ik moet met je praten.'

'Kom dan hierheen.'

'Maar je begrijpt het niet. Hij is ziek, echt heel ziek.'

'Kom nou maar hierheen!'

En ik ging ernaartoe. Dit was in de tijd dat Fleet Street nóg Fleet Street was, en El Vino was volgepakt met de gebruikelijke massa journalisten en hier en daar een jurist. Het was toen echt nog een mannenwereld en vrouwen waren nooit erg welkom. Ik herinner me dat ik in de deuropening tussen deze menigte mannen stond te zoeken. Plotseling zag ik hem aan een tafeltje zitten met Richard Field, die na mij Derry's stagiair was geworden. Ze zaten alledrie te schaterlachen. Ik liep naar hen toe en Richard, die nu deel uitmaakt van het kantoor, trok een stoel bij.

'Tony, ik moet je echt spreken,' zei ik. Noch Derry noch Tony schonk er ook maar enige aandacht aan. Ik trok aan zijn mouw en herhaalde wat ik had gezegd. Precies dezelfde woorden. Niets. Daarop barstte ik in tranen uit.

'Weet je, mijn vader ligt op sterven en je wilt niet eens met me praten.' Ik stond op en liep naar buiten.

Tony had geen reden om mijn vader aardig te vinden maar toen hij zich realiseerde dat die echt in levensgevaar verkeerde en – nog belangrijker – hoe ik me dat aantrok, voelde hij zich vreselijk dat hij zich zo gedragen had. Hij besefte dat pas het moment dat ik opstond en vertrok, en kwam natuurlijk achter me aan rennen. Het was gewoon slechte timing. Daar was hij, net terug van zijn eerste grote zaak, vol verhalen over Oman en dergelijke – en dat ik er zo aan toe was, was niet wat hij had verwacht of gewenst.

Hoe boos ik ook geweest was, dat verdween in de weken daarna. Wat mijn vader ook voor slechte dingen in zijn leven gedaan had, concludeerde ik, ik kon dit mijn ergste vijand nog niet toewensen. Hij had niemand anders behalve mij. Elke maandag nam ik de ondergrondse naar Northwood. Ik had het gevoel dat ik dat namens mijn grootmoeder en tante Audrey moest doen. Ze moesten weten dat er iemand van de familie voor hem zorgde. Hij wilde Susie niet bij zijn bed hebben, mijn grootmoeder was te oud om hiernaartoe te komen en zijn zus, tante Audrey, had haar eigen opgroeiende gezin. Lyndsey kwam één keer, maar had als stagelopende griffier niet de vrijheid die ik had als zelfstandig advocaat om de lange reis naar het Mount Vernon-ziekenhuis te maken.

Hij was nu opgenomen op de brandwondenafdeling en ging geleidelijk vooruit. Zijn longen waren beschadigd door het inademen van rook en hij kreeg de ene huidtransplantatie na de andere. Dat was voor hem het pijnlijkst: hoe dikker de huid die weggenomen was, hoe minder de eventuele littekens, maar wel hoe groter de pijn. Iedereen daar leed vreselijk veel pijn. Je kon hen horen schreeuwen en er stierven altijd weer mensen. Als er een overdracht tussen verpleegsters plaatsvond, hoorde ik hen zeggen: 'Die en die zal de morgen niet halen.' Eén vrouw, net als hen een verpleegster, was voor negentig procent verbrand. Ze was het gas in de oven aan het aansteken toen die ontplofte. De maandag daarna was ze overleden. Het lichaam kan zo'n enorme verwonding niet aan. Mijn vader overleed bijna twee keer door leverproblemen. Hij was, natuurlijk, een alcoholist.

Boven alles moesten infecties worden voorkomen. Dat werd contact-isolatie genoemd. Voordat je hem mocht zien, moest je jezelf volledig in plastic hullen. Als ze met een transplantatie bezig waren, mocht hij geen oefeningen doen om de huid niet uit te rekken. Om zijn benen en armen zat een soort kous. We zaten dan maar gewoon wat te praten. Zijn enige grote angst, en daar kwam hij steeds weer op terug, was of hij ooit weer een erectie zou kunnen krijgen. Ik bedoel maar, wilde ik wel zo'n gesprek voeren met mijn vader?

De ervaringen van die maanden hadden een grote invloed op me. Mijn kinderen weten dat ik na mijn dood begraven wil worden. Wat er ook gebeurt, ik wil niet gecremeerd worden. Niet alleen dat natuurlijk. Mijn relatie met mijn vader veranderde. En hij veranderde. Maar het had ook invloed op zijn relatie met Lyndsey. Haar reactie was: 'Ga er maar van uit dat mijn vader altijd gericht is op wat voor hem het beste uitkomt.' Kan zijn. Maar hij was heel ziek en het is alleen dankzij de geweldige verpleging die hij in het Mount Vernon-ziekenhuis ontving dat hij vandaag de dag nog in leven is.

Mijn vaders ongeluk had een onverwacht voordeel. Hij zou met geen mogelijkheid naar de bruiloft kunnen komen. We regelden het zo dat oom Bill, de man van tante Audrey, die ik al kende sinds ik in Ferndale Road kwam wonen en hij nog haar vriendje was, me bij de huwelijksceremonie aan de bruidegom zou geven.

Omdat Tony en ik beiden tot Lincoln's Inn behoorden, hadden we de plechtigheid gemakkelijk in Lincoln's Inn kunnen houden, maar de kosten voor de huur daarvan waren te hoog. Omdat mijn moeder nu in Oxford woonde, was het logisch om de bruiloft daar te houden. We hadden enorm geluk dat we van St John's College toestemming kregen om in de kapel van het college te trouwen, waar ook Tony's confirmatie had plaatsgevonden. Dit was bij hoge uitzondering en kon alleen omdat een vriend die afgestudeerd was op de geschiedenis van de kapel de toenmalige kapelaan Graham Dow ertoe over wist te halen.

De toenmalige kapelaan was Anthony Phillips. We bespraken het feit dat ik rooms-katholiek was. De anglicaanse Kerk had daar geen probleem mee. De vraag was of ik er zelf een probleem mee had. Ik was feitelijk sinds ik vijf jaar daarvoor uit huis was gegaan maar één keer naar de mis geweest, toen ik in Liverpool was. Aan de LSE had vermoedelijk niemand geweten dat ik rooms-katholiek was. Ik had waarschijnlijk mijn vaders achterneef pater John Thompson moeten vragen om samen met dominee Phillips de dienst te leiden, maar ik wilde geen risico nemen. Anthony Phillips bewees ons al een grote gunst en ik wilde ook niet zeggen: 'O, tussen twee haakjes, ik had liever niet dat u de leiding had van de huwelijksceremonie.'

Er was geen vrijgezellenavond of zoiets. De twee families hadden afgesproken dat we samen een etentje zouden hebben en we kwamen bij elkaar in mijn moeders huis. Om zes uur was de bruidegom er nog niet omdat hij opgehouden werd in de rechtbank. Hij kwam uiteindelijk rond acht uur en we hadden allemaal een heel gezellige avond. Maar de volgende morgen was er paniek! Hij was vergeten zijn onderbroek mee te brengen dus moest hij er een in het hotel zien te krijgen. Het was een vreselijk slecht passend exemplaar met een heel vreemd kruis, wat duidelijk zichtbaar is op de trouwfoto's.

Mijn grootmoeder was er natuurlijk ook en toen ze Tony zag, klaarde haar gezicht op. 'Ik ben zo blij dat ze met jou trouwt. Ik mag je wel,' zei ze. Dat was een hele opluchting.

Ik had mijn jurk tijdens de uitverkoop bij Liberty gekocht. Hij was van een heel licht ivoorkleurige zijdechiffon en had iets weg van een jurk uit de Middeleeuwen. De mouwen hadden aan de schouder een split die met kleine pareltjes sloot. Het lijfje was van satijn en er waren handgeschilderde pareltjes op genaaid. Daarbij droeg ik een bijpassend hoedje zonder rand met dezelfde lichtlila band als de jurk en met nog meer pareltjes. Wat de bruidsmeisjes betreft had Maggie haar diensten als naaister aangeboden omdat zij een naaimachine bezat. We kochten bijpassende zijde bij Liberty en zij ontwierp zelf de jurkjes. Helaas duurde het, net als veel andere doe-het-zelfacties van Maggie, langer dan ze gedacht had en we waren nog maar net klaar met de zomen van de jurken toen de auto arriveerde. De bruidsmeisjes: Lyndsey, Tony's zus Sarah en Catherine, de dochter van tante Audrey, vertrokken eerst met mijn moeder. Omdat mijn moeder voor de auto zou zorgen, hadden we besloten maar één auto te nemen. Die kon dan later terugkomen en mij en oom Bill ophalen. Een goed idee, maar Oxford is op zaterdagmorgen een ramp en mijn moeder had niet goed uitgerekend hoe lang de rit zou duren. We wachtten en wachtten en wachtten. De ceremonie zou om twee uur moeten beginnen, maar om twee uur was de auto nog maar net terug.

'Tony zal zo kwaad zijn,' kwetterde ik zenuwachtig toen we door het verkeer kropen. 'Hij zal waarschijnlijk gewoon vertrekken!' Toen we bij St Giles' kwamen, was ik ervan overtuigd dat er niemand meer bij het altaar stond te wachten, en dat er heel wat gespannen gezichten zouden zijn. Hij haat het altijd als ik laat ben, en dat ben ik vaak. Dit keer was het echter niet mijn fout, al kon hij dat niet weten. Ik kwam uiteindelijk om half drie bij de kapel aan en ondertussen was de arme leerlingorganist al door zijn hele repertoire heen en hij was weer van voor af aan begonnen.

De bruidegom was nog niet vertrokken. Ik hoorde later dat hij om vijf voor twee zijn laatste sigaret gerookt had. Ik had nooit gerookt maar ik merkte dat heel wat advocaten als schoorstenen roken omdat ze vaak gespannen zijn voordat ze de rechtzaal in moeten. Ik had mijn grootvader zien sterven en ik wilde niet dat het met Tony net zo zou aflopen. Het was mijn enige voorwaarde geweest voor mijn huwelijk met hem.

Op 29 maart 1980 om een uur of drie werden Tony Blair en Cherie Booth tot man en vrouw verklaard. Onnodig te zeggen dat ik niet beloofde te gehoorzamen. Verder ging alles in een roes aan me voorbij. Ik weet alleen nog dat Anthony Phillips een heel goede preek hield waarin hij zei dat je in het huwelijk altijd in beweging moet blijven, niet stilstaan, niet statisch worden. Je moet samen vooruit. Toen hij bij de passage kwam waar gezegd wordt: '... wat God samengevoegd heeft, scheide de mens niet', bond hij onze polsen aan elkaar met zijn sjerp, wat ik niet verwacht had. Ik had dit nog nooit zien doen, hoewel er toen al heel wat van onze vrienden getrouwd waren.

'Tjonge,' zei Maggie later. 'Hij meende het echt!'

De kapel was tamelijk klein. Afgezien van onze families waren de andere gasten voor een groot deel afkomstig van het een of andere advocatenkantoor. Het hoofd van St John's College had ons zijn huis aangeboden voor de receptie. We konden er letterlijk van de kapel naartoe wandelen, terwijl in de maartse storm ieders hoed afvloog.

Bill, Tony's broer was getuige. Zijn bruidsjonkers waren Charlie Falconer, Chris Catto – een vriend van Fettes College – Geoff Gallop en Bruce Roe. Marc Palley en Bina waren in Dubai.

Omdat mijn vader niet aanwezig kon zijn, had ik Derry gevraagd namens mij een toespraak te houden. Dit was een vergissing: het ging alleen maar over Tony. Hoe geweldig hij was en hoe gelukkig ik was dat ik hem als man kreeg. En natuurlijk bedeelde hij zichzelf de rol van Cupido toe. Na afloop zei Freddie Reynold dat hij wilde dat ik hem gevraagd had. Daar was ik het mee eens. Gelukkig stond mijn oom Bill erop een paar woorden over mij te zeggen, en dat waren heel lovende woorden.

Mijn vader had me een telegram gestuurd, het enige dat ik me kan herinneren.

'Gefeliciteerd,' stond er in, 'van de trotse vader van de prachtige bruid. Afwezig gewond.'

Laat die avond ging Tony op de rand van het bed zitten in onze hotelkamer in de Cotswolds.

'Nou,' zei hij terwijl hij daar zat in zijn gestreepte pantalon met bretels. 'Dat was de ergste dag van mijn leven.' Het had niets met mij te maken. Hij was gewoon heel verdrietig dat zijn moeder er niet bij had kunnen zijn.

10

Politiek

Na maanden vergeefs zoeken vonden we uiteindelijk een huis dat we leuk vonden, aan Mapledene Road, Hackney, ten westen van London Fields en op een steenworp afstand van Maggies huis. Het kostte meer dan we ons eigenlijk konden veroorloven, maar we hoefden gelukkig niets zelf te verbouwen, want de projectontwikkelaar was verantwoordelijk voor de renovatie.

Op het moment dat we het kochten, werd er nog verbouwd, dus trok Tony bij mij in Maggies huis in – hij had zijn kamer bij Charlie Falconer tot op de dag van de bruiloft aangehouden.

We verhuisden kort voor kerst 1980 naar ons eerste echte huis en ik haalde mijn man over me over de drempel te dragen. Na zijn ongebruikelijke huwelijksaanzoek was dit wel het minste dat hij voor me kon doen, vond ik. Nummer 59 stond aan het einde van een rij van vier vroeg-Georgian huizen. Daarachter zat ruimte voor het begin van een nieuwe rij, in dit geval van Victoriaanse huizen. Het laatste hiervan stond leeg toen we verhuisden. De gemeente zou het gaan opknappen, maar in de tussentijd kwamen er voortdurend daklozen en dieven op af. In de eerste zes maanden dat we er woonden, werd er drie keer bij ons ingebroken. Het feit dat Tony en ik de hele dag weg waren, was natuurlijk niet bevorderlijk. De schooiers klommen over de tuinmuur en sloegen dan een van de glazen ruitjes van de achterdeur in. Toen er eenmaal een gezin in het huis kwam wonen, hielden de inbraken op.

Bij de eerste inbraak raakte ik al mijn sieraden kwijt – geen echt kostbare dingen, maar ze hadden allemaal een speciale betekenis. David had me op mijn verjaardag altijd juwelen gegeven en alles was weg, ook de mooie armband van zilver en zwart email die hij me op mijn eenentwintigste verjaardag had gegeven, en een gouden soeverein aan een kettinkje dat opa Jack me had gegeven.

De juwelen werden al net zo min gevonden als de daders, maar het was duidelijk waar de laatsten vandaan kwamen. Aan de overkant van de straat lag een van de armste buurten van Groot-Brittannië – de meest deprimerende verzameling torenflats en laagbouwhuisjes die je je kunt voorstellen. Stemmen werven in het Holly Estate voor de lokale verkiezingen was een nuttige ervaring en een openbaring voor Tony, die in tegenstelling tot mijzelf sociale achterstand van deze omvang nog niet eerder zelf had gezien. De mensen waren zo bang dat ze zich in hun appartementen achter versterkte deuren barricadeerden. Ik had hem nog nooit zo kwaad gezien. Elke avond kwam hij thuis met het vaste besluit iets te doen tegen de criminaliteit en het antisociale gedrag waar zulke buurten onder leden.

Maar even verderop, aan de overkant van Queensbridge Road, stond een aantal van de mooiste huizen van het noorden van Londen en die waren, dankzij hun verzieke buren – nog steeds betaalbaar. Er trokken geestverwanten in – Charles Clarke en zijn vrouw waren bijna onze buren. We raakten goed bevriend met Barry Cox, een producent voor London Weekend Television.

Elke keer als ik verhuisde, verhuisde mijn lidmaatschap van de Labourpartij mee. Ik begon in de afdeling West Hampstead toen ik in Weech Road woonde. Toen ik naar Abercorn Place verhuisde, werd ik lid van de afdeling Marylebone, waar de bijeenkomsten werden gehouden in het huis van Audrey Millar en haar man. Ze hadden twee kinderen die ik er af en toe zag, allebei jonger dan ik. Fiona studeerde toen aan London University en haar broer Gavin zat nog op de middelbare school. Later zou hij rechten gaan studeren, en Fiona zou een belangrijke rol in mijn leven gaan spelen.

Toen ik bij Maggie op Wilton Way introk, werd ik lid van de afdeling Hackney waar zij al actief was. Tegen de tijd dat Tony en ik het huis op Mapledene Road kochten, zat ik in het dagelijks bestuur van de afdeling. Ik was ook lid van het schoolbestuur, omdat ik dat eerder in Maida Vale ook gedaan had en het werk wilde blijven doen. Ik was niet alleen voorzitter van het schoolbestuur van de kleuterschool van Queensbridge Road, maar ook bestuurslid van de Haggerston Girls School.

Toen ik eenmaal afgestudeerd jurist was, kon ik gespecialiseerder hulp bieden. Ik hielp bij het opzetten van de afdeling Hackney van de Child Poverty Action Group en gaf juridisch advies, ook aan het National Council of Civil Liberties. In Merseyside was het gebruikelijk dat je zo veel mogelijk liefdadigheidswerk deed. Het had niet de ondertoon van Mevrouw de Weldoenster die haar weelde met anderen komt delen. Het was de manier waarop buurten overleefden. Ik herinner me dat mijn grootmoeder vertelde over de afbetalingsclub voordat er enige vorm van ziekteverzekering bestond. Als tiener stond ik natuurlijk op straathoeken met mijn collectebusje te rinkelen. De ycs hield regelmatig collectes voor specifieke doelen. Ik herinner me een vierentwintiguurswake die we in het centrum van Liverpool hielden voor Biafra. Omdat het zo lang duurde, overnachtten we in het gebouw van de katholieke kapelaan. Er werd uiteraard nogal wat gerommeld, maar echt vreselijke dingen gebeurden er niet. Het was gewoon een combinatie van sociale actie en gezelligheid.

Toen ik wat ervaring had opgedaan met familierecht, werd ik gevraagd te komen helpen bij de wetswinkel in Tower Hamlets. Het University House Legal Advice Centre werd geleid door de fantastische Ann Wartuk, een nuchtere, sterke vrouw die mij in een aantal opzichten aan mijn grootmoeder deed denken. Iedereen was doodsbang voor haar en ze was soms snel geïrriteerd, maar ze kreeg in ieder geval van alles voor elkaar.

We gingen er elke woensdagavond naartoe: met z'n drieën – twee juristen en Ann. Zij had in de loop van de week mensen gesproken en wij moesten advies geven aan degenen die een volgende stap moesten zetten of die meer informatie nodig hadden dan Ann vanuit haar eigen ervaring kon geven. De plek zelf was een puinhoop. Er was geen cent aan uitgegeven en in de winter sisten de gaskachels op de achtergrond terwijl wij in jassen gehuld advies gaven.

Er waren twee terreinen waarmee ik vooral te maken had. Ten eerste de afschuwelijke huisvestingsproblemen. Mensen kwamen binnen met stukken van de muur of behang met pleister eraan, dingen die gewoon wegrotten door het vocht of vol kakkerlakken zaten. Een deel ervan waren oude huizen, Victoriaans en zelfs nog ouder, maar de nieuwere huizen waren net zo slecht, en in bepaalde opzichten zelfs nog schandaliger. Het was in die tijd erg moeilijk om juridische hulp te krijgen bij woninggeschillen. Ik deed wat ik kon door bijvoorbeeld brieven te schrijven aan de gemeente, in een poging gezinnen een nieuw onderkomen te bezorgen.

En dan was er het huiselijk geweld. Het grootste deel ervan kon je verwijzen naar advocaten en sommige van die mensen zag ik inderdaad later terug als officiële klanten via Maggie. Toen zag ik de huisvestingssituaties met eigen ogen. Het feit dat deze vrouwen in vreselijke fysieke omstandigheden leefden, was niet bevorderlijk voor hun situatie.

In het begin van de jaren tachtig had de Labourpartij het moeilijk. De regering-Callaghan van 1976–1979 was niet in staat geweest effectief met de vakbonden te onderhandelen. Het land werd door de ene na de andere staking getroffen, waardoor de deur wijd open stond voor Margaret Thatcher, die aan de macht kwam in mei 1979, het jaar voordat Tony en ik trouwden. Ik herinner me dat ik in het stembureau van Abercorn Place zat en de stemmen zag verdwijnen. Maar tegelijkertijd was ik gefascineerd door de gedachte dat Groot-Brittannië zijn eerste vrouwelijke premier ging krijgen en dat ik het niet was!

In november 1980 trad Callaghan af. Het voorzitterschap lag nu voor het grijpen en met de verkiezing van Michael Foot in plaats van Denis Healey, de voormalige minister van Financiën, was links duidelijk aan de winnende hand. De mensen die zichzelf nu beschouwden als betalende leden van de Labourpartij (en het ook waren), varieerden van linkse neo-trotskisten, die officieel *Militant* (naar hun tijdschrift) heetten of – laatdunkender – de *Trots* werden genoemd, tot degenen aan de rechterkant van de partij die, in de verwachting dat Foot niet zou kunnen omgaan met Militant, zich afscheidden om de Social Democratic Party (SDP) te vormen in wat begin 1981 bekend werd als de *Limehouse Declaration*. Hoewel we geen proto-Liberalen wilden worden, bevonden mensen als Tony en ik ons ergens in het midden tussen deze twee uitersten. We waren van mening dat de Trots een krankzinnige, extreme vorm van Labour vertegenwoordigden die nooit iemand goed zou doen, maar we waren er ook heilig van overtuigd dat de gelederen gesloten moesten blijven. We vonden allebei dat politieke macht onbereikbaar was zonder de steun van de vakbonden en de arbeidersklasse. Blijven strijden binnen de partij was de enig werkbare optie. Met die gedachte in ons achterhoofd sloten we ons aan bij het Labour Coordinating Committee, een gematigd linkse groep en niet trotskistisch.

Terzelfder tijd werd Derry benaderd door zijn eveneens Schotse bijna-leeftijdgenoot John Smith – een rijzende ster aan het Labourfirmament en lid van het schaduwkabinet – om te adviseren over Militant. Toen Derry Tony inbracht om als zijn assistent op te treden, kon hij niet weten wat de onaangename gevolgen zouden zijn. Het was alsof hij in het diepe werd gegooid. Hoe meer Tony van dichtbij zag wat er gebeurde, hoe woedender hij werd. Hij zei dat het nog net geen overname was. De enige manier om iets te bereiken, was door middel van de grote politiek, met andere woorden, door parlementslid te worden. Ik kan me geen speciaal gesprek erover herinneren, geen bekering à la Paulus onderweg naar Damascus, het was gewoon duidelijk dat iets anders verkwisting van tijd en energie zou zijn.

De landelijke politiek in Westminster is iets heel anders dan lokale politiek en hij moest zijn optiek bijstellen. Op praktisch niveau ging Tony meer samenwerken met de vakbonden en zorgde hij dat Derry hem introduceerde bij zijn vakbondsjuristen. Op intellectueel niveau schreef hij een artikel tegen de noodzaak voor een *Bill of Rights*, omdat hij van mening was dat je daarmee meer macht gaf aan niet-gekozen rechters, die doorgaans blank waren en uit de betere kringen afkomstig. Hij probeerde het in de *New Statesman* geplaatst te krijgen, maar uiteindelijk werd het gepubliceerd in *The Spectator*.

Destijds was vakbondslidmaatschap verplicht als je je kandidaat stelde. Tony werd daarom lid van de Transport and General Workers' Union (T & G) in het noordoosten en ik van de afdeling Londen-Centrum van de MATSU, het witteboordendeel van de General and Municipal Boilermakers Union (GMB). Het was complete flauwekul. De enige mensen die op bestuursvergaderingen verschenen, waren mensen zoals wij, die zich hadden aangemeld bij de afdeling Londen-Centrum om geloofwaardig te lijken en op de kandidatenlijst te kunnen komen. We waren al enige tijd lid van de Fabian Society, maar omdat de Campagne voor Nucleaire Ontwapening (CND) toen een belangrijk onderwerp was, meldde ik ons aan als gezin.

Om zich te profileren bood Tony aan lezingen te geven tijdens congressen van vakbonden. Een dergelijk publiek stond nog steeds wantrouwig tegenover advocaten en daar had ik een taak. Ik was zijn paspoort naar acceptatie door de arbeidersklasse: 'Ik ben misschien wat bekakt, maar dit is mijn vrouw uit de arbeidersklasse. Haar vader is de bekende linkse Tony Booth, u kent hem wel.' Na afloop werd er meestal wat gezongen en onvermijdelijk was ik dan aan de beurt.

'Cherie zal nu een paar liedjes uit Liverpool voor jullie zingen,' kondigde Tony aan, waarop afwachtend applaus klonk. Ik sloeg dan mijn handen in elkaar, deed mijn mond open en zong – *The Leaving of Liverpool* of *In My Liverpool Home*, want inwoners van Liverpool waren altijd goed vertegenwoordigd in de vakbeweging. En zo werden Tony Blair en Cherie Booth bekend in de regionale afdeling van de Labourpartij, en al snel probeerden we allebei actief een parlementszetel te veroveren.

Op 1 oktober 1981 overleed sir Graham Page – niet echt een bekende naam, maar voor de inwoners van mijn geboortestad was hij een grootheid. Hij had sinds 1953 de zetel voor het district Crosby namens de Conservatieven bezet en zijn dood maakte het district voorpaginanieuws, wat het tijdens zijn leven nooit geweest was. Shirley Williams, minister van Onderwijs in de regering-Callaghan, was haar zetel kwijtgeraakt bij de verpletterende stembusoverwinning van de tory's in 1979. Dit betekende haar terugkeer. Maar niet voor Labour. Ze behoorde tot de 'Bende van Vier', de groep die de Social Democratic Party had opgericht. Ze was een keurig katholiek meisje en de enige vrouw in het kabinet, allebei redenen waarom haar afvalligheid was alsof ik een klap in mijn gezicht had gekregen. Toen bekend werd dat ze zich kandidaat stelde voor mijn geboorteplaats, dacht ik: Goeie God! Nu ga ik ervoor! Mijn vader vond het allemaal erg spannend, al wist ik dat ik geen schijn van kans had.

Een strategisch plan had ik niet, maar ik ben altijd van mening geweest dat je een kans die zich voordoet moet grijpen. Ik was al jaren gefascineerd door politiek en vond dat ik minstens zo goed was als de anderen die zich kandidaat hadden gesteld. Als zij het konden, waarom ik dan niet? Ik zag wat er onder Thatcher met Groot-Brittannië gebeurde: de werkloosheidscijfers bleven onverbiddelijk stijgen, demonstraties voor het recht op werk die slechts het topje waren van de ijsberg aan ellende voor de betrokken gezinnen. Het was niet voldoende om maar te gaan zitten hopen dat iemand anders er iets aan zou doen. Ik kon die iemand zijn!

Ik kwam niet eens op de lijst van geselecteerde kandidaten terecht, terwijl Shirley Williams in een flits het eerste parlementslid voor de SDP werd, waarbij ze een Conservatieve meerderheid van 19.272 stemmen versloeg, hoewel de tory's de zetel bij de algemene verkiezingen van 1983 terugwonnen. Maar het zette me in ieder geval aan het denken.

Een paar maanden later, eind februari 1982, overleed een ander Conservatief parlementslid: sir Ronald Bell, parlementslid voor Beaconsfield. Dit keer deed Tony een poging. Mijn vader was daar deels verantwoordelijk voor. Omdat hij wist dat Tony graag in de landelijke politiek wilde, regelde mijn vader een afspraak met een bevriend parlementslid, Tom Pendry. Ze lunchten in de Gay Hussar in Soho en Tony kwam die avond opgewonden thuis. Tom Pendry had Beaconsfield geopperd. Waarom stelde Tony zich daar niet kandidaat? Hij zou niet winnen, maar hij kon er ervaring opdoen en bovendien zou het veel publiciteit krijgen omdat de SDP zeker mee zou doen. Hij kende een belangrijk man in de lokale Labourpartij daar, zei hij, en hij zou Tony met hem in contact brengen.

Beaconsfield was ooit het kiesdistrict van de negentiende-eeuwse Britse Conservatieve staatsman Benjamin Disraeli geweest en was sindsdien eigenlijk altijd Conservatief gebleven. De Labourpartij van Beaconsfield floreerde niet echt en had alle hulp nodig die ze kon krijgen. Tony logeerde bij mijn moeder in Oxford en reed elke ochtend naar Beaconsfield. Hij kwam pas terug naar Mapledene Road na de verkiezing op 27 mei. In de weekends ging ik naar hem toe, maar verder bleef ik in Londen en kwam alleen per trein om te helpen met de campagne als het uitkwam met mijn afspraken op de rechtbank.

Het moment van de verkiezing had voor een oppositiepartij niet slechter kunnen zijn. We zaten midden in de Falklandoorlog, Argentinië had in maart een inval gedaan op het eiland South Georgia en eind april zonk de *Belgrano*. Heel Engeland was in de ban van de oorlog en mevrouw Thatcher speelde de rol van Boudica (de koningin uit Norfolk die in 60 n.Chr. een aantal stammen tegen de Romeinse bezetter had aangevoerd).

Iedereen hielp mee met de campagne. Zelfs onze oude vriend Bruce Roe, Conservatief sinds zijn geboorte, reed door de straten van Beaconsfield in een sportauto en riep door zijn megafoon: STEM OP BLAIR. Tony's familie was in drommen komen opdagen: Sarah en Bill en natuurlijk Tony's vader en nieuwe stiefmoeder Olwen. Leo en Olwen waren vier maanden na ons getrouwd en ik had de derde laag van onze bruiloftstaart voor hen bewaard. Ze hadden elkaar leren kennen in Cardiff, waar Leo bij de rechtbank had gewerkt. Olwen betekende een grote verrijking van Leo's leven en wat mij betreft was ze de ideale schoonmoeder. Ik raakte erg op haar gesteld.

Het vrouwenwerk was in handen van mij, Lyndsey, tante Audrey en natuurlijk mijn moeder. Maar de hoofdpersonen in het kamp van de Booths waren mijn vader en Pat Phoenix. Inmiddels hadden die twee iets moois, voor zover ze niet al echt een stel waren. Nadat hij in de zomer van 1981 was ontslagen uit het ziekenhuis, was mijn vader teruggekeerd naar Ferndale Road, want hij kon nergens anders naartoe, hoewel mijn grootmoeder niet echt in staat was voor hem te zorgen. Op een avond zaten ze naar *Coronation Street* te kijken en omdat mijn grootmoeder wist dat hij Pat Phoenix – die de rol van het eeuwige sekssymbool Elsie Tanner in de serie speelde – vroeger gekend had, opperde ze dat hij haar eens moest opzoeken. Het vervolg is bekend.

De aanwezigheid van Tony Booth en Pat Phoenix stond altijd garant voor publiciteit. Ik had haar al een keer ontmoet bij een werkgelegenheidsdemonstratie met mijn vader in Manchester. Denis Healy werd door de menigte uitgejouwd maar Pat holde achter hem aan en bood hem in het openbaar haar steun aan, ondanks alle woede om hen heen. In Beaconsfield zag ik haar echter voor het eerst campagne voeren en ze was bijzonder inspirerend. Ze zag er altijd prachtig uit, glimlachte veel en was altijd vriendelijk.

Mijn vader deelde Pats aangeboren gevoel voor stijl echter niet. Op een middag waren we halverwege een tocht langs de dorpen van het district Chiltern, mijn vader en Pat reden voorop en Tony en ik achter hen. Het Engelse platteland was er op zijn mooist: heggen vol grasklokjes en fluitenkruid, en mijn vader besloot de zaak wat op te vrolijken door heel hard *Give Peace a Chance* door de luidsprekers te laten schallen. De *Belgrano* was net tot zinken gebracht. In meer dan een opzicht was het niet echt een goed idee.

Tony moest er niets van hebben. 'Zet in godsnaam die herrie af, man!' riep hij uit het raampje. Het duurde even voor mijn vader deed wat hem gevraagd werd, want hij hoorde het gewoon niet. Tony Blair was geen concurrentie voor John Lennon. Mijn man zag niet in wat er grappig aan was. Gelukkig werd de boodschap van vrede en liefde en de daaropvolgende woordenwisseling alleen door de koeien gehoord.

Het meeste campagnewerk is niet erg opwindend: op deuren kloppen, met een glimlach in de aanslag en de folder in de hand, is voor de meeste mensen niet echt aanlokkelijk, maar ik heb het altijd enig gevonden, ook al omdat ik het leuk vind om mensen te ontmoeten, waar het uiteindelijk allemaal om draait. Of ik ooit iemand overgehaald heb om op iemand anders te stemmen dan hij of zij oorspronkelijk van plan was, is een heel andere kwestie. Maar niemand kan zeggen dat ik ooit een muurbloempje ben geweest. Dit was natuurlijk voor het eerst dat ik campagne voerde voor mijn echtgenoot. Ik denk niet dat de Labourpartij van Beaconsfield enig idee had hoeveel energie en betrokkenheid ze met Tony Blair in huis haalde. Het is moeilijk je een groep mensen met meer enthousiasme voor te stellen, en de sfeer was geweldig.

Beaconsfield was met geen mogelijkheid te winnen. Het ging er vooral om te zien wie de Labourpartij steunden en te zorgen dat de mensen gingen stemmen, psychologisch belangrijk zowel voor Tony als voor de partij als geheel. Ik deed graag wat er ook maar gedaan moest worden, wat vooral betekende dat ik zo vriendelijk mogelijk moest vragen of mensen van plan waren hun steun te geven aan de jonge, enthousiaste Labourkandidaat die toevallig mijn man was. Als het even kon, gingen we samen, en werkten ons door de lijst van kiezers, zowel in het stadje als in de dorpen eromheen, straat voor straat. Een langdurig proces, maar we waren heel gelukkig in onze gezamenlijke onderneming. Tony was in zijn element, iedereen vond hem aardig, zelfs verstokte Conservatieve huismoeders, die als ze zagen dat de kandidaat in eigen persoon hun oprit op kwam, persoonlijk naar de voordeur kwamen om zijn hand te schudden, hoewel er ook een paar waren die hun honden op hem af stuurde.

Halverwege de campagne nam Tony even de tijd om als getuige op te treden voor zijn broer. Bill ging trouwen met Katy Tse, ook een katholiek meisje, uit Hongkong. De bruiloft vond plaats op Manchester Square, even ten noorden van Oxford Street, maar de planning was erg krap. Ik had Tony's jacquet meegebracht. Hij haastte zich uit Beaconsfield, verkleedde zich, deed zijn plicht en stormde weer weg, zonder zich te realiseren dat hij zijn trouwkleding nog aan had. Een toekomstige Labourkandidaat kon in die kleren niet echt campagne voeren. Toen hij zich dat realiseerde, moest hij weer rechtstreeks terug naar de kerk.

Tom Pendry had gelijk. Beaconsfield kreeg net als Crosby enorm veel publiciteit. Paul Tyler, het voormalige Liberale parlementslid voor Bodmin, was kandidaat namens de SDP/Liberal Alliance. Een van de mensen die hun steun kwamen betuigen voor de Labourkandidaat, was Michael Foot, destijds partijleider. Tony, met wie hij lunchte, had ontdekt dat ze allebei graag boeken van P.G. Wodehouse lazen. De arme man was bijna in tranen van geluk dat hij deze normale man aantrof onder de verder enigszins merkwaardige kandidaten, met wie hij kon praten over lord Emsworth en de keizerin van Blandings in plaats van te worden lastiggevallen met lange redevoeringen over het beleid door de linkerkant van Labour.

Vincent Hanna en het hele team van *Newsnight* deden verslag voor de BBC-televisie en na die lunch werden de kandidaat en de Labourleider buiten het restaurant opgewacht door de camera.

'Wat er morgen ook gebeurt,' zei de leider van de oppositie, 'in Tony Blair hebben we een man die het nog ver zal schoppen in de Labourpartij.' P.G. Wodehouse had, niet voor het eerst, weer wonderen verricht.

Tony's campagne was gebaseerd op lokale kwesties en ze hadden wat een milieukwestie betreft hun krachten gebundeld met de vrouw van een lokale popster. Tegen het eind van de campagne verscheen er zelfs een folder met de kop 'Waarom tory's op Blair stemmen'. Het zou profetisch zijn, maar niet voor Beaconsfield.

Natuurlijk verloor hij de verkiezing. De Falklandoorlog was op zijn hoogtepunt en het was onvermijdelijk. Beaconsfield was sowieso een torybolwerk en is dat nog steeds. Maar Tony had zich laten zien en dit was eigenlijk de eerste keer dat hij toonde hoe goed hij campagne kon voeren en mensen op de been brengen. Ik herinner me het commentaar van een van de cabaretiers: 'Tony Blair is de kandidaat die iedere torymoeder wil dat haar dochter als schoonzoon mee naar huis neemt.'

De avond van de uitslag voegde de door de Labourpartij aangestelde voorlichter een laatste zin toe aan Tony's 'acceptatiespeech': 'En daarom beloof ik dat ik terugkom en me bij de verkiezingen van 1983 weer voor deze zetel kandidaat stel,' schreef hij onderaan. Toen Tony dat zag, schudde hij zijn hoofd.

'Dat kan ik niet zeggen, Cherie,' zei hij. 'Als ik dat doe, weet ik dat ik nooit parlementslid word.'

'Schrap het dan,' zei ik.

'Nou ja, ze hebben allemaal zo enorm hun best gedaan...'

'Doe niet zo mal. Schrappen!'

Dat deed hij.

Na de verkiezingen schreef Michael Foot Tony een erg aardige brief waarin hij zei dat hij een goede kandidaat was geweest en dat hij vond dat hij de Labourpartij veel te bieden had en niet moest wanhopen.

Tony gaf helemaal geen enkele blijk van wanhoop. Integendeel. Inmiddels had hij de smaak te pakken. Hij deed het misschien goed als advocaat – en dat was ook zo, hij werkte niet alleen ongelooflijk hard maar bleek ook heel deskundig – maar hij wist nu dat hij eigenlijk in Westminster wilde werken. Het probleem was een te winnen zetel te vinden. Als ze eenmaal gekozen zijn, hebben parlementsleden de neiging te blijven zitten en ze worden zelden niet herkozen. Soms zijn er wijzigingen in de grenzen van de kiesdistricten, maar er waren maar weinig zetels vacant, ook al wist iedereen dat er binnenkort algemene verkiezingen zouden worden gehouden. Te winnen zetels waren altijd al geclaimd. Wat overbleef, waren ontslagen en sterfgevallen, vooral de laatste. We gedroegen ons als aasgieren. In juni stelde hij zich kandidaat voor de zetel van Mitcham and Morden, en verloor. In februari probeerde hij Bermondsey, dat naar Peter Tatchell ging. Toen Greenwich, dat naar Rosie Barnes ging. We stelden ons allebei kandidaat voor Oxford East, geen tussentijdse verkiezing, maar iedereen bereidde zich nu voor op de algemene verkiezingen. Ik haalde de eindselectie maar werd afgetroefd door Andrew Smith. (Hij won dat keer niet, maar vier jaar later wel.)

Na Peter Tatchells nederlaag in Bermondsey werden alle kandidaten die bij de tussentijdse verkiezingen hadden verloren, door de National Election

Committee (NEC) bijeengeroepen om te analyseren wat er gebeurd was. Iedereen behalve Tony vond dat 'we niet links genoeg geweest zijn'. Dat was het moment waarop Tony begon te formuleren wat uiteindelijk het politieke credo zou worden dat leidde tot New Labour.

Dankzij al het gedoe rond de verkiezing in Beaconsfield waren we er niet aan toe gekomen een vakantie te bespreken. Niet voor het eerst schoot mijn moeder te hulp met een hotel in Portugal dat ze voor ons via het kantoor kon boeken. Tony en ik waren er geen van beiden ooit geweest, dus klonk het als de ideale oplossing.

Na Beaconsfield had Tony besloten zich te richten op het noordoosten. In de eerste plaats was een zetel in het hart van Labourgebied waarschijnlijk makkelijker te winnen en ten tweede lagen daar zijn wortels. We werkten zoals gewoonlijk de hele maand augustus, deden allerlei klusjes, en op een middag belde Tony me op de rechtbank.

'Goed nieuws en slecht nieuws,' zei hij. 'Het goede nieuws is dat er een zetel in Middlesbrough vrijkomt en dat ik met een paar mensen bij T & G heb gepraat die vinden dat ik een goeie kans maak!'

'Dat is fantastisch! Maar wat is het slechte nieuws?'

'Een van de belangrijkste selectievergaderingen is gepland tijdens onze vakantie in Portugal. Ik ben bang dat je je moeder moet vragen om de vakantie te annuleren…'

Mijn moeder was woedend. Ik legde me er gewoon bij neer. Het was zo dicht bij de vertrekdatum dat we al ons geld kwijt waren.

In veel opzichten voldeed het kiesdistrict aan Tony's verwachtingen, en zo kwam het dat ik de avond van mijn zevenentwintigste verjaardag doorbracht in de Travelodge van Middlesbrough terwijl Tony naar zijn verdomde vergadering ging. Ik herinner me dat ik mijn moeder vanuit dat treurige hotel op mijn nogal treurige verjaardag belde en ze zei: 'Ik begrijp niet waarom je met die Tony Blair getrouwd bent. Het is gewoon belachelijk.'

Rond tien uur was hij terug in het hotel, nogal bedeesd en met zijn staart tussen de benen. Het had geen zin nog langer in Middlesbrough te blijven, zei hij. Stuart Bell – die inderdaad als parlementslid gekozen werd – had de zaak al lang van tevoren geregeld. Ik moet zeggen dat ik het een hele opluchting vond. Middlesbrough had op de een of andere rare manier geen indruk op me gemaakt. Tony was vastbesloten zich niet te laten ontmoedigen, een karaktertrek die hem nog vaak van pas zou komen. Het was zoals in het nummer van Astaire en Rogers: '*Pick yourself up, dust yourself off, and start all over again*' [Sta op, sla het stof weg en begin helemaal opnieuw].

Tijdens Tony's campagne in Beaconsfield had ik de afdelingssecretaris van de Labourpartij vrij goed leren kennen. Hij had zelf kunnen zien dat ik heel vertrouwd was met stemmen werven en een betoog houden en op een dag in het begin van de lente stelde hij voor dat ik even bij hem langs kwam. Hij had nieuws dat mij wellicht zou interesseren, zei hij.

'Er komt misschien een zetel vrij,' zei hij toen ik arriveerde. 'Ze zoeken een vrouwelijke kandidaat. Ik vroeg me af of jij belangstelling had.' Ik heb nooit ontdekt waarom ze nou juist een vrouw wilden. Het was een zekere toryzetel. Misschien vonden ze dat ze iets moesten doen om publiciteit te creëren. 'Thanet,' vervolgde hij. Er stond me vaag iets bij en om de een of andere reden dacht ik dat Thanet in de buurt van Southend was. Ik wist door de rechtbanken dat Southend in de buurt van Hackney was.

Het leek een uitgelezen kans. 'Ach, waarom niet?' zei ik. 'Tenslotte is het om de hoek.' Hij keek me enigszins vragend aan maar liet het lopen. Hoe meer hij erover vertelde, hoe beter ik het vond klinken. Het zittende parlementslid was Billy Rees-Davies, QC, een beruchte criminele sjacheraar die naar verluidt alleen maar de zijden toga van een Queen's Counsel mocht dragen omdat hij parlementslid was [hij overleed in 1992]. Hij had maar één arm en beweerde dat hij de andere was kwijtgeraakt bij gevechtshandelingen, wat hem het aureool verleende van een oorlogsheld, maar volgens de geruchten was hij de arm in nogal twijfelachtige omstandigheden kwijtgeraakt. Maar hij was een beroemd soort schurk, een van die advocaten die bekender zijn door de verhalen die over hen de ronde doen dan iets anders. Een van de verhalen die ik me herinner ging over een klant van hem die vanuit de getuigenbank zwaaide met een stuk papier.

'Het spijt me, edelachtbare,' zei Billy tegen de rechter. 'Maar ik geloof dat mijn klant me een *billet-doux* wil geven.'

Waarop de rechter antwoordde: 'Ik denk dat het eerder een *Billy Don't* is.'

Hij was een echte mannetjesputter en ik dacht dat ik op z'n minst plezier kon beleven aan een dergelijke tegenstander.

Toen ik in mijn auto stapte om naar huis te gaan, bedacht ik iets. 'Ik moet waarschijnlijk naar een paar wijkbijeenkomsten en zo.'

'O nee,' zei de afdelingssecretaris, 'doe geen moeite. Ga alleen naar de eindselectie. Wij zorgen dat je genomineerd wordt en vanaf dat moment doe jij je werk.'

Geweldig!

Toen ik de avond voor de selectiebijeenkomst mijn route op de kaart uitstippelde, drong pas tot me door wat een vreselijke fout ik had gemaakt.

Thanet lag helemaal niet in de buurt van Southend, hooguit hemelsbreed gezien. Het lag aan de andere kant van de Theems, in het uiterste puntje van Kent – en alleen via binnenweggetjes te bereiken. Tijdens de lange rit erheen, kruipend door het zuidoosten van Londen, bad ik alleen maar dat ik niet zou worden gekozen.

Geen schijn van kans. Het gezelschap van het kiesdistrict bestond uit drie mannen en een hond. Ik was de enige vrouw en op het moment dat ik binnenkwam, zag ik het aan hun opgewekte gezichten: ja, ze wilden inderdaad een vrouwelijke kandidaat en ze gingen me nomineren! En dat was precies wat ze deden.

Ik voelde me heel vreemd op de terugreis. Marc en Bina hadden net hun eerste kind gekregen. Ik had met Tony in het ziekenhuis afgesproken.

'Raad eens!' zei ik. 'Ik ben kandidaat.'

Op een bepaalde manier was het een hele prestatie. Advocaten waren niet erg populair in de Labourpartij. Ik was tenminste nog een advocaat uit de arbeidersklasse, wat iets beter is dan een advocaat van een dure particuliere school, en het feit dat ik een meisje was, had me nu eens een keer voordeel opgeleverd.

Tony glimlachte, een beetje flauwtjes, vond ik. Hij had kennelijk gemengde gevoelens. Ja, ik had een zetel waarvoor ik moest vechten – en we hadden zo veel tegenslagen gehad dat we niet hadden verwacht dat het ooit zou gebeuren – maar het was niet zo simpel, want het was overduidelijk dat Billy Rees-Davies onmiddellijk zou worden herkozen.

Ergens had ik me ook wel een beetje verheugd om me met hem te meten, dat was het enige vrolijke vooruitzicht, maar uiteindelijk werd zelfs dat me niet gegund. De voormalige kiesdistricten Thanet West en Thanet East werden gewijzigd in Noord en Zuid om recht te doen aan de actuele bevolkingssamenstelling. De tory's grepen hun kans om af te komen van Billy Rees-Davies, die iedereen een hopeloze kandidaat had gevonden. Mijn nieuwe tegenstander was Roger Gale. Het had leuk kunnen zijn om het op te nemen tegen iemand met zijn achtergrond – voormalig radio-deejay van een piratenzender en presentator bij een regionale televisiezender – maar dat was het niet.

Vergeleken bij Thanets lokale organisatie was die van Beaconsfield een krachtcentrale. Thanet had geen geld en erg weinig leden. Als kiesdistrict bevatte het een merkwaardige mengeling aan mensen. Het voornaamste bewoonde gebied was Margate en een groot deel was land langs de kust, bewoond door zeer oude mensen die er van hun pensioen genoten en van wie de meesten te trots waren om lid te worden van de Labourpartij. Het was een teken van respectabiliteit om een blauwe torysticker op het raam te plakken.

Zelfs mijn agent Frank Green en de raadsleden waren tussen de zestig en tachtig. De weinige jonge mensen waren voornamelijk *Trots* die op hun gebruikelijke manier geïnfiltreerd hadden. Niet dat Thanet nou echt een belangrijk doelwit was voor radicaal links.

De plaatselijke Labourpartij had echter wel enige ambitie en toen mijn vader zei dat hij waarschijnlijk Tony Benn wel kon overhalen om te komen spreken, waren ze verrukt en natuurlijk kwam mijn vader ook. Het resultaat was een merkwaardige bijeenkomst. Ik was duidelijk de meest conservatieve van de drie.

Tijdens mijn korte introductie oogstte ik wat waarderende glimlachen toen ik zei hoe trots ik was om samen met deze twee Tony's te mogen spreken die zo'n grote invloed op mij en de Labourpartij hadden gehad.

'Hier zijn Tony Booth en Tony Benn!'

De derde Tony – de mijne – was er ook, maar heel ver achter de schermen. We hadden Tony Benn aangeboden met ons mee te rijden en op de terugweg kwam hij goed los. We praatten onafgebroken met z'n drieën over politiek en verrassend genoeg ook over religie, over bevrijdingstheologie en de invloed van het christendom op het socialisme. We waren nog altijd in gesprek toen we bij zijn huis in Notting Hill aankwamen en zijn vrouw Caroline ontmoetten, een lief mens. We konden het allemaal goed met elkaar vinden en ik had het idee dat Tony Benn mijn Tony een goede vent vond, hoewel ze zich politiek uiteraard aan de twee tegenovergestelde kanten van het debat bevonden.

De afdeling Thanet was verrukt over de bijeenkomst. Ze kregen meer publiciteit dan ze in jaren hadden gehad, waarschijnlijk ooit. Of het ons stemmen opleverde, is minder zeker. Maar er was tegelijkertijd een gemeenteraadsverkiezing, dus was het belangrijk.

Mijn man steunde me vanaf het begin. Op de terugreis uit Frankrijk, een jaar eerder eind Pasen, nog voordat de verkiezingen ook maar waren aangekondigd, waren we in Margate gestopt om te lunchen met mijn agent en te praten over de aanstaande campagne. Ik voelde een mengeling van opwinding en angst. Het ging de Conservatieven voor de wind, terwijl de Labourpartij verscheurd dreigde te raken.

Na de lunch was het tijd voor zaken.

'Tony,' zei mijn agent, 'Cherie en ik moeten wat dingen doorpraten, vind je het erg om mijn vrouw even te helpen met de afwas?'

Tony kuierde naar de keuken voor de afwas. Ik herinner me haar als een aardig vrouw maar vooral het type dienstbare echtgenote. Het gesprek sprong heen en weer. De geneugten van de kust en haar mening dat zeemeeuwen ongedierte waren.

'Vertel eens, Tony,' vroeg ze, 'ben jij geïnteresseerd in politiek of doe je dit alleen om Cherie een plezier te doen?'

Voor hem was dit het dieptepunt.

11

Sedgefield

Op vrijdag 6 mei werd Tony dertig en ik had besloten een surprise-party te organiseren. Toen kondigde mevrouw Thatcher de verkiezingen aan en moest ik min of meer direct campagne gaan voeren. Ik was echter niet van plan haar het feest te laten bederven.

Ik regelde dat Richard Field, onze oude vriend van Crown Office Row, de jarige bezig zou houden tot ongeveer acht uur. Maggie en ik waren de hele dag aan het koken en ik had iedereen uitgenodigd voor half acht.

De tijd ging voorbij. Het werd acht uur. Het werd half negen. Vlak voor negen uur strompelden de twee mannen naar binnen, na een paar genoeglijke uurtjes in El Vino. Ik was razend. Natuurlijk kon Tony daar niets aan doen. De man die ik had gevraagd hem naar huis te brengen, had zelf te veel gedronken. Toen iedereen weg was, bood ik mijn echtgenoot mijn verontschuldigingen aan voor het feit dat ik niet echt hartelijk was geweest toen ze uiteindelijk waren komen opdagen.

Hij was blijven drinken, zei hij, omdat hij echt heel somber was.

'Het punt is,' zei hij, 'ik wil geen advocaat meer zijn. Ik wil alleen nog maar parlementslid zijn. En kijk nou eens naar me. Er komen algemene verkiezingen aan en ik heb geen zetel.'

'Je hebt gedaan wat je kon…'

'Dat was niet genoeg. Jij hebt tenminste nog Thanet.'

Ik lachte. 'Ik raak waarschijnlijk mijn waarborgsom kwijt.'

'Er is waarschijnlijk nog één zetel over in Durham. Ik maak natuurlijk geen enkele kans. Maar ik heb niets te verliezen, ik kan er net zo goed naartoe gaan.'

En dat deed hij dus.

De volgende dag reed hij erheen en logeerde bij vrienden van zijn vader in Shincliffe. Zij steunden de SDP, maar vonden het heerlijk om te helpen. Om de een of andere reden was het kiesdistrict Sedgefield in 1974 opgeheven en nu stond het weer op de kaart, vandaar het gebrek aan kandidaten.

Als eerste stap in het selectieproces moest je een nominatie van een van de wijken hebben. Tony kwam geen meter vooruit tot hij John Burton belde, secretaris van de afdeling Trimdon Village, een paar kilometer ten noorden van Sedgefield, waar ze nog een kandidaat moesten nomineren.

'Toevallig hebben we woensdag een bijeenkomst van de plaatselijke jongens,' zei hij. 'We hebben alle zetels in de gemeenteraad gewonnen en we gaan wat drinken om dat te vieren.'

Tony belde me elke avond in het huis van mijn agent in Margate om te vertellen hoe het ervoor stond. Het halfslachtige enthousiasme waarmee hij van start was gegaan, was al snel verdwenen. Hoewel hij hield van de klank van John Burtons stem, zei hij, was hij er niet van overtuigd dat het hem ver zou brengen. Het betekende dat hij nog eens twee dagen moest blijven rondhangen en hij vond het vervelend dat hij de kandidaat voor Thanet-Oost niet kon helpen, en, bekende hij, het zou best kunnen zijn dat hij me miste.

'Je moet nu niet opgeven!' zei ik tegen hem. 'Wat is twee dagen op de eeuwigheid? Het klinkt alsof het precies de zetel is waarnaar jij op zoek bent. En als het goed is voor jou, is er een dikke kans dat jij goed bent voor hen.'

Toen hij er aankwam, zaten de jongens te kijken naar de Europacup-II-finale tussen Aberdeen en Real Madrid. Er werden biertjes uitgedeeld en na de officiële wedstrijdtijd was de stand nog steeds gelijk. Er kwam verlenging en vervolgens draaide het uit op strafschoppen nemen. Ze zaten tweeëneenhalf uur voor de televisie zonder dat er over politiek werd gesproken.

Toen ze eindelijk aan de politiek toekwamen, zei Tony dat het zo'n opluchting was normale mensen te treffen. Hij vertelde dat bijeenkomsten in Londen altijd tot geweld leidden, dat er ruiten en spiegels werden gebroken, mensen van balkons werden gegooid. (Dat is althans zoals John Burton zich de avond herinnert.)

'En nu zit ik hier bij jullie voetbal te kijken, wat heel wat beter is dan al die onderlinge concurrentie.'

En dat was het. Het was wel erg laat, maar Tony belde me zodra hij terug was in het huis van de vrienden van zijn vader.

'Dit is het!' zei hij. Zijn stem klonk heel anders. Ik kon mijn ogen bijna niet openhouden, maar ik luisterde naar wat hij zei over die normale mensen en wat een leuke club het was. Hij had zijn standpunt niet anders voorgesteld dan het was. Hij had verteld dat hij vond dat we aan Europa moesten meedoen – wat tegen het beleid inging van de Labourpartij die zei dat we erbuiten moesten blijven – en dat de hele Campagne voor Nucleaire Ontwapening een ramp was, dat hij niet geloofde in eenzijdige ontwapening. Ze hadden beloofd hem te steunen, zei hij. De volgende paar dagen werden besteed aan zijn introductie bij iedereen – van kleine oude vrouwtjes tot mensen van de vakbeweging – die bij de volgende selectieronde een stem had.

Het was niet voldoende. Tony kreeg een aantal nominaties, maar de linkerkant had zich tegen hem gekeerd en hij haalde de eindlijst niet. Hij was er kapot van en John Burton was woedend. De linkerkant probeerde Les Huckfield als kandidaat naar voren te schuiven. Dit voormalige parlementslid voor Nuneaton had zijn zetel opgegeven toen de grenzen gewijzigd werden. John Burton zei over hem dat hij hem niet verder vertrouwde dan hij hem kon schoppen.

Toen we die avond met elkaar spraken, zei Tony: 'Mijn enige hoop is nu nog dat het dagelijks bestuur mij kandidaat stelt.' Want John had, zo bleek, nog meer in petto. Het gewijzigde kiesdistrict omvatte een deel van Eastington waar hij op school gezeten had, en de volgende avond woonde een groep van hen de bijeenkomst van het dagelijks bestuur bij. John herkende een paar oude vrienden en sprak hen persoonlijk toe.

Toen de selectielijst bijna afgesloten werd, stond hij op. 'Ik zou graag de naam van Tony Blair aan de lijst van genomineerden toevoegen,' zei hij, 'Ik zeg verder niets over Tony Blair, maar ik zal jullie alleen vertellen wat de leider van onze partij van hem denkt,' en hij las de brief voor die Michael Foot aan Tony na Beaconsfield had geschreven.

Er werd gestemd. John Burton stond bekend als 'een slimme jongen'. Hij was kerks. Hij voetbalde. Als hij vond dat deze Blair het waard was, klopte dat waarschijnlijk.

Tony haalde het met tweeënveertig tegen eenenveertig stemmen. Hij had een kans.

Omdat het kort dag was, werd de selectiebijeenkomst de volgende avond in het gemeentehuis van Spennymoor gehouden en Tony won gemakkelijk, met drieënzeventig stemmen tegen zesenveertig voor de nummer twee. Het gebied was erg verwaarloosd. Er werd steeds minder steenkool gewonnen en het aantal mijnen nam snel af. Er stonden een paar kleinschalige fabrieken in de industriewijk rond Peterlee en Imperial Chemical Industries (ICI) in Teeside, maar verder was de gemeente de voornaamste werkgever. John Burton zegt dat de mensen wisten dat er iets moest veranderen. Ze hadden altijd voor een parlementslid van Labour gekozen, maar onder een Conservatieve regering geleden. Hoewel Tony bleef bij zijn standpunten over Europa en eenzijdige ontwapening, vonden ze kennelijk dat ze hier iemand hadden die zinnige dingen zei en op den duur kon helpen Labour aan de macht te krijgen.

Toen hij me die avond belde, was hij opgetogen maar ook nogal zenuwachtig.

'Met mijn geluk,' zei hij, 'ben ik degene die een praktisch onverliesbare zetel verliest.' Tony is altijd geneigd geweest tot pessimisme, terwijl ik ongeneeslijk optimistisch ben.

Na zijn nominatie trok Tony bij John en Lily Burton in, en logeerde in de kamer van hun dochter Caroline, die elders studeerde. Als ik in het weekend naar hem toe kwam, legden we de twee eenpersoonsmatrassen op de grond tegen elkaar aan. Lily moest erom lachen. Ze zei dat het haar hart goed deed om twee mensen zo verliefd te zien.

Met veel hulp van John Burton voerde Tony een schitterende campagne. In de twee weekends voor de verkiezingen nam ik op vrijdagmiddag de trein naar Durham. Men was het met elkaar eens dat het geen zin had om in Margate in het weekend campagne te voeren, omdat er te veel toeristen waren en je niet wist wie wie was. We maakten weken van vijf werkdagen. De lokale organisatie was minimaal. De familie schoot andermaal te hulp. Tony's broer Bill en zijn nieuwe vrouw Katy kwamen, net als Lyndsey en mijn tante Audrey, en allemaal klopten ze op deuren en deden het saaie maar essentiële werk om stemmen te werven en te zorgen dat de mensen gingen stemmen.

De grote jongens waren in Sedgefield, waar mijn vader en Pat Phoenix de grote attractie waren. Het is moeilijk het effect dat Pat op mensen had te overschatten. Mensen noemden haar overigens altijd 'Elsie Tanner'.

Een aantal van de leden van het dagelijks bestuur was katholiek en Tony ontdekte dat John Caden, de pastoor van Sedgefield, onafhankelijk lid van het graafschapsbestuur was en veel invloed had. Al snel deed het bericht de ronde: 'Mevrouw Blair is katholiek en uiteraard erg vroom en kerks.'

Natuurlijk bevonden we ons die zondag in zijn kerk. Later werd hij een goede vriend en Tony's vaste tennispartner. Het klinkt misschien opportunistisch, maar in minder dan drie weken moesten de Labourkandidaat en zijn vrouw zichtbaar worden en in de herinnering blijven hangen. John

Burton leidde een groep die volksliedjes zong, onder de naam Skerne, naar de plaatselijke rivier. Omdat ik ervaring had met volksliedjes, kende ik alle woorden en zong ik met de rest van het publiek mee. Hoewel John en zijn goede vrienden wisten dat Tony niet zomaar een bekakte advocaat was die door Westminster was ingehuurd, werd hij soms wel zo gezien en het was belangrijk dat zo snel mogelijk duidelijk werd dat dat in dit geval niet juist was.

Ik was heel zenuwachtig toen ik in Darlington de trein terug naar Londen nam. Ik zwaaide ten afscheid naar Tony en keek hoe zijn gestalte op het perron langzaam verdween in de beparelde juni-avond en voelde me nogal huilerig.

De dag voor de verkiezingen stuurde ik hem een kaart. 'Van de kandidaat in Thanet aan de kandidaat in Sedgefield, in de vaste overtuiging dat een van ons morgen parlementslid is.'

De negende juni 1983 was een van die volmaakte zomerdagen waar politici om bidden. Zonneschijn gaat gepaard met een algemeen gevoel van optimisme en weten dat je geen mensen in de kou of regen naar de stembus hoeft te jagen of te rijden. Lyndsey was aanwezig om me te steunen tijdens het tellen van de stemmen en Bill en Katy stuurden me een boeket rozen om me geluk te wensen. In Sedgefield had Tony zijn vader en stiefmoeder. Ik zal het altijd betreuren dat ik daar niet bij hem kon zijn, maar Leo en Olwen waren enorm trots.

Mijn uitslag werd vrij vroeg bekend en ik herinner me dat ik terugreed met Lyndsey, terwijl we luisterden naar de uitslagen op de autoradio en probeerden uit te rekenen wanneer Sedgefield bekend zou worden. Wat Thanet betreft hadden we het niet slecht gedaan. Ik kon mijn waarborgsom houden, en dat betekende dat ik als een van de weinige Labourkandidaten dat jaar twaalf procent van de stemmen had gekregen. Labour werd in het zuidoosten zwaar uitgedund, wat ook betekende dat Andrew Smith Oxford niet haalde. Toen we arriveerden op Mapledene Road, belde ik het hoofdkwartier van de Labourpartij en vroeg of ze me wilden bellen als de uitslag van Sedgefield bekend werd. We bleven op en zaten voor de televisie met de gebruikelijke forums van deskundigen en de beroemde Swingometer, maar ik was zo uitgeput dat ik bang was in slaap te vallen en de uitslag te missen. Ze hadden daar geen camera's. Sedgefield was als kiesdistrict niet van belang. Alleen voor ons.

De volgende dag vertelde Tony hoe het tellen van de stemmen was verlopen, dat de eerste dozen die arriveerden afkomstig waren uit de dorpen rond Darlington, torybolwerken. Ze stonden op tafels opgestapeld en hij wist na Beaconsfield precies wat dat betekende. De Conservatieve kandidaat lag aan kop! Hij wist natuurlijk niet waarom, hij dacht alleen maar: Ik heb de zetel verloren.

Later bekende hij: 'Ik was zo in paniek dat ik naar buiten ben gegaan om een sigaret te roken.' De eerste sinds onze trouwdag. Hij won natuurlijk, met een meerderheid van 8281 stemmen. Ik huilde toen ik het hoorde. Lyndsey en ik omhelsden elkaar en huilden. De volgende dag nam ik de trein naar Durham.

Nawoord bij de verkiezingen: Als relatieve nieuwkomer vroeg ik Tony me te helpen bij het schrijven van mijn verkiezingsspeech. Veel later, toen ze de zijne in Sedgefield vergeleken met die van mij in Thanet, bleek de mijne meer de toon van New Labour te hebben. Omdat de tijd in Sedgefield zo kort was, hadden anderen een groot deel van de zijne geschreven en had hij meer bijgedragen aan die van mij dan aan zijn eigen speech.

Tony had dan wel succes gehad, maar de uitslagen voor de Labourpartij als geheel waren rampzalig. Elke gedachte dat een koers naar links de oplossing zou zijn, was gelogenstraft. Tony Benn was verslagen in Bristol. Michael Foot trad af en Neil Kinnock nam zijn plaats als partijleider in.

Tony had in zijn verkiezingsspeech onder andere beloofd dat, als hij terugkwam als parlementslid voor Sedgefield, hij een huis in het kiesdistrict zou kopen. Gelukkig had hij niet gezegd dat we ons daar blijvend zouden vestigen, wat hij wel van plan was geweest als hij niet was gekozen: hij was vastbesloten geen aanleiding te geven tot beschuldigingen dat hij een politieke avonturier uit Londen was.

Als Tony er al vrede mee zou hebben gehad zijn praktijk in Newcastle te vestigen, ik wist dat ik in dat geval wel afscheid kon nemen van mijn specialisatie in arbeidsrecht; ik zou het weer moeten hebben van zaken die familie, misdaad en ongelukken betroffen. Nu Tony was gekozen, kon ik weer opgelucht ademhalen. We zouden een huis in het noordoosten hebben, maar ik kon in Londen blijven werken.

We begonnen onmiddellijk te overleggen waar we een huis zouden kopen. Tony was er nog maar drie weken geweest, maar hij had een goed idee van de geografie omdat het zo dicht bij de streek lag waar hij was opgegroeid. Sedgefield is in wezen een plattelandsdistrict dat bestaat uit mijndorpen en boerderijen. De gemeente Sedgefield zelf, stelde hij vast, was een beetje chic en na alle steun die hij van Trimdon had gekregen, leek het verstandig zich in die omgeving te vestigen. Via John en Lily Burton konden we contacten leggen in de gemeenschap.

Toen ik weer aan het werk ging, bleef Tony in Durham om de mensen te leren kennen en naar een huis te zoeken. Hij had bedacht dat het vrij groot moest zijn, omdat het ook moest dienen als kantoor voor het kiesdistrict. In de tussentijd bleef hij op de vloer van de Burtons slapen.

Tony zag Myrobella voor het eerst in begin juli en ik zal dat telefoontje nooit vergeten.

'Cherie, ik heb het ideale huis gevonden. Het is fantastisch! Er zijn zeven Victoriaanse schouwen, en in de keuken een Aga en een handpomp!'

'Is er nog iets anders?' vroeg ik. 'Want we verwachten een baby…'

Ik had me tijdens de hele campagne een beetje merkwaardig gevoeld, maar had dat toegeschreven aan de zenuwen. Ik vraag me nog steeds af of het niet de avond van het feest voor zijn dertigste verjaardag was, maar we zullen het nooit zeker weten.

Voordat we trouwden, slikte ik de pil, maar omdat Tony zich altijd zorgen had gemaakt over de bijwerkingen op lange termijn, gebruikten we na de bruiloft andere voorbehoedmiddelen. Toen ik me eenmaal realiseerde dat Thanet niets zou worden, was ik gestopt met voorzorgsmaatregelen. Ik had besloten dat mijn toekomst niet in de politiek lag, maar ik had niet gedacht dat ik onmiddellijk zwanger zou worden. Maar toen Tony genomineerd werd, realiseerde ik me dat zelfs denken over een gezin stichten eigenlijk niet verstandig was. Ik ging weer voorbehoedmiddelen gebruiken… iets te laat. Ik was inderdaad onmiddellijk zwanger geraakt.

Wat Myrobella betreft, het antwoord op de vraag of er nog iets anders was, luidde ontkennend. Het huis was helemaal leeggehaald. Het was eigendom geweest van de kolenmijn en de woning van de hoofdopzichter, vandaar de schitterende schouwen. De laatste bewoner was de weduwe van de hoofdopzichter geweest. Een vriend van John Burton was van plan geweest het te kopen, maar tot ons geluk had de realiteit van de nodige renovatie hem ontmoedigd. Er moest van alles aan gebeuren. Bedrading, nieuwe leidingen, de hele mikmak. Niet dat we van plan waren het zelf te doen. Het gehucht rond de mijn van Trimdon ligt ongeveer drie kilometer van het dorp zelf. Het bestaat uit twee straten kleine rijtjeshuizen, die haaks op elkaar staan en Myrobella staat ongeveer in het midden. De ongebruikelijke naam is niet een van die gekunstelde samentrekkingen van de namen van de bewoners zoals ik in het begin veronderstelde, maar de naam van de peersoort die in de tuin rijk vertegenwoordigd was. We kochten het huis voor dertigduizend pond en besteedden nog eens datzelfde bedrag aan de verbouwing. We trokken er pas de volgende zomer in, nadat Euan inmiddels was geboren.

Toen ik merkte dat ik zwanger was, was ik negenentwintig en sinds zes jaar advocaat. Mijn carrière verliep voorspoedig. Ik deed meer zaken in arbeidsrecht en minder algemene dingen. Voorlopig niks te klagen.

Ik was pas de tweede vrouw die Essex Court 5 ooit als medewerker had gehad. Toen de vorige ontdekte dat ze zwanger was, was ze vertrokken en nooit meer teruggekomen. Dat was ik niet van plan. En dat kon ook niet: sommige advocaten die parlementslid worden, blijven werken in hun praktijk, maar Tony besloot dat werk op te geven en zich volledig te wijden aan de politiek, zei hij, zo simpel was het.

Hoewel ik op een bepaald niveau erg bang was, wist ik op een ander niveau dat hij niet echt een keus had, zelfs zozeer dat het niet eens ter discussie stond. Als Tony gespecialiseerd was geweest in strafrecht, waar hij zaken kon blijven doen en de schatkist enigszins kon blijven vullen, ook als hij langdurige fraudezaken weigerde, zou het anders zijn geweest. Maar hij was geen strafrechtadvocaat. Crown Office Row was een kantoor dat zich vooral bezighield met handels- en ondernemingsrecht en hij had geen ervaring met strafrecht. Een loopbaan in het handels- en ondernemingsrecht kun je niet op dezelfde 'oppakken-en-wegleggenmanier' opbouwen. De enorme hoeveelheid stukken, de omvang van de juridische research en de mate van klantenzorg maken het onmogelijk. Hij werkte een laatste zaak voor de raad van beroep af en nam voorgoed afscheid. Financieel had dat uiteraard gevolgen. In 1983 verdiende hij inmiddels ongeveer tachtigduizend pond per jaar. Hij zou nu het loon van een parlementslid gaan verdienen, nog geen twintigduizend pond, geen slecht salaris voor die tijd, maar niet voldoende om onze uitgaven te dekken, zeker niet nu er een baby op komst was. Het is een situatie die de meeste nieuwe ouders wel zullen herkennen: van de ene kant opgewonden, van de andere kant nerveus. Financieel zou het een flinke worsteling worden. Als ik niet zwanger was geworden, zou ik er zeker geen moeite voor gedaan hebben, want het was financieel onverstandig op het moment dat ik de voornaamste kostwinner zou worden, een status die ik met angst en beven tegemoetzag. Niet dat ik me ooit had overgegeven aan fantasieën over hoe het zou zijn om een thuisblijfmoeder te worden, integendeel zelfs. Het beeld van wat mijn moeder had doorstaan, was afschrikwekkend genoeg. Ook was het geen verlatingsangst. Ik

Mijn moeder en ik in het park aan het eind van de straat in Waterloo, het armere deel van de Noord-Liverpoolse wijk Crosby. Mijn vader heeft de foto genomen.

1960. Foto genomen op St Edmund's school. Mijn grootmoeder had iets met strikken. Hoe extravaganter hoe beter, vond ze.

Mijn ouders ontmoetten elkaar tijdens een tournee van een klein theatergezelschap. Hier spelen de twee jonge ingénus de hoofdrollen in *De prinses en de zwijnenhoeder.*

Lyndsey (in het midden) en ik met moeder, oma en opa op vakantie in Butlins, Pwllheli. Voordat we naar het buitenland gingen, kon mijn moeder haar schoonouders nauwelijks ontlopen.

1961. Mijn eerste communie. Lindsey vond het verschrikkelijk dat ze niet mocht meedoen en kreeg daarom net zo'n communiekleedje.

In de achtertuin op Ferndale Road 15 met onze neefjes en nichtje. Lyndsey met Robert op schoot, Christopher naast mij en Catherine die dreigt te bezwijken onder onze poedel Quinn.

Een van de zeldzame reisjes naar mijn oude school, op veertienjarige leeftijd, in schooluniform. Ik was gevraagd bij een kerkelijke feestdag mee te helpen.

Tony en ik in Crown Office Row, het Londense advocatenkantoor waar we allebei stage liepen.

Kerstmis 1979 met Lyndsey en mijn moeder in haar woning in Oxford, een paar maanden vóór onze bruiloft.

Het gelukkige stel, nog meer verfomfaaid dan anders.

Klassieke foto van de familie van de bruid: tante Audrey, oom Bob, moeder, Lyndsey
– Tony en ik – mijn grootmoeder, oom Bill en mijn nicht Catherine.

Mei 1992. De Labourkandidaat voor Beaconsfield, zijn echtgenote en het campagneteam.
Vanaf het begin een verloren zaak.

Januari 1984. De foto werd
maar een paar uur na de
geboorte van Euan genomen
voor de plaatselijke pers.
Ondanks alles kon ik toch
een glimlach op mijn gezicht
toveren dankzij een rubberen
band waarop ik kon zitten.

Frankrijk, augustus 1994. Onze reis om Alastair over te halen zich bij Tony's team aan te sluiten. Van links naar rechts: Tony's voorganger Neil Kinnock, Tony met Grace (Campbell) in de kinderwagen, Alastair met Rory op de schouders, en Glenys met Kathryn.

Peter Mandelson, Euan, Nicky en Tony met Kathryn. Peter kwam regelmatig langs in Richmond Crescent.

Tony en Euan aan het bergbeklimmen in de Pyreneeën – iets wat we elke zomer deden als we in het huisje van Maggie Rae in Frankrijk logeerden.

Kathryn, Tony en ik op de trap in Myrobella. Mijn eerste ervaring met de media – deze foto was een illustratie bij het door Barbara Amiel geschreven portret van Tony in de *Sunday Times*.

Nicky en ik tijdens de vakantie in Frankrijk.

Blackpool, 1994. Tony's eerste Labourconferentie als partijleider. Na zijn triomferende toespraak over het schrappen van *Clause IV* (over 'het gemeenschappelijk eigendom van de productiemiddelen, distributie en verkoop') voelde ik me belachelijk trots.

De eerste foto op de stoep van Nummer 10.

Na de euforie kwam de onzekerheid. Tot op dit moment hadden we onze toekomstige woning nog nooit vanbinnen gezien.

3 mei 1997.
De ultieme coupe ravage.

Teamfoto: prinses Diana en prins William na een potje voetballen met het personeel van Chequers. Alan de kok, in een wit poloshirt, staat achter Tony. Linda, de huishoudster, staat helemaal links geknield.

Prinses Diana met Kathryn op Chequers op de foto gezet door mijn moeder.

13 april 1995. Een trotse dag voor de familie Booth. Lyndsey, moeder en vader voegen zich bij Tony en de kinderen voor de officiële foto van mijn benoeming tot Queen's Counsel.

Voor mijn werk hoef ik mij in ieder geval geen zorgen te maken over wat ik moet dragen.

21 mei 2000. De familie Blair, compleet met de laatste aanwinst, op de foto gezet door Mary McCartney.

De nieuwe grootouders: een trotse Leo Blair met zijn naamgenoot op de armen. Tony's stiefmoeder Olwyn en mijn moeder waren net zo verrukt.

À Leo, symbole du Royaume Uni de demain,
avec Tous mes voeux de bonheur!
Bravo Chérie! Bravo Tony!
Bien affectueusement,

J. CHIRAC
New-York
7-9-2000

Jacques Chirac stuurde ons deze foto van Bill Clinton met Leo op zijn armen in het gebouw van de Verenigde Naties. Onze nieuwe baby maakte iedereen aan het lachen.

Voor de deur van Chequers. Hoewel het er heel indrukwekkend uitziet, hadden we op Chequers de meeste vrijheid om onszelf te zijn.

Juni 1997. Het eerste bezoek van de Clintons aan ons in Downing Street.
Mijn moeder en Lyndsey (links) hoorden tot Bills grootste fans.

Bill en Hillary Clinton waren een geweldige gastheer en gastvrouw en stuurden
ons foto's van bijzonder gedenkwaardige gebeurtenissen, zoals het optreden
van operazanger Thomas Hampson in het Witte Huis.

Nicky en Kathryn aan het spelen in de tuin van Downing Street, op het pad naar de deur die uitkomt op de Horse Guards Parade.

Gezinsleven in de grote hal op Chequers. Bill bleef bij ons op bezoek komen lang nadat hij het presidentsambt had neergelegd.

hield er geen seconde rekening mee dat Tony me zou verlaten – maar welke jonge bruid doet dat wel? Maar we zijn allemaal sterfelijke mensen en ongelukken kunnen gebeuren. Achter mijn moeder stond het voorbeeld van mijn grootmoeder. Hoe vaak had ze me niet ingewreven dat een vrouw financieel onafhankelijk moet zijn als ze me vertelde hoe ze de straten van Crosby en Blundellsands platliep om werk te vinden nadat grootvader door die hijskraan was geraakt? Twee jaar lang was hij volledig uitgeschakeld, wat de reden was waarom mijn vader te vroeg van school af moest, waardoor zijn hele leven was veranderd. Daarom was mijn opleiding zo belangrijk voor haar. Het had niets te maken met diploma's, maar alles met financiële onafhankelijkheid van een man.

Geen van deze praktische overwegingen had echter een negatieve invloed op de pure, opwindende wetenschap dat er een baby op komst was. Ik ben altijd dol geweest op baby's en de onverwachte komst maakte het alleen maar spannender – alsof je plotseling een cadeau krijgt waarnaar je altijd stiekem verlangd hebt maar waarvan je nooit hebt toegegeven dat je droomde het ooit te krijgen. Het enige dat Tony nu nog verlangde, was dat zijn dierbare Newcastle United bovenaan in de Eerste Divisie kwam te staan. Niet alleen parlementslid, maar nu ook nog vader. We waren bezig een echt gezin te worden.

Als de baby eenmaal geboren was, zou ik opvang kunnen inhuren. Voor de geboorte kwam echter de zwangerschap – wat ik niet kon delegeren – en dat was de eerste horde die ik moest nemen. Een advocaat is zelfstandig ondernemer. Je ontvangt honoraria voor je werk en dat is je inkomen. Destijds ging een percentage ervan rechtstreeks naar je griffier en je huur werd bepaald aan de hand van de grootte van je kamer en je verdiensten. Dat kwam ongeveer neer op een kwart of een derde van je inkomen. Dat was niet alleen voor het onderhoud van de afdeling – verwarming en licht – maar ook voor het administratieve personeel. Het probleem is dat als je niet werkt – bijvoorbeeld als je zwanger bent – je huur nog wel moet worden betaald. In 1983 bestond er nog geen zwangerschapsverlof, zelfs geen uitstel van betaling van de huur.

Het vooruitzicht van een zwangere advocaat was zowel voor mij als de rechtbank een uitdaging. Mijn praktijk was veel minder winstgevend dan die van Tony en daarom moest ik zo lang mogelijk blijven doorwerken. Nu kwam mijn koppigheid goed van pas. Ik zou iedereen laten zien dat ik het kon. Volstrekt belachelijk, maar goed. Het is iets wat ik nu zeker niet zou aanbevelen, maar gelukkig hoeft dat ook niet meer. De Orde van Advocaten heeft rechtbanken verplicht vrouwelijke huurders in staat te stellen een huurvrije periode op te nemen. In die tijd was het standpunt: je bent zelfstandig en als je besluit een paar maanden niet te werken – om welke reden dan ook – is dat je eigen keus. Ik bleef, al was het maar om de huur, ongeveer vijftienduizend pond per jaar, te kunnen betalen.

Ik zag geen reden om het kalmer aan te doen, alleen maar omdat ik zwanger was, vooral ook omdat de financiële werkelijkheid begon door te dringen. Nu Tony parlementslid was voor Sedgefield, ging hij er elk weekend naartoe, en ik ging mee, zij het meestal een paar treinen later. Toen waren er, net als nu, op vrijdagavond alleen staanplaatsen over. Ik was wel jong en gezond, maar hoe dikker ik werd, hoe meer moeite het me kostte, ook al omdat ik meestal in de rechtbank die dag ook al veel had gestaan.

Die herfst kreeg ik mijn eerste echte kans – een vakbondsgeschil, Cheall en Apex, dat ik samen met Freddie Reynold deed – mijn eerste zaak voor het Hogerhuis. Het ging om het Bridlington Agreement – een overeenkomst tussen vakbonden om niet elkaars leden af te troggelen – en het *closed-shop*-principe, dat bij een bepaald bedrijf iedereen vakbondslid moet zijn. Het had ook te maken met Europese wetgeving ten aanzien van de mensenrechten, die op dat moment in Groot-Brittannië geen belangrijk onderwerp was.

We brachten de kerstdagen door bij mijn moeder in Oxford en gingen het nieuwe jaar in Trimdon in. Omdat Myrobella verbouwd werd, logeerden we nog steeds bij de Burtons, al sliepen we niet meer op de vloer omdat ik, als ik eenmaal lag, niet meer kon opstaan.

Ik was uitgerekend op 29 januari. Bij mijn eerste controle na de kerst kreeg ik te horen dat de baby te klein was. 'De baby krijgt niet genoeg voeding,' zei de arts. 'U doet te veel. Met acht maanden is deze hoeveelheid werk volstrekt onacceptabel.'

Ik werd opgenomen in Bart's Hospital voor bedrust en werd bijna gek van verveling. Toen er na tien dagen nog geen verbetering was opgetreden, zeiden ze dat ze de baby wilden opwekken. Ik zei dat ik daar niet zo veel zin in had.

'Mevrouw Blair, uw baby groeit niet. Het is geen kwestie van zin.'

Tony en ik hadden alle bijeenkomsten van de zwangerschapscursus voor een natuurlijke geboorte bijgewoond op de Natural Childbirth Trust en ik ging er helemaal van uit dat mijn baby op een natuurlijke wijze ter wereld zou komen. Ze braken mijn vruchtwater, legden me aan een infuus en ik bevond me onmiddellijk in een bijzonder pijnlijke situatie. Mijn oudste verscheen rond 11.30 uur, met behulp van een verlostang en voor mij een ruggenprik. Daar ging de natuurlijke bevalling. Voor een bevallingservaring was deze wel uitermate verschrikkelijk, inclusief een enorme inscheuring omdat ze hem eruit hadden gerukt. Het was het menselijke equivalent van in vijf seconden accelereren van nul naar tachtig kilometer per uur. Lyndsey en Tony's zus deelden nu een appartement en toen ze in het ziekenhuis aankwamen, was ik nog in shock. Er lag nog overal bloed en Sarah zei dat ze nu zeker wist dat ze nooit kinderen wilde. Gelukkig voor de toekomst van de planeet wordt de pijn door de nieuwe moeder snel vergeten, omdat ze wordt overweldigd door liefde voor die volmaakte kleine mens. Zo heb ik het in ieder geval ervaren, en vanaf de eerste blik van die ongerichte ogen, de greep van die kleine vingertjes, was ik verkocht en het leven zou nooit meer hetzelfde zijn. We noemden dit dierbare schepsel Euan, naar Euan Uglow en ook naar een schoolvriend van Tony die veel te jong was gestorven.

Tony was aanwezig vanaf het moment dat ze de weeën gingen opwekken. Het zou fijn zijn om te kunnen zeggen dat zijn aanwezigheid mij hielp. Het zou niet kloppen. Hij was totaal nutteloos. Net als in bijna alle verhalen die ik van nieuwe vaders heb gehoord, had hij niet verwacht dat het zo bloederig zou zijn. Mijn man heeft altijd veel empathie kunnen tonen, maar in het geval van een bevalling is daar een grens aan. Toen Euan eenmaal schoon en ingepakt was en lekker rook, was Tony echter zo trots op zijn zoon en zo verrukt dat je de indruk kreeg dat hij meer had bijgedragen dan zijn rol als overgevoelige toeschouwer. Hij maakte het later goed en werd de beste bewonderende en zelf aanpakkende vader die ik me had kunnen wensen. Het duurde echter even voor de praktische gevolgen van de fysieke kwelling die ik net had ondergaan bij hem doordrongen, want later die middag kondigde hij aan dat ik bezoek had. Er kwam iemand een foto maken, zei hij: de *Northern Echo*, bij een bericht over het parlementslid van Sedgefield, diens vrouw en pasgeboren zoon. Het onderschrift had iets van *Euan brings Labour for Labour* [Euan geeft Labour weeën].

Ik kreeg een rubberen band om op te zitten, zodat ik tenminste mezelf kon dwingen te glimlachen. Terwijl de man zijn werk deed, scherpstellend en klikkend, was het enige dat ik dacht: Verschijnen voor het Hogerhuis is hiermee vergeleken een peulenschil. Dat was eens maar nooit weer.

Mijn laatste gedachte voordat ik die avond in slaap viel, was: Ik haat die man.

Euan was relatief klein. De talloze mutsjes en jasjes die ik had gebreid,

147

kwamen nu goed van pas, ook al waren ze veel te groot, want hij moest goed warm worden gehouden. Hij was het eerste kleinkind aan beide kanten van de familie en we werden goed verzorgd: mijn moeder kwam helpen, vervolgens tante Audrey en daarna Olwen. Maar het moest ooit ophouden. Ik moest weer aan het werk. Ik had een kindermeisje nodig.

Euan werd gedoopt door pater John in St John Fisher in Sedgefield, en dat weekend vond ik Angela, die vier jaar bij ons zou blijven. Ik adverteerde in de *Northern Echo*, want ik wilde iemand die het niet vervelend vond in het noordoosten te zijn. Angela was een boerendochter uit North Yorkshire, met een sterk Yorkshire accent en een hartstochtelijke liefde voor Manchester United. Het was een nuchtere meid, toen halverwege de twintig, en ze had al voor een paar andere gezinnen gewerkt. Ze zei wat ze dacht, was volstrekt betrouwbaar en verstandig en het klikte gewoon tussen ons.

Ongeacht het volste vertrouwen dat ik had in Angela's vermogen om net zo goed, zo niet beter, voor hem te kunnen zorgen als ik, vond ik het ongelooflijk moeilijk om Euan achter te laten. Afgezien van de eerste paar weken was ik de enige die voor hem gezorgd had en het was een marteling om hem aan iemand anders – wie dan ook – over te laten. We hadden ons eigen vertrouwde programma, alles was pret en spel. Vier maanden lang was dit kleine, hulpeloze schepsel het middelpunt van mijn wereld geweest. Ik gaf nog steeds borstvoeding en mijn borsten zagen er geen kwaad in om precies te laten weten hoe ze zich voelden en daar zat ik dan in de rechtszaal, me slechts bewust van de felle pijn van het opzwellen en de wetenschap dat mijn beha tegen de tijd dat ik weg kon doordrenkt zou zijn. Ik ging naar mijn kantoor om met een borstpomp de borsten te ontlasten en zette de melk in de koelkast om de volgende dag mee naar huis te nemen.

Hoe moeilijk het ook was, ik wist dat ik het niet kalmer aan zou durven doen. Ik had zo veel moeite gedaan om mijn praktijk op te bouwen, dat het waanzin zou zijn geweest het allemaal te laten schieten, vooral op het moment waarop Tony goedbeschouwd zijn praktijk had opgegeven. Tony's verkiezing had toch al een streep gezet door elke gedachte om zelf parlementslid te worden. Het was geen overeenkomst tussen ons, zoals wel is geopperd, maar het was gewoon onpraktisch. Ik kan ook niet zeggen dat ik het erg vond. Ik hield van mijn werk en nu Tony een toegewijd parlementslid was – en ik wist zelfs toen al dat hij vastbesloten was tot het uiterste te gaan – kon ik alle politieke belangstelling bevredigen die ik wilde.

Onze eerste zomer in Myrobella, 1984, was het jaar van de mijnwerkersstaking. Hoewel er in het kiesdistrict zelf geen mijnen meer waren, kreeg de cokesfabriek in Fishburn wel met de staking te maken en sommige leden van Tony's kiesdistrict waren mijnwerkers die in de mijnstreek van Durham ten noorden van Trimdon werkten. Herrington, een van de kolenmijnen die op de nominatie stonden om gesloten te worden, lag slechts zevenentwintig kilometer verderop. Het was allemaal dicht bij ons bed. Gary Kirby, een van de mannen die bij Tony's eerste bijeenkomst bij John Burton aanwezig waren geweest, was mijnwerker en hij werd gearresteerd. Het was een pijnlijke tijd, niet alleen voor de betrokkenen en hun gezinnen, maar voor de gemeenschap als geheel en uiteindelijk ook voor de Labourpartij.

Toen we eenmaal een gezin waren, verscheen Nicky heel vanzelfsprekend. Ik wilde niet dat Euan enig kind bleef en omdat het systeem nu toch draaide, vonden we dat we wel door konden gaan, vooral omdat mijn praktijk – ofschoon ik met Euan tot het laatste moment gewerkt had – definitief de geest had gegeven.

Ik herinner me onze tweede zomer in Myrobella als een soort droom. Als we de weg van Sedgefield af reden, door Fishburn, langs de cokesfabriek, was het bijna alsof ik terugging naar mijn wortels. Het had misschien iets te maken met de zwangerschap, maar de gepensioneerde mijnwerkers hadden nog steeds recht op gratis steenkool, en de geur van een kolenvuur – een geur die altijd aanwezig was, zelfs in de zomer – deed me sterk denken aan mijn eigen jeugd. Trimdon betekende in zekere zin teruggaan naar die gemeenschap. Net als in Fernsdale Road stond onze deur altijd open en er was een groepje kinderen – ze zullen een jaar of tien zijn geweest – dat binnenkwam en met Euan speelde, die inmiddels een stevige peuter was, en samen met mij kookte. Ik herinner me dat ik ze liet kennismaken met knoflook en hun liet zien hoe je een teentje moest pellen. Knoflook was destijds ongelooflijk exotisch.

Elk weekend gingen we naar het kiesdistrict. Tony was meestal al op donderdag gegaan en ik volgde dan vrijdags. Achteraf gezien begrijp ik niet hoe we het bolwerkten.

Na de geboorte van Euan werden we een gezin met twee auto's. Tony had een Rover – het parlement had een deal gesloten met Rover waarbij de leden korting konden krijgen – en ik had een gedeukte Mini Metro, die steeds gedeukter raakte omdat ik echt een verschrikkelijk slechte chauffeur was. Ik ben iemand zonder enig ruimtelijk inzicht. Bij mijn eerste rij-examen duurde het maar tien minuten voordat de examinator zei dat ik beter kon ophouden.

'In het belang van de openbare veiligheid maak ik een eind aan dit examen. Blijf hier. Raak de auto niet aan. Ik ga terug en zal uw rij-instructeur vragen u op te halen.'

Bij mijn tweede poging zweefde mijn voet voortdurend boven de rem, omdat ik elk moment verwachtte dat de examinator me zou laten stoppen: tweede mislukking. De derde keer leek het examen langer te duren dan anders.

'Ik dacht dat u even tot rust moest komen,' legde de jonge examinator uit. Ik schreef het toe aan het feit dat ik het eerste examen van die dag was en dat het prachtig lenteweer was. Onderweg naar huis belde ik Tony vanuit een telefooncel.

'Ik ben geslaagd!' zei ik.

'Dat bestaat niet! Het is een schande, hij had je nooit mogen laten slagen, je rijdt verschrikkelijk slecht!'

De volgende dag bood ik aan Geoff en Beverly Gallop, die bij ons logeerden, mee te nemen voor een tochtje langs de rommelwinkels in de steegjes van Hackney. Op een bepaald moment kwam een andere auto een beetje te dichtbij en ik hoorde geknars. Verlamd van angst zette ik de auto onmiddellijk stil, vond een telefooncel en belde Tony: 'Je moet me komen halen.'

De open ruimten van het noordoosten vond ik zo mogelijk nog enger dan Londen, vooral door het gebrek aan verlichting in het donker. Bij minstens drie gelegenheden ben ik in de loop van de jaren met schreeuwende kinderen op de achterbank in een greppel beland, en ik heb op parkeerplaatsen in Durham regelmatig kennisgemaakt met paaltjes die vanuit het niets op de auto afkwamen.

Voor de mensen op de rechtbank was mijn rijgedrag reden voor doorlopende grappen. Accepteren met mij mee te rijden werd beschouwd als een overgangsrite.

Mijn tweede zwangerschap was vergeleken met de eerste een fluitje van een cent. Ik was gezond en in conditie en had de hulp van Angela en we hadden ons huis in het kiesdistrict. Ik had ook mijn vriendin Marianna. Op een zondag in januari, toen Euan bijna een jaar oud was, stapten Tony en ik op King's Cross uit de trein en liepen Charlie Falconer tegen het lijf.

'Wat doe jij in vredesnaam hier?' zei Tony.

'Ik heb een afspraak met iemand,' was het blozende antwoord. Die iemand bleek Marianna Hildyard te zijn, ook een advocaat en de grote liefde van Charlie, die tot op dat moment een goedbewaard geheim was. Zes maanden later waren ze getrouwd. Hoewel haar vader in de jaren zeventig de Britse ambassadeur in Chili is geweest, is ze gewoon zichzelf en wat de crisis ook is, Marianna, met haar wilde Titiaanse haardos en sprankelende persoonlijkheid, staat klaar met zowel liefde als praktische hulp. We zijn vrijwel vanaf het moment dat we elkaar ontmoetten dikke vriendinnen geweest. Onze zwangerschappen hadden we niet beter kunnen regelen, zelfs niet als we ons best gedaan hadden. De data waarop we uitgerekend waren, lagen nog geen tien dagen uit elkaar en we beleefden in afwachting samen vrolijke en gezellige maanden.

Op donderdag 5 december 1985 voelde ik me bij het wakker worden ongebruikelijk nerveus. Tony moest die dag naar Myrobella, maar ik wilde niet dat hij wegging. Ik zei dat ik het gevoel had dat de baby zou komen.

'Maar je hebt nog twee weken te gaan.'

'Euan kwam te vroeg.'

'Omdat toen de weeën opgewekt werden!'

Niet dat Tony moeilijk deed, hij legde alleen uit dat het een kwestie van diplomatie was: prins Andrew zou de volgende dag iets komen openen in het kiesdistrict en hij zou met hem ontbijten.

'Als je zeker weet dat de baby dit weekend komt, ga ik natuurlijk niet. En vergeet niet dat je moeder komt.'

Vrijdag is mijn moeders vrije dag en meestal nam ze de bus uit Oxford om de dag met haar kleinzoon door te brengen. Ze bleef zelden logeren, want ze moest op zaterdag werken. Dat weekend werd ook tante Audrey verwacht voor haar jaarlijkse expeditie om kerstcadeaus te kopen.

Tony vertrok rond vier uur 's middags van Mapledene Road en de weeën werden rond acht uur menens. Om een uur of negen belde ik Myrobella. Geen gehoor. Ik belde de Burtons: Lily kwam aan de lijn. De oude Daimler die Tony had geleend om in het kiesdistrict te gebruiken, had het begeven en John was hem van het station gaan halen.

Ondertussen raakte mijn moeder in paniek.

Eindelijk ging de telefoon: Tony.

'Er is geen twijfel aan,' zei ik. 'Ik denk dat je terug moet komen!'

'Hoe moet dat dan? De Daimler doet het niet en er gaan vanavond geen treinen meer.'

'Nou ja, wat moet ik dan doen?' Ik wist dat ik niet in staat was zelf te rijden.

'Laat Lyndsey je brengen,' zei hij. 'Ik leen Johns auto en kom zo snel mogelijk.'

Lyndsey had net die week haar rijbewijs gehaald. Ze had nog nooit in mijn auto gereden, nog nooit in het donker gereden en was nog nooit door het centrum van Londen gereden en had geen idee waar het ziekenhuis was. Verder was het een goed idee…

Op het moment dat Lyndsey arriveerde, waggelde ik in mijn kamerjas het huis uit en spreidde mezelf uit over de achterbank. Moeder zat voorin met het stratenboek en we vertrokken. Tussen het gekreun door gaf ik aanwijzingen, en kromp in elkaar als de versnellingsbak knarste en elke keer als de motor afsloeg. 'Trap de koppeling in!' schreeuwde ik terwijl de auto zich steigerend en hinnikend door Oost-Londen werkte.

Op de een of andere manier bereikten we ons doel. Terwijl Lyndsey slingerend tot stilstand kwam, gooide ik de deur open en wierp mezelf in de richting van de ingang. Toen ik eenmaal in een rolstoel zat, werd ik onmiddellijk met spoed naar een verloskamer gereden, terwijl mijn moeder moeite moest doen ons bij te houden. Op het moment dat we er waren, rende ik naar de wc en moesten ze me eraf trekken. Ik had inderdaad al tien centimeter ontsluiting.

'Fantastisch om het vanuit deze optiek te zien,' hoorde ik mijn moeder zeggen terwijl ik hem eruit perste. Ik moet tot mijn schande bekennen dat ik niet erg aardig tegen haar was. 'Ik wil niet dat je hier bent!' riep ik. 'Waar is mijn man?'

Nog geen half uur later gleed onze tweede zoon de wereld in. Hij werd ongelooflijk snel geboren. Geen medicijnen, geen verlostang. Het was voorbij in een paar minuten, zo leek het, en mijn moeder was de eerste die hem mocht vasthouden.

Tony arriveerde rond vier uur die ochtend, precies twaalf uur sinds zijn vertrek. Hij had John Burtons oude roestbak geleend en had door de nacht gereden over een bijna lege weg, gelukkig maar, want de remmen hielden ermee op toen hij Londen binnenreed. Onderweg had hij nagedacht over hoe we hem moesten noemen, zei hij, en hij had Colin bedacht.

'Colin? Je noemt een baby toch niet Colin!'

Gelukkig was mijn moeder het met me eens en omdat hij geboren was op de dag van Sint-Nicolaas, werd het Nicholas.

Een week later namen we Nicky mee voor zijn eerste luchtreis toen de hele familie voor de kerst naar Sedgefield ging, onze tweede kerst in Myrobella. Een nieuwe baby met de kerstdagen was een verrukking en het huis was vol, mijn moeder, Lyndsey en grootmoeder pasten er allemaal net in. Hoewel ze almaar fragieler en vergeetachtiger werd, was mijn grootmoeder nog steeds dol op baby's en kirde ze alle feestdagen verrukt tegen haar jongste achterkleinzoon.

Dit zou de eerstvolgende twaalf jaar het patroon zijn voor onze kerst-feesten. De hele familie bij elkaar in Myrobella, ik raakte heel ervaren in het bereiden van een gigantische kalkoen van onze fantastische lokale slager en buurman Eddie Greaves. Het was niet echt de conventionele manier: na de nachtmis van pater Caden ging het beest in de onderste oven van de Aga en de volgende dag rond lunchtijd was hij precies goed.

Het ging altijd te snel voorbij en dat jaar was ik – net als elk ander jaar – begin januari weer aan het werk.

12

Vertrekken

Toen Nicky drie maanden oud was, verhuisden we van Mapledene Road naar Highbury. Met een baby, een peuter en een kindermeisje hadden we gewoon meer ruimte nodig. Niet alleen had het nieuwe huis vier slaapkamers en een serre – en twee badkamers –, het was ook beter gelegen met het oog op het openbaar vervoer, halverwege de metrostations Arsenal en Highbury & Islington. Stavordale Road 10 was toevallig eigendom van Peter Stothard, hoofdredacteur van *The Times*. Het moederbedrijf News International had een enorme drukkerij voor al zijn uitgaven gebouwd in Wapping, even ten oosten van Tower Bridge, en op 24 januari gingen zesduizend personeelsleden in staking. 'Fort Wapping' zou het strijdtoneel worden van de omvangrijkste industriële actie die de krantenindustrie ooit getroffen had. Door mijn werk in het arbeidsrecht was ik maar al te bekend met de bijzondere praktijken van Fleet Street, waar de drukkers koning waren. Nieuwe technologie zou op den duur de ergste corruptie verdringen, maar het zou een lange, harde strijd worden. Alleen uit de aanwezigheid van Brenda Dean, een gematigd leider van de grafische vakbond SOGAT, bleek dat er ook vrouwen in deze mannenwereld opereerden. Wij stonden als trouwe partijleden noodzakelijkerwijs aan de kant van de vakbeweging en tijdens het bezichtigen van het huis en bij latere bezoeken bevonden we ons in de ongemakkelijke positie dat we konden horen hoe de hoofdredacteur aan de telefoon probeerde de situatie op te lossen.

Ik ontdekte al snel dat twee kinderen iets anders is dan een. Toen we alleen nog Euan hadden, had ik mijn werk voor de Coordinating Committee van Labour voortgezet – ik gaf zelfs borstvoeding tijdens de bijeenkomsten – maar toen Nicholas kwam, werd het me te veel. Om dezelfde reden moest ik stoppen met de juridisch adviessessies op University House.

Nu Tony parlementslid was, moest hij zich niet bemoeien met de lokale partijafdeling, maar ik was er wel bij betrokken, en zo ontmoette ik de enthousiaste jongeman die de contributie in onze buurt ophaalde – Stephen Twigg. Een praktischer manier om met twee kleine jongens bij de gemeenschap betrokken te raken, was de Kerk en we gingen vrijwel meteen naar de kerk van St Joan of Arc, aan de andere kant van Highbury Grove. Het was niet alleen binnen loopafstand maar er waren ook een kleuterschool en lagere school aan verbonden. We begonnen te leren dat we als ouders vooruit moesten denken. Ik vond het misschien niet erg om in een protestantse kerk te trouwen, maar ik heb er altijd op gestaan dat de kinderen een katholieke opvoeding kregen.

In juli 1986 overleed Pat Phoenix en liet mijn vader compleet radeloos achter, ook al omdat het zo'n schok was. Voor veel vrouwen van haar generatie was kanker iets wat je niet toegaf – zelfs niet als je zo'n verstokte roker was als zij – en pas tegen het eind bekende ze hoe ziek ze was. Ze waren al wel zes jaar samen en hun burgerlijke staat was continu voer voor de roddelbladen, maar ze trouwden pas een dag of wat voor ze uiteindelijk stierf, in het ziekenhuis. Ze had geprobeerd hem over te halen hun relatie te 'legaliseren', maar hij had altijd tegengestribbeld. Hij kon de gedachte dat ze misschien zou sterven, niet verdragen. Het was haar laatste edelmoedige daad: door hun huwelijk had mijn vader financiële zekerheid. Pat was grenzeloos royaal: ze zorgde voor mijn vader toen hij lichamelijk en geestelijk een wrak was en ze had Tony zowel in Beaconsfield als in Sedgefield gesteund. Ze was een gretig verzamelaar en Myrobella was grotendeels gemeubileerd met wat niet langer in haar eigen huis in Cheshire paste. Bovendien kregen we een aantal gewaagde schilderijen van William Russell Flint die tot op de dag van vandaag de wanden van Myrobella sieren en die nog steeds geamuseerde blikken oproepen. Haar begrafenis was heel bijzonder en veel van haar fans stonden langs de straten van Manchester.

Het nieuws trof me als een donderslag, ook al omdat ze onder behandeling was in het Clatterbridge Centrum voor Oncologie, dezelfde gespecialiseerde kankerafdeling in Wirral waar tante Audrey toen bestraald werd. De kanker bij tante was drie jaar eerder tijdens een bezoek aan Amerika ontdekt. Oom Bill en zij waren op bezoek bij hun oude vrienden Gerry en Shirley Quilling. Gerry was een voormalige piloot bij de Amerikaanse luchtmacht die hij had ontmoet toen hij piloot was tijdens de oorlog. Op een middag had ze me heel plotseling op de rechtbank gebeld. Destijds was bellen vanuit Amerika heel duur en ze verspilde geen tijd. Het was borstkanker, zei ze. Ze had Shirley verteld dat ze een knobbel had, maar had er niet mee naar de dokter willen gaan. Shirley nam onmiddellijk actie. Zei dat ze niet belachelijk moest doen en nam haar mee naar haar eigen arts.

Op het moment dat hij het zag zei hij: 'Dat moet eruit.' Ze ging naar het ziekenhuis en werd meteen geopereerd. Ze belde mij omdat ze wilde dat ik het haar moeder, mijn moeder en Lyndsey zou vertellen.

'Maar, Cherie, zeg hoe dan ook niets tegen mijn kinderen.' Catherine was toen een jaar of twintig, Christopher een jaar jonger en Robert nog maar vijftien. Het lijkt ongelooflijk dat het taboe toen nog zo groot was. Je praatte er gewoon niet over, alsof je zodoende de aanwezigheid ervan kon ontkennen. Toen ik later te maken kreeg met borstkanker en beschermvrouw werd van Breast Cancer Care en soortgelijke liefdadigheidsinstellingen, werd het heel belangrijk voor me om erover te praten, nu ook al omdat ik ervan overtuigd ben dat als Audrey eerder naar een arts gegaan was, alles heel anders had kunnen lopen. Nu kreeg ze de behandeling en dacht dat alles goed zou komen.

Achteraf is het makkelijk om de signalen te zien, maar toen had ik geen idee. Oom Bill en zij logeerden bij ons toen ze naar Buckingham Palace gingen voor een tuinfeest. Tante zag er prachtig uit, bijna meisjesachtig, ook al was ze eind veertig. Ze was net zo slank als ik me haar van vroeger herinnerde.

De kanker werd kort nadat ze in Beaconsfield zo energiek voor Tony campagne had gevoerd, vastgesteld en ze was ook gezond genoeg geweest om mij in Thanet te steunen. Toen Euan en later Nicky werden geboren, genoot ze van hen, kwam als ze maar even kon logeren en pochte dat zij degene was die Euan zijn eerste vaste voedselhap had gegeven. Het was alsof ze wist dat ze niet lang genoeg zou leven om haar eigen kleinkinderen te zien en zij waren wat er het dichtst bij in de buurt kwam. Ook al was ik een van de weinige mensen die wisten hoe ziek ze was, ze praatte er nooit over. Soms was duidelijk dat ze chemotherapie kreeg en dat alles niet zo best was. Daarom was het fijn dat ze erbij was toen Nicholas werd geboren, maar het was nooit duidelijk hoe het met haar ging. Ze was ziek en daarna was ze weer beter.

Toen we Myrobella eenmaal hadden gekocht, vierden we Kerstmis en Pasen altijd bij ons en tante Audrey en oom Bill brachten oma mee, terwijl mijn moeder met ons meereisde. Pasen 1987 kwam tante al op Witte Donderdag, drie dagen eerder dan anders, om tijd door te brengen met mijn jongens, en toen was duidelijk dat ze erg ziek was. Ze hielp Euan en

Nicky naar bed te brengen – zo goed en kwaad als ze kon – en las hun een verhaaltje voor, maar die avond ging het erg slecht met haar. Ze had inmiddels uitzaaiingen in haar longen, die zich met vocht vulden en moesten worden leeggemaakt. De volgende ochtend bracht oom Bill haar naar huis. Ze ademde moeilijk en had erg veel pijn en het was allemaal erg verdrietig en verontrustend. Toen ik Nicky optilde om haar uit te zwaaien, wist ik dat dit de laatste keer was dat ik haar zou zien. Pas op dat moment realiseerde ik me dat, terwijl ik dacht dat ze Pasen kwam vieren, ze eigenlijk was gekomen om afscheid te nemen.

De donderdag daarop belden ze om te vertellen dat ze thuis was gestorven. Ze was tweeënvijftig. Zo jong nog.

Ongeveer een week later was ik in de auto onderweg van een rechtszaak in Leicestershire naar Londen toen de dijken het niet meer hielden. Ik ging aan de kant van de weg staan en snikte en snikte en snikte terwijl de auto's in de regen langs me heen zoefden. Toen ik nog maar een baby was, was het Audrey die zich naar huis haastte van haar werk als telefoniste om met me te spelen. Het was Audrey bij wie ik ging lunchen toen ik ongelukkig was op Seafield. Het was Audrey die me liet zien dat politiek niet alleen voor mannen was. Het was Audrey die me, samen met haar man en kinderen, toonde hoe een normaal gezinsleven eruitziet. Ze was een goede vriendin voor mijn moeder geweest toen mijn vader ons verliet. Ze was geen heilige, maar de wereld zonder haar was een minder mooie plek. Ze was een levendige, extraverte persoon, die altijd tijd voor iedereen had. En nu was ze echt weg.

Pasen viel laat dat jaar en haar begrafenis was eind april, bijna mei, en we zongen de hymne van de meiprocessie die wordt gezongen bij de viering van de kroning van Maria. Het was geen treurzang, integendeel, maar we kozen het omdat we wisten dat het een van haar favoriete liederen was. Elk jaar deden Lyndsey en ik als brave katholieke meisjes mooie witte kleren aan, paradeerden over het terrein van verpleeghuis Park House en zongen liederen ter ere van Onze Lieve Vrouwe, wier beeld vervolgens werd gekroond door het mooiste meisje in de hoogste klas van de lagere school. In 1963 viel de meiprocessie samen met het kraambed van tante Audrey, die toen net bevallen was van haar tweede zoon, mijn neef Christopher, en ze kwam voor het raam staan om ons de baby te laten zien en naar Lyndsey en mij te zwaaien. Ik kan die hymne niet horen zonder aan haar te denken.

In 1987 namen we ook afscheid van Angela, die veel meer voor ons was gaan betekenen dan zomaar een kindermeisje. Zij en ik hadden een gemeenschappelijke belangstelling voor atletiek ontdekt en we gingen regelmatig samen naar Crystal Palace. Ze is nog altijd een vriendin van de familie. Dankzij haar werd Nicky fan van Manchester United, terwijl Euan een overtuigd supporter van Liverpool bleef. Ze kon heel goed koken en wat ze eigenlijk wilde, was een eigen broodjeswinkel. Dat voorjaar hoorde een vriendin van haar dat British Rail een ontvangstruimte voor passagiers van de eerste klas ging opzetten en stelde voor dat ze contact met het bedrijf zou opnemen. De gedachte erachter was dat ze kon leren hoe ze een cateringbedrijf moest leiden terwijl ze tegelijkertijd betaald werd. Dat deed ze.

Omdat het met Angela zo'n succes was geworden, adverteerde ik opnieuw in de *Northern Echo*. Omdat er niet meer voor een baby gezorgd hoefde te worden en Euan nu elke ochtend naar het kinderdagverblijf van St Joan of Arc ging, vond ik dat een gekwalificeerd kindermeisje niet meer nodig was en huurde een achttienjarige die net van school kwam. Ze was nog nooit in Londen geweest, maar ze kon wel autorijden. Achteraf realiseer ik me dat ik te hoge eisen stelde. Tijdens het sollicitatiegesprek was ik blij geweest te horen dat ze godsdienstig was. Pas nadat ze bij ons kwam, drong tot me door dat ze nogal fundamentalistisch was en ze raakte al snel betrokken bij een plaatselijke sekte in Highbury. Op een dag kwam ik thuis en trof Euan over zijn toeren aan. Hij was toen net vier jaar oud en had kennelijk een vloekwoord gebruikt, waarop ze afwasmiddel in zijn mond had gespoten.

Ik was geschokt en liet dat duidelijk merken, maar besloot niets te doen tot ik er met Tony over gepraat had, behalve dat ik haar liet weten dat het onacceptabel gedrag was. Dat weekend gingen we naar het kiesdistrict, waar we overwogen haar te ontslaan, maar tegen de tijd dat we die zondag terugkwamen, was ze al vertrokken. In een briefje schreef ze dat haar toekomst lag bij haar nieuwe vrienden in de Kerk en dat ze besloten had zich bij hen aan te sluiten. Voor de tweede keer in drie maanden moest ik terug naar de *Northern Echo*, maar ik had mijn lesje wel geleerd. Een meisje van die leeftijd is misschien wel goed als je er de hele dag bij bent, maar anders niet.

Gelukkig vonden we toen Gillian, die afkomstig was uit de buurt van Richmond in Yorkshire. Zij was ook zo'n fantastische jonge vrouw die drie jaar bij ons bleef tot ze ging trouwen met de man die nog steeds haar echtgenoot is en die ze ontmoette tijdens haar verblijf bij ons. Kathryn was haar bruidsmeisje en Euan, toen zeven jaar, zong bij de huwelijksvoltrekking 'My God Loves Me' op de wijs van 'Plaisir d'amour'.

Ik had nooit een groot gezin gewild. Toen Euan en Nicholas er eenmaal waren, besloot ik dat het zo wel mooi geweest was. Maar in de weken na de dood van Audrey merkte ik dat ik dacht: Ik wil nog een baby. Wat ik eigenlijk wilde – hoewel ik dat nooit hardop gezegd heb, ook niet tegen mezelf – was een dochter. Ik kon mijn grootmoeder kort voor haar dood in augustus nog vertellen dat ik weer zwanger was.

Grootmoeder heeft nooit geweten dat haar dochter Audrey gestorven was. Ze was al een tijdje steeds vaker in de war. Ze had ons in verschillende opzichten al verlaten. Nadat mijn moeder was verhuisd van Ferndale Road, was oom Bob weer ingetrokken om een oogje op grootmoeder te houden, maar hij kon het niet aan. Daarop ging ze naar een gemeentelijk bejaardenhuis in Seaforth. Ik was daar niet erg gelukkig mee, maar omdat ze niet meer voor zichzelf kon zorgen, was er niet echt een alternatief. Ik kon haar moeilijk meenemen naar Londen. Ze was er nog maar hooguit een jaar, toen ook zij overleed. De eerste twee jaar van mijn leven hadden deze twee vrouwen alles voor mij betekend, de ene als surrogaatmoeder, de ander als surrogaatzusje en dat ik hen allebei binnen zes maanden kwijtraakte, was een keerpunt in mijn leven.

Mijn vader was helemaal kapot. Binnen twaalf maanden had hij zijn vrouw, zijn zus en ten slotte zijn moeder verloren. Hij had wel weer aan de drank kunnen gaan – die hij na zijn confrontatie met de dood volledig had afgezworen – maar dat deed hij goddank niet.

Onze dochter Kathryn – gezegend met het kastanjebruine haar van zowel haar betovergrootmoeder Tilly als van Tony's moeder Hazel – werd geboren op 2 maart 1988, precies negen maanden na de algemene verkiezingen van 1987. Die avond waren we in een feestelijke stemming geweest: hoewel de Labourpartij er nauwelijks beter voor stond dan vijf jaar daarvoor, had Tony zijn meerderheid vergroot.

Voor een nieuwkomer in het parlement had hij het in de vijf voorgaande jaren goed gedaan. Tijdens zijn maidenspeech voor het Lagerhuis had hij gezegd: 'Ik ben een socialist, niet dankzij het lezen van een studieboek dat mijn intellectuele vermogens prikkelde, noch door naïeve traditie, maar omdat ik geloof dat socialisme in zijn beste vorm beter aansluit op een zowel rationeel als moreel bestaan. Het betekent samenwerking, niet confrontatie; medemenselijkheid, niet angst. Het betekent gelijkheid.'

Hoe goed dat misschien ook overkwam in het kamp van de hervormingsgezinden, het droeg niet bij tot de harmonie van het dagelijks leven in Westminster, waar iemand hem duidelijk een streek geleverd had. Toen hij er arriveerde, kreeg Tony een kamer toegewezen samen met Dave Nellist, het parlementslid voor Coventry South-East, een van de drie Labour-parlementsleden die tot het Militant-kamp behoorden. Dat was de goden verzoeken. Niet alleen was Tony advocaat – op zich al een misdaad tegen de arbeidersklasse – maar hij was een advocaat die (toen hij met Derry samenwerkte) had geprobeerd Militant uit de partij te werken. Het duurde niet lang voordat Dave Nellist verhuisde naar een kamer met een ander parlementslid met Militant-voorkeuren, terwijl Tony een kamer kreeg toegewezen met het Schotse parlementslid Gordon Brown. Ze ontdekten onmiddellijk overeenkomsten. Ze waren allebei intelligent, waren allebei gekozen bij de algemene verkiezingen van 1983 en hadden allebei bij een vorige verkiezing voor een onwinbare Conservatieve parlementszetel gestreden, hoewel Gordon dat niet bij tussentijdse verkiezingen had gedaan en al beter thuis was in de Schotse politiek. Gordon beschouwde zichzelf daarom ook als meer ervaren, waarmee Tony het waarschijnlijk meteen eens zou zijn, ook al omdat Gordon ouder was, zij het slechts twee jaar. Afgezien van wat Tony mij over hem vertelde, kende ik hem nauwelijks. Omdat hij geen gezin had, hadden we sociaal weinig verkeer met elkaar: onze Labour-kringen bevonden zich in Londen, terwijl Gordon zijn tijd doorbracht in Schotland. Destijds hoorde Gordon bij de mensen die niet gewend waren aan de continue aanwezigheid van kleine kinderen.

Het was onvermijdelijk dat Labour de verkiezingen van 1987 zou verliezen. Niemand dacht dat we echt een kans maakten behalve misschien degenen die 'geen compromis met het electoraat' zouden sluiten, wat een van de verkiezingsleuzen van Militant was. Maar de slechte verkiezingsresultaten overtuigden Tony ervan dat er iets moest gebeuren en hij was vastbesloten deel te gaan uitmaken van het schaduwkabinet en – samen met Gordon – de Labourpartij van een onverkiesbare macht te veranderen in een verkiesbare, waarmee ik het van harte eens was.

Tijdens het congres van de Labourpartij in september 1987 stonden ze allebei kandidaat voor het schaduwkabinet. Gordon werd gekozen (en werd schaduwminister voor Handel en Industrie) en Tony was degene met de meeste stemmen die het net niet haalde. Nick Brown, die door Tony aan Gordon was voorgesteld, was hun campagneleider geweest. Ook hij had zijn intrede in het parlement in 1983 gedaan, toen het zittende parlementslid voor Newcastle East was overgestapt naar de SDP. We leerden hem kennen omdat hij, vanwege zijn plaatselijke kiesdistrict, regelmatig op Myrobella langskwam. Hij was in wezen een regelaar, met vingers in diverse soorten pap: hij had als juridisch medewerker voor de vakbond GMB gewerkt en was korte tijd gemeenteraadslid van Newcastle geweest. Er stond toen al met grote letters 'toekomstig fractievoorzitter' op zijn voorhoofd te lezen. Hij deed ongelooflijk uit de hoogte, noemde me altijd 'schat' en vond kennelijk dat vrouwen in de Labourpartij wel gezien maar niet gehoord moesten worden. Ik heb hem altijd een beetje een politieke schurk gevonden.

In mijn loopbaan gebeurde ook van alles, maar omdat er in de partij zo veel veranderde, had Tony wel iets anders aan zijn hoofd. Net als veel andere jonge advocaten vond ik dat we een andere manier van honorering van de griffier moesten bedenken. Toen hij nog op Crown Office Row werkte, had Tony daar ook hard aan getrokken en Chris Carr en hij hadden de zaak voorgelegd aan Derry. De ouderwetse manier, waarbij de griffier tien procent kreeg als er negen of tien medewerkers waren, was tot daaraan toe, zeiden ze. 'Maar nu we met z'n vijfentwintigen zijn, krijgt David waanzinnig veel geld. We zouden beter af zijn met een eigen kantoor.' Uiteindelijk gingen ze uit elkaar en nam Derry zijn mensen mee naar een nieuw kantoor op King's Bench Walk 11. Tony had er zich erg sterk voor gemaakt, maar de ironie wilde dat hij volkomen uit het vak verdween op het moment dat het gelukt was.

Ongeveer in dezelfde periode liepen de spanningen op Essex Court 5 op: er ontstond een breuk tussen de Queen's Counsels in het noorden en de junioradvocaten in Londen, zoals ik. Normaal gesproken hoopten junioradvocaten hun praktijk op te bouwen met zaken die QC's lieten lopen, maar omdat die in een heel ander circuit zaten, gebeurde dat gewoon niet. Toen werd Freddie Reynold, die me oorspronkelijk had aangenomen, Queen's Counsel, en hij en Alastair Hill – een van de andere oorspronkelijk Londense leden die op hetzelfde moment QC werden – besloten dat het voor hen ook beter was om voor zichzelf te beginnen.

Op den duur werd bekend dat dit het voorstel was. De Queen's Counsels wier werk uitsluitend gebaseerd was op het noorden van het land, waren niet echt geïnteresseerd, maar de QC's met een gemengde praktijk waren er helemaal niet gelukkig mee. Het hielp niet echt dat George Carman, die inmiddels beroemd was, plotseling besloot zich bij de afvalligen aan te sluiten. We waren niet al te enthousiast om hem erbij te hebben omdat 'egoïstisch' en 'George' woorden waren die altijd samengingen. Van de andere kant was zijn inkomen mooi meegenomen.

Vanaf de eerste scheuren was ik voorstander van een breuk, en toen we eenmaal in ons nieuwe onderkomen zaten, werd ik heel actief in het dagelijks bestuur. Ik was niet de enige vrouw, maar ik werd wel de moederkloek bij wie iedereen langskwam met zijn problemen. Mijn kinderen zaten thuis, en misschien was het omdat ik niet al mijn moederlijke gevoelens aan hen kwijt kon dat ik ze op de volwassenen richtte.

De periode vlak voor de verhuizing was enorm gespannen. De noordelijke Queen's Counsels weigerden te verhuizen uit het gebouw, omdat het hun plek was, zeiden ze, terwijl wij – die er echt werkten – zeiden dat het van ons was. Tegenwoordig wordt het steeds gebruikelijker kantoor te houden buiten de Inns of Court, maar dat was toen niet het geval en ruimte was kostbaar. Uiteindelijk wist de Inn – in dit geval feitelijk de huisbaas – ruimte voor ons te vinden in New Court Chambers om een enorme ruzie voor hun deur te vermijden.

Voor het eerst in mijn gecombineerde loopbaan van moeder en advocaat had ik, toen ik zwanger was van Kathryn, een beetje financiële armslag. Drie maanden nadat ik zwanger was geworden, werd de andere vrouwelijke huurder, Gail Carrodis, ook zwanger. Zij werd echter vreselijk ziek en was niet in staat te werken. Omdat ze enorm met haar meeleefden, boden ze haar een huurvrije periode aan, waarop ik zei: 'Hallo! Vinden jullie niet dat ik ook een huurvrije periode moet krijgen?' En jawel. Ik kreeg drie maanden. We waren een van de eerste kantoren die dat inderdaad deden en vervolgens werd het overgenomen door de Orde van Advocaten. Hoewel het lang duurde en pas in de jaren negentig een feit werd.

Met toestemming van mijn kindermeisje Gillian had ik besloten dat ik deze keer thuis wilde bevallen, ook al omdat Bart's zijn afdeling verloskunde had opgeheven. Ik ging om de zoveel weken naar mijn huisarts voor controle en af en toe werd er een echo gemaakt. Ik had er een moeten hebben toen ik dertig weken was, maar het werk hoopte zich op en ik had het erg druk. Toen ik vierendertig weken heen was, zei de arts dat het nu echt moest gebeuren. Ik begreep niet waarom hij er zo'n toestand van maakte. Misschien was het nodig voor nieuwe moeders, maar niet voor ervaren types zoals ik. Ik voelde me prima en dacht zelfs dat het hoofd van de baby al was ingedaald.

'Het spijt me, mevrouw Blair,' zei de röntgenoloog terwijl hij met de toonopnemer over mijn opgezwollen buik veegde. 'Dat is niet het hoofd van de baby dat is ingedaald, maar het achterwerkje. Dit is een stuitligging.'

Het vonnis van de arts was eenduidig: 'U kunt onmogelijk thuis bevallen,' zei hij. 'Ik denk zelfs dat het een keizersnee wordt.'

Ik maakte duidelijk dat ik absoluut geen keizersnee wilde. Er werd een röntgenfoto van mijn bekken gemaakt om me te laten zien hoe het versmalde.

'Nou,' zei de arts terwijl ik de foto bekeek. 'Als u zichzelf wilt vermoorden, en uw baby, moet u vooral thuis bevallen, maar anders wordt het een keizersnee.'

Ik kreeg een afspraak voor 3 maart. Een paar dagen eerder was er een computer van kantoor afgeleverd. We waren net aan de automatisering begonnen en ik had me voorgenomen mezelf te leren de computer te gebruiken. Tot op dat moment hadden we alles met de hand geschreven, wat vervolgens door een typiste werd uitgetikt. Ik herinner me dat het een Olivetti was, met WordPerfect als tekstverwerkingsprogramma, en op het moment dat ik het een beetje onder de knie had, was ik verkocht.

Tony had geregeld dat hij me later die avond naar het ziekenhuis zou brengen en ik besloot tot dat moment te schrijven aan een advies op de computer, hoewel ik over de berg van mijn buik nauwelijks bij het toetsenbord kon. Ik realiseerde me dat de weeën begonnen waren, maar ik ging toch maar door, terwijl Gillian zich op de achtergrond zorgen maakte.

'Weet je zeker dat alles goed is?' hoorde ik haar zeggen.

'Heel zeker. Ik schrijf alleen even dit advies af.'

'Ik vind het niet zo'n goed idee.'

'Het gaat prima. Echt.'

'Het gaat helemaal niet prima en ik ga Tony bellen dat hij nu moet komen.'

Ik was nog steeds aan het tikken toen Tony arriveerde. Toen we in het ziekenhuis kwamen, stond er een rij vrouwen te wachten op snelle keizersnedes en op dat moment begon ik me zorgen te maken, vanwege mijn ervaring met Nicky.

'Ik waarschuw maar vast,' zei ik tegen Tony. 'Als het een jongetje is, ga ik huilen.' Toen volgde de ruggenprik, waarvan ze vonden dat ik die mocht hebben, in plaats van algehele verdoving. Het kostte tien pogingen om de naald er goed in te krijgen en ik zag Tony al bleker en bleker worden. Toen, sneller dan ik voor mogelijk had gehouden, sneed de chirurg me open en tilde haar eruit. Een prachtig meisje! Ik huilde toch maar.

Even later zou ik trouwens schreeuwen.

'Bij slechts ongeveer twee procent van de bevolking haalt de ruggenprik dit gebied niet,' legde de arts uit terwijl hij ophield me dicht te naaien. Ze moesten me wel helemaal verdoven, heel kort, om me te hechten. En toen moest ik nog vijf volle dagen in het ziekenhuis blijven. Zo eenvoudig was het allemaal niet. Toen ik thuiskwam, las ik het advies dat ik aan het schrijven was geweest. Gelukkig had ik geen tijd gehad om het uit te printen. Het was absolute onzin.

Mijn vriendin Francesca had een paar maanden eerder ook een keizersnee ondergaan. Ze was getrouwd met John Higham, een van de advocaten die hun laatste balie-examen tegelijkertijd met Tony en mij hadden gedaan. Zij waren, net als wij, verhuisd naar Hackney en hun eerste baby werd geboren rond de tijd dat ik ontdekte dat ik zwanger was van Euan. In die eerste dagen, toen ik als onervaren moeder alleen thuiszat, liet ze me heel aardig zien hoe alles moest. Hun tweede baby volgde een jaar voor ik Nicholas kreeg. Terwijl ze hem de borst gaf, ontdekte ze de knobbel in haar borst. Haar arts, die ook de onze was, dacht dat het een opgezette melkklier was. Dat was het niet. Tegen de tijd dat ze zich realiseerden dat het kanker was, was er geen houden meer aan. Na haar operatie leek alles goed te gaan, al had de oncoloog wel gezegd dat ze niet meer zwanger moest worden. Maar Francesca was half Italiaans en katholiek en werd wel zwanger en de kanker kwam terug. Op het moment dat de baby levensvatbaar was, haalden ze hem met een keizersnee. Het was een jongetje en hij was klein maar bleef in leven. Zijn moeder niet. Nog geen drie dagen voor Kathryn werd geboren ging ik naar haar begrafenis en huilde om weer een verdwenen mooi leven, weer een door borstkanker verwoest gezin.

13

Verder

In 1989 ontving ik de hoogste eer voor een junioradvocaat toen Lionel Swift, QC, me een rode tas gaf na een erg moeilijke voogdijzaak waarbij hij me begeleid had. Advocaten hebben allemaal een blauwe tas om hun toga in te vervoeren, en een rode tas kan alleen door een Queen's Counsel geschonken worden voor wat hij of zij een bijzondere prestatie acht. Het spreekt vanzelf dat er een heel ritueel hoort bij de presentatie, onder andere de tien pond fooi die je aan de juniorgriffier moet geven die de tas naar je kantoor brengt.

Maggie Rae was de instruerende advocaat en het was een moeilijke zaak, waarbij de familie van de kinderen die aan pleegouders waren toegewezen, bij prostitutie betrokken was. De grootmoeder was de bordeelhoudster en de moeder stuurde nu haar eigen kinderen 'het leven' in. Alle aspecten eraan waren lastig en de bewijzen waren huiveringwekkend. Na afloop toonde Lionel Swift zijn waardering door mij de felbegeerde rode tas te schenken.

Nu ik zelf een dochter had, vond ik deze familierechtszaken steeds moeilijker om te doen. Ik herinner me een zaak die ik deed voor een vrouw wier pasgeboren baby aan het ouderlijk gezag was onttrokken. Ze was dol op haar kind, maar de baby leed bij de geboorte aan ontwenningsverschijnselen. De moeder was verslaafd aan heroïne, zou gaan sterven en was er kapot van dat de baby geadopteerd ging worden.

Bij een andere zaak werd een jonge vrouw ervan beschuldigd dat ze haar baby had mishandeld, maar ze ontkende dat. Wij verdedigden haar in de rechtszaal en ik overtuigde de rechter ervan dat het niet gebeurd was. Die vrijdag kreeg de vrouw de baby terug. Maar op maandag belde ze de sociale dienst en zei: 'Ik heb het wel gedaan en ik kan er niet mee omgaan, neem hem alsjeblieft terug.' Ze was bang dat ze hem opnieuw pijn zou doen. Het treurigste was dat ze haar toen gingen vervolgen voor meineed en ik dacht: Doe dat nou niet.

Het is soms heel moeilijk jezelf te beschermen tegen emotionele betrokkenheid. In tegenstelling tot bij psychiaters is er niemand bij wie je je verhaal kwijt kunt, hoewel het wel makkelijker was toen Maggie de instruerende advocaat was. Ik deed ook veel van dit soort werk met Charles Howard, en hij en ik bespraken onze zaken en steunden elkaar. Ik herinner me een klant die ervan beschuldigd werd dat hij zijn kinderen seksueel misbruikte, wat hij ontkende, maar dat vertrouwde ik niet erg. Zijn verdediging was heel simpel: 'Ik ben geen verkrachter, ik heb ze seksueel niet misbruikt. Ja, ik heb ze geslagen, ik heb fysiek geweld tegen ze gebruikt, maar ik heb ze niet seksueel misbruikt.'

Na de tweede dag van de rechtszaak zag het er niet rooskleurig uit voor hem en toen we de volgende dag bij de rechtbank aankwamen, hoorden we dat hij zelfmoord had gepleegd. Daarmee was het echter niet afgelopen. De rechter zei dat we de zaak moesten afmaken. De gemeente wilde een uitspraak, zodat ze de kinderen in pleeggezinnen kon plaatsen. Men wilde niet dat ze teruggingen naar de moeder, van wie ze vermoedden dat ze in het ergste geval medeschuldig was aan het misbruik en in het gunstige geval bereid was te doen alsof ze niets merkte. Dat gebeurde ook: hij had zijn bewijzen geleverd, ik had mijn instructies en de rechter veroordeelde hem.

Er kwam een moment waarop ik niet langer de verschrikkelijke dingen die mensen hun kinderen aandoen kon verdragen. Het was zelden een kwestie van simpel seksueel misbruik. Het ging vaak over verschrikkelijke dingen die deze mensen hun kinderen dwingen te doen, dingen waarover je in de rechtszaal moest staan praten alsof ze de gewoonste zaken van de wereld zijn. Hoewel de rechters allemaal familierechters zijn en met de meeste aspecten ervan wel vertrouwd zijn, moet je toch de bewijzen stuk voor stuk doornemen. Ik vind het nog steeds belangrijk werk – zo veel vrouwenkwesties over de hele wereld draaien in wezen om de kinderen en wat er gebeurt als de gezinsrelaties verbroken worden – maar als dagelijks werk vond ik het erg zwaar en ik had gelukkig nog meer pijlen op mijn boog.

Mijn werk op het terrein van arbeidsrecht had de aandacht getrokken van Michael Beloff, een briljante man met een onmogelijk handschrift, nog onleesbaarder dan het mijne. Toen ik mij in 1977 aansloot bij Essex Court 5 dacht ik dat ik daar mijn hele leven zou blijven. Maar in de jaren tachtig en zeker tegen het eind van dat decennium begon er een wind van verandering te waaien bij de balie. Het was niet langer ongebruikelijk dat mensen van baan veranderden. Individuele kantoren werden groter, mensen vormden maatschappen, de informatietechnologie kwam op. Specialisatie was een actueel onderwerp en het bestaan op algemene advocatenkantoren werd steeds onzekerder. Niet alleen verdienden commerciële juristen veel meer geld dan strafrechtpleiters, maar om het nog erger te maken klaagden ze dat hun rijke klanten op kantoor in de wachtkamer moesten zitten met iemand die het waarschijnlijk op hun portemonnee had gemunt.

Arbeidsrecht was nog altijd een vrij ongebruikelijke specialisatie. Het is net als bij elk ander vak: hoe meer gevallen je behandelt, hoe meer mensen bij je terugkomen. Als je een zaak niet zelf kunt doen, wil je de zaak graag doorgeven – 'teruggeven' – aan iemand anders op kantoor, en advocaten willen graag zeker weten dat ze de zaak teruggeven aan iemand die het terrein kent. Het werd steeds moeilijker om de enige arbeidsrechtspecialist op kantoor te zijn.

Naast arbeidsrecht had ik me ook verdiept in publiekrecht, dat Michael Beloffs specialisme was en dat zich ook tot een zelfstandig specialisme begon te ontwikkelen.

Publiekrecht heeft te maken met het wraken van besluiten die de regering of een lokale overheid heeft genomen, en onderwijs was een van de terreinen waarbij ik al in het begin betrokken was geraakt, hoewel het inmiddels een eigen specialisme is geworden. De belangrijkste zaken waaraan ik werkte, gingen over de sluiting van scholen of over kinderen met een speciale onderwijsbehoefte wier ouders niet tevreden waren over de voorzieningen die de lokale overheid hun bood.

Ongeacht je politieke standpunten werk je als advocaat voor degene die je benadert, wat in het geval van publiekrecht een individu of een lokale overheid kan zijn. Michael Beloff legde uit dat hij me nodig had voor de lokale overheid. Omdat de medewerkers van Gray's Inn Square 4-5 gespecialiseerd waren in bestemmingsplannen, hadden ze een groot aantal klanten van de lokale overheid die ook voor andere zaken een beroep op hen deed. Naast publiekrecht had ik ervaring met familierecht en daardoor kon ik de sociale diensten van de gemeentes goed van advies voorzien.

Er zijn twee soorten recht. De eerste is gebaseerd op feiten en omvat het grootste deel van het strafrecht, het familierecht en persoonlijk letsel: heeft hij het wel of niet gedaan, is dat wel of niet gebeurd. In die gevallen is de wet doorgaans helder. Je mag andermans eigendommen niet afnemen, je mag niet iemand vermoorden, je mag niet toestaan dat een stuk van je steiger op iemands hoofd valt zonder de gevolgen ervan voor je rekening te nemen. Dan zijn er nog andere terreinen van de wetgeving waar de feiten zelf wellicht niet ter discussie staan, maar waar de wet zelf onduidelijk is. De onenigheid tussen de partijen gaat over de wettelijke gevolgen van deze feiten, en daar is publiekrecht een goed voorbeeld van.

Eind jaren tachtig, toen door de staat gefinancierde scholen de eerste openbare scholen waren die onafhankelijk werden van de lokale overheid, ontstond de vraag over het eigendom. De scholen bleven staatsscholen, maar de gebouwen en de grond waren eigendom van de lokale overheid. Toen de regering een wet aanvaardde om de scholen te verzelfstandigen, werden gebouwen en grond hun eigendom. Maar wat gebeurde er als een nabijgelegen school een speelplaats of een zwembad had gedeeld met een andere lokale school die gemeentelijk eigendom bleef? Dit bleek vrij vaak te zijn gebeurd. Toen de lokale overheid eigenaar was van zowel de nieuwe, door de staat gesponsorde school als van de naburige school, was de vraag hoe de grond moest worden verdeeld zuiver academisch. Als de ene school nu echter door de staat gefinancierd werd, kon ze de andere school de toegang ontzeggen of proberen toegang te heffen voor het gebruik ervan. Als een dergelijke kwestie een rechtszaak werd, ging de discussie alleen maar over wat het parlement had bedoeld met de wettekst.

De wetgeving rond bestemmingsplannen is erg feitelijk en de in planologie gespecialiseerde juristen die het grootste deel van Michael Beloffs kantoor bevolkten, waren fantastische advocaten die getuigen aan een kruisverhoor konden onderwerpen tot ze om genade smeekten, maar die niet per se erg geïnteresseerd waren in discussies over de betekenis van een woord in een wetsartikel. Hoewel ik vind dat ik een goede advocaat in de rechtszaal ben, ben ik juist iemand die meer van dat soort intellectuele meningsverschillen houd. Voor mij zou de overgang naar het kantoor van Michael Beloff betekenen dat ik meer op het intellectuele terrein ging doen, op juridische gebieden waar zaken waarbij ik betrokken was precedenten zouden scheppen.

Ondanks mijn langdurige betrokkenheid bij New Court – dat nog steeds grotendeels uit dezelfde groep mensen bestond bij wie ik me in 1977 op Essex Court 5 had aangesloten – wist ik dat het voor mijn loopbaan een verstandig besluit zou zijn en toch twijfelde ik nog over wat ik moest doen. Tony heeft me altijd gesteund in mijn werk – hij is niet het soort man dat zich bedreigd voelt door een geslaagde vrouw – en met 'gesteund' bedoel ik echt praktische steun. Zonder zijn hulp met de zorg voor de kinderen, zowel in de weekends als tijdens de vakanties, zou het allemaal veel ingewikkelder zijn geweest. Omdat hij een parkeerplaats had bij het Lagerhuis, reed ik meestal met hem mee naar mijn werk en toen hij me die ochtend voor mijn sollicitatiegesprek afzette, zei hij dat ik vooral moest proberen de baan te krijgen.

'Je zou absoluut waanzinnig zijn om Michael Beloff te weigeren alleen uit loyaliteit aan Freddie en de anderen.'

Ik bleek niet te hoeven weigeren, want ik kreeg de baan niet. Michael belde me later om te zeggen dat de meningen van hem en zijn collega's erg verdeeld waren geweest, maar dat ze uiteindelijk hadden besloten me niet aan te nemen. Hij voegde er echter aan toe dat het waarschijnlijk geen langetermijnbesluit was en dat hij me nog zou bellen. En jawel, dat gebeurde het jaar erna en toen kreeg ik de baan wel aangeboden.

Hoewel mijn man slechts een backbencher in het Lagerhuis was, was de politicus Tony Blair duidelijk bezig boven het maaiveld uit te groeien. In 1988 werd hij gekozen als minister van Energie in het schaduwkabinet, waar hij zijn deskundigheid toonde door de privatiseringswetgeving in het parlement te amenderen en – in bredere zin – aantoonde dat Labour wel degelijk in staat was op regeringsniveau mee te denken. Toen kreeg hij de portefeuille Werkgelegenheid. Op het moment dat Michael Beloff mij voor het eerst benaderde, was de grote kwestie hoe we moesten omgaan met de thatcheristische arbeidshervormingen, met name de kwestie van de *closed shop*, waarbij arbeiders verplicht lid waren van de betrokken vakbond. In 1989 kreeg Tony de Labourpartij zo ver dat ze de thatcheristische hervormingen ten aanzien van stemmingen en het posten bij leveranciers, afnemers of bestuurders van een bedrijf accepteerde. Het jaar daarop werden alle vormen van closed shop bij wet verboden door de *Employment Act* van 1990. Daarmee haalde hij zich weliswaar de woede op de hals van de linkervleugel van de partij, maar het maakte een aanval van de tory's veel moeilijker. Dit was voor mij allemaal bekend terrein natuurlijk omdat het mijn specialisatie was, en al waren er wel politieke kwesties waarover we van mening verschilden, dit hoorde daar niet bij.

Inmiddels deden computers hun intrede in Westminster, dat zelfs nog trager was dan de Inns of Court in het verwelkomen van nieuwe technologie. Helaas had de secretaresse die hij deelde met een ander parlementslid, de techniek nog niet onder de knie en de haar toegewezen tekstverwerker was vrijwel nutteloos. Aangezien ik op dat moment Tony's kantooruitgaven beheerde (wat ik trouwens had gedaan sinds hij parlementslid was), raakte ik er onvermijdelijk bij betrokken. Ik haalde hem over niet alleen een echte

computer aan te schaffen, maar ook iemand in te huren die meer openstond voor informatietechnologie.

Tony leerde Anji Hunter oorspronkelijk in Schotland kennen, toen ze
allebei nog op school zaten. Ze zagen elkaar later in Oxford, waar Anji bevriend was met Tony's toenmalige vriendin Susie Parsons. Ze zaten allebei
op St Clare's, een staatsschool met alleen de hoogste klassen van het middelbare curriculum, maar daarna vertrok ze naar Ierland waar ze trouwde
en twee kinderen kreeg. Anji dook halverwege de jaren tachtig weer op als
volwassen student aan Brighton Poly, waar ze geschiedenis en Engels studeerde. Tony zei dat ze tijdens haar zomervakantie op zijn kantoor kon komen helpen om te zien hoe het er in de politiek aan toe ging. Ze studeerde
af in 1989 en was op zoek naar werk. Tegenwoordig zouden we zeggen dat
het een een-tweetje was. Tony kan het niet opbrengen iets onaardigs te zeggen. Het was Anji's eerste taak Tony's secretaresse te vertellen dat ze met
vervroegd pensioen moest.

Hoewel Tony's plek in het schaduwkabinet geen invloed had op zijn salaris, kreeg hij daardoor wel de beschikking over Short-geld, genoemd naar
Edward Short, de voorzitter van het Lagerhuis, die het inbracht om de financiering van het kantoor van de oppositieleider en het schaduwkabinet
te steunen. Short-geld wordt toegewezen op basis van het aantal zetels dat
oppositie bekleedt. In 1987, toen we niet zo veel parlementsleden hadden,
moesten we geld uit andere bronnen zien te krijgen. Voor de Labourpartij betekende dit vooral van de vakbeweging. Tony en Gordon hadden de
afspraak dat ze samen geld inzamelden en het vervolgens zouden delen,
maar op de een of andere manier leek Gordon altijd meer stafmedewerkers
te hebben dan Tony. Wij waren niet de enigen die merkten dat hij het best
voor zichzelf zorgde. Mo Mowlem was een ander parlementslid voor het
noordoosten die we kenden. Niet alleen was haar kiesdistrict net even verderop aan de kust van Yorkshire, in Redcar, maar ze woonde ook dicht bij
ons in Islington. Net als Anji was Mo ervan overtuigd dat Gordon Tony in
de maling nam en dat Tony voor zichzelf moest opkomen.

Toen Gray's Inn Square me ten slotte een baan aanbood, begon ik me
zorgen te maken over wat ik moest zeggen tegen mijn oude kantoor. Ik had
er bijna veertien jaar gewerkt en het was bijna Kerstmis… Ik merkte dat ik
in mezelf begon te praten: Hoe moet ik het hun zeggen? Ze zullen het zo
erg vinden.

En ze vonden het echt heel erg. Ze hadden geen flauw benul van mijn
plannen gehad en ik weet dat ze het als een soort verraad beschouwden.

Dat zou ik in hun situatie ook hebben gedaan. Ik had een opzegtermijn van drie maanden, maar ik ging vlak voor de kerst weg en ben niet meer terug-geweest. Ik moest uiteraard de rest van mijn ontslagtermijn nog werken en moest de huur betalen, maar tijdens de feestdagen kreeg ik verschrikkelijke rugpijn en tegen de tijd dat ik naar Gray's Inn Square 4-5 ging, lag ik prak-tisch horizontaal, duidelijk van de spanning.

Toen ik aan de LSE studeerde, had ik een taille van 53 centimeter en was ik zo mager dat je mijn ribben kon zien. Bij elke zwangerschap kwam ik ongeveer negen kilo aan en raakte daar na afloop weer twee derde van kwijt. Tegen de herfst van 1989, toen Kathryn bijna anderhalf jaar was, had ik ongeveer negen kilo overgewicht en droeg ik maat 42 in plaats van 38. Tussendoor ging ik af en toe op dieet, maar eigenlijk was ik op een punt gekomen waar mijn gewicht niet meer daalde. Op een dag, ergens in die herfst, zag ik een folder in een gratis tijdschrift. Hij was gericht aan werkende vrouwen en/of jonge moeders die zich ontmoedigd voelden omdat ze hun oude figuur niet terugkregen. Ik voldeed aan beide aspecten. Het was een heel nieuwe bena-dering van gewicht verliezen, 'het lichaam bevrijden en de geest voeden'. Ik wist dat ik niet goed at – met kleine kinderen ben je geneigd hun borden leeg te eten en vervolgens nog een maaltijd te nuttigen met je man. Maar met een volle baan en het continue schuldgevoel dat ik eigenlijk thuis zou moeten zijn, was verstandig eten niet iets waarin ik uitblonk.

De cursus heette Holistix en werd geleid door moeder en dochter Sylvia en Carole Caplin. Carole was beroepsdanseres, met een ongelooflijk goede conditie en meer energie dan ik ooit bij iemand gezien had. Bij haar zag al-les eruit of het simpel en mogelijk was. Ik tekende onmiddellijk op de cur-sus in. Toen ik begon, werkte ik nog op New Court en twee keer per week nam ik de District-lijn van station Temple naar South Kensington. Het waren in wezen lessen lichaamsbeweging met muziek, gecombineerd met workshops over gezond eten – een regime dat ongelooflijk anders was dan mijn normale voedingspatroon. 'Verwen jezelf' was een van haar favoriete zinnen. Ze bracht me in contact met Bharti Vyas, die een schoonheidssalon in Chiltern Street had. Voor het eerst in mijn leven kreeg ik een schoon-heidsbehandeling. Ik kreeg ook mijn eerste massage en schreef me in voor een cursus om te leren het zelf te doen, wat me handig leek. De volgende vijf jaar kon ik inderdaad mijn nieuwe vaardigheden op Tony uitproberen. Ik heb niet al haar adviezen in de praktijk gebracht, maar ik begon wel gewicht kwijt te raken. Tegen het eind van 1991 verhuisde Carole naar New York en toen ze er niet meer was, merkte ik dat ik niet meer zo vaak ging als ik had moeten doen.

In dezelfde tijd kwam Peter Mandelson in ons leven. Hoewel hij al in 1985 als eerste was benoemd tot hoofd voorlichting van de Labourpartij, leerde ik hem pas echt kennen na de verkiezingen van 1987. Peter was een politicus tot in zijn haarwortels. Zijn grootvader was Herbert Morrison, die in de regering-Attlee minister van Binnenlandse Zaken was geweest en die, althans zo wil het verhaal, vond dat hij in plaats van Attlee premier had moeten worden. Peter en ik konden vanaf het eerste begin goed met elkaar opschieten. Hij is charmant, hartelijk, beschaafd, ad rem en slim, maar ik moet toegeven dat ik nooit aan zijn snor heb kunnen wennen. Hij is ook erg openhartig en absoluut het tegengestelde van het beeld van de 'Vorst der Duisternis' dat hij halverwege de jaren tachtig kreeg dankzij het satirisch tijdschrift *Private Eye*, dat graag mag stoken. Omdat hij geen parlementslid was, werkte hij noodgedwongen in de schaduw van gekozen politici, namelijk – na de verkiezingsnederlaag van 1987 – Tony en Gordon, die tot taak hadden het beleid dat op een bepaald moment wenselijk werd geacht, naar buiten te brengen. Hij was in feite nauwer met Gordon, maar hij was niet bevooroordeeld en werkte met wie er op dat moment in de buurt was. Omdat Gordon zijn basis had in Schotland – hij had op dat moment een Schotse advocaat als vriendin – was hij vaak niet in de buurt als hij nodig was, dus moest Tony meer interviews geven. In alle huizen waar we gewoond hebben, stond onze deur altijd open en omdat Peter regelmatig langskwam, begon hij geleidelijk aan deel uit te maken van ons sociale netwerk. Hij heeft in ieder geval Charlie Falconer bij ons thuis leren kennen.

Peter maakte er geen geheim van dat hij parlementslid wilde worden. Neil Kinnock was er altijd fel op tegen geweest – hij gaf als reden dat hij hem nodig had om de volgende verkiezingen te winnen, wat veel moeilijker zou zijn als hij zelf kandidaat was voor een zetel. Desondanks werd Peter genomineerd voor Hartlepool, het kiesdistrict naast Sedgefield, en Tony beloofde hem te helpen met campagnevoeren, en hij kon altijd bij ons blijven slapen, zowel in Trimdon als in Highbury. We kregen hoe dan ook een nauwe band met hem en mijn moeder was gewoon dol op hem.

Waar ze met z'n allen hard aan werkten, was de partij verkiesbaarder te maken. Een aantal dingen kon echter niet overboord worden gegooid. Tegen het eind van de jaren tachtig was Tony minister van Werkgelegenheid in het schaduwkabinet en verantwoordelijk voor de ontwikkeling van het partijbeleid ten aanzien van het minimumloon dat de tory's wilden aantasten.

Toen Tony in 1987 niet gekozen werd in het schaduwkabinet, vertelde een van de oude fractievoorzitters van de partij – een ouderwets partijlid ter rechterzijde – wat hij verkeerd deed. Hij werd niet vaak genoeg in de bars van het Lagerhuis gezien, zei hij. Als Tony tussen zeven en tien naar huis bleef gaan, zou hij in de politiek nooit iets bereiken. Gelukkig trok hij zich er niets van aan. Onze kinderen waren veel te belangrijk voor hem. Bovendien bleek dit zogenaamde advies volstrekt onjuist. Een van de dingen die het publiek in Tony aantrokken, was juist het feit dat hij een echte huisvader was. Het rooster van het Lagerhuis was niet ingesteld op vaders die zelfs maar een beetje tijd met hun vrouw en kinderen wilden doorbrengen. Maar tegen het eind van de jaren tachtig hadden we een routine ontwikkeld. We reden elke ochtend samen naar het centrum, waar Tony me bij mijn werk afzette, en die rit gaf ons tijd om te praten. De avonden waren gecompliceerder en dat lag aan het moment dat er in het Lagerhuis moest worden gestemd. Als er om zeven uur 's avonds moest worden gestemd, kwam Tony daarna meteen naar huis. Dan was het inmiddels half acht en was ik op eigen kracht thuisgekomen, had de kinderen naar bed gebracht en was gaan koken. Als er later gestemd werd, haalde hij me bijvoorbeeld rond zes uur op bij mijn werk en bracht de kinderen naar bed terwijl ik het eten klaarmaakte. Daarna brachten we samen wat tijd door voordat hij om tien uur in Westminster ging stemmen.

Door de week was de tijd die we met de kinderen doorbrachten uiteraard beperkt, maar in het weekend had het kindermeisje vrij en namen wij alle taken over – prettig voor haar en prettig voor ons. Toen Euan eenmaal op een kinderdagverblijf zat, gingen we niet meer elk weekend naar Sedgefield, maar om de andere week. De kerk van St Joan of Arc had ons wortels in de plaatselijke gemeenschap gegeven. In ons werkende bestaan ontmoetten we advocaten en politici, en dan had je het wel ongeveer gehad. Via de kerk kwamen we met mensen van allerlei slag in contact. Er was altijd gebrek aan mensen die in schoolbesturen wilden plaatsnemen. Ik kon mezelf laten kiezen tot schoolbestuurslid voor de Labourpartij. Ik was trouwens ook lid van het schoolbestuur van Highbury Hill, de plaatselijke scholengemeenschap voor meisjes. Het schoolbestuur speelt een belangrijke rol op een school, want het benoemt de leraren en het hoofd van de school en naar mijn mening valt of staat een school met de kwaliteit van haar leraren. Ik wilde zeker weten dat we de juiste beslissingen namen.

Via St Joan of Arc hebben we vrienden voor het leven gemaakt, vrienden die later heel belangrijk in ons leven zouden worden, met name Felicity

Mostyn-Williams, die ondanks haar zes kinderen een deeltijdbaan heeft als wetenschapper aan Oxford. Onze kinderen waren met elkaar bevriend en haar jongste dochter Orla is mijn petekind. Toen we op den duur weer verhuisden, besloten we de kinderen niet op de school in de nieuwe buurt te doen. Het betekende wel dat we ze met de auto moesten brengen – wat Tony meestal deed – maar het hield ons betrokken bij de gemeenschap die ons de zo gewenste wortels had bezorgd.

Er waren natuurlijk ook momenten waarop Tony het spel moest mee-spelen en er waren mensen die hij alleen maar sprak tussen de muren van het paleis van Westminster. John Smith bijvoorbeeld. Derry, John en Do-nald Dewar hadden allemaal samen aan de Universiteit van Glasgow ge-studeerd. De relatie tussen Derry en Donald hield op toen Derry er met Donalds vrouw Alison vandoor ging en ook met haar trouwde. Derry en John bleven echter goede vrienden en omdat we deel uitmaakten van Der-ry's kennissenkring, kenden we John Smith ook. We waren echter niet met elkaar bevriend en ik heb hem nooit echt leren kennen.

Derry en hij waren allebei verstokte drinkers en ik herinner me dat Tony een keer om zes uur 's ochtends het huis in wankelde en drie uur later weer naar buiten wankelde, op weg naar het Lagerhuis. Toen hij in de vergader-zaal arriveerde, zag hij John Smith op volle sterkte aan het werk. Hij was opgestaan, naar binnen gegaan en zonder enige aarzeling een debat aan-gegaan. Hij en Derry waren allebei in staat alle anderen onder de tafel te drinken en toch de volgende dag uitstekend te presteren.

Tegen de tijd dat ik naar Gray's Inn Square verhuisde, kwam er een nieuw onderkomen beschikbaar voor de kantoren van het schaduwkabi-net. Gordon was ervan uitgegaan dat Tony en hij daar samen naartoe zou-den gaan. Ze zouden weliswaar geen kamer delen, maar wel elkaars buren worden. Anji was echter van mening, net als Mo en ik, dat Tony niet moest verhuizen. Peter zei het niet met zo veel woorden vanwege zijn relatie met Gordon. Toen Gordon naar het nieuwe kantoor verhuisde, bleef Tony waar hij was, in zijn kantoor aan de gang met Mo Mowlam en de anderen. Het schiep een fysieke afstand – er werd niet meer in- en uitgelopen – en het gaf ook het signaal dat Tony onafhankelijk was. Ik denk niet dat Gordon er erg blij mee was, maar hij moest het wel accepteren. Er veranderde echter niets aan hun bereidheid om samen te werken.

14

Allemaal veranderingen

Tijdens de voorbereidingen op de verkiezingen van 1992 was de stemming in de partij merkwaardig ingetogen. Margaret Thatcher was afgetreden en John Major werd over het algemeen beschouwd als een natte dweil. De conservatieven waren in verwarring. De *poll tax* (hoofdelijke belasting) had een groot deel van het electoraat van hen vervreemd. Alles bij elkaar had het de ideale springplank moeten zijn voor een Labouroverwinning. Critici van buiten de partij gaven, toen en nu, verschillende redenen voor de nederlaag bij de verkiezingen: dat Neil Kinnock niet werd beschouwd als een geloofwaardig premier, dat de beruchte partijbijeenkomst in Sheffield te triomfantelijk was geweest. In onze eigen kring was echter niemand echt verrast en ondanks de gebruikelijke optimistische geluiden van de politici tijdens de campagne was er niemand die had verwacht dat wij zouden gaan regeren. Tony was aanwezig bij de bijeenkomst in Sheffield, ik zag het op de televisie, maar we hadden allebei hetzelfde gevoel: 'Dit wordt niks.'

Tijdens de aanloop hield de pers zich op de vlakte en keek uit naar rijzende sterren bij Labour. Het lid voor Sedgefield stond duidelijk op haar lijst, en Barbara Amiel, later beter bekend als mevrouw Conrad Black, kwam Tony interviewen voor de *Sunday Times*. Ze had op Myrobella willen logeren, maar ik hield mijn been stijf. Ik vond het best om in het kiesdistrict bekend te staan als de vrouw van Tony, maar ik zag niet in waarom het elders relevant kon zijn, misschien omdat ik toen al het gevoel had dat ik op de een of andere manier tekort zou schieten.

Ik vond het een verschrikkelijk idee om als een soort beroemdheid te worden behandeld. Ik wilde niets te maken hebben met wat ik *showbiz life* noemde. Barbara Amiel was heel anders dan alle andere journalisten die ik eerder beroepsmatig was tegengekomen, en ik was altijd argwanend geweest over oppervlakkige schoonheid, ongetwijfeld een idee dat ik had overgenomen van mijn grootmoeder. Maar mijn grootmoeder had gelijk: het was precies dat soort leven – een oppervlakkige wereld vol oppervlakkige mensen – dat mijn vader op een dwaalspoor had gezet en van hem een drinker en rokkenjager had gemaakt. Hij was er volledig van in de ban geraakt, met desastreuze gevolgen. Niet dat ik niet genoot van de rol van vrouw van de politicus. Ik had bezwaar tegen een behandeling alsof ik een beroemdheid was, alsof de politiek een tak van amusement was. Dat is deels de reden waarom ik de nodige flaters heb geslagen. Dat gebeurde niet als ik mijn eigen omgeving was, op kantoor of op de rechtbank. Maar als ik me niet op mijn gemak of geïrriteerd voelde, zei ik vaak te veel als gevolg van de zenuwen en dan gebeurde het.

Barbara Amiel kwam zoals afgesproken naar ons toe en we namen haar mee uit eten. Ik kan niet zeggen dat ik van de avond genoot. Ze was in de buurt van mannen erg flirtziek, speciaal tegen Tony. Een paar dagen later belde ze me op mijn werk en zei dat ze meer informatie van me nodig had. Met tegenzin sprak ik met haar af op kantoor. Ik herinner me weinig van dat gesprek, behalve dat ze zei dat ze me benijdde omdat ik werk en kinderen had, want zij had dat nooit kunnen combineren. In het gepubliceerde portret schreef ze dat ik stekelig was en dat ik haar vragen niet had willen beantwoorden. Dat was ook zo.

Tijdens de verkiezingen van 1992 zag ik voor het eerst hoe de kinderen het feit dat hun vader politicus was konden ervaren. Er hing een enorm anti-Labouraffiche bij de school en ik herinner me dat ze daar erg verdrietig over waren. Al was het uitgesproken zachtzinnig vergeleken bij wat ons nog te wachten stond. Als opvolger van Neil was John Smith de onvermijdelijke kandidaat: hij was schaduwminister van Financiën geweest en oogde serieus. Tony was er echter niet van overtuigd dat hij de nodige hervormingen zou doorvoeren. Johns motto was: 'Rustig aan, zo gaat ie.' Labour krabbelde langzaam weer overeind en op den duur zouden de kiezers vanzelf het licht wel weer zien. Daar was Tony het absoluut niet mee eens. Hij was van mening dat de kiezers zich pas tot ons zouden wenden als we waren veranderd.

Na de nederlaag vond Tony dat Gordon de strijd met John Smith om het leiderschap van de partij moest aangaan, maar hoewel het wel aan de orde kwam, zei Gordon nee.

'Als het zo zit,' zei ik tegen Tony, 'waarom doe jij dan geen gooi naar de functie van vicevoorzitter?'

Hij speelde met de gedachte en de belangrijkste vraag was niet: 'Is dit een verstandige zet met het oog op mijn carrière?' maar: 'Is dit verstandig met het oog op de kinderen?' Uiteindelijk besloten we het niet te doen. Ze waren nog erg klein en hoeveel zin zou het eigenlijk hebben? Gordon was er fel tegen. Pas later ontdekten we dat hij vanaf het begin een afspraak met John Smith had gemaakt. Als dank voor Gordons steun bij zijn strijd om het leiderschap – met Margaret Beckett als vicevoorzitter – zou Gordon schaduwminister van Financiën worden en op den duur de echte ministerspost krijgen.

En zo gebeurde het. Neil trad af en John Smith werd meteen zonder enige tegenstand gekozen tot leider, met Margaret Beckett als vertegenwoordiger van de linkerkant van de partij, en Gordon als schaduwminister van Financiën.

Er hingen duidelijk veranderingen in de lucht. Tony besloot dat hij er niet meer tegen kon om twee keer per dag vanuit Highbury over Holloway Road, de voornaamste verkeersader vanuit het noorden, te rijden. Het was een regelrechte nachtmerrie. Hij vond dat we dichterbij moesten gaan wonen. Via Margaret Hodge hoorden we dat een arts en zijn vrouw, in haar straat in Islington, hun woning wilden ruilen met een kleiner huis. Het had een aantal voordelen: niet alleen zou het rijden makkelijker worden, maar we woonden dan binnen loopafstand van mijn zus.

Toen Lyndsey in 1980 haar stage had afgesloten, stelde ik voor dat ze haar nieuwe kansen eens moest doornemen met Val Davies, een bevriende advocaat van de LSE. Die opperde op haar beurt dat Lyndsey eens ging praten met de man met wie ze toen een relatie had, partner in een groot advocatenkantoor. Lyndsey was destijds erg onzeker maar deze man – Garry Hart – was ervan overtuigd dat ze het prima zou doen als ze eenmaal op de juiste plek zat en regelde dat ze hulpadvocaat werd bij Herbert Smith, waar ze toegewezen werd aan een net benoemde partner, Chris Taverner. Een paar jaar later trouwden Chris en zij met elkaar en in 1992 hadden ze twee kinderen, Lucy – achttien maanden jonger dan Kathryn – en James, die net geboren was.

Het nadeel van het nieuwe huis was dat het onze financiële mogelijkheden tot het uiterste belastte en dat er geen geld meer was om verbeteringen aan te brengen, een toestand die nog slechter werd toen de rente ging stijgen tot boven de vijftien procent als gevolg van de val van het pond op Zwarte Woensdag.

Toen we eenmaal in Richmond Crescent waren geïnstalleerd, gingen we deelnemen aan 'staat-van-de-partij'-bijeenkomsten, bij Margaret of bij ons thuis. Peter en Mo waren vaak aanwezig en ook Sally Morgan, die voor de partij in Londen werkte.

Onder het nieuwe regime werd Tony schaduwminister van Binnenlandse Zaken. Binnen het kabinet wordt het ministerie van Binnenlandse Zaken beschouwd als een met gif gevulde bonbon, en dat was het voor Michael Howard inderdaad. Bij de oppositie hangt het er echter vanaf wat er gebeurt. Wat er in 1993 gebeurde, was de tragische en walgelijke moord op James Bulger. De ontvoering van dit kleine jongetje door twee oudere jongens, vastgelegd op beveiligingscamera's, werd steeds maar weer op televisie herhaald – de eerste keer dat ik me herinner dat zoiets gebeurde. Wetshandhaving en orde werden vroeger gezien als de achilleshiel van Labour, maar Tony's duidelijke en harde reactie bewees dat dit niet langer het geval was. Hij toonde een combinatie van medeleven met een vleugje staal – het staal dat ik al zo vroeg in onze relatie had ontdekt. Onder de meest tragische omstandigheden werd Tony een vertrouwd figuur op de televisie.

Eerder had hij al laten zien dat hij zich voor de camera op zijn gemak voelde – hij was het enige parlementslid dat de dag na de verkiezingsnederlaag bereid was geweest op televisie te verschijnen. Hij was toevallig ook nog jong en knap, met een opgroeiend gezin, wat allemaal goed overkwam bij het publiek. Als je het zelfs toen aan Peter had gevraagd, zou hij gezegd hebben dat Gordon de leider van het hervormingsgezinde deel van de partij was. Helaas voor hem was de rol van schaduwminister van Financiën echter veel minder zichtbaar.

Tony was ook een indrukwekkend debater, en in februari 1994 werden twee van de meest controversiële kwesties in de Britse politiek aan het parlement voorgelegd: de doodstraf en het verlagen van de leeftijd waarop homoseksuele handelingen met meerderjarigen niet meer strafbaar zijn. Het waren allebei kwesties waarover de partijen niet echt verdeeld waren, en Tony werkte nauw samen met het Conservatieve parlementslid Edwina Currie, die het amendement indiende voor de *Criminal Justice and Public Order Bill*. Hij toonde heel praktisch hoe effectief hij kon werken met mensen die tegengestelde politieke standpunten hadden als hij dat nodig vond.

Ik had zelden contact met torypolitici en dat was misschien maar goed ook: de enige keer dat het gebeurde, was meteen een diplomatieke ramp. Nog geen jaar nadat Tony was gekozen, werd hij benoemd tot tweede woordvoerder voor Financiën, en Michael Howard, destijds minister van Werkgelegenheid in het kabinet van Margaret Thatcher, nodigde ons uit voor een diner in zijn huis in Notting Hill. Aanwezig waren Michael en zijn vrouw Sandra, Norman Lamont en zijn vrouw – Norman was toen de tory-woordvoerder voor Financiën. Dan was er ook nog Ann Mallalieu, QC, later namens Labour lid van het Hogerhuis, met haar nogal rechtse echtgenoot. Het was het vreemdste etentje dat ik ooit heb gehad met mensen met wie ik normaal gesproken niets te maken had.

Meestal gingen we om met mensen wier ideeën we deelden. Als we het oneens waren, waren Tony en ik degenen die wat gematigder waren. Ik zou het merkwaardig hebben gevonden als iemand mij als een radicaal links type beschouwde, wat duidelijk in deze situatie aan de orde was.

Wat Tony betreft, had ik de indruk dat ze hem beschouwden als een nog-al curieus geval en zich probeerden voor te stellen hoe hij in vredesnaam een politicus voor de Labourpartij kon zijn, want iemand met zijn talenten en gezonde verstand hoorde toch zeker bij de Tory Party.

Er zijn in een dergelijke situatie weinig veilige onderwerpen en het heeft absoluut geen zin een ideologische discussie met Michael Howard aan te gaan, een zeer deskundige Queen's Counsel en toen lid van het torykabinet. Het meest verontrustend vond ik nog dat Ann Mallalieu me nog rechtser leek dan de anderen. In dit soort situaties heeft het geen zin onbeleefd te zijn. Je maakt duidelijk dat je het ergens niet mee eens bent, wat ik over-duidelijk deed, en probeert zo snel mogelijk weg te komen! Omdat ik geen langetermijnrelatie in het vooruitzicht zag, was ik niet geneigd erg mijn best te doen.

Toen we terugreden naar Islington, stelde ik me voor dat ze tijdens de afwas tegen elkaar zeiden: 'Tony was heel erg charmant, maar Cherie was een beetje, nou ja…' Niet een van ons soort mensen.

Ik had wel vaker mensen rechtse standpunten horen verkondigen. Essex Court 5 was een naar links leunende groep mensen, maar over het alge-meen is de balie een vrij behoudende (en Conservatieve) plek. Ruzie met je collega's zou ik niet willen adviseren. Het eenvoudigste antwoord is om niets te zeggen. Ik ben iemand die als het maar even kan confrontatie uit de weg gaat – dat krijg ik op mijn werk al voldoende.

In de twee jaar dat John Smith de partij leidde, deed Tony wat hem werd gevraagd, hield onder andere spreekbeurten over het beleid, maar raakte steeds meer gefrustreerd over de 'één-lid-één-stemkwestie'.

Het lijkt misschien voor de hand te liggen dat elk betalend lid van de La-bourpartij invloed heeft op bijvoorbeeld de selectie van de kandidaten, maar dat was toen niet het geval. Tony en ik waren in Hackney betrokken geweest bij de poging Ron Brown (broer van George Brown, voormalig minister) van de verkiezingslijst te verwijderen en vervolgens – na zijn overstap naar de SDP – bij de selectie van Brian Sedgemoor. Elke wijk stuurde één afgevaardigde naar de selectievergadering van het kiesdistrict. Tony was onze wijkafgevaardigde, maar ik was aanwezig als afgevaardigde voor de witteboordenafdeling van de GMB. Dat was nog een reden om lid te worden van een vakbond: als je eenmaal vakbondsafgevaardigde was, betaalde de vakbond geld om deel te nemen aan je dagelijks bestuur. Als je eenmaal lid was van het DB, mocht je je stem uitbrengen bij kwesties over het beleid van het kiesdistrict, wat voor gewone leden niet weggelegd was. Het was allemaal uiterst ondemocratisch. Een praktische reden om te streven naar 'één lid, één stem' was de hoop dat we verstandiger kandidaten zouden krijgen in plaats van de linkse gekken met wie we de jaren daarvoor hadden moeten werken.

'Eén lid, één stem' was een belangrijk onderwerp tijdens het congres van de Labourpartij in 1993. Iedereen wist dat het lastig zou worden: de vakbonden zouden zich niet zonder meer neerleggen bij het verdwijnen van hun macht. En de vakbonden waren belangrijk, niet alleen vanuit historisch oogpunt, maar omdat het grootste deel van de financiering van de partij ervan afkomstig was. Tony was er allesbehalve zeker van dat John Smith er veel druk achter zou zetten en was bang dat hij, als puntje bij paaltje kwam, een deal zou proberen te maken: 'Ik geef jou "één lid, één stem" als jij mij bij iets anders steunt.' In tegenstelling tot Tony vond hij de kwestie niet echt belangrijk en ze hadden er wat woordenwisselingen over. Hij vond Tony te 'ongeduldig'. Volgens hem hoefden we alleen maar te wachten en dan zouden we vanzelf in de regering komen. 'Eén lid, één stem' werd geaccepteerd, zij het niet zonder strijd, en het was grotendeels te danken aan John Prescotts invloed op de vakbonden dat deze eerste plank voor het podium van de hervormingsgezinden werd gelegd.

Op 11 mei van het jaar daarop ging Tony naar een geldinzamelingsdiner in een van de grote Londense hotels. Ik ging niet mee. Ik herinner me dat hij die avond laat thuiskwam en zei dat John Smith er slecht had uitgezien. De volgende ochtend moesten we vroeg op omdat hij naar Aberdeen moest vliegen en ik naar Croydon moest voor de arbeidsrechtbank.

Op het moment dat de zaak afgesloten werd, kwam iemand binnen die zei: 'Heb je het al gehoord?'

John Smith was dood.

Ik herinner me dat ik bewegingloos in de gang stond, terwijl mensen tegen me aan botsten. Het was een enorme schok. Ik ging meteen terug naar

Londen. Pas toen ik in de trein zat, uitkijkend over met bloesems gevulde tuinen, dacht ik aan zijn vrouw en dochters. Hij was pas vijfenvijftig. Het was een afschuwelijke waarschuwing voor de druk van het openbare leven.

Ik herinnerde me opeens een gesprek dat we nog geen maand eerder hadden gehad, toen Tony en ik bij wijze van uitzondering een weekend zonder de kinderen op stap waren. Hij was uitgenodigd te komen spreken voor de European Business School in Fontainebleau, even buiten Parijs. Het was jaren geleden dat we er geweest waren en we deden alle dingen die je in Parijs doet, zoals naar de film gaan, waarvoor we in Londen nooit tijd hadden, en we zagen *Schindler's List*, een angstaanjagende film die je door elkaar schudde en je even buiten de tijd plaatste. Na het diner na afloop hadden we chocolademousse besteld toen Tony begon te praten over John Smith en hoe gefrustreerd hij zich voelde onder zijn leiding. Hij had het gevoel dat de hervormingsgezinden langzaam tot stilstand kwamen.

'Het kan zo niet doorgaan,' zei hij. En voegde eraan toe: 'Maar ik heb ook het gevoel dat dit in ieder geval niet gebeurt.'

'Wat bedoel je?'

'Ik bedoel dat er iets gaat gebeuren. Moet gebeuren.'

'Zoals wat?'

'Een of andere stampij. Ik weet het niet. Maar iets. Zo kan het niet doorgaan.' Hij had zich nooit zoiets tragisch of definitiefs kunnen voorstellen.

Tony belde ongeveer twee minuten na mijn terugkeer op kantoor.

'Je moet je kandidaat stellen,' zei ik.

'Dat is lastig.'

'Luister naar me. Deze kans moet je grijpen.'

Hij stond op het punt in het vliegtuig te stappen. Ik zei dat ik hem zou komen afhalen. We zouden de auto halen en er dan over praten.

Toen ik High Holborn op liep onderweg naar de metro, liep ik Barry Cox, onze vriend en voormalige buurman in Hackney, tegen het lijf.

'Kan nu niet praten,' zei ik. 'Ben onderweg naar Heathrow om Tony op te halen. Als je hem ziet, Barry, wil je dan tegen hem zeggen dat hij zich kandidaat moet stellen. Ik ben bang dat hij vindt dat hij het aan Gordon verplicht is om dat niet te doen.'

Toen ik op Heathrow aankwam, belde ik Anji vanuit een cel. Mo Mowlam had gebeld, en John Reid en ze hadden allemaal hetzelfde gezegd: 'Hij moet de kans wagen.'

Het was zoals gewoonlijk druk, maar pas toen ik Tony in zijn eentje naar buiten zag komen, besefte ik dat veel van de wachtende mensen cameramensen en verslaggevers waren. Ze liepen me praktisch onder de voet om bij hem te komen. 'Tony! Tony!' riepen ze. Het was even een grote chaos en toen gaf hij hun een paar woorden in de zin van: 'Het is een grote schok,' wat het natuurlijk ook was. Ze waren het misschien niet over alles eens geweest, maar John Smith was goed voor hem geweest en Tony had hem gerespecteerd en gemogen. Op den duur wist ik hem mee te krijgen naar de parkeergarage en de auto in.

Ik ben een advocaat, een jurist, en het is mijn werk om een zaak in duidelijke taal voor het voetlicht te brengen. Op dat moment leek het wel of al mijn vaardigheden me in de steek lieten. Ik zei alleen maar: 'Jij bent de beste kandidaat voor de functie en jij moet je niet aan Gordon verplicht voelen om hem de kans te geven.'

'Hij zal alle Schotse parlementsleden mee hebben.'

'Helemaal niet. John Reid heeft al opgebeld. Luister, Tony. Dit is je kans. Die moet je grijpen. Die niet waagt, die niet wint.'

Hij zat met zijn ogen dicht achterover geleund in de passagiersstoel en zei: 'Ik weet het.' Maar zonder enige triomf of enthousiaste voorpret. Het was meer berustend: 'Ik weet het.' We kenden allebei de tegenargumenten: de kinderen en Gordon. Vooral Gordon. Tony zag bleek. Het was een teken hoe geschokt hij was dat hij me liet rijden. 'John werkte te hard,' zei hij. 'Hij nam te veel hooi op zijn vork.'

Ik wist dat we weinig tijd hadden. Mijn angst was dat Gordon gewoon door zou schuiven en dan was het een *fait accompli*, terwijl ik wist dat Tony de juiste man voor de baan was. Bij de volgende algemene verkiezingen zouden er mensen gaan stemmen die nog nooit een tijd zonder tory's aan de macht hadden meegemaakt. De nieuwe leider moest iemand zijn met wie ze zich konden identificeren. Tony was voor het grote publiek altijd aantrekkelijker geweest dan Gordon en wist meer van de realiteit van het leven van dag tot dag. Wat kon je meer basis geven dan de opvoeding van jonge kinderen? Ironisch genoeg zei Tony altijd: 'Gordon, als je echt een leider wilt worden, moet je trouwen.'

Maar hij beschouwde het ook als een teken van Gordons integriteit dat hij niet alleen voor de schijn trouwde. Daarentegen zou hij, in mijn optiek, onvermijdelijk een volediger mens, met een andere dimensie in zijn leven, zijn geweest als hij dat wel had gedaan.

Tot na de begrafenis van John Smith zou er niets gebeuren, dus in die zin zouden de discussies doorgaan, maar we moesten allemaal weten of Tony zich kandidaat stelde. Toen we op kantoor arriveerden, kwamen er allerlei mensen langs: Anji was er, en Mo en Peter Kilfoyle, die samen uiteindelijk zijn campagne zouden leiden. Ook zag ik tot mijn grote opluchting John Reid, een van de naaste adviseurs van Neil Kinnock en iemand die al vanaf het begin voorstander van hervormingen in de partij was geweest. Hoewel Gordon en hij allebei Schotse parlementsleden waren, wist ik dat hij Tony zou steunen. Men was unaniem van mening dat Tony zich kandidaat moest stellen en ik denk dat hij diep in zijn hart ook wel wist dat hij de man was die de hervormingsboodschap het best kon uitdragen, al was het maar omdat hij de belichaming ervan was. Het ging om het veranderen van het imago van de Labourpartij, om het zorgen dat de Labourpartij een regeringspartij werd en ertoe deed in het leven van de mensen. Nadat ik mijn standpunt duidelijk had gemaakt en in de wetenschap dat ik hem later weer zou zien, ging ik terug naar mijn werk.

De volgende dag meldde de BBC dat Tony de meeste kans maakte. En kennelijk had Alastair Campbell – destijds journalist voor *Today* – in *News-night* gezegd: 'Het moet duidelijk Tony Blair worden.' In de daaropvolgende paar dagen had ik veel tijd om over alles na te denken. Ik wist dat dit een keerpunt was voor Tony. Ik wist dat hij uit het goede hout was gesneden. Ik wist dat het voor Tony een enorm verschil zou maken en ik wist dat hij minder tijd voor de kinderen zou hebben, maar ik dacht dat het niet zo veel verschil voor ons als gezin zou maken. Mijn praktijk ging de goede kant op, we hadden net een groot huis gekocht en ik ging ervan uit dat alles gewoon zijn gangetje zou gaan.

Persoonlijk denk ik dat hij meteen al besloten had de kans te wagen. Voor hem was de werkelijke vraag niet of hij zich kandidaat zou stellen, maar hoe hij in het reine moest komen met Gordon, om te zorgen dat het hervormingsprogramma niet verloren ging. Waar hij de meeste angst voor had, was dat, als ze zich allebei kandidaat stelden, de hervormingsgezinden zouden verliezen door onderlinge onenigheid. Tony's belangrijkste doelstelling in de daaropvolgende paar dagen was Gordon over te halen hem de ruimte te geven. Hij zou het niet zonder tegenkandidaat stellen, daar zou links wel voor zorgen, maar dat was des te meer reden om niet het risico te lopen de gematigde stemmen te verdelen.

Gordon zo ver krijgen dat hij plaats zou maken voor Tony, was geen simpele opdracht. Ten eerste was hij ouder en meer ervaren. Ten tweede had hij duidelijk zijn eigen aanhang, net als Tony. Een van de sleutelfiguren was uiteraard Peter Mandelson. Ik herinner me dat we die eerste avond in onze keuken zaten en dat ik Tony vroeg: 'Hoe zit het met Peter? Wat vindt hij ervan?' En ik herinner me dat Tony verzuchtte: 'Peter heeft het er moeilijk mee.' Nu zou ik willen dat Peters ambivalentie destijds bekend was geweest, want Gordons overtuiging dat Peter onmiddellijk naar ons kamp overstapte, heeft hun relatie om zeep geholpen.

Ik vond dat het mijn taak was om ervoor te zorgen dat al onze vrienden aan Tony's kant stonden, en daarom zei ik wat ik zei toen ik Barry Cox tegen het lijf liep. Barry begon toen zelfs informeel geld in te zamelen voor Tony's campagne. Dan waren er Charlie en Marianna. Charlie speelde op dat moment geen rol in de politiek, hij was gewoon een persoonlijke vriend met belangstelling voor politiek. Dan waren er Lyndsey en Chris Taverner en Bill en Katy Blair. Het was onze rol als familie en vrienden om Tony te steunen in zijn besluit, want we wisten allemaal dat Gordon enorme druk op hem zou uitoefenen.

John Smith werd op 20 mei in Schotland begraven. Gordon was al vrij vroeg naar zijn kiesdistrict gegaan, terwijl Tony alleen voor de begrafenis naar Edinburgh was gevlogen. Het feit dat Gordon niet in Londen was tijdens de eerste dagen was irrelevant voor zijn campagne. Vanaf het eerste moment wisten we dat Nick Brown Gordons campagneleider zou worden. We kenden Nick al heel lang en waren vrij goed op de hoogte van de inhoud van zijn trukendoos. Nick is een politieke campagnevoerder van de oude school en zijn mensen lieten her en der vallen: 'Gordon is acceptabeler voor de vakbonden, hij is meer Labour dan Tony. Tony is een omhooggevallen beginneling.' Daarvoor hoefde Gordon niet in Londen te zijn, het was zelfs effectiever als hij er niet was.

Na de begrafenis logeerde Tony bij Nick Ryden, een vriend van Fettes College, en die avond kwam Gordon langs om te praten. Nick had het huis nog niet zo lang daarvoor gekocht en nog niet alles werkte naar behoren. Op een bepaald moment verdween Gordon naar boven. Hij bleef nogal lang weg en Tony begon zich net af te vragen wat er in vredesnaam gebeurd kon zijn toen de telefoon ging. Het was Gordon die met zijn mobiel belde vanuit de wc. De klink van de deur was eraf gevallen en hij kon er niet uit.

Naarmate de week vorderde, bleek Tony steeds duidelijker de koploper te zijn en ik vond langzamerhand dat, als Gordon zich kandidaat wilde stellen, Tony hem dat maar moest laten doen.

'Je wint toch,' zei ik. 'Maak maar geen afspraak. Laat hem gewoon verliezen.' Maar Tony zei nee. De hervormingsgezinden vormden een team, zei hij, en dit moesten ze gezamenlijk doen. Hij wilde dat daar niets tussen kwam.

In Londen was er opnieuw een gesprek met Gordon. Deze keer in Lynd-sey's huis aan Richmond Avenue, net om de hoek – een van de voorwaarden voor deze bijeenkomsten was dat niemand hem ons huis zag binnengaan. Dit was de bijeenkomst waar in feite de afspraak werd gemaakt dat Tony zich als enige kandidaat zou stellen en dat Gordon minister van Financiën zou worden. Dat ze samen zouden werken, dat Gordon hem zou steunen, en dat hun doel zou zijn de Labourpartij te hervormen en de macht over te nemen.

Een deel van Gordon wilde dat natuurlijk niet accepteren, maar een ander deel van hem zag dat Tony nu een voorsprong had. Er waren een heleboel manieren om het voor zichzelf te rationaliseren, dat hij pech had gehad met de economische portefeuille die hem weinig kans had gegeven zich te profileren, terwijl Tony de portefeuille met wetshandhaving en orde had. Tony had er het beste van gemaakt, en zijn optreden had een gevoelige snaar bij het grote publiek geraakt. Het was altijd een gegeven dat zij als een tandem zouden werken en dat Gordon, wanneer Tony aftrad, zijn functie zou overnemen. Tony zei ook tegen Gordon dat hij niet van plan was eeu-wig partijleider te blijven en dat hij, als hij aftrad, Gordon zou steunen als zijn natuurlijke opvolger, ervan uitgaande dat ze in de tussentijd vrucht-baar hadden samengewerkt als premier en minister van Financiën.

Voor zover ik weet is het moment waarop dat zou gebeuren nooit aan de orde geweest, maar toen Tony naar Lyndsey's huis vertrok, maakte ik heel duidelijk waar ik stond, ook al maakte ik er een grapje van. 'Als je met Gordon afspreekt dat je dit maar één termijn gaat doen, hoef je niet meer thuis te komen, want dat is gewoon belachelijk.'

Maar Tony is altijd van mening geweest dat Gordon een kans verdiende. Hij zei altijd dat Gordon veel kundiger was dan wie dan ook en de ironie wil dat, als ze inderdaad zo hecht hadden samengewerkt als ze oorspronkelijk van plan waren, hij eerder een kans zou hebben gekregen.

Een dag of twee later troffen ze elkaar weer in restaurant Granita. Maar toen waren de condities al overeengekomen. De ontmoeting bij Granita ging eigenlijk vooral om de presentatie van de overeenkomst. Het was niet de plek voor het soort heftige discussies die eraan voorafgegaan waren. Dat zou nooit in een openbaar restaurant gebeurd zijn.

Mijn eigen uitleg van de mythe – namelijk dat de 'deal' in Granita werd gemaakt – was dat Gordon niet wilde toegeven dat hij akkoord was gegaan zonder het eerst met zijn eigen mensen te bespreken. Ik weet dat wat Tony betreft de zaak al rond was.

Toen dat eenmaal opgelost was, kwam de volgende kwestie: het vicevoorzitterschap. Hoe aantrekkelijk was Tony voor de vakbonden? Zijn lidmaatschap van T & G werd niet erg serieus genomen. Hij werd niet beschouwd als een vakbondsman. Zijn onderhandelingen met de bonden toen hij schaduwminister voor Werkgelegenheid was geweest, waren niet soepel verlopen. Hij had ze zo ver gekregen dat ze accepteerden dat de overeenkomst over de *closed shop* niet teruggedraaid zou worden, maar hun herinneringen daaraan zouden niet zoet zijn. Van de andere kant had hij het beleid over het minimumloon erdoor gekregen. John Prescott was een vakbondsman in hart en nieren, maar niemand wist hoe de stemming zou verlopen, vooral niet omdat nu, voor het eerst in de geschiedenis van de partij, het beginsel 'één lid, één stem' gold, grotendeels dankzij de inspanningen van John Prescott.

Barry Cox zamelde zeventigduizend pond in bij diverse mensen die aanboden geld bij te dragen voor de campagne, en Anji organiseerde de spreekbeurten.

Tony neemt nooit iets als vanzelfsprekend aan, maar het werd al gauw duidelijk dat hij een voorsprong had. Ik ging lang niet naar al zijn optredens, want hij reisde rond, en ik had kinderen voor wie ik moest zorgen en een carrière op te bouwen. Ik ging naar een paar bijeenkomsten in Londen en het zuidoosten en naar een paar vraag-en-antwoordsessies waar hij de ontspannen stijl van campagne voeren ontwikkelde die al gauw zo vertrouwd zou zijn, niet alleen voor leden van de Labourpartij, maar voor alle Britse kiezers: zittend op de rand van het podium met mouwen die hij tot zijn ellebogen had opgerold. Hij deed het fantastisch. Ik was zo enorm trots op hem. We maakten op veel plaatsen vrienden. Ik kende Harriet Harman via mijn werk met de National Conference for Catechetical Leadership (NCCL). Haar man Jack Dromey bleek een grote hulp toen we overwogen hoe we het meer hervormingsgezinde deel van de vakbeweging moesten aanspreken. Charles Clarke kenden we al uit de tijd dat hij in Hackney achter ons woonde. Ik kende Patricia Hewitt oppervlakkig omdat haar man een advocatenpraktijk had, gespecialiseerd in arbeidsrecht.

John Smith was op 12 mei overleden en de aankondiging van de uitslag van de leidersverkiezing was vastgesteld op 21 juli. Maar zelfs al voelde het als tien lange weken, we hadden allemaal het gevoel van een campagne en een doel en een 'we gaan ervoor!'

Ondertussen bleef Peter Mandelson erg op de achtergrond, omdat hij zo controversieel was, niet alleen vanwege de vakbonden die hem bleven beschouwen als de Vorst der Duisternis, maar ook vanwege zijn relatie met Gordon, die er nog steeds van overtuigd was dat Peter hem een streek had geleverd. Kate Garvey, de secretaresse die Tony's agenda bijhield, kwam met het idee dat Peter een schuilnaam moest hebben en de naam die we kozen was Bobby, naar Bobby Kennedy. Het feit dat 'Bobby' betrokken was bij onze campagne, werd het Grote Geheim.

Neil Kinnock bleef ook buiten beeld. Van begin tot einde was hij volkomen onpartijdig, maar de indruk die we kregen van de mensen die nauw met hem hadden samengewerkt – zoals Charles Clarke en Patricia Hewitt – was dat Neil Tony als zijn opvolger zag.

Er gebeurde erg veel en ik was zo geconcentreerd op de klus die geklaard moest worden – namelijk zorgen dat Tony zich kandidaat stelde en vervolgens zorgen dat iedereen hem steunde – dat het misschien niet zo vreemd was dat ik mijn eigen rol vergat. Het duurde lang voor het moment kwam dat ik dacht: Wacht eens even... Als dit allemaal doorgaat, sta ik straks ook een beetje veel in de schijnwerpers. Kort nadat Tony had besloten zich kandidaat te stellen, ging op een avond de telefoon.

'Hallo, Cherie. Fijn je stem weer eens te horen na zo'n lange tijd. Hoe is het met je?'

Het was Carole Caplin.

15

We zijn er bijna

Ik was verrukt dat Carole belde. De twee spillen van mijn bestaan – politiek en de balie – waren nogal incestueus, maar Carole stond daar helemaal buiten. Nog belangrijker was dat ik nog steeds graag zo'n zes kilo overgewicht kwijt wilde.

Die zaterdag kwam ze langs.

'Nou, dit is allemaal erg spannend, lijkt me,' zei ze toen ze binnenkwam. Haar telefoontje was niet helemaal uit de lucht komen vallen. Ze was net terug uit New York, zei ze, en wist precies wat er allemaal aan de hand was en vroeg zich af of ik misschien advies nodig had over haar en make-up. Wat dacht ik ervan? Ik had geen idee waarover ze het had. Ik ging al jaren naar dezelfde kapper en wat make-up betrof ging ik gewoon naar Boots, de drogist. Ze zei dat het nuttig zou zijn om mijn klerenkast te bekijken, zodat ze kon vaststellen wat mijn stijl was.

Ik had niet echt een stijl. Mijn kleren zijn in twee soorten te verdelen: makkelijke kleding om met de kinderen in huis rond te hangen, zoals leggings, wijde bloezen, sportschoenen, soms een lange rok; en advocatenpakken, voornamelijk zwart en blauw, altijd met rok, want in die tijd waren broeken nog niet toegestaan. Mijn schoenen voor het werk hadden hakken maar waren redelijk stevig, want ik moest veel staan, zowel in de rechtszaal als op reis. Ik had ook een enkele modieuze jurk die ik kocht bij een zekere Ivona Ivons die een winkel had in Clerkenwell County Court. Bij haar kocht ik altijd een paar mantelpakken voor mijn werk en soms een jurk.

Ik was niet echt ongeïnteresseerd in kleren, maar ik las geen modebladen en bleef ook niet op de hoogte van de laatste mode. Ik ging gewoon even langs Ivona en wat ze dat jaar in huis had, kocht ik. Ik was redelijk objectief over mijn lichaam. Mijn sterke punten waren mijn haar, daar had ik genoeg van, en mijn huid. Ik had altijd behoorlijke borsten en een slanke taille gehad, maar problemen had ik met mijn brede heupen en dikke dijen. Doorgaans vermeed ik broeken omdat ik mijn achterwerk te dik vond. Ik probeerde er wel goed uit te zien, maar we hadden drie kleine kinderen en twee huizen te verzorgen, dus winkelen was mijn laatste prioriteit. Behalve voor werkkleding, want het was belangrijk om er goed verzorgd uit te zien in zo'n openbare omgeving. Schoenen hadden geen hoge prioriteit. Ik had een paar zwarte, bruine, blauwe en een paar lichte, beige sandalen, en dat was het wel. Tony en ik gingen toch zelden naar restaurants of clubs. Als we uitgingen, gingen we op bezoek bij vrienden en zaten gewoon rond de keukentafel te praten. Omdat de meeste van onze vrienden net als wij ook kleine kinderen hadden, was het geen omgeving waar we elkaar veel concurrentie aandeden.

Toen ik met Caroles ogen naar mijn garderobe keek, kon ik echter wel raden wat er ging komen. 'Ik denk dat je wel wat hulp kunt gebruiken,' zei ze. Natuurlijk had ze gelijk. Ik had noch de tijd noch de kennis van zaken om zelfs maar na te denken over een verandering van mijn imago. Alles hield verband met elkaar, zei ze. Mijn gewicht, mijn kleren, mijn eten. Het zou tijd kosten, maar ze was ervan overtuigd dat ik vrijwel meteen verbeteringen zou zien, zeker in de paar weken die we nog hadden voor de uitslag van de leidersverkiezing zou worden bekendgemaakt. We begonnen meteen. Ze bracht de rest van de middag bij ons door.

Het eerste dat aandacht behoefde, was wat ik at, wat zich al gauw uitbreidde tot iedereen in het gezin, want ze gooide de helft van alles in de keuken weg. Ze deed de kasten open, liep alles na en zei: 'Dit is slecht, dit is goed.' Het duurde niet lang. De kinderen vonden er niets aan. Binnen een paar dagen zaten de kasten weer vol met de oude troep.

Vervolgens gingen we naar boven, naar de huiskamer, om een programma voor lichaamsoefeningen te maken. We hadden geen tijd te verliezen. Omdat ik vijf jaar daarvoor haar workshops had gevolgd, was ik op de hoogte van de basiskennis, maar dit ging om specifieke details. Op dat moment ontmoette ze Tony en ze stelde ook voor hem een oefenprogramma samen.

Mijn garderobe kreeg dezelfde behandeling als de keukenkasten en het meeste ging meteen de vuilniszak in. Sommige dingen moest ik eerst aantrekken voordat ze een beslissing nam. Lange jasjes waren flatteuzer, zei ze. Ik moest lage halslijnen dragen in plaats van hoge. Hakken waren goed en ik moest ze vaker dragen. Van de ene kant was het nogal afschrikwekkend om aan te zien, maar van de andere kant dacht ik dat het waarschijnlijk maar het beste was. Het was iets wat echt moest gebeuren, maar ik ben van nature nogal een hamsteraar. 'Als je niet meer weet wanneer je het voor het laatst aan had, moet je het weggooien,' was een van Caroles mantra's.

Om me een beetje te laten wennen, nam ze me mee uit winkelen. Browns op South Molton Street was een openbaring. Het was voor het eerst dat ik ergens kwam waar ze zo modegevoelig waren. Maar ze had gelijk dat er onmiddellijk iets moest veranderen. De jurk die ik bij Browns gekocht had, droeg ik op een feest halverwege de leiderschapscampagne en daar kwam ik Fiona Millar tegen, de partner van Alastair Campbell en de dochter van Silvia Millar in wier huis ik jaren geleden de partijbijeenkomsten van de afdeling Marylebone had bijgewoond. Ze voelde zich behoorlijk slonzig, zei ze, want ze was net bevallen van Grace, haar derde kind.

'Maar Cherie, jij ziet er prachtig uit. Veel – hoe moet ik het zeggen – verzorgder!' Wat hebben we gelachen. Verzorgd is een woord dat niemand ooit had gebruikt om mij te beschrijven, zeker niet iemand als Fiona, die er altijd chic uitzag, wat wel iets zei over een werkende moeder van twee kleine jongetjes en een pasgeboren baby.

De kwestie van het vicevoorzitterschap was nog niet opgelost. John Prescott en Margaret Beckett waren kandidaat voor zowel het leiderschap als de functie van vicevoorzitter. De bedoeling was het beste evenwicht te vinden. Peter, Anji en ik gaven de voorkeur aan John Prescott omdat het verschil duidelijker zou zijn. Gordon voelde meer voor Margaret Beckett. Maar het zou helemaal afhangen van wie de stemming won en omdat dit de eerste keer was dat we gebruikmaakten van een kiescollege (waarvoor we zo hard gewerkt hadden), had niemand enig idee hoe het af zou lopen.

De dag dat de uitslag van de leidersverkiezing zou worden bekendgemaakt, 21 juli, was een prachtige Engelse zomerdag en wat er ook gebeurde, ik wist dat ik er op mijn best uit moest zien. Het feest waar ik zo'n indruk op Fiona had gemaakt, was een generale repetitie geweest en ik moest toegeven dat het resultaat een hele verbetering was vergeleken met mijn eigen pogingen. Ik had ook ontdekt hoe veel meer zelfvertrouwen ik had als ik eruitzag als de vrouw die ik wilde zijn.

Beneden in Richmond Crescent verzamelden zich de families Blair en Booth. Mijn moeder, mijn vader, Lyndsey en Chris, Tony's zus Sarah, Bill en Katy die betrokken waren bij de Chinezen die voor Labour stemden en die hun steun voor Tony hadden weten te krijgen.

Terwijl ik me boven klaarmaakte, gaven de kinderen doorlopend commentaar op de sjofele types die aan de overkant op de stoep rondhingen, voornamelijk mannen, beladen met camera's en cameratassen.

Ongeveer een halfuur voor we moesten vertrekken, sprak Tony even met hen en stemde in met een paar foto's. Hij stelde het park achter het huis voor, waar de kinderen en hij vaak voetbalden. De fotografen zetten ons op een bank en klikten naar hartenlust: een van ons kijkend naar elkaar, een van Tony die naar de camera kijkt terwijl ik naar Tony kijk enzovoort. Het was voor het eerst dat ik zoiets deed. De enige belangstelling die ik tot dan toe van de pers had ervaren, was bij de begrafenis van Pat Phoenix geweest, toen ik met mijn vader aan de arm de kerk in liep.

Het raarste was dat ze me mevrouw Blair noemden als ze riepen welke kant ik op moest kijken. De meeste mensen noemden me Cherie. In ieder geval mijn collega's bij de balie en ook de mensen in de Labourpartij, waar ik ook zelf iemand was. Zelfs op de school van de kinderen, waar je zou kunnen verwachten dat moeders misschien mevrouw Wiedanook genoemd werden, werd ik bij mijn voornaam genoemd, want de leraren en het hoofd kenden me in eerste instantie als lid van het schoolbestuur. In het dagelijks leven waren de enigen die me niet Cherie noemden, de griffiers. Voor hen was ik juffrouw Booth.

Tony's vakbond, de T & G, had voor een auto gezorgd die ons naar het Westminster Institute of Education zou brengen waar de uitslag bekend zou worden gemaakt. Toen de kandidaten naast elkaar op het podium gingen staan, zag ik aan Tony's gezicht dat hij gewonnen had. Hij had in alle afdelingen gewonnen, inclusief de vakbondsafdeling waarvan onze mensen hadden verwacht dat het moeilijker zou worden. John Prescott werd inderdaad vicevoorzitter. Het had niet beter kunnen aflopen. Toen was het tijd om het te vieren. We reden met auto's het korte stukje naar Church House, net achter Westminster Abbey. Het was een mooie middag en zowel in het gebouw als op het plein ervoor stond het vol aanhangers. We werden meteen mee naar boven genomen en op het balkon stonden Neil en Glenys Kinnock al te wachten.

Daar gaf Tony zijn acceptatiespeech waarin hij iedereen bedankte die zo hard aan zijn campagne had gewerkt. De meeste namen waren algemeen bekend, maar hij kon het niet laten om 'Bobby' te bedanken. Al gauw was dat de vraag die iedereen stelde, vooral de pers: 'Wie is Bobby?' Uiteindelijk werd Peters identiteit onthuld. Toen was de reactie: 'O mijn hemel, de Vorst der Duisternis heeft Tony Blair geholpen.'

Ik kende Margaret Beckett destijds niet erg goed. Inmiddels wel en ik heb grote bewondering voor haar. Ze had weliswaar net verloren van zowel Tony als John Prescott, maar ze kwam met een warme, open glimlach naar ons toe, samen met haar man Leo, om Tony te bedanken voor wat hij had gezegd en hem geluk te wensen. Bij haar vertrek zei ze: 'O ja, bijna vergeten. Sylvie staat buiten op jullie te wachten.'

En ik dacht: 'Sylvie? Wie is Sylvie?'

Sylvie bleek de aflossende chauffeur voor de oppositieleider te zijn. Toen Margaret interim-partijleider was, werd ze rondgereden in de officiële auto. Niemand had ons iets verteld over een auto. Vanaf dat moment werd Tony als hij officiële dingen moest doen gereden door Terry – die een echte vriend van de familie werd – of door de fantastische Sylvie.

De volgende dag zat Terry buiten in de Rover te wachten om Tony naar het Lagerhuis te rijden. En dat werd de routine. Als ik vroeg genoeg op was, reed ik mee en zetten ze me af bij Gray's Inn, dat op hun route lag. Als ze op het punt stonden te vertrekken, kreeg ik een telefoontje en als ik klaar was om ook weg te gaan, stond ik op de stoep te wachten tot de vertrouwde rode Rover kwam aanrijden.

Het kantoor van de oppositieleider was veel indrukwekkender dan waar Tony ooit gewerkt had, in ieder geval qua afmetingen. Het ligt midden in het paleis van Westminster, dicht bij het kantoor van de premier aan de overkant van het binnenhof. Er was zelfs een hele reeks kamers, waaronder de schaduwkabinetzaal. Tony besloot de kamer te gebruiken die Neil Kinnock ook had gebruikt. Afgezien van alles lag John Smiths kamer vol dozen met stukken die op afhandeling wachtten. Na de opwinding over Tony's verkiezing was het een ontnuchterend signaal. Tony vroeg of ik wilde kijken naar de kamer die hij wilde gaan gebruiken en ik was niet onder de indruk. Er moest het nodige worden opgeknapt. Het Lagerhuis bood aan het te doen, maar dat weigerde Tony. 'Ik ben niet van plan hier lang te blijven,' zei hij. 'Ik wil deze kamers niet al te comfortabel maken, want ik wil me niet al te zeer thuis gaan voelen in de oppositie.' De bedoeling was om zo snel mogelijk in de regering te komen.

Met die gedachte in zijn achterhoofd wilde Tony dat Alastair Campbell zijn persvoorlichter werd. Alastair was politiek journalist en Tony had hem in het Lagerhuis leren kennen toen hij de lobbyverslaggever voor de *Daily Mirror* was. Hij was een echte Labourman, maar was nooit geïnteresseerd in beleid en hij had nooit deelgenomen aan onze discussiegroepen. Hij en Fiona Millar waren ook goed bevriend met Neil en Glenys Kinnock. Sinds ik haar had ontmoet in mijn moeders huis in Marylebone, toen ze net aan de universiteit begon, was Fiona journalist geworden en zo hadden die twee elkaar ontmoet. Ze had zelfs samen met Glenys een boek geschreven: *By Faith and Daring: Interviews with Remarkable Women.*

Toen Peter Mandelson hem in het begin polste over werken voor Tony, had Alastair nee gezegd. Een paar dagen nadat hij zijn nieuwe kantoor betrokken had, sprak Tony zelf met Alastair. Alastair twijfelde, zei hij tegen mij, maar hij dacht dat hij wel over te halen was. Als Tony eenmaal iets besloten heeft, houdt niets hem tegen en in dit geval was hij vastbesloten. We stonden op het punt voor onze gebruikelijke vakantie naar Frankrijk te vertrekken, waar we bij vrienden langs zouden gaan. Omdat Alastair en Fiona de zomer in een huis in de Provence doorbrachten, stelde Tony voor bij hen langs te gaan en hem over te halen. Hij zou Alastair overtuigen en ik Fiona. Dat was tenminste het plan. De ouders van Tim Allan, een van Tony's researchers, hadden net een huisje in Toscane gekocht en Tim stelde voor dat we daar een week of zo naartoe zouden gaan. Italië zou onze laatste halte worden en onderweg konden we bij Alastair langsgaan.

Zigzaggend door het Europese vasteland reizen was voor ons heel gewoon. Alleen mijn moeder, die meestal met ons meekwam, had enig idee waar de plaatsen zich echt bevonden. Oorspronkelijk gingen we naar Frankrijk vanwege Tony's vliegangst. Hij was in de loop der jaren echter over die angst heen gekomen. Nu gingen we nog steeds omdat het een traditie was geworden. Onze oude buren in Hackney, Barry Cox en Katie Kay, en Maggie Rae en Alan Howarth, die nu getrouwd waren, hadden gezamenlijk een huis in Miradoux, tussen Bordeaux en Toulouse, gekocht. Dat was ook een volkomen uitgeleefd krot en in de loop van de jaren hadden we vrolijk meegeholpen er iets bewoonbaars van te maken. Maar met drie opgroeiende kinderen werd het een beetje vol. In 1992 schoot David Keene, QC, te hulp. Michael Beloff en hij waren in feite de hoofden van ons kantoor en David had onlangs een huis in de Ariège, even ten zuiden van Toulouse, gekocht. Hij zei dat we er elk gewenst moment gebruik van konden maken.

In de jaren zeventig was David kandidaat geweest voor Labour, maar in 1981 had hij de *Limehouse Declaration* getekend en was hij overgestapt naar de SDP. Davids 'huis' bleek een kasteel te zijn in het dorp Saint-Martind'Oydes in de uitlopers van de Pyreneeën. Tot grote vreugde van de kinderen was er een zwembad en omdat er veel ruimte was, konden moeder en het kindermeisje ook komen. In de jaren daarna kwamen Lyndsey en haar gezin soms ook.

Kinderen gaan graag terug naar dezelfde plek, zien graag dezelfde gezichten en het gaf Tony en mij de gelegenheid samen en met onze vrienden tijd door te brengen. We zijn jarenlang in dezelfde twee huizen met vakantie geweest, dus is het moeilijk vast te stellen wat wanneer en waar gebeurde. Ik herinner me een gelegenheid waarbij we schijnbaar urenlang *These Are a Few of My Favourite Things* zongen om een storm te overstemmen die dreigde Miradoux te verzwelgen, terwijl de brandweerwagen aan de overkant van de straat ons met vrolijk gebel begeleidde. In een ander jaar werd Davids zwembad heldergroen van kleur. Dat weerhield de Blairs er niet van erin te zwemmen. Zwemmen was een favoriete bezigheid. Ons toenmalige kindermeisje Ros bedacht ingewikkelde sportfeesten, 'de Olympische Zomerspelen' noemden we ze, met ingewikkelde wedstrijden, de grootste-plonswedstrijden, zelfs de gekste-natte-kapselwedstrijden die Tony regelmatig won. Voor hem waren het feit dat hij zich in een omgeving bevond waar hij zich zo thuis voelde, zijn Frans in de plaatselijke winkels en cafés kon uitproberen, kon tennissen, uit eten gaan in de lokale restaurants, het volmaakte tegengif tegen het leven in Engeland. Niemand die hem op straat aansprak, geen noodzaak om er netjes uit te zien. Hij kon naar hartenlust rondslonzen in zijn shorts en T-shirts. Een echte vakantie. Van het ene moment op het andere naar een andere plek trekken was deel van de traditie. Barry Cox noemde ons de 'House Bandits'. Maar veel van onze goede vrienden hadden vakantiehuizen en wij en de kinderen vonden het leuk hen op te zoeken.

Flassan, waar het huis van Alastair en Fiona stond, bleek ongeveer net zo ver verwijderd van de uitlopers van de Pyreneeën te zijn als je in Frankrijk maar kunt zijn. Tony besloot dat de rit te zwaar zou zijn. We brachten de huurauto terug en namen de trein van Toulouse naar Avignon. Dat is geen reis die ik iemand kan aanbevelen. We kwamen 's avonds laat aan op het station van Avignon, met begrijpelijkerwijs chagrijnige kinderen, waar een al even chagrijnige Alastair ons stond op te wachten. Toen moesten we nog een rit van een uur de heuvels in maken.

Ik kende Alastair destijds niet zo goed, al bleef zijn aanwezigheid nooit onopgemerkt. Hij was lang en knap, maar niet het soort knap dat ik aantrekkelijk vind. Hij had een duidelijke aanwezigheid en ik wist van Tony dat hij een sterke persoonlijkheid was. Wat ik niet wist, was dat hij humeurig was en in het bezit was van een ego waarop je een huis kon bouwen.

Onderweg erheen nam Tony met me door wat hij wilde dat ik deed. Alastair was de beste man voor de baan, zei hij, en hij wilde hem hebben.

Het zou betekenen dat hij flink wat minder ging verdienen. Zowel hij als Fiona moest ervan overtuigd worden dat het de moeite waard was. Mijn taak was aardig zijn voor Fiona, haar ervan te verzekeren dat Tony een echte huisvader was, dat het allemaal goed zou komen, dat Tony ook prioriteiten had en haar gezinsleven niet zou verwoesten. Dus was dat wat ik deed, of we nou bezig waren met de afwas, op de kinderen pasten of samen aan de keukentafel groenten sneden.

'Dit is onze kans om iets echt belangrijks te doen, Fiona. Tony vindt dat Alastair een belangrijke bijdrage kan leveren. Hij vindt Alastair de beste man voor de baan en ik geloof hem. Het wordt niet zo erg, want ik zorg er wel voor dat Tony het gezin in de gaten houdt.'

Uiteraard werd al snel duidelijk dat zowel Fiona als ik ons door onze manspersonen volkomen in de luren hadden laten leggen.

Ten slotte ging Alastair akkoord. Hij zei het niet met zo veel woorden – tenminste niet in mijn bijzijn – maar toen we vertrokken naar het huis van Tims ouders in Italië, had Tony er alle vertrouwen in dat hij gekregen had waarvoor hij was gekomen.

Onze verdere reis was net zo chaotisch als anders. We vertrokken om vier uur 's ochtends uit Flassan, met de kinderen uitgevloerd op de achterbank van Alastairs auto. Onze trein naar Italië vertrok om half zeven die ochtend uit Marseille. Het ging allemaal erg gehaast en uiteindelijk stapten we in de verkeerde trein – een stoptrein – maar we hadden in ieder geval een wagon voor onszelf, zodat we liedjes konden zingen, mijn gebruikelijke manier om hun favoriete vraag 'Zijn we er bijna?' uit de weg te gaan.

16

Obstakels

In 1993 schreef Tony de tekst voor een pamflet van de Fabian Society waarvan we allebei al sinds lang lid waren. Hierin bekritiseerde hij het feit dat *Clause* IV van de statuten van de Labourpartij sinds het opstellen ervan nog steeds bestond. De tekst luidde:

> Om te zorgen dat de hand- en hersenarbeiders de volle vruchten van hun inzet plukken en om te zorgen voor de meest rechtvaardige verdeling ervan op basis van het gemeenschappelijk eigendom van de productiemiddelen, distributie en verkoop, en het best verkrijgbare systeem van beheer door het volk en zeggenschap over elke industrie of dienst.

Zijn standpunt was: Hoe kunnen we een partij zijn in de moderne wereld als ons doel nog steeds 'het gemeenschappelijk eigendom van de productiemiddelen, distributie en verkoop' is? Iedereen accepteerde dat grootschalige nationalisatie niet langer deel uitmaakte van ons beleid, maar het feit dat Clause IV nog steeds bestond, kon gebruikt worden als een stok om ons mee te slaan, door de torypers, die kon doen alsof we inderdaad alles binnen ons gezichtsveld wilden naasten, of door Militant, dat ons ervan kon beschuldigen een kennelijk belangrijke doelstelling niet na te streven.

Alleen de engste medewerkers van Tony wisten wat hij van plan was. De gelegenheid zou, uiteraard, het congres van de Labourpartij zijn. Hij was van mening dat het schrappen van Clause IV de toon zou zetten voor alles wat nog zou volgen. Op een bepaald niveau was het slechts een gebaar – het betekende de afschaffing van iets wat al een dode letter was – maar soms zijn gebaren belangrijk en, als hij de partij erin meekreeg, zou links alleen staan en kon het hervormingsproces serieus beginnen. Om verkiesbaar te zijn moesten we tonen dat de Labourpartij was veranderd en ze moest ook veranderen, zei hij, als de kiezers ons de macht over het land willen toevertrouwen. We moesten tonen dat we het verleden achter ons lieten.

Paradoxaal genoeg was de Labourpartij destijds nog een erg behoudende organisatie. Men hield niet van verandering en Clause IV werd beschouwd als een familiemeubelstuk dat van generatie op generatie was doorgegeven, een teerbemind erfstuk dat nu echter nutteloos en ouderwets was.

Hoewel Tony persoonlijk veel krediet had, was het niet genoeg om te garanderen dat het congres het voorstel zou accepteren. Er liepen nog veel reactionaire types rond, vooral binnen de vakbeweging, en hij zou alle hulp nodig hebben die hij kon krijgen. Zelfs zijn schaduwminister van Financiën was een van de mensen die hij moest zien over te halen. Gordon houdt niet van ophef en zijn standpunt was: 'Waarom zou je er moeite voor doen als het er toch niet toe doet.' Tony's antwoord hierop was: 'Kwestie van perceptie door het grote publiek.' John Prescott zou de hoofdrol spelen, besloot hij, ook al omdat hij het jaar ervoor zo belangrijk was geweest bij het doorvoeren van het beginsel 'één lid, één stem'. Tony had hem altijd graag als vicevoorzitter willen hebben, maar hij was gekozen door het kiescollege, niet door Tony. Hij had een zelfstandig mandaat en rekende erop dat hij in alle zaken zou worden geraadpleegd. Het was ook een manier om hem gerust te stellen dat hij niet buitenspel zou worden gezet. Tony en John waren afkomstig uit twee totaal verschillende vleugels van de partij en waren nooit echte vrienden geweest. Het spel moest met veel tact worden gespeeld.

Ondertussen had ik mijn eigen planning voor het congres van de Labourpartij in 1994. Ik was vastbesloten dat de vrouw van de leider als ze op het podium verscheen, eruit zou zien of ze de hele wereld aankon – of minstens de grote aantallen toryleden. Ik hield me aan Caroles dieet en oefeningen en zocht een nieuwe kapper. André werkte bij Michaeljohn, een trendy Londense salon. Toen ik er voor het eerst kwam, had hij geen idee wie ik was – gewoon een nieuwe klant met een coupe die gemaskeerd moest worden: een eerdere poging van mijn voormalige kapper om me een moderner uiterlijk te geven, had geresulteerd in wat slechts een matje kan worden genoemd. André was destijds halverwege de twintig. Zijn vader was Italiaan, maar hijzelf was opgegroeid en opgeleid in Frankrijk, wat tot een mooi grillig accent geleid had.

De piekerige pony was niet het kapsel voor een vrouw die serieus genomen wilde worden, besloot hij, en kort haar bovenop en de lange achterkant zagen er na een warme dag op de rechtbank twee keer zo belachelijk uit nadat ze onder een broeierige pruik gezeten hadden. André legde uit dat ik wel veel haar had, maar het was wat slap. Het probleem was hoe een coupe moest blijven zitten. Omdat ik iets wilde wat ik zelf kon bijhouden, werd dat het grote probleem. Zelfs na uren oefenen met de föhn was ik niet in staat om te zorgen dat het er enigszins 'gekapt' uitzag. Als ik het probeerde te touperen, zag het eruit alsof een muis geprobeerd had er zijn nest te maken. Hetzelfde gold voor mijn make-up. Ik had nooit overwogen iets bij te werken als het eenmaal op mijn gezicht zat. Ik had nog nooit mijn lippenstift ververst en me er ook nooit zorgen over gemaakt of mijn neus en voorhoofd soms glommen.

Mijn nieuwe coupe werd voor het eerst uitgelaten op 23 september 1994 – het feest voor mijn veertigste verjaardag – en ik had al in maart plaatsen gereserveerd bij restaurant Frederick. Voor Tony's veertigste verjaardag hadden we gewoon thuis een feest gegeven. Dit keer geen surpriseparty maar er was toch een grote verrassing. Ik had tussen zijn spullen een oude bandopname gevonden, met een etiket waarop stond 'BBC Radio Oxford: Ugly Rumours'. Tony's studentenband! Ik had hem meegenomen naar Barry Cox en in grote lijnen tegen hem gezegd: 'Jij werkt bij de televisie. Jij kunt ervoor zorgen dat het op een cd komt te staan.' Halverwege de avond zette ik de cd op. De tekst was heel diepzinnig, helaas was de schrille stem die deze klaaglijke treurzang zong er niet mee in overeenstemming. Iedereen vond het een goede grap. Iedereen, op één persoon na.

Mijn moeder had me al een tijdje gewaarschuwd dat er dingen zouden gaan veranderen en niet noodzakelijkerwijs ten goede, maar zelfs zij was geschokt toen de *Evening Standard* die avond haar foto nam. Ze fotografeerden eigenlijk iedereen, alsof mijn gastenlijst een indicatie was voor wie er wel en niet goed lag bij de nieuwe leiding. Maar mijn feest had niets te maken met Labour en zelfs niet met Tony. Ik sprak een paar woorden over hoeveel ik mijn moeder verschuldigd was – niet zo heel anders dan wat ik tweeëntwintig jaar eerder had gezegd op de dag voor ik vertrok naar de LSE.

Anji had me al gewaarschuwd dat ik de week van het congres vrij moest houden. Ze liet me de decoratie van het podium zien, want ik moest de kleuren die ik droeg daaraan aanpassen, legde ze uit, of in ieder geval iets dragen wat er niet mee vloekte. Het jaar ervoor, tijdens het congres in Brighton, waar het beginsel 'één lid, één stem' werd aangenomen, had ik gehoord dat de vrouw van John Smith een kapper had meegebracht die betaald werd door de partij. Ik dacht toen: Waarom zou Elizabeth Smith in vredesnaam een kapper nodig hebben! Nu dacht ik: Ik hoop maar dat André beschikbaar is! Dat was hij niet. Carole bood aan om ervoor te komen zorgen dat ik er niet uitzag als een natuurramp. Ze was nog nooit naar een congres van de Labourpartij geweest – ze was zelfs geen lid van de partij – en toen ze vroeg of ik dacht dat ze een avondjurk nodig had, barstte ik in lachen uit.

'Dit is een congres van de Labourpartij!' Maar ik zou iets nodig hebben voor de Schotse avond en de Welse avond, om maar te zwijgen over de tientallen andere ontvangsten die ik met Tony moest bijwonen. Er zou overal pers zijn. Het ging vooral om foto's. Ik had iets nodig om in te arriveren, iets voor Tony's grote redevoering tijdens het congres en mogelijk ook iets om in naar huis te gaan. Ik kon uiteraard Elizabeth Smith niet om raad vragen. Ik begon me te realiseren dat de hele zaak zowel duur als een diplomatiek mijnenveld was. Als ik erheen ging als een slons, zou het als gebrek aan respect worden uitgelegd. Als ik voortdurend hetzelfde droeg, was dat ook gebrek aan respect. Maar ik mocht er ook niet uitzien of ik geld over de balk smeet. Het was niet goed of het deugde niet. Ik herinnerde me hoe Norma Major het nooit precies goed deed, in ieder geval wat de pers betrof. Een andere beperking was dat welke ontwerper ik ook koos, het iemand uit ons eigen land moest zijn en het moest er 'modern' uitzien om onze hervormingsgezindheid te onderstrepen.

Het congres werd dat jaar in Blackpool gehouden en ik was daar niet meer geweest sinds ik klein was en ezeltje reed op het strand. Tony kreeg voor de eerste keer beveiliging van de politie. In het Imperial Hotel was één hele verdieping afgesloten. We konden er met de lift komen, er stond een politieman voor onze deur en in de gangen patrouilleerden medewerkers van de partij. Ik had geen idee dat het op die manier georganiseerd werd. Gelukkig had ik Carole om me gezelschap te houden, want Tony was voortdurend in gesprek met Alastair of Peter of Anji of Gordon of Robin of Sally of een van de anderen. Ik voelde me vooral niet erg op mijn gemak omdat Ros in haar eentje voor de kinderen moest zorgen. Ze had zelfs nog nooit een hele nacht alleen de verantwoordelijkheid gehad en dit duurde bijna een hele week. Ze was ongelooflijk betrouwbaar en net zo gek op voetbal als de jongens. Maar toch… In de dagen die daarop volgden, zouden we, wat er verder ook gebeurde, zorgen dat we allebei elke avond met ze praatten, zodat je hen kon horen ruziemaken over wie pap of mam dit of dat 'nieuwtje' mocht vertellen.

Tony had dagen aan zijn speech gewerkt en hij was nog steeds niet klaar.

Over de slogan 'New Labour, New Britain' waren ze het pas de week daarvoor eens geworden, net op tijd voor de spandoeken voor het congres. 's Maandags was het groepje mensen rond mijn man uitgegroeid tot een draaikolk. De discussie over Tony's speech ging door, elk uur feller en intenser. Ik was de enige die er niet bij betrokken was. Anji had tegen me gezegd dat ik in geen geval in mijn eentje naar beneden moest gaan. Als ik wilde gaan, moest er iemand met me mee komen. En plotseling dacht ik: Dit is gewoon belachelijk. Ik kom al jaren op het congres, waar hebben ze het over? Ik ben geen nieuwkomer. Ik deed de deur open, sloop over de brandtrap om de lift te vermijden en verscheen in de lobby van het hotel, waar ik meteen Glenys Thornton, mijn oude vriendin uit mijn LSE-tijd en later mede-ingezetene van Hackney, in het oog kreeg.

We stonden even te praten toen er plotseling allemaal lichten en camera's om ons heen stonden en iemand met een microfoon Glenys vroeg wie ze was. Ik bevroor. Het volgende moment voelde ik een hand op mijn rug en vervolgens op mijn arm. Het was Hilary Coffman die me naar de lift probeerde te duwen met de woorden: 'Dank je wel, Cherie.' Ik ging terug naar mijn cel.

We stonden met z'n tweeën in de lift en ik voelde mijn hart bonzen.

Ik kende Hilary al jaren. Ze was persvoorlichter voor John Smith geweest en had ook voor Neil Kinnock gewerkt. Alastair had haar ingebracht om voor Tony te werken. Toen de lift op 'onze' verdieping stopte, gaf ze me door aan Anji.

'Ik zei nog dat je niet naar beneden moest gaan, Cherie,' zei Anji toen ze met me de gang door liep. 'Je begrijpt echt niets van politiek.'

'Dank je wel, Anji, maar ik begrijp politiek heel goed.' Als blikken konden doden, was ze op dat moment dood neergevallen. Onze relatie was bezig in rap tempo te verslechteren. Ik vond het ongelooflijk. Ik werd behandeld als een stout schoolmeisje. Deze mensen vonden kennelijk dat ze mij konden vertellen wat ik moest doen.

Jarenlang had ik mij met grote toewijding ingezet voor de Labourpartij. Door ijskoude straten gelopen, weekends opgeofferd, avonden. Ik had me zelfs kandidaat gesteld, godbetert, en mijn waarborgsom ondanks alle sombere verwachtingen behouden. Wat mijn man betrof, hij was niet altijd omringd geweest door aanhangers die alles voor hem regelden. Ik was er vanaf het begin geweest, had hem aanmoedigend als dat nodig was, geluisterd als hij iemand nodig had zijn ideeën te toetsen, als er dingen moesten worden doorgepraat. We waren van begin tot eind een team. Hoopvolle verwachtingen, plannen, dromen – wij hadden een echt huwelijk – een gezamenlijke onderneming. Maar dit was geen onderhandeling met mijn man, nu waren er tien andere mensen die zeiden: 'Cherie gaat nu dit doen.' Sinds mijn tienertijd had ik een eigen politieke mening gehad en dat ik die nu niet meer in het openbaar kon uiten, was alsof bij mij een arm was afgerukt. Ik had het gevoel dat ik een onpersoon aan het worden was. Iemand die als het zo uitkwam naar buiten gereden werd, als een kind in de tijd van koning Edward, zodat ik wel gezien maar niet gehoord werd.

Mijn vernedering was des te groter doordat een deel van mij wel wist dat ik niet naar beneden kon gaan en kon doen alsof ik gewoon een afgevaardigde was, want dat was ik ook niet. Niet meer. Ik zat in onze slaapkamer en voelde me heel onprettig, niet in staat me ergens op te concentreren. Ik wilde erbij horen, net als altijd, maar hoe moest ik dat regelen? Het was me heel duidelijk gemaakt dat ik niet gewenst werd.

Op dat moment begon Alastair te zeuren over Carole.

'Dit glamoureuze schepsel kan hier niet blijven,' verkondigde hij.

'Waarom in vredesnaam niet?'

'Ik wil niet dat mensen weten dat je hulp krijgt met je kapsel en make-up.'

'Elizabeth Smith had vorig jaar hulp.'

'Dat was iets anders.'

'Doe niet zo raar, Alastair. Waarom was dat iets anders?'

'Echt, Cherie, dat was iets anders en ik wil niet dat de pers het weet.'

'Omdat ze mooi is, bedoel je? Is dat een misdaad?'

Hij beende weg. Maar Alastair had gesproken en de rest had het gehoord. Vanaf dat moment mocht Carole nergens meer heen. Ze moest óf bij mij blijven óf op haar kamer en kreeg opdracht in geen geval naar buiten te gaan.

Het congres verliep op de gebruikelijke manier: naar besprekingen gaan, naar debatten op het podium luisteren en 's avonds de diverse feestelijkheden bijwonen, zoals de Schotse avond. Ik had op school wat aan Schotse dansen gedaan, dingen als de *Gay Gordons* en de *Eightsome Reel* – maar om te horen aankondigen dat 'de leider en zijn vrouw nu de dans zullen openen', had een merkwaardig verlammende uitwerking op mij, te meer omdat BBC2 alles filmde voor *Newsnight*.

Je ging naar binnen, schudde een paar handen, Tony hield een kleine speech, iedereen luisterde en dan gingen we verder naar de volgende feestelijkheid. Wat hij zei, bestond in wezen uit een aantal spontane opmerkingen die zijn gedachten weergaven, dingen die misschien in zijn speech terecht zouden komen. We werden overal gevolgd door filmploegen, voortdurend in de schijnwerpers. Ondertussen probeerde ik Pat Phoenix' voorbeeld na te volgen en voortdurend aardig te zijn en te glimlachen.

Het was voor het eerst dat ik de rol van aanhang speelde en het ging me niet goed af. Ik ben van nature een doener, niet iemand die erbij staat en toekijkt. Ik had al besloten dat ik iets wilde doen met de vrouwen van de parlementsleden van Labour. Niet alle vrouwen waren politiek actief. Ik had toch al het idee dat getrouwde vrouwen het over het algemeen moeilijk hadden in het parlement en met name de Labourpartij had weinig aandacht voor hen. De tory's steunden de vrouwen en kinderen veel beter. Ik bedacht dat het minste dat ik doen was hen op de thee vragen. We spraken af dat ik als gastvrouw zou optreden bij een theevisite voor de vrouwen van de parlementsleden uit het noordwesten, want van de anderen was er bijna niemand. Dit zou het begin blijken van wat bekend werd als *Spouse in the House* [Vrouw in het Kamergebouw], een steungroep van twee fantastische vrouwen, Val Corbett en Sally Grocott. Pauline Prescott en ik werden beschermvrouwen.

Tony zou zijn speech pas dinsdag hoeven houden. Ik constateerde dat hierbij vergeleken het vagevuur een eitje was. De speech onderging vijfentwintig tot veertig revisies, waarbij iedereen zijn steentje bijdroeg, ook ik, maar de uiteindelijke tekst werd altijd door Tony en Alastair geschreven.

Op zondag gingen we naar de kerk. Elk jaar werd er een oecumenische dienst georganiseerd door de Christian Social Movement. Ik herinner me dat ik dat eerste jaar niets had om aan te trekken en een beige pak moest lenen van Carole, waaruit blijkt hoe effectief mijn dieet was en hoe gedesorganiseerd ik was. Ik had altijd plezier beleefd aan die diensten tijdens het congres: een goed publiek en een goede predikant die een weloverwogen preek hield en er is weinig dat ik fijner vind dan een opwindende hymne. Tony en ik zijn allebei gelovig. Het idee dat we God iets verplicht zijn voor wat we doen, vinden we belangrijk. De preek ging meestal over ernstige zaken, zoals de schuld van de Derde Wereld, en later asielzoekers, kwesties waarover de Kerk zich terecht zorgen maakt maar waarover ze soms een ander standpunt heeft dan de Labourpartij en later de regering. We luisterden altijd aandachtig naar wat er gezegd werd.

Het congres van de Labourpartij is het grootste partijcongres, ook al door de betrokkenheid van de vakbeweging. Dat jaar ontdekte ik voor het eerst hoe het wordt gefinancierd. In wezen huren geïnteresseerde groepen kraampjes die dienen als etalage voor wat ze doen, terwijl een aantal lief-dadigheidsorganisaties gratis kramen krijgt. Als er één ding is waaraan het tijdens het congres van de Labourpartij niet ontbreekt, is het wel opinie-makers. Dit is dus een mooie gelegenheid voor de betrokken organisaties en bedrijven om zich te profileren. Een van de prikkels om hen elk jaar te laten terugkomen, is de wedstrijd voor de 'beste kraam', die – jawel! – geju-reerd wordt door de vrouw van de partijleider. Er zijn diverse categorieën, bijvoorbeeld de publieke sector, de particuliere sector en de vrijwilligers-sector.

Ik had zeker twee halve dagen nodig om ze allemaal te bekijken. Ik was niet al te enthousiast over dat vooruitzicht. Hoe moest ik oordelen? Wat waren de criteria? Dat eerste jaar kwam iemand me laten zien wat ik moest doen en het grappige was dat ik er echt plezier aan beleefde. Nog afgezien van al het andere gaf het me in ieder geval iets te doen. Dit speelde zich af buiten de schijnwerpers, was een beetje onzinnig, maar de kraamhouders leken er echt waarde aan te hechten. Wat ze eigenlijk wilden, was natuur-lijk een stukje van hun aantrekkelijke nieuwe leider, maar als ze dat niet konden krijgen, waren ze ook tevreden met een stukje van mij, en ik kon veel meer tijd aan ze besteden dan Tony ooit had gekund. Er waren meestal zo'n tweehonderd kramen en ik zorgde ervoor dat ik ze allemaal zag, een algemeen praatje hield en dat iedereen zijn foto met mij kon laten maken. In de loop van de jaren waren er natuurlijk wel eens probleempjes, ook al werd ik scherp in de gaten gehouden, meestal door Fiona, en soms door Roz Preston die op een gegeven moment de functie van Anji als bureauchef van Tony had overgenomen. Bij een van de kramen lag viagra op tafel en mijn 'O, dat hebben wij niet nodig!' was natuurlijk de volgende dag groot nieuws in de kranten. Elke kraam drong erop aan dat ik hun beker, of hun potlood of (later) hun muismatje in ontvangst nam, wat ik natuurlijk deed, zodat ik steeds zwaarder belast werd, want ik durfde het vriendelijke aan-bod niet af te slaan uit angst bevooroordeeld te lijken. Aan het eind van de week verdeelden we deze buit onder de medewerkers die zo hard voor Tony hadden gewerkt dat ze geen tijd hadden gehad om iets voor hun eigen kinderen mee te nemen. Mijn angst voor bevooroordeling zou me later in het gezicht gegooid worden toen de *Daily Mail* schreef dat 'Cherie door de congresruimte liep en alle gratis dingen die ze kon vinden meesleepte'.

Op maandagavond, toen de speech aan zijn tigste versie toe was, werd Tony steeds gespannener. Gordon had die ochtend zijn speech gehouden en hij had kennelijk iets genoemd wat Tony ook van plan was geweest te zeg-

gen. Terwijl ik langzaam wegdoezelde, hoorde ik de stemmen in de zitkamer zich nog altijd verheffen en weer wegzakken. Op een gegeven moment
kon ik het niet langer verdragen. Hij stort in als hij nu niet ophoudt. Ik
stapte mijn bed uit en liep de zitkamer in. Ik ben niet bepaald een poets-
duivel, maar de toestand in die kamer was verschrikkelijk. Overal papie-
ren, halflege kopjes thee en hier en daar een bierglas, dienbladen van room
service met resten van sandwiches, hier en daar een jasje en een aantal erg
bleke gezichten.

'Tony,' zei ik. 'Je moet echt naar bed gaan, want je hebt slaap nodig. En
wat jullie betreft,' zei ik, wijzend naar Alastair, Anji en de rest van het stel:
'De deur uit. Allemaal de deur uit.' Hij sliep uiteindelijk nauwelijks en ik
bracht een slapeloze nacht door terwijl Tony naast me lag te woelen.

Dat weekend kreeg ik de eerste signalen van wat me te wachten stond.
Alleen de badkamer bood asiel en dan alleen nog als ik eraan dacht de deur
op slot te doen. De enige plek waar ik zeker wist dat ik een beetje rust kreeg,
was Caroles kamer.

Eindelijk was het op dinsdag tijd voor Tony's grote speech. Nu was het
erop of eronder voor Clause IV. Toen hij begon te spreken, kan je een speld
in de zaal horen vallen, en ik rilde in afwachting. Pas aan het eind werd
duidelijk hoe gedenkwaardig dit moment was. Er was een kort moment
van schok en toen barstte de zaal los. Ik voelde de opwinding om me heen
– de meest briljante speech die een nieuwe leider ooit gegeven had. Ik moet
toegeven dat ik waanzinnig trots was. Er was niets gekunstelds of gemaakts
aan de manier waarop ik aan de arm van mijn man hing. Ik wist het toen
niet, maar de toon was gezet, want de pers was er positief over met zinnen
als: 'Ze zou zo'n geslaagde carrièrevrouw zijn, maar ze gedraagt zich als een
verliefde tiener.' Ze schreven dat ik 'zijn hand vastklampte als de adorerende
echtgenote'. Het was een opluchting. Mijn kleren waren goedgekeurd, ik
was goedgekeurd. De overwinning was natuurlijk voor Tony, en iedereen
was blij.

En toen begon het, binnen een paar uur, allemaal in te storten.

'Waar is ze?' Alastairs stem galmde over de gang en toen stormde hij
binnen.

Waar had hij het over? Wie?

'Carole,' blafte hij. 'Waar is ze godverdomme!'

Net op dat moment kwam ze de badkamer uit.

'Ik dacht dat ik tegen je gezegd had dat je achter de coulissen moest
blijven. Maar nee, jij wist het beter. En nu heeft de pers je in de gaten. Niet

alleen hebben ze je gezien, maar ze weten ook precies wat je doet en wie je bent. En nu is onze prachtige dag verpest door dit belachelijke mens.' Hij was letterlijk aan het spugen.

'Wat bedoel je?' zei Carole verbijsterd.

'Ik bedoel dat je een topless fotomodel bent!'

Ik zat daar en bevroor. 'Dat geloof ik niet,' zei ik, maar niemand hoorde me.

'Ik ben geen topless fotomodel,' zei Carole.

'Jawel! Bovendien heeft de *Sun* foto's van je en morgen kan de hele wereld ongetwijfeld genieten van je blote tieten. Ik wil dat je vertrekt. Nu,' zei hij.

Geleidelijk werd duidelijk wat er gebeurd was. Toen Carole een aantal jaren daarvoor in popvideo's had gespeeld, had een vriendje foto's van haar gemaakt. Topless. Ze was toen achttien. Ze werden nooit gepubliceerd, maar dat zou nu gaan gebeuren, want hij had ze verkocht aan de *Sun*.

Inmiddels was Carole in tranen, toen ging ze de kamer uit en zei dat ze haar koffers ging pakken.

'Hoe durf je,' zei ik tegen Alastair, die inmiddels met zijn armen over elkaar in de kamer stond. 'Denk maar niet dat ik niet weet dat je porno hebt geschreven voor wat voor blaadje dan ook. Als we allemaal verantwoording moesten afleggen voor wat we deden toen we achttien waren, is het eerlijk gezegd een wonder dat jij je voor deze baan niet al in diverse opzichten hebt gediskwalificeerd.'

'Cherie, luister naar me. Ik ben journalist. Ik heb een neus voor die dingen. Deze vrouw geeft problemen. Je kunt haar absoluut niet vertrouwen. Ik wil niets met haar te maken hebben, hoor je me? Er komt vast nog meer boven water en als je wilt weten wat ik denk, ik denk dat ze alleen maar hier is om haar verhaal te verkopen.'

'Dus je staat op het punt haar uit het paradijs te gooien, hè?'

'Dat zijn jouw woorden, niet de mijne.'

Op dat moment kwam Tony binnen en plotseling voelde ik me afschuwelijk. Hij was zo blij geweest, zo opgetogen. Al die lange uren werken aan de speech waren de moeite waard geweest en nu stond hij hier en zag eruit als een donderwolk. Hij zei dat hij me alleen wilde spreken. Alastair verwijderde zich en wij gingen de slaapkamer in en hij deed de deur dicht. Ik voelde me misselijk.

'Het is ongelooflijk, Cherie. Mijn God, deze vrouw is in ons huis geweest! Ze heeft in onze slaapkamer je kleren uitgezocht. Ik bedoel, wie is dat mens? Wat weet je van haar? Kom op, denk erover na. Wat weet je eigenlijk van haar?'

'Je weet wie ze is. Ze is een fitnesstrainer. Ik ga al jaren naar haar lessen. Ik was niet echt van plan haar aan een kruisverhoor te onderwerpen over wat ze deed toen ze achttien was.'

'En dan te bedenken dat ik me door jou heb laten overhalen om me te laten masseren.' Hij ging op de rand van het bed zitten met zijn hoofd in zijn handen.

'We hebben allemaal wel stomme dingen gedaan toen we jong waren. En Alastair was godbetert een alcoholist. Ik veroordeel hem er niet om en ik zie niet in waarom hij Carole zou moeten veroordelen omdat ze een beetje slordig is geweest.'

'Slordig!'

De volgende dag werd het nog erger. Een deel van me hoopte dat zij het niet was of dat de foto's nep waren of wat dan ook. Maar het was heel onmiskenbaar Carole. Alastair bleef zijn aanval voortzetten.

'Je moet haar lozen, Cherie, zo simpel ligt het.'

'Nou, het spijt me je te moeten teleurstellen, maar dat doe ik mooi niet. Dat zou oneerlijk zijn. Ze heeft niets verkeerds gedaan en bovendien heeft ze hier goed werk gedaan en me enorm geholpen. Je hebt zelf ook gezegd dat ik er prachtig uitzie. En wie geeft jou het recht mij te vertellen met wie ik mag omgaan? Het komt misschien als een verrassing voor je, maar ik heb een eigen leven, en ik beleef plezier aan het gezelschap van mensen die geen zier om politiek geven, en ik ben van plan daarmee door te gaan.'

Kort na het ontbijt ging de telefoon. Carole. Haar moeder had net gebeld, zei ze. Haar huis was omsingeld door fotografen. Later bleek dat ze betrokken was bij de Exegesis-sekte – al weet ik nog steeds niet wat dat was of is. Maar tegen die tijd was ze vertrokken. Men had besloten haar naar een veilig adres te brengen, want ze kon niet terug naar haar moeder nu de pers voor de deur stond. Hilary Coffman en Tony's researcher Liz Lloyd hadden opdracht gekregen haar via de keukens naar buiten te brengen en ze logeerde een paar dagen bij Liz in Londen.

Wat de pers betrof had Alastair het voor elkaar gekregen Tony erbuiten te houden. Maar ik voelde me er heel schuldig over, vooral omdat het mijn taak was het hem makkelijker te maken, niet moeilijker.

Wat Carole betreft, ik was niet van plan haar op te geven. Ze had me beloofd dat ik meer energie zou krijgen en dat was gelukt en ik wist dat ik het nodig zou hebben. Het had geen zin iemand dingen in te peperen, maar ik bleef drie keer per week een uur voor mijn werk naar de sportschool gaan en geleidelijk aan stierf de opwinding weg. Tony zag in dat hij ook lichaamsbeweging nodig had en drie keer per week kwam er na zes uur 's avonds een persoonlijke trainer aan huis om met Tony oefeningen te doen. Een oude roeimachine van de man van Felicity werd in Nicky's kamer in gebruik genomen. Omdat er geen tekenen waren dat de belangstelling van de pers afnam, had ik steeds vaker iets nodig om aan te trekken. Carole zocht dan dingen uit en ik betaalde haar om ze te halen. Wie had ik dan moeten vragen? De meeste van mijn vriendinnen waren werkende moeders, net als ik. Wat kleding betreft was hun horizon al net zo beperkt als de mijne. Werkpakken, leggings, wijde bloezen en niet veel meer. Ik kende geen dames die gingen lunchen.

17

Thuis

Terug op Richmond Crescent 1 ging het leven gewoon door, behalve dat papa de kinderen nu 's ochtends niet meer naar school bracht. Ze zaten alle drie nog in Highbury op school, maar het zou Euans laatste jaar worden.

De vraag was: waarheen daarna? Kinderen van St Joan of Arc gingen naar een van vier katholieke scholen: de dichtstbijzijnde was St Aloysius in Islington en dan had je nog St Ignatius in Edmonton, een beetje noordelijker, dat was de school van de jezuïeten. Verder was er Cardinal Vaughan in Notting Hill en ten slotte de London Oratory School in het westen van Londen. Hoewel ze alle vier een flink eind rijden van Richmond Crescent waren, was ik me ervan bewust dat als we naar Westminster verhuisden, de enige werkbare mogelijkheden Cardinal Vaughan of Oratory waren. Cardinal Vaughan had een vrij streng aannamebeleid ten aanzien van jongens buiten hun rayon en van St Joan of Arc werden er elk jaar maar een of twee aangenomen, terwijl London Oratory heel Londen bestreek en elk jaar kwamen er wel zes of zeven van onze school. Beide scholen hadden een breed aannamebeleid en werden volledig door het rijk gefinancierd, zij het wel door de centrale overheid en niet door de gemeente. Ze selecteerden niet op schoolprestaties, maar het waren allebei goede katholieke scholen en er was flinke concurrentie om aangenomen te worden.

Het plannen van de opleiding van je kinderen is altijd lastig, maar toen we alle imponderabilia van ons gezin eraan toevoegden, werd het helemaal een nachtmerrie. Waar hij ook naartoe zou gaan, Euan zou beginnen in de herfst van 1995 en als de regering-Major besloot het normale patroon te volgen, zouden de verkiezingen in mei 1996 zijn. Ik moest een praktisch besluit nemen. Als het onvoorstelbare gebeurde, in 1996 of 1997, als we inderdaad plotseling in Downing Street terecht zouden komen, zou dat al voldoende onrust zijn voor onze kinderen. Continuïteit was van levensbelang en het veranderen van school was in die periode geen optie. En omdat Nicky maar twee jaar jonger was dan Euan, wilden we niet dat ze naar verschillende scholen zouden gaan. Uiteindelijk kozen we voor Oratory. De reis van Islington was te overzien. Met de Piccadilly-lijn van de metro rechtstreeks naar station Earl's Court en dan één halte op de District-lijn. In Downing Street was het station Westminster net om de hoek en dan kwam je er rechtstreeks met de District-lijn. Op de open dag van de school was ik Helena Kennedy tegen het lijf gelopen wier eigen zoon er binnenkort zou beginnen. Alle twijfels die ik had gehad vanwege het feit dat de school geen subsidie meer zou krijgen, verdwenen als sneeuw voor de zon. Als de perfecte Helena vond dat het goed was, was het voor mij ook goed.

Toen Tony het vertelde, ging Alastair door het lint. Het zou rampzalig zijn voor Tony's reputatie, zei hij. Hij was verplicht zijn kinderen naar de gemeentelijke scholengemeenschap te sturen. Alastair 'doet geen religie' zoals hij zegt. Hij heeft nooit begrepen waarom het voor mij belangrijk was dat mijn kinderen katholiek onderwijs kregen. En voor mij is het belangrijk. Ik wilde dat mijn kinderen net als ik katholiek onderwijs kregen. Katholieke scholen houden nog steeds religieuze bijeenkomsten en de kinderen vieren de kerkelijke feestdagen, dingen die op niet-religieuze scholen niet meer gebeuren. Het was niet alleen belangrijk voor mij, maar ook voor Tony. Hij was dan wel niet katholiek, maar sinds de kinderen klein waren, was hij altijd mee naar de mis gegaan. Op St Joan of Arc was de mis op zondagochtend, net als in de meeste katholieke kerken in het hele land, een gezinsmis: een oprecht warme en hartelijke gebeurtenis, zij het enigszins chaotisch. Hier had ik Felicity en alle andere moeders wier kinderen naar dezelfde school gingen voor het eerst ontmoet. Tony ging trouwens vrij regelmatig met ons ter communie. Hij was lid van onze kerkgemeenschap. Weinig mensen in de congregatie wisten dat hij niet katholiek was. Euan en Nicky hadden tegen die tijd hun eerste communie gedaan. Wat heel erg raar zou zijn geweest, was als Euan na de katholieke basisschool naar een niet-katholieke school zou gaan.

Ik weet niet of Alastair dacht dat ik gewoon mijn spierballen liet zien vanwege onze onenigheid over Carole. Eerlijk gezegd lijkt het me onwaarschijnlijk. Ik was misschien wel de officiële katholiek in ons gezin en Tony werd misschien ontmoedigd bij het in het openbaar verkondigen van zijn geloofsovertuiging, maar dit was geen politiek, dit was privé en stond niet ter discussie. Tony maakte hem dat ondubbelzinnig duidelijk. Alastair gaf hem een dreigende waarschuwing: 'Je zult hier nog spijt van krijgen,' maar dat is nooit gebeurd. Voor ons gezin was dit de juiste weg.

Natuurlijk lekte het verhaal naar buiten en op 1 december 1994 was het voorpaginanieuws in de *Daily Mail*, maar Tony bleef bij zijn standpunt. London Oratory was geen school waar je schoolgeld moest betalen, ze was niet elitair. Ze werd gefinancierd door het rijk. De opleiding van zijn kinderen was geen politieke voetbal.

Later stuurde Harriet Harman haar een na oudste zoon naar een elitaire middelbare school, St Olave's and St Saviour's in Orpington, terwijl haar oudste zoon op Oratory een klas hoger zat dan Euan. Er volgde opnieuw opwinding. Tony stond volledig achter haar. Waar hij naar streefde, was een hoog niveau van onderwijs voor iedereen, ongeacht godsdienst of gebrek eraan. Oratory was een gesubsidieerde school, in wezen de voorloper van wat nu de gymnasia zijn. En dat was nog een van zijn doelstellingen: mensen tonen dat je ambitieus kon zijn en tegelijkertijd aandacht kon schenken aan wat er met anderen gebeurt. Bovenal wilde hij het idee onderuithalen dat als mensen het eenmaal gemaakt hadden in hun leven, de Labourpartij niet meer hun basis was.

Toen John Smith in 1992 Neil Kinnock als leider opvolgde, betaalde de partij zeventigduizend pond voor het opknappen van zijn appartement in de Barbican omdat ze vonden dat hij een geschikte plek moest hebben om gasten te ontvangen.

Nu Tony oppositieleider was, kwam er iemand van de partij kijken naar ons huis is Richmond Crescent, en omdat hij niet verrukt was over de gaten in de vloerbedekking, stelde hij voor dat we het appartement van John Smith zouden gebruiken voor officiële ontvangsten, wat wij allebei tactloos en onfatsoenlijk vonden.

Ik zei: 'Als ik gasten moet ontvangen, ga ik dat niet doen in andermans huis. Het moet in ons eigen huis gebeuren.' Maar om Richmond Crescent geschikt te maken, vonden we echter niet dat we nog meer geld van de partij moesten krijgen nadat die pas twee jaar geleden zo veel had uitgegeven aan het opknappen van John Smiths appartement. Onder deze omstandigheden had ik geen andere keus dan een grotere lening te nemen om het huis op te knappen. Ik deed het zo goedkoop mogelijk, maar op het moment dat we verder keken dan de oppervlakte, werd duidelijk dat er radicaler moest worden ingegrepen. Mijn vader klaagde altijd dat hij iedere keer als hij sliep in onze logeerkamer in de kelder ziek werd, dat het er klam en ongezond was. Hij bleek gelijk te hebben. De hele benedenverdieping moest worden behandeld en opnieuw worden bepleisterd, wat betekende dat ik dertigduizend pond van de bank moest lenen. Tony's houding ten opzichte van geld is in wezen altijd geweest: 'Ik wil gewoon doen wat er moet gebeuren en op de een of andere manier komen we er wel uit.' Hoewel ik al lang geleden had geaccepteerd dat ik de belangrijkste kostwinner was, stoorde het me soms dat hij de eer kreeg voor zijn afstandelijke stellingname terwijl de verantwoordelijkheid voor het verkrijgen van een lening mij ten deel viel. Ik vond het echter niet raar. Zo gingen die dingen toen ik opgroeide. Mijn grootmoeder was altijd degene die de gezinsfinanciën beheerde. Grootvader droeg het grootste deel van zijn salaris aan haar over en mijn moeder de helft van het hare.

Toen ik naar Gray's Inn Square verhuisde, zei Leslie Page, de hoofdgriffier, tegen me dat de strategie van het kantoor was dat ik binnen vijf jaar Queen's Counsel zou worden. Ik trok in op 1 januari 1991 en omdat het inmiddels bijna 1995 was, moest ik ernstig nadenken over wat ik wilde doen.

Acceptatie was geen vanzelfsprekende zaak. De mening van de seniorrechters gaf toen uiteindelijk de doorslag. Als je van plan was te solliciteren, was het een goed idee met een ouder lid van de balie te praten om hun mening te peilen.

De benoeming tot Queen's Counsel is geen garantie voor een hoger inkomen. Er is zelfs een kans dat je erop achteruit gaat. Iemand met een goede beginnende praktijk kan heel goed meer verdienen dan een Queen's Counsel met een kleine praktijk. Als Queen's Counsel werk je met een juniorpartner, en die relatie zou, in tegenstelling tot een leerling die je kunt commanderen, wel eens niet gunstig kunnen verlopen. Vaak bezorgt de juniorpartner je werk, maar als die jou niet mag of je vervelend vindt om mee samen te werken, heb je een probleem.

Destijds kon je niet zonder een juniorpartner werken. Niet alleen kon je niet zonder hem of haar in de rechtszaal verschijnen, maar je kon ook geen pleidooi houden of gerechtelijke stukken opstellen. Tegen 1995 werden die regels echter al wat minder rigide nagevolgd vanwege gemopper over beperkende omstandigheden en tegen het eind van de jaren negentig waren ze grotendeels verdwenen. Desalniettemin doe ik zelden dingen alleen, al was het maar omdat het goedkoper is voor de cliënt: een juniorpartner is goedkoper dan ik ben en zij kunnen heel goed het achtergrondmateriaal voor hun rekening nemen. Waarom zou je mijn uurprijs betalen als het minder kan? Waar een Queen's Counsel voor betaald wordt, is – in grote lijnen – de zaak vormgeven en eventueel de verdediging. Als je eenmaal voor de rechtbank staat, is de juniorpartner aanwezig om je te assisteren, te zorgen dat je alle punten behandelt, dat je al je boeken bij je hebt en je verder in alles bij te staan. Als er bij een zaak getuigen moeten worden gehoord, kun je de juniorpartner wat minder belangrijke getuigen laten horen. Trouwens, bij de meeste zaken die ik behandel, zijn er helemaal geen getuigen, omdat het gaat om juridische kwesties, dus over de interpretatie van de wet. De juniorpartner kan je helpen bij het opstellen van je schriftelijke bewijsvoering die je voor de rechtszaak indient, maar de mondelinge bewijsvoering doe je zelf.

Ik stapte over naar Gray's Inn Square 4-5 om mijn praktijk uit te breiden en het had in ieder geval effect gehad. Ik deed geen gooi- en smijtwerk meer, maar meer zaken voor het hooggerechtshof, met name zaken over juridische interpretaties, die zowel interessant zijn en – omdat ze vaak te maken hebben met controversiële overheidsbesluiten – vaak politiek van aard en veel aandacht krijgen. Met als gevolg dat ze je onder de aandacht van de rechters van het hooggerechtshof brengen, de mensen die uiteindelijk besluiten wie er al dan niet Queen's Counsel wordt.

De zaken over de hoofdelijke belasting waren klassieke voorbeelden van publiekrecht en zorgden gegarandeerd voor krantenkoppen. De zaken begonnen in de politierechtbank waar de rechters mensen gevangenisstraf oplegden als ze weigerden te betalen. Als de beklaagde meende dat er sprake was van een juridische fout, kon hij in beroep gaan bij de afdelingsrechtbank van het hooggerechtshof om vrij te komen. Meestal vertegenwoordigde ik de lokale overheid met de stelling dat de rechter gelijk had gehad. Een van de zaken die ik deed, betrof een man die lid was geweest van de Militant-groep in de afdeling Thanet North van de Labourpartij.

'Ik herinner me dat ik campagne voor je heb gevoerd in 1983,' zei hij. 'Voordat je je ziel aan de duivel verkocht.'

Mensen vragen me wel eens hoe ik omga met zaken die een wet betreffen waarvan ik zelf niet echt voorstander ben. Ik vond de hoofdelijke belasting politiek gesproken geen goed idee, maar als het parlement die wet eenmaal heeft aangenomen, vind ik dat je je daarbij moet neerleggen: je moet betalen. Je kunt de wet proberen te veranderen, maar ondertussen moet je je aan de wet houden. Ik vind dat er een duidelijk verschil is tussen campagne voeren om een wet te wijzigen en de wet ongegeneerd overtreden.

Het is de oude vraag die alle rechtenstudenten moeten beantwoorden: moet je de wet gehoorzamen? Gandhi en anderen die de wet overtraden – wat ze inderdaad deden – accepteerden dat de consequentie daarvan was dat ze gevangengenomen zouden worden – wat inderdaad gebeurde.

Een vriendelijke advocaat in Manchester bezorgde me een aantal interessante zaken tegen ICSTIS, een organisatie die het gebruik van chatlijnen door kinderen wilde beperken om te voorkomen dat er enorme telefoonrekeningen verschenen die de ouders dan moesten betalen. Sommige van die lijnen bleken sekslijnen te zijn. Ik bevond me nu in de positie om sekslijnen te verdedigen die door ICSTIS werden afgesloten. Het begon altijd met een vriendelijke intellectuele woordenwisseling, maar dan zei de rechter: 'Goed, laten we eens naar een paar van die afschriften kijken,' en dan moest ik voorlezen wat die mensen in feite zeiden op die chatlijnen en terwijl ik daar dat spul stond voor te lezen, kon ik gewoon zien dat de zaak door het afvoerputje wegliep. Of, zoals de rechter als normaal mens ongetwijfeld dacht: Het kan me niet schelen hoe slim deze juridische bewijsvoering is, maar deze lijnen blijven afgesloten. En dat gebeurde dan ook meestal. Vaak weet je bij dergelijke zaken al dat je niet gaat winnen. Mijn argumenten waren dan wel goed, maar ik wist dat het moreel onaanvaardbaar was.

De reden dat ik die zaken toch deed – en andere waar ik niet per se achter stond – was wat bekendstaat als het taxistandplaatsprincipe, dat bepaalt dat je op jouw terrein de persoon vertegenwoordigt die naar je toe komt. Het ontstond in de achttiende eeuw toen John Wilkes en anderen zoals hij werden beschuldigd van opruiing en geen advocaten konden vinden om hen te verdedigen omdat die bang waren door de regering gestraft te worden. Als men wilde dat het rechtssysteem behoorlijk functioneerde, hadden die mensen het recht verdedigd te worden, redeneerde men. Het gevolg is dat het nu wordt beschouwd als onprofessioneel gedrag als je een zaak weigert indien je beschikbaar bent en een redelijk honorarium geboden krijgt.

Er zijn advocaten – voorbeelden zijn Michael Mansfield en Helena Kennedy – die zeggen: 'Ik verdedig geen verkrachters,' of: 'Ik doe zus of zo niet.' Het voordeel van het taxistandplaatsprincipe is wat mij betreft dat dan niemand kan zeggen dat ik een bepaalde zaak verdedig omdat ik het ermee eens ben. Soms ben ik het er wel mee eens en je zou kunnen stellen dat ik dan waarschijnlijk beter werk aflever. Maar dat is absoluut niet relevant. Toen Tony eenmaal oppositieleider was, werd het nog belangrijker dat ik me aan die regel hield. Ik moest ervoor zorgen dat ik politiek volkomen neutraal bleef, vooral omdat mijn specialisatie zo veel te maken had met besluiten van de overheid.

Door mijn zaken op het terrein van het publiekrecht kwam ik terecht in zaken die te maken hadden met de onderwijswetgeving. Door het hoge percentage advocaten dat zich bezighield met planologie, had Gray's Inn Square 4-5 erg goede contacten met de lokale overheid. In de jaren negentig ontstond een heel nieuw systeem van speciaal onderwijs voor kinderen met fysieke of geestelijke handicaps of gedragsproblemen. Omdat ik ervaring had op het gebied van het familierecht en verondersteld werd goed met kinderen te kunnen omgaan, werd een groot aantal van die zaken mijn kant op gedirigeerd. Ik vertegenwoordigde Caris, een klein meisje voor wie ik een gerechtelijke vonnisherziening won. Caris was een schatje. Het lukte ons het hof ervan te overtuigen dat de beslissing van de gemeente om haar van haar speciale school te verwijderen, ongedaan moest worden gemaakt. Ze had spastische verlamming; er was niets mis met haar hersens, alleen haar lichaam was beschadigd. Later nodigde haar school, die beheerd werd door de liefdadigheidsorganisatie Scope, me uit om langs te komen en dat was het begin van mijn lange relatie met hen.

Hoewel het altijd bestaan heeft, is dyslexie pas sinds kort officieel erkend als handicap, en ik deed de eerste zaak voor Pamela Phelps, een meisje met dyslexie die de gemeentelijke overheid aanklaagde omdat men haar handicap niet had gediagnosticeerd en de zaak ging helemaal tot het Hogerhuis. De vraag was of de gemeentelijke overheid van nalatigheid kon worden beschuldigd, en in 2002 heb ik een boek over het onderwerp geschreven. Omdat het onontgonnen terrein was, had niemand zich er nog mee beziggehouden.

Die zaken werden aanhangig gemaakt omdat onderwijs juridisch gezien een heel nieuw onderwerp was. Het gevolg was dat ik voor de hoogste rechtbanken van het land gestaan had en dat betekende dat ik steeds bekender werd bij de rechters.

Toen ik bij Gray's Inn Square 4-5 kwam werken, was ik al lid van de it-commissie van de Orde van Advocaten en in 1992 was ik voorzitter. Op die manier had ik een aantal rechters vrij goed leren kennen. Toen ik het besluit moest nemen of ik al dan niet moest solliciteren om Queen's Counsel te worden – toen vier jaar van Leslies vijfjarenplan voorbij waren – ging ik met een aantal van hen praten. De reactie was positief. Men vond dat mijn praktijk rechtvaardigde dat ik ervoor in aanmerking zou komen en suggereerde dat het beter zou zijn om te solliciteren zolang er nog een toryregering was. Als ik wachtte tot Labour aan de macht kwam, zou het moeilijker worden om beschuldigingen van voortrekkerij te ontlopen. Ook Michael Beloff en David Keene vroeg ik om hun mening. Het advies was van iedereen vrijwel hetzelfde: grijp je kans. 'Het is nu 1994. Als het je de eerste keer niet lukt, kan het altijd nog in 1995, want in principe zijn de verkiezingen in 1996 of 1997.'

Het aanmeldingsformulier van het kantoor van de voorzitter van het Hogerhuis moest begin oktober binnen zijn. Daarin beschreef je je praktijk, vertelde waarom je vond dat je ervoor in aanmerking kwam, gaf details van je inkomen over de laatste drie jaar en de namen van je referenties.

Het kantoor van de voorzitter van het Hogerhuis raadpleegt het dossier dat al aanwezig is en verricht ook zelf onderzoek. De lijst van de aanvragers is dan al naar alle rechters van het hooggerechtshof en hoger gestuurd en ook zij doen onderzoek in het circuit: ze spreken met de voorzitter van de Orde van Advocaten (*Bar Council*) en de voorzitter van de *Law Society* over je reputatie. Ze gaan ook naar de verenigingen van gespecialiseerde juristen. Omdat ik als advocaat gespecialiseerd ben in arbeidsrecht, zouden ze zich in mijn geval wenden tot de *Employment Law Bar Association* en de *Administrative Law Bar Association* (die publiekrecht omvat).

De uitslag wordt altijd aangekondigd op Witte Donderdag, de dag voor Goede Vrijdag, maar meestal weet je al sinds het weekend ervoor wat je lot is, want dan is er een brief in de brievenbus gevallen. Als de inhoud van de envelop dun is, is het nee. Als de envelop dik is, staat erin wat je moet doen. Toen er een dikke brief op mijn deurmat viel en ik de envelop openscheurde, was het weer even alsof ik het resultaat van mijn toelatingsexamen voor de middelbare school kreeg.

'De voorzitter van het Hogerhuis heeft het genoegen bij Hare Majesteit te mogen aanbevelen...'

Ik had geluk, het was me bij de eerste poging gelukt. Ik was een van de zes vrouwen die dat jaar Queen's Counsel werd, het grootste aantal sinds lange tijd.

Ik herinner me dat ik naar boven riep: 'Tony! Ik ben het geworden!' Hij zou precies weten wat ik bedoelde en dat gold zelfs voor de kinderen, want Tony's broer, oom Billy, was twee jaar eerder QC geworden. Ze wisten dat het een bijzondere gebeurtenis was.

Heel toevallig waren Tony en ik voor de dag dat ik mijn uitslag kreeg uitgenodigd op Windsor Castle. Traditioneel overnacht de oppositieleider op het paleis, maar dat jaar – tot onze grote opluchting – was dat onmogelijk omdat er na de brand nog steeds reparaties moesten worden uitgevoerd. We hadden geen bezwaar tegen overnachten, maar omdat het Pasen werd, wilden we de volgende dag vroeg vertrekken naar ons kiesdistrict.

Op dezelfde dag dat werd aangekondigd dat 'het Hare Majesteit genoegen doet... Cherie Booth aan te stellen als haar raadsvrouwe', ging ik met de koningin persoonlijk dineren! Dat een net benoemde Queen's Counsel de vorst nog op dezelfde dag persoonlijk kan bedanken, is waarschijnlijk zelden voorgekomen. Het was niet de eerste keer dat ik haar sprak. Nieuwe parlementsleden worden altijd met hun echtgenoten uitgenodigd op Buckingham Palace, en ik herinner me dat ik bij die eerste ontmoeting met stomheid geslagen was, niet wist wat ik moest zeggen en ook niet meer wist hoe ik een reverence moest maken. Toen ik klein was, had ik uiteraard op balletles geleerd hoe ik een reverence moest maken, maar een knicks leek me wat overdreven bij deze gelegenheid, dus gaf ik een vaag soort knikje. Het idee dat ik zou weigeren een reverence te maken, toen of daarna, is echt absolute onzin, hoewel ik inmiddels geneigd ben een buiging te maken. Als advocaat maak ik voortdurend buigingen – van vrouwelijke advocaten wordt geen reverence verwacht – als gebaar van respect voor het hof en respect voor de Kroon. Dat gaat vanzelf.

De plechtigheid waarbij je officieel bevestigd wordt als Queen's Counsel, volgt onmiddellijk na de vrije paasdagen en vindt plaats op het paleis van Westminster. Dat eist andermaal een gang naar Ede & Ravenscroft: een nieuwe zijden toga en een lange pruik. Vrouwelijke advocaten droegen vroeger lange rokken voor de ceremonie, maar in 1991 had Helena Kennedy toestemming gekregen het mannenkostuum met knickerbockers te dragen wat veel leuker was. Daar koos ik voor. Toen ik het aanpaste, was ik verrast over hoeveel ruimte er aan de voorkant zat… Een blozende verkoper moest me uitleggen waarom. Uiteindelijk werd die voor mij speciaal gemaakt.

Het was een echt familiefeest: mijn vader kwam, en mijn moeder was er en Lyndsey en alle drie de kinderen. Omdat het op een dinsdag was, de dag vóór het vragenuurtje met de premier, kon Tony niet meteen meegaan, maar om een uur of elf, toen de ceremonie bijna van start ging, kwam hij naar Westminster Hall om te kijken.

We waren met ongeveer zeventig nieuwe leden en op volgorde van senioriteit moesten we een eed van trouw zweren, waarna we onze akte kregen met daarop ons rangnummer. Ik stond zeven plaatsen boven de laatste, dat wil zeggen dat ik op zeven na de jongste was.

Na een klein feestje op het advocatenkantoor gingen we naar het hof van de Lord Chief Justice (opperrechter). Daar werden we – opnieuw op volgorde van leeftijd – voorgesteld aan de opperrechter.

Mijn hele familie had alles keurig uitgezeten, maar inmiddels werden de kinderen wat onrustig, maar ze waren ook verbijsterd door alle pluimstrijkerij en hun moeder die er in dat belachelijke pak uitzag als een sprookjesprins. Mijn vader liet zich ondertussen fotograferen door de wachtende persfotografen: geen voorstelling zonder Jan Klaassen. Maar ik wist dat hij heel blij was. Ik herinner me dat hij zei: 'Je grootmoeder zou zo trots zijn geweest dat je het net zo ver geschopt hebt als Rose Heilbron.' Dat is ook zo. Ze zou trots zijn geweest.

Ten slotte werd het tijd om te feesten. De auto bracht ons naar huis en iedereen – vrienden en familie – verscheen om te vieren. Later die avond eindigden we in het huis van Bill en Katy en haalden Chinees. Tony was er inmiddels ook bij. Het was het eind van een fantastische dag, een trots moment voor mij, een trots moment voor mijn moeder, en zelfs de kinderen waren enigszins onder de indruk. Ze waren eraan gewend dat hun vader de Grote Gebeurtenis was, maar in ieder geval mocht ik me voor mijn gebeurtenis verkleden! En zij konden er deel van uitmaken op een manier die met Tony meestal niet kon omdat we hen op de achtergrond wilden houden.

Rond de tijd dat het verhaal over London Oratory bekend werd, kreeg ik een telefoontje van een ziedende Fiona. Anji Hunter had haar verteld dat ik dacht dat Alastair het verhaal gelekt had. Ik had geen idee hoe Anji daarbij kwam, zei ik. In ieder geval niet van mij, want dat was niet het geval. Fiona was duidelijk erg kwaad en erg gespannen en nu bleek dat, ondanks wat Tony in augustus had beloofd, het leven van de familie Campbell-Millar snel bergafwaarts was gegaan.

'Hij vertrekt gewoon 's ochtends en als ik al bedacht heb dat hij nooit meer terugkomt, verschijnt hij weer. En als hij thuis is, hangt hij aan de telefoon. Gezien de aandacht die ik krijg, zou ik net zo goed een paraplubak kunnen zijn'. Ik had iets van: Tja, welkom bij de club.

'Geloof me, Fiona,' zei ik, 'ik weet precies hoe je je voelt.'

Na dit gesprek ontstond het idee dat als ze er meer bij betrokken was, het thuis misschien ook beter zou gaan. Tony vroeg voorzichtig of ik niet iemand nodig had om me te helpen. Fiona was freelance journalist. Ze was begonnen bij de *Daily Express* waar haar vader ook als journalist gewerkt had. Soms werkte ze voor het tijdschrift *The House*, het interne tijdschrift van het Lagerhuis. Ze was trouwens sinds de dagen van de partijafdeling Maida Vale politiek actief.

Fiona is heel aantrekkelijk met een grote bos blond haar, ze is resoluut en vastberaden, maar ze kan erg rancuneus zijn. Eerlijk gezegd kende ik haar destijds niet erg goed, maar we stonden op goede voet en vertrouwden elkaar. Het eerste dat ze deed, was Philip Gould (adviseur opiniepeilingen van de Labourpartij) een paar vragen in zijn focusgroepen laten stellen over hoe mensen over mij dachten. Omdat ze bevriend was met Lindsey Nicholson, destijds hoofdredacteur van *Prima*, een tijdschrift voor vrouwen in het middensegment van de markt, regelde Fiona dat ik bij het nummer voor hun tienjarig bestaan gastredacteur werd.

John Merritt was getrouwd met Lindsey en had als journalist stage gelopen bij Alastair, en zij waren dikke vrienden geworden. In 1993 stierf John aan leukemie terwijl Lindsey zwanger was van hun tweede dochter, de oudste was pas drie jaar – een tragisch verhaal. Ik mocht Lindsey meteen. Een echt aardige vrouw, enorm deskundige hoofdredacteur en een braaf katholiek meisje, net als ik.

Het idee dat uit Philips focusgroep kwam, was dat een wat zachter imago beter voor me zou zijn, om te laten zien dat ik een gewone moeder was, net als iedereen. Het idee dat gewone moeders gastredacteur worden bij dure damesbladen, was weer een ander verhaal. In het begin dacht ik dat gastredacteur zijn betekende dat ik fysiek het tijdschrift zou moeten redigeren, maar Lyndsey hield de touwtjes stevig in handen. 'Mijn' nummer van *Prima* zou worden opgebouwd rond mijn interesses, legde ze uit. Aan de lichtere kant bleek breien de koploper. Toen ik drie jaar was, kreeg ik van mijn grootmoeder mijn eerste breinaalden. Theemutsen waren mijn pronkstukken en waren – hoopte ik – veelgevraagde verzamelobjecten. Maar voor deze aflevering wilden ze iets met een patroon; we kozen een trui van kabelsteek. Ik had hem niet echt zelf gebreid – al had ik het een uitdaging gevonden – maar er was niet genoeg tijd. In plaats daarvan was het mijn *Blue Peter*-moment: hier is er een die iemand anders eerder heeft gemaakt.

Dan waren er mijn serieuzere interesses: mishandeling van vrouwen en kinderen. Ik was kort daarvoor benaderd door Refuge, de liefdadigheidsorganisatie voor mishandelde vrouwen, die was opgezet door Erin Pizzey, en ze hadden me gevraagd of ik in het bestuur zitting wilde nemen. Tot op dat moment hadden de dingen die ik sinds ik advocaat was voor liefdadigheidsorganisaties had gedaan, altijd rechtstreeks te maken gehad met mijn werk: gratis advies geven aan de Child Poverty Action Group en de NCCL, en natuurlijk mijn woensdagavondsessies in Tower Hamlets.

In 1992 keek ik vanaf de zijlijn toe hoe twee advocaten die ik goed kende op hun aanstaande functies werden voorbereid door John Smith. Derry was nu lord Irvine of Lairge, QC, en de gedachte was dat hij een goede hervormingsgezinde minister van Financiën zou zijn als Labour eenmaal aan de macht was. Veena, van wier ouders ik de flat in Maida Vale had geleend, was inmiddels gescheiden van haar eerste man en nu getrouwd met de charismatische advocaat Gareth Williams, en er gingen geruchten dat hij procureur-generaal of advocaat-generaal zou worden. Gareth was degene die me benaderde voor mijn medewerking aan de campagne *Justice for Children* van de National Society for the Prevention of Cruelty to Children (NSPCC). Hun bedoeling was dat advocaten geld inzamelden voor het NSPCC-kantoor in Penge dat bendes van kindermishandelaars opspoorde en waar ze gespecialiseerde maatschappelijk werkers hadden die de kinderen tijdens de rechtszaken ondersteunden. Destijds hadden we nog niet de videoverbindingen die we nu hebben. Het is voor een kind altijd moeilijk en soms traumatisch om te getuigen bij een strafzaak en een van de dingen die we wilden – naast het inzamelen van geld – was een verandering in de manier waarop de advocaat van de verdachte kruisverhoren afnam, want ze waren vaak heel agressief, zelfs tegen heel jonge kinderen.

Het lijkt misschien zijn doel voorbij te schieten als je een kind in aanwezigheid van een jury intimideert, maar als het kind zichzelf vervolgens tegenspreekt, is het een 'leugenaar' en gaat de verdachte vrijuit. We wilden die omstandigheid veranderen. De tory's waren al begonnen uit te zoeken of we de zaak voor kinderen makkelijker konden maken en nadat Labour aan de macht was gekomen, hebben we veel gedaan om de slachtoffers in de rechtszaal te helpen en de regels te veranderen, zodat ze kunnen getuigen achter een scherm. Dat geldt inmiddels ook voor mishandelde vrouwen en slachtoffers van verkrachting. Dat was allemaal begonnen met de campagne *Justice for Children*.

Rond 1994 werkte ik voornamelijk aan zaken die te maken hadden met arbeids- en publiekrecht; kort na de geboorte van Kathryn had ik mij beroepshalve teruggetrokken uit familierechtszaken. Ze interesseerden me echter nog steeds, en daarom accepteerde ik de uitnodiging van Refuge om naar het opvangcentrum van Chiswick te komen. Erin Pizzey was inmiddels weg en het centrum werd nu beheerd door Sandra Horley, een dynamische communicator uit Canada die al dertig jaar hard werkt aan grotere bekendheid van Refuge. Ik kende haar naam als getuige-deskundige in rechtszaken over het mishandelde-vrouwensyndroom – en waarom mishandelde vrouwen moorden plegen. Het eerste dat ik voor Refuge had gedaan, was een nieuwe campagne lanceren om de bekendheid ervan te vergroten. *Prima* bood mij een mooie gelegenheid dat voort te zetten. Ik schreef over hoe ik er als jonge advocaat bij betrokken was geraakt en hoe belangrijk het was, voor mij en voor vrouwen in het algemeen.

Tony's kantoor stond aarzelend tegenover mijn betrokkenheid. Waarom zou ik de aandacht op mezelf vestigen? Een vrouw die was ingehuurd om de netelige kwestie hoe ik mezelf moest presenteren te beoordelen, stelde vast dat ik om moeilijkheden vroeg. 'Mensen gaan denken dat jij erbij betrokken bent geraakt omdat je vader je moeder sloeg.'

'Maar dat deed hij niet,' zei ik. 'En dat is niet de reden waarom ik het doe.' In al die jaren heeft trouwens niemand ooit gesuggereerd dat het wel het geval was. Omdat Fiona aan mijn kant stond, gingen Tony's mensen uiteindelijk akkoord, maar ze bleven op hun hoede, en mompelden dat ze geen behoefte hadden aan extra gedoe. Er ontstond geen extra gedoe en het was het begin van een relatie met Refuge die nog altijd standhoudt.

Het feit dat ik Fiona aan mijn kant had, was in dit geval, en veel andere gevallen, een grote steun. In die beginjaren zorgde ze ervoor dat ik niet gek werd: niet alleen op de voor de hand liggende manier – zorg voor de post en beheer van mijn agenda toen we eenmaal in Downing Street zaten – maar vooral door ervoor te zorgen dat de mensen van Tony's kantoor leerden het gezinsleven mee te nemen in hun denkpatroon, een onderwerp dat we allebei erg belangrijk vonden. Later zou Roz Preston voor een deel die rol overnemen, maar Fiona had het goede voorbeeld gegeven.

In september 1995 begon Euan zoals verwacht aan London Oratory School. Op de eerste schooldag gingen de moeders die daarvoor de tijd hadden, met hen mee in de metro. Ze waren pas elf jaar en de meesten waren nog nooit alleen met de metro gegaan. We vertrokken om tien voor zeven van huis omdat we met Euans vriend op station Arsenal hadden afgesproken. Op station Earl's Court stapten we over op de District-lijn naar West Brompton, de halte het dichtst bij Oratory. Inmiddels was de wagon gevuld met jongens in hetzelfde uniform en ze praatten en lachten met elkaar.

'Heb je het gehoord?' zei een van de jongens tegen zijn vriendje tegenover hem.

'Wat?'

'De zoon van Tony Blair komt ook bij ons op school vandaag.'

Euan zei niets, maar hij porde me en ik gaf hem een stiekeme glimlach.

Vanaf station West Brompton is het een wandeling van ongeveer acht minuten, en die ochtend stonden leerlingen van de hoogste klassen voor de gelegenheid langs de route opgesteld. Maar toen we over Seagrave Road liepen, was de sfeer speels en levendig. Een goede start, dacht ik voor dit nieuwe hoofdstuk in het leven van mijn zoon. Toen we vlak bij school waren, ontstond er enige opwinding en de moeders die voor me liepen, trokken hun kinderen opzij. En toen zag ik ze: drie fotografen – paparazzi – die mijn naam riepen en naar ons toe renden. Het was een verschrikkelijk gevoel. Het was alsof de Rode Zee zich had gesplitst en Euan en ik er middendoor moesten lopen. Iedereen keek om en die kerels renden met hun camera's tegen hun gezicht om ons heen. Wat kon ik doen? Als ik probeerde bij de andere moeders te gaan staan, zouden hun kinderen ook gefotografeerd worden en dat zou me nog meer problemen geven. Ik bleef doorlopen. Tegen de tijd dat we bij het hek waren, was Euan bijna in tranen en terwijl iedereen wachtte tot alle nieuwe leerlingen waren gearriveerd, werden wij naar binnen geduwd en werd ik vervolgens via een andere deur weer naar buiten gesmokkeld. Ik reed per metro terug en voelde me ellendig en woedend. Ellendig vanwege mijn zoon, maar woedend op mezelf dat ik niet in staat was geweest hem te beschermen.

Toen ik eenmaal op kantoor was, belde ik Tony's kantoor, vertelde wat er gebeurd was en zei dat het volgens mij een schending was van de *Press Complaints' Code*. Het werkte. Geen enkele Engelse krant publiceerde de foto's, al werd 'het verhaal' wel gemeld. Ik kon het niet geloven. Dit was een elfjarige jongen die elke dag in zijn eentje door het centrum van Londen moest reizen. Wilde ik echt dat hij herkend werd? Zou een andere moeder dat willen? Twee jaar later, toen het tijd werd om Nicky op die eerste dag naar school te brengen, weigerde hij mij absoluut toestemming om met hem mee te gaan. En neem hem dat maar eens kwalijk.

18

Verkiezingskoorts

Vanaf het moment dat Euan naar Oratory ging, veranderde ons ochtendprogramma. Ros bracht Nicky en Kathryn naar St Joan of Arc en tegen die tijd had Tony Euan al naar de metro gebracht, nadat ze eerst een paar andere jongens voor hun oude school hadden opgehaald. Ze vertrokken vóór zevenen en luisterden onderweg naar *Today* op de autoradio, praatten er samen over en Euan begon thuis slimme opmerkingen te maken tijdens gesprekken, wat verbaasde blikken opriep bij iedereen die op dat moment in de buurt was. Als hij Euan had afgezet, kwam Tony terug naar huis, waar Terry stond te wachten om hem (en mij, als ik klaar was) in de rode Rover naar het Lagerhuis te brengen.

Nu Tony oppositieleider was, gingen we steeds minder vaak naar Sedgefield. In het begin gingen we elk weekend. Toen Euan eenmaal naar de kinderopvang ging, werd het eens in de twee weken en ik ging vaak nog minder. Terugkijkend met de ervaren ogen van een vrouw van in de vijftig begrijp ik niet hoe ik het allemaal aankon. We hadden wel wat kleren in Myrobella, maar we moesten nog altijd veel meenemen, al was het maar die verdomde hamsters, die altijd mee moesten maar om de een of andere reden zijn verdwenen uit de annalen van de familiegeschiedenis van de Blairs. Levende dieren waren niet het enige waaraan we moesten denken.

Op een vrijdag had ik een rechtszaak in Cambridge tegen Charlie Falconer. Omdat we die avond een etentje hadden in het kiesdistrict, had ik de avond ervoor in Londen boodschappen gedaan. Ik dacht dat er een schikking getroffen zou worden, maar dat was niet het geval. We moesten nu de strijd aangaan. Ik probeerde mijn resumé uit mijn propvolle aktetas te vissen en Charlie herinnert zich dat hij met afschuw zag hoe er bloed uit een lamsbout de mouw van mijn bloes in sijpelde.

Naarmate de kinderen ouder werden, ging Tony steeds vaker in zijn een-tje: hij vertrok op vrijdag en was zaterdagavond vroeg terug. In die week-ends, als het kindermeisje haar verdiende vrije tijd had, kreeg ik eindelijk de kans een normale moeder te zijn. Een favoriete bezigheid op zaterdag was een bezoek aan het Suamix Centre, een kinderkoor op Thornhill Square waar Bill en Katy Blair woonden. Nadat ik de kinderen bij Suamix had af-gezet, ging ik even bij hen langs voor een kop koffie, daarna haalde ik de kinderen weer op en gingen we langs Lyndsey. Vervolgens terug naar huis om te helpen koken voor als papa thuiskwam.

Ik heb koken altijd leuk gevonden. Op Myrobella waren braadstukken mijn specialiteit – de Aga deed dat erg goed – en op zondag was ik druk in de keuken terwijl Tony met de kinderen ging wandelen, vaak naar een plek die we de 'Wind in the Willows' noemden, een huis dat zijn ouders altijd hadden willen kopen maar nooit gekocht hadden. In Londen bestond mijn repertoire uit spaghetti en lasagne. Ik maakte altijd dingen die je kon uit-breiden omdat je nooit wist wie er langs kon komen. Maggie Rae leerde me hoe ik een beetje ontspannen moest koken. Ze is een fantastische, intuïtieve kokkin en probeert alles op basis van wat toevallig beschikbaar is. Ik was al-tijd aan het experimenteren, al moet ik toegeven dat het niet altijd een suc-ces was. In de weekends aten we gezamenlijk als gezin. Door de week kookte meestal het kindermeisje voor de kinderen en ik voor Tony en mijzelf.

Tegen het eind van 1995 begon de verkiezingskoorts te stijgen. Het kabi-net van John Major sleepte zich voort van crisis naar crisis en het gevoel was dat het aan een zijden draad hing. De meerderheid van de tory's was nog maar eenentwintig zetels en daalde nog steeds; rebellen negeerden de fractievoorzitter; er bestond grote onenigheid in het kabinet over Europa (Major noemde de twijfelaars 'the bastards') en er was een boel 'vuiligheid' die uitmondde in een spoor van bruine enveloppen tijdens het schandaal rond vragen in het parlement die tegen betaling waren gesteld. En de na-delige gevolgen van Zwarte Woensdag hadden nog steeds invloed op zowel bedrijven als individuen, waaronder ons gezin. Ondertussen bleef ik afval-len en hielp Carole me mijn garderobe samen te stellen. De dagen dat Tony in zijn eentje naar een plechtigheid kon gaan terwijl ik onderuit gezakt voor de televisie lag, waren verleden tijd. Ik was onderdeel van het pretpakket.

Elke dag lagen er uitnodigingen in de bus, van mensen die ik nooit had ontmoet maar van wie ik wel had gehoord: David Frost nodigde ons uit voor zijn jaarlijkse feest in een binnentuin in Kensington. Plotseling stonden we op alle gastenlijsten. Tony was van mening dat als een gebeurtenis een politiek aspect had, we moesten gaan. Dan ga je en natuurlijk worden er foto's van je genomen. Ik herinner me dat schrijver Ken Follett ons uitnodigde in zijn huis op Cheyne Walk: een diner onder ons, althans dat dachten we. De pers was echter van tevoren ingelicht en op het ogenblik dat de portieren van de auto opengingen, begonnen de camera's te klikken. Alastair was woedend en veegde Ken Follett de mantel uit. Hij was ongetwijfeld bot zoals alleen Alastair bot kan zijn, en ik denk dat Ken het hem nooit heeft vergeven. Alastair vond dat ze het deden ten behoeve van hun eigen publiciteit, terwijl zij zeiden dat ze niemand gewaarschuwd hadden en beledigd waren omdat hij zei van wel.

Het klerenkoopprogramma ontwikkelde zich langzaam tot iets waarbij ik steeds minder vaak mis schoot. Naast Ronit Zilkha en Caroline Charles hadden we nu ook nog Betty Jackson, Ally Capellino, Paddy Campbell en Paul Costelloe. Allemaal Britse ontwerpers. De kleren moesten meestal worden vermaakt (dat achterwerk, die heupen) en al gauw stelden ze een systematischer aanpak voor. Tegen de tijd dat ik op Nummer 10 belandde, kozen we uit de collecties die uitkwamen zes maanden voordat ze in de winkels verschenen. Als een bepaalde ontwerper was uitgekozen, ging ik naar diens kantoor en magazijn. In september koos ik dingen uit voor de zomer erna. In januari en februari kochten we dingen voor de volgende herfst en winter. Wat er verder nog op de agenda stond, er was altijd het congres van de Labourpartij.

Net als alle andere vrouwen hou ik in principe van kleren en het was fascinerend om een glimp op te vangen van hoe de mode-industrie werkt. En daar was ik, ermiddenin, pratend met inkopers en mannequins en ook met ontwerpers. Ik zag hoe mager de meisjes waren en hoe ze aan één stuk door rookten en hoewel ik hen nooit zelf cocaïne zag gebruiken, wist ik van anderen dat het gebruik wijd verbreid was. Ik raakte bevriend met een paar ontwerpers. Paddy Campbell is bijvoorbeeld een fascinerende vrouw die was begonnen als actrice en we ontdekten dat we veel gemeen hadden. Ik heb haar dochter Becky zich zien ontwikkelen van een jonge vrouw tot de succesvolle moeder van twee kinderen, die nu mogelijk het bedrijf van haar moeder overneemt.

Ik was niet speciaal op zoek naar vrouwelijke ontwerpers, maar het liep gewoon zo, op een of twee uitzonderingen na. Een daarvan is de heerlijke Paul Costelloe, een echte Ierse flirt, en ik heb een paar dingen van Paul Smith gekocht. In 1995 werden Tony en ik voor een evenement in de Indiase gemeenschap uitgenodigd en zij zeiden dat het misschien leuk was als ik een sari droeg. Ik vertelde dat aan Bharti Vyas, en een van haar medewerkers – een nicht, geloof ik – werd overgehaald om mij een van haar sari's te lenen. Ik vond het prachtig. Een sari is ongelooflijk flatteus voor iemand met mijn model. Het zorgt dat je goed gaat staan en maakt dat je je een beetje een prinses voelt. Een paar weken later gingen we naar iets in de sikh-gemeenschap en er kwam een jonge vrouw naar me toe om zich voor te stellen. Ze was ontwerper, zei ze, en zou graag met me werken.

'Het punt is,' zei ze, 'ik denk dat u en ik hetzelfde figuur hebben. Als het mij goed staat, staat het u waarschijnlijk ook goed.' Zo ontmoette ik Babs Mahil, die sindsdien al mijn Indiase kleding heeft gemaakt en die echt fantastisch is.

Begin 1997 ontmoetten Tony en ik Diana, prinses van Wales. Maggie Rae, inmiddels partner op het kantoor van Mishcon de Reya, was betrokken geweest bij haar scheiding en Diana had tegen haar gezegd dat ze Tony wilde ontmoeten. Ze wilde graag laten zien dat ze dit land iets te bieden had, had ze gezegd, en ze dacht dat ze veel kon doen om een moderner beeld van Groot-Brittannië naar buiten te brengen. Omdat de behoefte om Groot-Brittannië bij de moderne wereld te betrekken centraal stond in Tony's missie, vond hij het een heel aantrekkelijk idee.

Het werd allemaal in het grootste geheim georganiseerd. Maggie Rae nodigde haar uit voor een etentje bij haar thuis en Tony en ik waren, samen met Alastair en Fiona, ook te gast. Maggie was inmiddels uit haar oorspronkelijke krot verhuisd, maar woonde er niet erg ver vandaan. Maggie stond zoals altijd in de keuken te koken en er liepen overal katten rond, waarmee we geen van allen erg gelukkig waren. Tegen de tijd dat we in de keuken arriveerden, was Diana al aanwezig en stond ze met iedereen te praten. Ze voelde zich kennelijk erg op haar gemak in een normale omgeving en maakte zelfs op een gegeven moment een kop thee voor Alastair. Wat me het meest opviel, herinner ik me, was hoe geobsedeerd hij was door het idee dat ze hem leuk vond. Tot Fiona's ergernis was ze inderdaad met hem aan het flirten, maar elke keer dat ze buiten gehoorsafstand was, zei hij tegen Tony: 'Ze vindt me erg leuk en ze heeft jou alleen maar gevraagd om mij te kunnen zien.' Hoewel hij het als een grap bracht, is zijn ego dusdanig dat hij voor een deel waarschijnlijk wilde geloven dat het echt waar was. Ze flirtte in ieder geval meer met Alastair dan met Tony.

Diana was ongetwijfeld mooi, waarschijnlijk in het echt mooier dan ze op de foto's leek. Ze was lang en slank en zag er op-en-top verzorgd uit. Ik denk dat ze mij graag haar serieuze kant wilde laten zien. Ze had ongetwijfeld bedacht dat dit beter zou werken dan het flirterige, wimperfladderige gedrag waarmee ze Alastair aan het kwijlen bracht. Ze was geen groot intellectueel, maar ze was in staat over te brengen dat ze iets te bieden had. En ik denk dat ze inderdaad iets te bieden zou hebben gehad. Als je zo veel charisma hebt, is het onzin het niet te benutten. Tony zag het in ieder geval en zij zag ongetwijfeld in Tony iemand die ook charisma had. Het belangrijkste dat ik me van die eerste ontmoeting herinner, is hoe ze over haar jongens dacht en hoe nauw ze zich met hen verbonden voelde, hoezeer ze deel uitmaakten van haar leven.

Ze vond dat William op een modernere manier moest worden opgevoed dan zijn vader en ze wilde graag een moderne monarchie. Ze wilde vooral duidelijk maken dat zij ook modern was. Inmiddels was ze betrokken bij de problematiek rond landmijnen en ze stelde voor dat ze eventueel als een soort rondreizend ambassadeur een rol kon spelen bij het profileren van Groot-Brittannië in de wereld en Tony overwoog terdege om een manier te vinden om haar talenten in te zetten voor het land. Ze zei niet met zo veel woorden dat ze een aanhanger van New Labour was, maar ze impliceerde het zeker. Of ze het ook werkelijk was, is weer een andere vraag.

Een paar weken later ontmoette ik Norma Major bij de uitreiking van de Gold Awards van de *Daily Star*. We reikten allebei prijzen uit – het was voor het eerst dat ik gevraagd werd zoiets te doen omdat ik het was. Ik had haar nog nooit ontmoet, maar ze kwam naar me toe en reikte mij de hand, en de pers nam foto's die de volgende ochtend overal in de krant stonden, en ik vond het ongelooflijk chic van haar. Dat had ze niet hoeven doen.

In de achttien maanden die waren verstreken sinds hij partijleider was, was het bureau van Tony een ijzersterk team geworden dat in de loop van de tijd een soort familie van ons werd. Anji Hunter, die niet uitsluitend vriendelijk bedoeld de 'poortwachter' werd genoemd, was zijn bureauchef, met Kate Garvey onder haar als de agendasecretaresse en Liz Lloyd als researcher. Jonathan Powell was ongeveer een maand na Alastair gearriveerd. Tony wilde een stafchef die de ambtenarij goed kende. Hij ging eerst naar iemand in het Britse secretariaat van het Europese Parlement, maar die mij onbekende persoon besloot dat hij of zij niet terug wilde naar Engeland. Toen werd Jonathans naam genoemd. Hij was eigenlijk diplomaat en werkte als eerste secretaris op onze ambassade in Washington, waar Tony hem had ontmoet en meteen aardig had gevonden. Wat mensen altijd erg grappig vonden, was echter dat zijn broer Charles de rechterhand van Margaret Thatcher was geweest.

Er zijn vier broers in het gezin en Jonathan is de jongste. Broer Chris werkt in de reclame en was in dat opzicht betrokken geweest bij de Labourpartij. Via hem wisten we dat Jonathan niet afkerig was van de partij.

Voor zover ik wist, was het met Jonathan geen toestand zoals met Alastair, want hij wilde graag bij Tony komen werken. De problemen lagen dit keer dichter bij huis. Toen ik Anji en Alastair de eerste paar maanden hoorde praten, werd me duidelijk dat ze weinig op hadden met de nieuwkomer. Ze deden ongelooflijk laatdunkend over hem en zeiden dat hij van Buitenlandse Zaken kwam en niets van politiek begreep. Maar het punt was dat hij begreep hoe de ambtenarij werkt, en daar had Tony hem voor nodig. Een tijdlang werd er duidelijk om posities gestreden, met een 'wij-waren-hier-eersthouding en 'sta'-je-echt-aan-onze-kant-want-je-hebt-al-zo-lang-voor-de-overheid-gewerkt'. Zo zag ik het tenminste. Ik was geneigd Jonathans kant te kiezen, ten eerste omdat ik een beetje tegendraads ben, maar ook omdat ik vond dat ze het hem veel te moeilijk maakten. Hij is een heel prettig mens om in je buurt te hebben, een Tijgetje-achtig type en charmant op dezelfde manier als Alastair. Het verschil is dat Alastair een charmante schurk is en Jonathan niet. Ik mag hem ook graag omdat hij een beetje excentriek is, lang, slungelig en altijd heel erg slordig. Toen we eenmaal op Nummer 10 woonden, gaf Tony hem steeds zijn oude overhemden en dassen. Jonathan heeft niet echt belangstelling voor kleren.

Het was Jonathans taak onze mensen voor te bereiden op het regeringspluche en dat deed hij fantastisch. Hij komt van een particuliere school, is slim, kan heel goed beleid uitzetten en was tijdens het hele Noord-Ierse vredesproces Tony's rechterhand. Tony had het zonder een aantal mensen niet kunnen redden, en een van hen was in elk geval Jonathan.

Na het schaduwboksen van het begin konden Jonathan en Alastair heel goed met elkaar opschieten, ook al omdat hun deskundigheden zo totaal verschillend waren. Jonathan had de leiding over de beleidsmensen en de details van beleid, en de kneepjes van het onderhandelen waren de dingen waarin hij erg goed was. Alastair is voor geen meter geïnteresseerd in beleid. Hij mag je graag of hij haat je. En mensen mogen hem graag of haten hem. Ze konden steeds beter met elkaar overweg, maar ik denk dat er in het begin een periode was dat Jonathan gedacht moet hebben: Waarom heb ik in vredesnaam mijn diplomatenloopbaan opgegeven om hier te komen?

Het is misschien niet zo vreemd dat terwijl dit allemaal speelde het kantoor in vergelijking met vroeger een steeds belangrijker deel werd van ons gezinsleven. Als er werk gedaan moest worden, had Tony de keus: óf hij bleef op kantoor in Westminster, óf hij kwam naar huis en dan kwamen de mensen die hij moest spreken mee. Hij ging steeds minder vaak naar Trimdon en de zaken van het kiesdistrict werden in grote lijnen aan John Burton overgelaten. Iedereen concentreerde zich zozeer op winnen dat alles ervoor moest wijken.

Bijna de enige die er niet van uitging dat Tony ging winnen, was Tony zelf. Zijn mantra was 'geen zelfgenoegzaamheid' en 'neem niets als vanzelfsprekend aan'. Ik had altijd in hem geloofd en wist absoluut zeker dat hij zou winnen, maar er waren een paar dingen waarop ik me moest voorbereiden. Ik besloot bijvoorbeeld geen nieuwe auto te kopen. Ik wist niet wat voor autoregeling er was in het geval we naar Downing Street verhuisden. Ik wilde geen spiksplinternieuwe auto kopen en dan ontdekken dat die niet geschikt was. Mijn oude Metro moest nog even mee. Op een bepaald moment voor de verkiezingen werden we allebei op Richmond Crescent geïnterviewd door ITV, en Michael Brunson vroeg me hoe Downing Street zou bevallen met kleine kinderen.

'Nou,' zei ik, 'Downing Street zal moeten wennen aan het idee dat er lawaai is en dat er op de piano geoefend wordt en dat er vriendjes op de thee komen.'

Alastair werd erg kwaad. Ik had de vraag niet moeten beantwoorden, zei hij, want het klonk alsof ik ervan uitging dat we gingen winnen. Het interview werd gehouden in de tuin, terwijl Euan binnen piano speelde. Alastair regelde dat Brunson Euan mocht filmen aan de piano in ruil voor het niet-uitzenden van mijn opmerking, maar ik was er niet gelukkig mee. Ik vond mijn opmerking volstrekt onschuldig en ik had veel liever Euan er helemaal niet bij betrokken. Alastair bleef maar herhalen: 'Je kunt niet voorzichtig genoeg zijn met de kiezers.' Hij kreeg uiteindelijk natuurlijk zijn zin, want hij is een sterke persoonlijkheid. Het grootste deel van de tijd konden we heel goed met elkaar opschieten, maar ik denk dat hij mij een beetje lastig vond. Hij heeft ooit gezegd dat ik de hersens van een man en de gevoelens van een vrouw had en dat hij dat heel moeilijk vond. In werkelijkheid denk ik dat hij er niet aan moet denken dat vrouwen hetzelfde kunnen als mannen.

19

Eindspel

Vanaf 1996 wisten we dat er verkiezingen konden worden uitgeschreven. Toen die in oktober niet werden gehouden, wisten we dat het in mei of juni 1997 zou gaan gebeuren. De enige informatie die nog ontbrak, was de exacte datum. Op 17 maart ging John Major naar Buckingham Palace en werd het parlement ontbonden. Hij had het tot op het laatste moment volgehouden. De verkiezingsdag viel op donderdag 1 mei – wat een campagne van zes weken betekende, waar het er evengoed drie hadden kunnen zijn. Tony's campagneteam had het idee dat de Conservatieven hoopten dat we snel door ons geld zouden raken en ten slotte geen puf meer zouden hebben. Zolang Tony ermee te maken had, konden ze dat vergeten.

Na een uur te hebben gesport in zijn provisorische fitnessruimte in Nicks kamer vertrok Tony om een uur of acht naar de dagelijkse persconferentie in Milbank Tower, het campagnehoofdkwartier van de Labourpartij. Ik ging 's ochtends meestal naar de Albany-fitnessruimte, een voormalige kapel bij Regent's Park. Ik reed dan naar de fitnesszaal, sportte een uur, nam een douche, kleedde me aan, deed mijn haar, maakte me op en ontmoette Tony vervolgens bij Milbank.

In de maanden voorafgaand aan de verkiezingen was de dagelijkse gang van zaken altijd zo'n beetje dezelfde. Toen de campagne eenmaal echt was begonnen, ging ik na mijn oefeningen met een van de andere sporters, die in de buurt woonde, van de fitnesszaal naar haar huis om me daar te douchen en te verkleden. Bij haar had ik immers iets meer privacy. Jaren later zat deze vrouw kennelijk om geld verlegen, want ze verkocht een verhaal aan *News of the World* waarin ze beweerde dat Carole en ik samen douchten, wat volslagen onzin is. Ik kende de toenmalige hoofdredactrice Rebekah Wade en de volgende keer dat ik haar zag, besloot ik mijn zegje te doen.

'Je denkt toch niet echt dat ik samen met Carole Caplin onder de douche stond, of wel, Rebekah?' vroeg ik.

Ze haalde haar schouders op en lachte. 'Het is maar een verhaaltje hoor,' zei ze.

Dat gebeurde veel en veel later, maar al in 1994 verschenen er kritische verhalen in de tabloids, meestal over mijn uiterlijk. Ik bewaarde ze niet – ik ben geen masochist – maar wel bewaarde ik de brieven die mijn collega's van de balie me destijds stuurden waarin ze meestal hun medelijden toonden en zich solidair met mij verklaarden. In een van die brieven staat zelfs: 'Laat die klootzakken je er niet onder krijgen.' Toen wist ik nog niet dat die praktijken aan de orde van de dag zouden zijn toen we eenmaal op Nummer 10 woonden.

De 'campagnebus' was een oude touringcar die was ingericht volgens de richtlijnen van het kantoor – veel te klein en niet comfortabel. Achterin waren stoelen geplaatst, en de ruiten waren verduisterd. Daar zaten Tony en ik. Verder stond er een tafel met een fax en een tv, en voorin stonden stoelen en tafels voor de mensen die met ons mee reisden. Af en toe reden er persvertegenwoordigers mee.

Alastair was er natuurlijk altijd bij, en ik had Fiona of Roz Preston bij me. Alastair en Fiona zaten meestal bij elkaar, behalve wanneer de pers erbij was: dan ging zij ergens anders zitten.

'Ik wil geen meneer-en-mevrouwfoto's,' zei Alastair altijd. Hij bekeek de zaken altijd vanuit het perspectief van de tabloidjournalist die hij ooit was geweest en had een enorme hekel aan die bus. Het was inderdaad heel vervelend. Hij schudde voortdurend heen en weer en ergens in het midden bevond zich een uiterst ongemakkelijk toilet.

Om veiligheidsredens reed Terry altijd in de Rover achter ons aan. Aan het eind van de dag verlieten Tony en ik de bus, als dat kon, en lieten ons door Terry terugrijden naar Londen, terwijl de anderen nog een stukje verder moesten met de bus, de arme stumpers. Tony probeerde de route zo uit te stippelen dat we elke avond naar huis konden voor de kinderen, maar dat lukte niet altijd. Met de hulp van St Joan of Arc en Oratory probeerde Ros de dagelijkse routine er zo veel mogelijk in te houden, daarbij geholpen door haar moeder en broer, die het halen en brengen voor hun rekening namen, en mijn moeder om de hoek bij Lyndsey als niet-chaufferende reservehulp.

Zes weken lang trokken we het hele land door, schijnbaar zonder onderbreking. Bij de latere verkiezingscampagnes deed ik veel meer in mijn eentje, maar die van 1997 was de eerste en meestal waren Tony en ik met z'n tweeën. Het was april en het was fantastisch weer: het leek wel of de zon altijd scheen. Ik herinner me dat we naar Bristol gingen. Het was de bedoeling dat we op een bootje over de rivier zouden varen, en Carole scharrelde een blauw-wit gestreepte trui voor me op – zeer passend in deze omgeving. Manchester was de enige stad waar het regende, maar ik ben dol op Manchester. Dat vond ik niet erg.

Toen we in die streek waren, legde ik in mijn eentje een bezoek af aan Crosby. Crosby stond niet op onze lijst van zetels die we mogelijk zouden kunnen winnen – en die Tony stuk voor stuk bezocht – dus ging ik er met mijn vader naartoe. De ontvangst was overweldigend. Claire Curtis-Thomas, de Labourkandidate, was dynamisch, zoals ik van haar gewend was. 'Cherie,' zei ze, 'wij kunnen deze zetel winnen. Ik weet dat we het kunnen!' Ze was een goede kandidate, maar het leek onmogelijk Crosby te winnen. Het plaatsje was al sinds jaar en dag in handen van de tory's.

Elke avond hield Tony een speciaal voorbereide speech voor de partijgenoten, die hij en Alastair overdag schreven. Zijn toespraken waren altijd goed en vol passie – elke avond weer ontstond het bijzondere gevoel dat er vooruitgang werd geboekt, dat we niet meer te stoppen waren.

De laatste demarrage was een vijfdaagse campagne rond het laatste weekend van april. Alastair had nog een idee dat hijzelf beschouwde als een briljante zet, want niemand had het ooit gedaan. We zouden op bezoek gaan bij nachtarbeiders, zei hij, te beginnen bij de vleesmarkt in Smithfield, waar mijn vader nog had gewerkt toen hij als acteur zonder werk zat. Maar dit keer stak ik er een stokje voor.

'Nee, Alastair. Tenzij je hem de dood in wilt jagen. Hij moet slapen.' Het was ongetwijfeld een geweldig idee, maar het is onmogelijk dag en nacht campagne te voeren aan het eind van een zes weken durende marathon zonder dat je er dood bij neervalt.

Die laatste vijf dagen werden de mensenmassa's steeds groter. In elke stad die we bezochten, leken er meer mensen op de been te zijn; de druk nam steeds verder toe. Op de laatste campagnedag zaten we in Schotland, niet ver van onze stek in het noordoosten. In Stockton-on-Tees was er op het marktplein een podium geplaatst. Toen we daar stonden, werden we omringd door talloze mensen die allemaal riepen: 'To-ny! To-ny!' en: 'We komen eraan!' De emotie, goedwillendheid en het enthousiasme waren indrukwekkend en ik zal het nooit vergeten. Het was of iedereen zijn hoop had gevestigd op Tony, alsof hij een bokser was, of een langeafstandsloper.

Je kreeg het gevoel dat alles afhing van die ene man. Ik moet dat eerder hebben beseft, in ieder geval voor een deel, maar pas op het marktplein in Stockton drong het werkelijk tot me door. Ook ik was emotioneel en ongelooflijk trots, maar maakte me ook zorgen om hem, want het was allemaal zo overweldigend. Hoe kon hij de dromen van die mensen verwezenlijken?

Toch was dit het moment dat de Labourpartij de slag zou kunnen winnen; ook ik geloofde erin. Maar tegelijkertijd begreep hij dat er een grote verantwoordelijkheid op zijn schouders rustte en ik voelde dat Tony steeds geconcentreerder werd. Hij leek meer in zichzelf gekeerd, werd bijna stilletjes en besefte dat het ditmaal geen ijdele hoop was. Het was werkelijk mogelijk dat hij de leider van ons land zou worden; de mensen verwachtten van hem dat hij zich zou onderscheiden.

De kerst daarvoor hadden we een reis gemaakt naar Australië, waarop we ons lange tijd hadden verheugd en waarbij we onze oude vrienden Geoff en Bev Gallop en hun kinderen hadden bezocht. Tony had daar als kind enkele jaren gewoond, maar herinnerde zich er weinig van – totdat we terugkwamen, en hij vond het prachtig. Het viel hem op dat het land zo'n jonge indruk op hem maakte, die kant wilde hij met Groot-Brittannië ook op. Zo veel zaken waren in het verleden blijven steken en er leek geen progressie meer te worden geboekt. Onder de huidige regering leek het zelfs achteruit te gaan. In de meest recente toespraak van John Major was een beeld opgeroepen van dames die op hun fietsen rondreden over het platteland en van cricketwedstrijden op de grasvelden, terwijl Tony juist wilde dat Groot-Brittannië zich zou richten op de moderne technologie. Bovendien hadden de tory's zich niet bepaald van hun beste kant laten zien in kwesties over immigratie en de homostrijd. Het idee dat we ons ongemakkelijk moesten voelen over homoseksualiteit, moest maar eens van tafel, vond hij. Er bestond een negatieve sfeer in Groot-Brittannië, en daar wilde Tony verandering in brengen.

Als parlementslid van Sedgefield wist hij maar al te goed dat in het noorden het gevoel bestond dat men het in het zuiden niet echt belangrijk vond hoe het in de rest van het land ging, zolang men maar goed presteerde – zoals in de jaren tachtig. Ook ik was op de hoogte van die kansenongelijkheid. Ik had mijn eigen kinderen opgevoed en in schoolbesturen gezeten, en ik wist dat we vaak letterlijk een keuze moesten maken tussen boeken en onderwijzend personeel, omdat er gewoon niet genoeg geld was; en ik wist dat de enige scholen die extra geld kregen, onderwijsinstellingen als

London Oratory waren, die door de overheid werden gesubsidieerd. Tijdens mijn reizen door het land zag ik de staat waarin de schoolgebouwen verkeerden en ondervond ik uit de eerste hand dat de infrastructuur op instorten stond. En dan waren er nog de ziekenhuizen. In 1997 bevond een aantal gezondheidsdiensten zich in een diepe financiële crisis. Bejaarden stierven aan onderkoeling. Ons werd verteld dat we ons geen minimumloon konden permitteren. Mensen namen baantjes als nachtwaker of conciërge; vrouwen werkten voor twee of zelfs één pond per uur in winkels. Daar moest verandering in komen.

Tony werd nu gezien als het instrument voor die verandering, en de algemene verwachting was dat er met een andere regering ook een andere cultuur zou ontstaan – dat het hele land van de ene op de andere dag zou veranderen.

Dat was buitengewoon onrealistisch. De enige die er niet onrealistisch over dacht, was Tony. Terwijl de mensen om ons heen bevangen werden door de opwinding van het moment en het gevoel kregen dat er een historische gebeurtenis plaatsvond, trok hij zich in zichzelf terug en concentreerde zich op de vraag: Hoe ga ik om met deze enorme verantwoordelijkheid?

Aangezien hij in 1983 voor het eerst in het parlement was gekozen, was hij nooit aan de macht geweest, want de Labourpartij was in de tussentijd nooit aan de macht geweest. In het afgelopen jaar hadden verschillende mensen een helpende hand geboden: gepensioneerde ambassadeurs en overheidsambtenaren hadden hem in het kantoor van het schaduwkabinet verteld hoe het eraan toeging in Whitehall, hoe de hazen er liepen. Iets soortgelijks was gebeurd in de tijd van Harold Wilson, al waren er toen mensen in het schaduwkabinet die ervaring hadden met regeren. Wij hadden geen voormalige ministers uit het kabinet, alleen maar een handvol mensen die onderminister waren geweest, en stuk voor stuk met een minimum aan ervaring. Maar terwijl hij bezig was met die voorbereidingen, besefte hij dat het allemaal een gedrocht kon zijn, dat het op een afschuwelijke manier mis kon lopen, zoals in 1992 was gebeurd, toen Neil Kinnock ervan overtuigd was geweest dat hij zou winnen. Die laatste dag was Tony volgens mij degene die het minst vrolijk was van allemaal.

Van Stockton-on-Tees was het maar een paar kilometer rijden naar Trimdon en Myrobella. Het huis was al vol partijmensen toen we aankwamen: John Burton natuurlijk, Jonathan Powell, Sally Morgan, Anji en Alastair, die het allemaal hadden over de vraag wat we met het kabinet zouden aanvangen, en wat de eerste dingen waren die we moesten gaan doen.

Ik voelde dat Tony zich nog steeds op de achtergrond hield, maar hij wist dat er plannen gemaakt moesten worden, dat er dingen geregeld moesten worden en dat dit snel moest gebeuren ook. Het dringendst was het onafhankelijk maken van de Bank of England; Tony was ervan overtuigd dat dit een wezenlijke ingreep was, waarmee Labour als een in economisch opzicht respectabele partij zou worden beschouwd. Hij had dit al tijdens de verkiezingscampagne willen aankondigen, maar Gordon vond dat hij daar beter even mee kon wachten.

Rond een uur of negen kwamen de kinderen, in gezelschap van Ros. Ze verbaasden zich erover dat Myrobella nu omringd was door gewapende bewakers, die gestuurd waren door de politie van Durham. De mobiele veiligheidspost die als hun hoofdkwartier fungeerde, stond geparkeerd in het veld naast het huis, in de zomer een zee van boterbloemen. We namen de kinderen mee om het hun te laten zien en men toonde ons gasmaskers, kogelvrije vesten en geweren met nachtkijkers. Ze lieten de kinderen rondkijken op het terrein, maar erg enthousiast waren ze niet. Ze waren alle drie nogal stilletjes. Dat waren we allemaal, en met recht. Al dat gedoe werkte vervreemdend. Er waren schijnwerpers geïnstalleerd en af en toe zagen we een schaduw voorbijschieten. Ook waren er politiehonden aan het rondsnuffelen. Af en toe ging er een sirene af als de bewegingssensoren per abuis geactiveerd werden. Myrobella was altijd een open huis geweest, en nu was het ineens afgesloten. Niet wij sloten het af, het werd om ons heen afgesloten.

Een paar weken daarvoor hadden de veiligheidsmensen Richmond Crescent geïnspecteerd en waren met een aantal vreselijke plannen gekomen, zoals het plaatsen van een politiepost in de portiek voor het huis en een aan de achterkant, want, zo zeiden, er waren gunstige posities voor mogelijke scherpschutters vanaf een flatgebouw dat uitzag op het park. Er moest ook een ruimte 'ter beheersing van een belegering' worden ingericht, zeiden ze. En onze kleine achtertuin diende overkapt te worden.

'Maar dat is absurd,' zei ik. 'Wat is het nut van een tuin met een dak erboven?' Ik nam hen niet echt serieus, want ik kon niet geloven dat ze het meenden en kon me niet voorstellen dat mensen zo zouden kunnen leven. Bij het begin van de campagne waren onze gedeukte oude auto's uitgerust met explosievendetectors, want autobommen van de IRA vormden nog steeds een serieuze bedreiging. De twee weken daarvoor hadden er permanent twee politieagenten de wacht gehouden voor ons huis, en het scheen dat er ook een paar in het park rondliepen. Maar toen we die woensdag aankwamen bij Myrobella, was ik desondanks ontdaan. Er was, voor zover ik wist, niet overlegd; ze waren gewoon hun gang gegaan. Ze overwogen zelfs in overleg met John Burton om het huis in het huizenblok dat het dichtst bij het onze stond te kopen, als onderkomen voor de politie. De eigenaars wilden het maar al te graag verkopen, zei John. En wie kon het hen kwalijk nemen? Het was dan misschien wel het veiligste huis in Noord-Engeland, maar wie wilde er naast een huis wonen dat omgeven was door staal en dat eerder leek op een jeugdgevangenis dan op een smaakvolle, Victoriaanse gezinswoning met zeven schouwen en een handpomp?

We hadden de kleren die ik de volgende dag zou aantrekken al uitgezocht. Ronit Zilkha had verschillende combinaties samengesteld die ik tijdens de campagne had gedragen en zij had de rode outfit ontworpen die ik in Londen had gedragen, maar ik besefte dat ik iets speciaals moest aantrekken. Tijdens de wandeling met het gezin naar het stembureau, voor het oog van de camera's, droeg ik een combinatie van Betty Jackson, en tijdens de verkiezingsavond een bruin broekpak met een lang jasje van Ally Capellino – allebei overeenkomstig de Britse trends op het gebied van kledingontwerp.

In de loop van de dag kwamen onze familieleden binnendruppelen: Tony's vader en stiefmoeder, Bill en Katy, zijn zuster Sarah, mijn vader en moeder, en Lyndsey en Chris. Myrobella was tjokvol. Alastair en Jonathan liepen voortdurend in en uit, en Fiona drentelde heen en weer. Die middag vertrokken ze allemaal om even een uiltje te knappen. Ook Tony zou even gaan slapen, maar ik denk dat hij alleen maar even is gaan liggen en zijn ogen heeft dichtgedaan. De kinderen en ik lieten hem met rust. Een hotelletje verderop beschikte over een klein binnenbad waarvan we gebruik mochten maken. Intussen kwamen de eerste indicaties van de uitslagen binnen. Philip Gould belde en zei dat de exitpolls van de BBC aangaven dat we tien procentpunten voorsprong hadden op de tory's. Iedereen was in een staat van ingehouden uitgelatenheid, want er viel niets meer te doen. De mensen gingen naar de stembus en de enige vraag die openstond luidde: Krijgen we een nieuwe regering? De verwachting was uiteraard dat dit ging gebeuren.

Terugkijkend begrijp ik niet hoe ik het heb overleefd. Het voelde bijna alsof je je in een grote zeepbel bevond: alsof je instinctief een zekere afstand bewaarde, zodat het je niet zou overdonderen. De sfeer was bijna onnatuurlijk kalm.

We moesten beslissen wat we met de kinderen zouden doen. Ze waren te jong om de hele avond op te blijven. We stopten ze in bed en beloofden dat we hen wakker zouden maken voor de uitslagen, die pas tegen middernacht werden verwacht. Euan sliep nauwelijks, maar Nicky wel, want ik herinner me nog dat het moeilijk was hem wakker te krijgen en dat Tony hem naar beneden moest dragen. Hij was toen nog maar elf, en sliep nog half. Euan was al dertien en had veel meer belangstelling voor de zaak, terwijl Kathryn een meisje van negen was en gewoon heel opgewonden was, vooral omdat ze zo blij was met de nieuwe kleren die ik voor haar bij Marks & Spencer had gekocht: het geruite pakje dat ze aanhad voor de foto.

Er was geen sprake van dat ze er niet bij betrokken zouden worden. Het zou niet gaan zoals bij mijn vader destijds: toen hij eenmaal beroemd was, werden wij weggehouden van alles wat met zijn leven te maken had. We waren compleet overbodig en uit eigen ervaring wist ik welke gevolgen dat had voor jezelf. Ik was vastbesloten dat de geschiedenis zich niet zou herhalen en dat onze kinderen niet slechts incidenteel betrokken zouden worden bij wat hun vader overkwam. Dit was iets wat we samen deden, als gezin. Later zou ik ervan beschuldigd worden met twee maatstaven te meten: dat ik hun privacy wilde waarborgen en tegelijk met hen voor de camera's paradeerde. Had ik hen niet laten meedoen aan die fotosessies, dan zou ik hun iets onthouden wat een blijvende invloed zou hebben op de rest van hun leven. Dit was een pad dat we samen volgden en zij moesten ervan doordrongen zijn dat ze voor ons nu even belangrijk waren als ze dat vroeger al waren. Er was geen sprake van dat we hen zouden buitensluiten.

Ik voelde me niet erg op m'n gemak. Iedereen om ons heen richtte zich op Tony, de Labourpartij en het land, maar ik dacht steeds vaker aan wat voor me lag – aan die drie kleine mensjes die hier niet om hadden gevraagd, naar wier mening niet was geïnformeerd en die er geen idee van hadden wat de toekomst voor hen in petto had. Meer dan ooit was het nu mijn taak mijn gezinsleven tot een succes te maken. Want hoe graag Tony het ook wilde, de werkelijkheid was dat hij er niet meer zou zijn op de manier waarop hij er vroeger was.

Ik dacht dat het voor mijn vader en moeder misschien moeilijk zou zijn om daar samen aanwezig te zijn, maar uiteindelijk ging het goed. Mijn moeder heeft altijd geweten dat die ouwe schurk altijd trouw is geweest aan de Labourpartij. Voor hem was dit een Grote Avond.

Om tien uur gingen de stembureaus dicht en schaarden we ons rond de televisie. Tony was boven, in onze slaapkamer, en lag naar het plafond te staren. Hij wilde niet naar beneden komen. Toen *News at Ten* begon, ging er iemand naar boven om hem te halen. Hij slofte naar binnen, bleef bij de deur staan en toen begon de politieke journalist Michael Brunson te praten.

'De voorspelling luidt dat Labour een verpletterende overwinning gaat behalen.'

'Doe niet zo belachelijk,' zei Tony. 'Ik begrijp dat we misschien gaan winnen, maar een verpletterende overwinning? Nee. Dat is belachelijk.'

Rond half twaalf kwam John Burton met de bewakers van Tony en zei dat we naar het gebouw zouden gaan waar de stemmen werden geteld. In de laatste twee weken van de campagne had hij de beschikking gehad over vijf bewakers die hem om de beurt met z'n tweeën beschermden. Het waren inspecteur Bob Pugh, agent Simon Gill, toenmalig brigadier Ian Webb en agent John Blum. Cathy Spalding was de enige vrouw in het team. Destijds besefte ik niet wat voor gevolgen dit zou hebben. Ze reden mee in de bus, maar waren voortdurend omringd door anderen, zodat we ons niet echt bewust waren van hun aanwezigheid. Er waren al zo veel mensen, die vijf konden er ook nog wel bij. Het leek er niet op dat dit een voorbode zou worden van ons toekomstige leven. Dat was natuurlijk wel zo, maar toen besefte ik dat niet.

We gingen naar Newton Aycliffe Leisure Centre, waar de stemmen van Sedgefield en het naburige kiesdistrict werden geteld. Buiten heerste een carnavalssfeer. Binnen was dat helemaal het geval. Iedereen was buiten zinnen. Tony liep heen en weer en sprak met allerlei mensen over de gebeurtenissen van morgen en welke punten als eerste op de agenda zouden staan. Inmiddels had hij geaccepteerd dat we hadden gewonnen, maar er kon nauwelijks een lachje af. Ik zat met de familie tv te kijken in een achterkamertje toen er een nieuwsflits kwam.

'Labour verovert Crosby.' Mijn zus en ik zaten met open mond te kijken, grepen elkaar bijna hysterisch beet en sprongen in de lucht. We konden het niet geloven. De hele familie Booth was verrast, verrukt én stomverbaasd.

Pas toen drong het tot me door: als we Crosby hadden gewonnen, dan was alles mogelijk! Een paar minuten later moest de vooraanstaande tory Michael Portillo zijn nederlaag erkennen; hij was verslagen door de jonge Stephen Twigg, die mijn contributie altijd kwam halen toen we in Stavordale Road woonden.

Sedgefield was een uitgemaakte zaak, maar Tony won met een grote meerderheid van 25.000 stemmen. Het enige dat hij jammer vond, zei hij toen hij de massa enigszins tot stilte had weten te manen, was dat zijn moeder er niet bij was om het mee te maken. Maar zijn vader was er wel. Zodra het mogelijk was, bracht ik de kinderen naar de gereedstaande auto. Mijn moeder en Ros zouden zich om hen bekommeren. Ze vertrokken naar het vliegveld en ik wuifde hen uit. Ze gingen naar huis, vertelde ik hun. Maar ik zou hen de volgende ochtend weer zien. Daarna gingen we terug naar de Trimdon, de Labourclub, om onze medestanders te bedanken, en ten slotte gingen we naar Myrobella.

Om een uur of twee in de ochtend ging de telefoon.

'Dit is Downing Street,' zei een stem. 'De premier voor u aan de lijn.' Het was John Major, die zijn nederlaag erkende en Tony veel succes wenste. Ik was in de kamer, maar hoorde niet wat hij zei, ik hoorde alleen maar Tony's onderdrukte antwoord.

Hij en ik waren daar alleen, en ik greep zijn beide handen vast. 'Ik weet dat dit een enorme verantwoordelijkheid is,' zei ik, 'maar je zult het fantastisch doen.' Hij was heel rustig en onder de indruk van hetgeen er allemaal was gebeurd – vooral omdat het vertrouwen zo groot bleek te zijn. Ik denk dat hij eigenlijk altijd wel heeft geweten dat hij zou winnen, maar nooit had gedacht dat de verschillen zo enorm zouden zijn.

Op vliegveld Teesside stond een privévliegtuig op ons te wachten waarmee we naar Londen zouden vliegen. Het feest in de Royal Festival Hall was al in volle gang, maar we hoefden niet bang te zijn dat het voorbij zou zijn tegen de tijd dat wij er aankwamen. Tijdens de vlucht kwamen er nog steeds uitslagen binnen; Alastair hield iedereen op de hoogte van de laatste stand. Langzaam maar zeker was niet meer te ontkennen dat dit een monsteroverwinning was. Op een bepaald moment legde Tony zijn hoofd in zijn handen en zei: 'Wat hebben we gedaan?'

Er is een foto van ons tweeën, genomen door de fotograaf Tom Stoddart, die tijdens de campagne met ons meereisde, waarop Tony en ik samen in dat vliegtuig te zien zijn en Tony aantekeningen zit te maken over de toespraak die hij later wilde houden – maar hij was er met zijn hoofd niet bij. Het enige dat ik kon doen, was mijn armen om hem heen slaan en zeggen: 'Alles komt goed. Wij zijn bij je.' Want zo zou het gaan, wat er ook zou gebeuren: wij zouden bij hem zijn. En zo is het ook gegaan. We zijn eraan begonnen, de klus is geklaard, en we zijn nog steeds bij elkaar met z'n allen, wat echt heel belangrijk is. Er heerste een merkwaardige rust, een complete rust.

Toen we Westminster Bridge overstaken, glinsterde het schemerlicht op de rivier. De straten rond de South Bank stonden volgepakt met mensen en ik dacht eraan dat het in 1945, toen de oorlog voorbij was, net zo moest zijn geweest. Terry zat achter het stuur, en of het nu kwam door de opwinding of door de wegversperringen, we reden verkeerd en moesten omdraaien.

We waren beiden buitengewoon rustig. Tony zegt altijd dat hij nooit echt van die avond heeft genoten. Hij hield zijn toespraak over de nieuwe dageraad die voor Londen zou aanbreken, en de nieuwe dageraad voor Groot-Brittannië. Pas om zes uur 's ochtends vertrokken we. We kwamen uit de rokerige, opgewonden sfeer in de Festival Hall en stonden ineens in het felle ochtendlicht. Iemand gaf ons een glas champagne, het eerste dat we kregen aangeboden.

Het leek allemaal heel onwerkelijk. Ik herinner me dat ik in de mensen-massa keek en Barry Cox en Katie zag, en Maggie Rae en Alan Howarth. David Keene was er. Val Davies en Garry Hart. Ook zag ik Peter Mandelson en Neil en Glenys Kinnock. Ze waren er allemaal, mensen van de Labour-partij die ik al tijden kende en die stuk voor stuk uitzinnig waren. Maar Tony en ik ervoeren het niet zo. We gingen gewoon naar huis en probeer-den nog een paar uurtjes slaap mee te pakken. Maar we sliepen onrustig, al waren we uitgeput.

Jonathan was de eerste die de volgende ochtend aanwezig was, en daarna kwam Alastair. Intussen had Ros de kinderen gewekt en aangekleed. Toen was het tijd om te vertrekken.

'Ik zie jullie zo, op Nummer 10!' zei ik en gaf de kinderen een afscheids-zoen. Ros zou hen er later naartoe brengen.

Eerst had Tony een afspraak met de koningin. Dat betrof de plechtigheid die bekendstaat als 'kissing hands': de formele uitnodiging aan de nieuwe premier om een regering te vormen.

Toen we onze oude voordeur uit liepen, hoorde ik geschreeuw, en ineens besefte ik waar al dat gedreun vandaan kwam toen we probeerden te slapen. Aan de overkant stond een schavot opgesteld voor de talloze fotografen. Al onze buren stonden in de straat om ons uit te zwaaien, en toen we naar hen toe liepen om hun de hand te schudden, had ik ineens het gevoel dat we af-scheid van hen namen – en dat was ook zo. Ik keek omhoog toen ik de stem van Kathryn hoorde die riep: 'Hé mam, hier, boven!' en zag dat ze van de bovenste verdieping naar ons stond te zwaaien, haar rode haren glinsterend in de zon. Daarna stapten Tony en ik in de Rover. Er reed een politieauto achter ons en Jonathan en Alastair sloten de rij. Terwijl we langs King's Cross reden, met een motorescorte die ons de hele route begeleidde, stop-ten de auto's om ons door te laten, werd er voortdurend geclaxonneerd en stonden de mensen op straat naar ons te zwaaien. En voortdurend hoorde ik boven ons hoofd het geluid van een helikopter. Ik dacht dat het de politie was, maar besef nu dat het Sky News was die ons filmde. De rotoren bonkten in de lucht. Die tocht, langs al die plekken in Londen waar gewoonlijk files staan, zal ik nooit vergeten. We stopten nergens en reden via Euston rechtstreeks naar het paleis.

Ik was al een paar keer eerder in Buckingham Palace geweest, maar nog nooit had ik het gedeelte bezocht waar de ontvangstzalen van de koningin liggen, die uitzien op de achtertuinen. Toen de auto langs het Victoria-Memorial het terrein op reed, verbaasde ik me nog steeds over de mensenmassa's en Tony en ik durfden niets te zeggen, we hielden elkaars handen vast.

Eenmaal in het paleis werden we naar de eerste verdieping begeleid, waar ik werd voorgesteld aan de hofdame van de koningin, lady Susan Hussey. De privésecretaris en perssecretaris van de koningin legden vervolgens aan Tony uit wat er te gebeuren stond, terwijl de hofdame mij vertelde wat ik moest doen, wat erop neerkwam dat ik op de gang moest wachten totdat de koningin de bel luidde ten teken dat ik naar binnen mocht. De koningin zou me kort ontvangen, en dat was het.

Tony bleef zo'n twintig minuten binnen. Toen ging de bel en liep ik naar binnen; de deur werd geopend door een lakei. Ik kan me niet herinneren dat ik geen reverence maakte, dus waarschijnlijk heb ik die wel gemaakt. Het was een omvangrijke kamer, de zon scheen door de grote ramen. De legendarische vrouw stond bij Tony en zag er, naast hem, klein uit.

'Goed, mevrouw Blair,' zei ze, 'ik heb zojuist uw echtgenoot gefeliciteerd. Door al die opwinding zult u wel moe zijn.'

'Moe, maar voldaan, mevrouw.'

'Vertelt u eens, hebt u al besloten waar u wilt gaan wonen?'

'Ik denk dat we naar Nummer 10 zullen verhuizen, maar we nemen geen beslissing voordat we gezien hebben hoe het er daar uitziet.'

'U bedoelt dat u nog nooit binnen bent geweest in Downing Street? Dat verbaast me.' Ze lachte nog eens, nam de bel, en toen was het bezoek voorbij. We werden naar beneden gebracht en ik ging ervan uit dat we daar Terry zouden treffen, met de Rover. Maar de Rover was nergens te zien, er stond alleen maar een Jaguar, de Jaguar van de premier. Ineens zag ik dat Terry achter het stuur zat, zo blij als een kind. Ze hadden geprobeerd Tony zo ver te krijgen de chauffeur van John Major over te nemen, maar dat had hij geweigerd. Hij wilde dat Terry en Sylvie zouden blijven.

Toen we het paleisterrein verlieten, steeg er een groot gejuich op: de mensenmassa's rond het Victoria-Memorial waren door het dolle heen. We gingen langs de Mall en reden richting Whitehall; het lawaai was oorverdovend. De auto stopte aan het begin van Downing Street. Voor deze keer mochten de mensen de grote hekken door en de trottoirs aan beide kanten waren afgeladen. Iedereen riep: 'Tony! Tony!' en: 'Labour is weer thuis.' Toen we langzaam door die straat reden en handen schudden die naar ons werden uitgestoken, besefte ik dat het personeel en leden van de Labourpartij waren die daar stonden, want van sommigen herkende ik het gezicht. Boven hun hoofden stonden in de vensters van het ministerie van Buitenlandse Zaken nog meer mensen te zwaaien. Ik keek de straat in om te zien of de kinderen veilig waren aangekomen, en daar zag ik hen staan, naast de drie kinderen van Fiona en de kinderen van Mostyn-Williams, allemaal wachtend op ons, kleine vlaggetjes in hun handen, en met vrolijke, lachende en opgewonden gezichtjes.

Ik bleef bij de kinderen staan. Tony liep rustig naar voren en wachtte tot de mensen enigszins gekalmeerd waren. Toen sprak hij.

'Achttien jaar lang – achttien lange jaren – was mijn partij in de oppositie. Ze kon slechts spreken, ze kon niets doen. Nu hebben we de zware verantwoordelijkheid voor de regering. We hebben genoeg gepraat. Het is tijd om iets te gaan doen.' Hij draaide zich om en liep naar ons toe. We poseerden voor de persfotografen, waarna iemand die grote deurklopper optilde en losliet en de deur openging.

20

Nieuwe dageraad

Tijdens de laatste dagen van de campagne had Tony memo's gekregen van het kantoor van het kabinet op Nummer 10 waarin werd uiteengezet hoe alles precies in zijn werk ging: van de meest basale zaken zoals telefoneren (zo kon je niet direct bellen, alle telefoontjes liepen via de telefooncentrale die, zo werd ons verteld, de 'switch' werd genoemd) tot een personeelslijst: wie was wie, wat was hun functie, aan wie waren ze verantwoording schuldig – van dienstboden tot *'Garden Girls'* (zoals, tot mijn afgrijzen, de dames werden betiteld die secretariële taken verrichtten), en van de kabinetssecretaris, het hoofd van de civiele dienst, destijds sir Robert Butler, tot Alex Allan, de privésecretaris van de premier en belangrijkste ambtenaar in Downing Street 10. Uiteindelijk waren ze uiteraard allemaal verantwoording schuldig aan de premier, en dat was vanaf nu Tony.

Niets kan de mengeling van emoties beschrijven die ons overviel toen de deur achter me dichtging. Het was niet alleen ontzag in de historische zin – de wetenschap dat al die mensen hier hadden gewoond, van William Pitt tot Churchill en Attlee – maar ook zorg: dat het stokje, zo zwaar door de verantwoordelijkheid die het met zich meebracht, nu aan Tony was doorgegeven. Ook voelde ik me ietwat ongemakkelijk, zoals de naamloze vertelster in Daphne du Mauriers *Rebecca* zich moet hebben gevoeld toen ze als bruid voor het eerst op Manderley kwam. Als de nieuwe mevrouw De Winter was ze op papier misschien de vrouw des huizes, maar in werkelijkheid had ze niets te vertellen, want ze had er geen idee van waar ze was beland.

Toen we door de gang liepen waar al het personeel in een rij stond opgesteld, moest ik denken aan een scène uit die Hitchcock-film – het oude huis, de bedienden die in een rij stonden om hun onhandige, weinig verfijnde nieuwe vrouw des huizes te verwelkomen. Net als op Manderley, waar het personeel allemaal voor Rebecca had gewerkt, waren deze mensen die ons nu met applaus verwelkomden, ambtenaren die jarenlang voor de toryregering hadden gewerkt, en er waren er ongetwijfeld tussen die hoopten dat onze termijn niet al te lang zou duren. Niet een van onze eigen mensen was daar. Het voelde alsof we de leeuwenkuil binnenliepen. Die mensen, die stonden te lachen en te klappen terwijl wij door de lange gang liepen in de richting van de kabinetskamer, waren op dat moment volmaakt onbekenden voor ons. Later besefte ik wel dat het voor hen net zo ongemakkelijk was geweest als voor ons. Terwijl sir Robert Butler en Alex Allan onder zes ogen met Tony aan het spreken waren, bleven de kinderen en ik buiten op de gang staan wachten en trokken rare gezichten tegen elkaar. Al na een paar minuten kwam Tony weer naar buiten, fronste zijn wenkbrauwen en pakte mijn hand beet. We gingen het huis bekijken.

Aangezien we een paar maanden daarvoor de indeling van het huis opgestuurd hadden gekregen, als onderdeel van het gebruikelijke contact dat voorafgaand aan de verkiezingen plaatsvindt tussen de civiele dienst en de oppositie, wist ik ongeveer wat ik kon verwachten, al kost het me altijd moeite dergelijke architectonische tekeningen te visualiseren. Maar Jonathan had een paar weken daarvoor een kijkje mogen nemen. Voor zover hij het kon beoordelen, was Nummer 10 te klein voor ons, en hoewel Nummer 11 nodig een verfbeurt kon gebruiken, leek dat een veel betere woning voor een gezin. Als eerste bekeken we het zeer onlangs door de Majors verlaten appartement op Nummer 10, want dat was het dichtstbij. Jonathan had gelijk. Er waren twee slaapkamers van een redelijke omvang, maar de andere twee waren erg klein. Met z'n vijven hadden we misschien net genoeg ruimte gehad, maar wat moesten we dan met mijn moeder als die wilde komen logeren? Of als Ros zou komen, zonder wie ik letterlijk niet kon functioneren? Norma Major had de keuken laten opknappen en van twee kamers een ruimte laten maken, maar het was allemaal nogal krap, mede door de lage plafonds. Oorspronkelijk waren dit de bediendenvertrekken. Sinds de tijd van Alec Douglas-Home en zijn familie (1963–1964) had er geen premier meer gewoond, en ook toen deed het feitelijk dienst als een pied-à-terre. De Churchills, de Edens en de Macmillans hadden beneden gewoond, en niet boven op de zolder. Het mooiste van het appartement was nog wel de fles champagne die er voor ons door de Majors was achtergelaten, met een briefje waarop stond: 'Veel succes. Het is een geweldige baan. Geniet ervan.' Een genereus gebaar dat ik niet zou vergeten.

Nummer 11 was de enige reële mogelijkheid, stelden we vast. Het huis strekte zich uit over drie verdiepingen, met kamers rond een centraal trappenhuis. Het bleek een complete bovenwoning te zijn. Het casco was in oorspronkelijke staat, maar het interieur was in de jaren zestig compleet verbouwd.

Van de buitenkant ziet Downing Street 10 eruit als een bezadigd Georgian rijtjeshuis. De voorgevel dateert inderdaad uit de zeventiende eeuw, maar daarachter bevindt zich een woning zoals je die nooit zou verwachten. De enige aanwijzing dat dit ooit aparte onderkomens waren, zijn de trappen in het huis. Maar de beroemdste, waar de portretten van voormalige premiers hangen, is aangelegd om het huis te verbinden met het veel grotere huis dat erachter ligt en waarvan de voorgevel aan de andere kant staat. Pas in 1735 werden de verschillende gebouwen door de toenmalige premier sir Robert Walpole door middel van lange gangen met elkaar verbonden. Vlak achter de fraaie ontvangstruimten op de eerste verdieping, met uitzicht op de tuin en de Horse Guard Parade, liggen de al even fraaie kabinetskamer en het privékantoor van de premier. Direct boven de ontvangstruimten bevinden zich de veel minder aanzienlijke kamers van het appartement op Nummer 10.

De toegangshal met zijn vloer van zwart en wit marmer vlak achter de voordeur is het domein van de conciërges, zoals de portiers ook wel worden genoemd. Alle bezoekers van Downing Street komen hierlangs voordat ze naar hun uiteindelijke bestemming worden gebracht. Als je rechtdoor loopt, kom je aan het eind van een lange gang bij de kabinetskamer en de kantoren van de premier en zijn staf. Als je links afslaat, kom je op nummer 11 en bij de kantoren van de minister van Financiën; daarachter ligt, op nummer 12, de kamer van de persvoorlichting – oorspronkelijk het kantoor van de fractievoorzitter. Het appartement van nummer 11 strekt zich feitelijk uit boven nummer 12.

In dit labyrint van trappen en gangen werden we rondgeleid door Carol Allan, de toenmalige huismeester, en John Holroyd, belast met protocollaire zaken. Beiden werkten al heel lang in Downing Street en kenden het gebouw goed. Ik vertelde hun dat ik nog niet wist wat we zouden gaan doen. Het belangrijkste was dat we het leven van de kinderen niet al te zeer wilden ontwrichten, zei ik, en zeker niet wilden dat ze naar een andere school gingen. Nicky zat in de laatste klas van St Joan of Arc. Ik had al bedacht dat we mogelijk tot het eind van het schooljaar bleven waar we waren en in de zomer zouden kunnen verhuizen.

Afgezien van de hal waren de kamers op Nummer 11 licht; de plafonds waren hoog en bovendien waren de kamers ruim. Toen we er rondliepen, besefte ik dat het huis veel groter was dan Richmond Crescent. Toch was het er ouderwets: jaren geleden was het voor het laatst gedecoreerd met weinig aantrekkelijke, mosterdkleurige vloerkleden en veloutépapier aan de muren – maar ons was al verteld dat we het mochten opknappen. Het ergste was de sigarenrook die je overal nog kon ruiken. Het was of je in een jazzclub was op zondagochtend voordat de schoonmakers kwamen – de laatste, iets te langdurige erfenis van Kenneth Clarke.

Maar de kinderen vonden het prachtig. Ze hadden een geheime wenteltrap ontdekt die direct naar de tuin leidde. En wat voor een tuin! 'Zo groot als een park!' hoorde ik Kathryn later tegen een vriendin zeggen. De slaapkamers waren al verdeeld. Van de bovenverdieping hoorden we kreten als: 'Deze is voor mij!' Euan had zijn oog laten vallen op een kamer met een enorm groot bureau, maar later ontdekte hij dat, toen het bureau eenmaal was weggehaald, de kamer zelf kleiner was dan die van zijn jongere broer. Het probleem met de kamers was dat er weinig opslagruimte was, afgezien van een aantal zware mahoniehouten kasten die roken naar mottenballen en ceder. Toen ik de keuken zag, zonk de moed me in de schoenen. In de jaren zestig was dit misschien heel modern geweest, maar dat was toen. Het aanrecht had ouderwetse kranen waar nauwelijks een ketel onder kon, alles zag er ongelooflijk nuttig en deprimerend uit, en in het midden stond een versleten, vurenhouten tafel.

Maar af en toe dacht ik: wat zit ik nu te klagen over kranen, nu ons gezinnetje op het punt staat zo'n geweldig avontuur aan te gaan? In zekere zin was ik te overdonderd om het allemaal te kunnen bevatten en maakte ik dankbaar gebruik van de opwinding van de kinderen om te beseffen wat er was gebeurd en waar we eigenlijk waren. Tony was premier! Dit was Downing Street! Wat konden mij die kranen schelen!

'Door jou heb ik het een en ander om over na te denken,' zei ik tegen Carol toen we de trap af liepen bij de voordeur van het appartement op de eerste verdieping.

'Bel me maar zodra je weet wat je wilt gaan doen,' zei ze. Het probleem was dat ik er geen idee van had wat ik wilde gaan doen. Tony wilde koste wat kost dat alles bleef zoals het was, voor zichzelf en voor de kinderen. Het was nog geen twee jaar geleden dat Richmond Crescent aan al onze verwachtingen voldeed. Alleen al van het idee dat we daar nu van voren af aan mee aan de gang moesten, zonk de moed me in de schoenen. Maar het was voor iedereen het belangrijkste dat we als gezin één front vormden, zoals het altijd was geweest, besefte ik. We zouden heel wat werk moeten verzetten, maar zeker was dat het appartement op Nummer 11 ruim genoeg was. We moesten als gezin een beslissing nemen, en dat betekende dat de mening van de kinderen van wezenlijk belang was.

We vonden het allebei belangrijk dat ze zich niet buitengesloten zouden voelen bij alles wat er te gebeuren stond. Daarom besloten we dat er alleen maar mensen zouden worden uitgenodigd die ze kenden – en dan vooral heel veel kinderen. We nodigden mijn vriendin Felicity Mostyn-Williams van St Joan of Arc uit, en haar zes kinderen. Ook aanwezig waren de drie kinderen van Alastair en Fiona, en ten slotte de twee kinderen van mijn zus Lyndsey. Ze renden opgetogen heen en weer en de stemming was uitgelaten.

Tegen de tijd dat de rondleiding voltooid was en we naar beneden kwamen, hadden vrienden en familie zich al verzameld in de staatsie-eetzaal en stonden ze in de rij voor het lunchbuffet dat daar was ingericht. Toen de kinderen die gigantische tafel vol eten zagen, werden ze compleet uitzinnig. Het was een enorme herrie: volwassenen en kinderen praatten allemaal door elkaar, en oproepen of het iets rustiger kon, werden volledig genegeerd. Het hele gebouw leek te schudden door het gegil en de lachsalvo's; ik weet nog dat ik me afvroeg of er hier ooit eerder zoiets had plaatsgevonden.

Buiten scheen de zon nog steeds uitbundig. Terwijl de kinderen heen en weer renden, zaten de verdwaasde en enigszins onthutste volwassenen in de tuin. Ze namen foto's en vroegen zich af waar ze nu eigenlijk waren en wat er was gebeurd. Ik zat gewoon te praten, dan kruiste mijn blik met die van iemand anders, en het volgende moment barstten we uit in een spontane lachbui. Ik kon wel een gat in de lucht springen! Het was hem gelukt! Het was mijn man gelukt!

Om een uur of vijf was het ineens tijd om te vertrekken. Na al die adrenalinestoten en opwinding waren we uitgeput en gingen we gewoon naar huis. Het was onwerkelijk. Het ene moment zaten we buiten op het terras van de kabinetskamer op Nummer 10, en het volgende stond ik in de keuken van Richmond Crescent in de koelkast te kijken wat we die avond zouden gaan eten.

Toen we die avond in bed lagen en probeerden te slapen, dacht ik aan alles wat er die dag was gebeurd. Er waren zo veel momenten geweest die ik absoluut niet wilde vergeten. Toen de audiëntie bij de koningin voorbij was, had ik Tony gevraagd wat er was gebeurd. 'Zeg, heb je echt haar handen moeten kussen?'

'Nee, eigenlijk niet,' zei hij. Voordat hij naar binnen was gegaan, had de Lord Chamberlain (hoofd van de hofhuishouding) uitgelegd dat een daadwerkelijke kus niet was vereist. Hij moest met zijn lippen 'langs haar hand strijken'. Daarna was Tony naar haar toe gebracht. Hij zag haar uitgestoken hand, liep naar voren om met zijn lippen 'langs haar hand te strijken', maar omdat hij verward en zenuwachtig was, was hij over het tapijt gestruikeld en viel hij op de uitgestoken hand, met een overgave waar Hare Majesteit noch hijzelf op voorbereid was geweest.

Ze bleef onverstoorbaar, vertelde hij. Met een geruststellende glimlach vertelde ze hem dat hij haar tiende premier was, en dat haar eerste, Winston Churchill, het ambt had aanvaard toen Tony zelf nog niet eens was geboren.

'Maak je geen zorgen,' zei ik tegen hem toen we in de auto op weg gingen naar Downing Street. 'Ik weet dat haar tiende premier net zo goed zal zijn als haar eerste, al moet hij zijn techniek op het gebied van het handkussen nog een beetje bijschaven.'

Hoewel we uitgeput waren, sliepen we niet veel beter dan de nacht ervoor. Onze slaapkamer bevond zich op de eerste verdieping en het bed stond tussen de twee ramen aan de voorkant. Door het onafgebroken lawaai op straat – de politie vond het nodig bij elke wisseling van de wacht, om de twee uur, te gaan staan kletsen – was het praktisch onmogelijk om te slapen. Ze hadden eerlijk gezegd net zo goed bij ons in de slaapkamer kunnen komen staan. Terwijl ik daar naar het plafond lag te staren, werd het me ineens en meer dan ooit duidelijk dat het onmogelijk was in het oude huis te blijven als we enige privacy zouden willen hebben. Tony kon van hieruit onmogelijk het land besturen, en als we niet gescheiden van elkaar wilden leven, betekende dit dat we met z'n allen naar Downing Street zouden moeten verhuizen. De mensen van de beveiliging hadden verteld dat Richmond Crescent zou worden omgebouwd tot een gevangenisachtig complex als we zouden besluiten daar te blijven. De ruiten in alle vensters waren inmiddels vervangen en voor de ramen waren vitrages gehangen. De straat zelf was aan beide kanten al voorzien van verkeerspaaltjes. Je kon nauwelijks verwachten dat onze buren dit zouden accepteren. Zij hadden hier ook niet om gevraagd. Rond zessen kwam er een vrachtwagen en begon men met het afbreken van het schavot dat er was neergezet voor de pers. Terwijl ik lag te luisteren naar het gebonk en gehamer buiten, dacht ik aan de praktische uitvoering van de hele onderneming. Het beste moment om te verhuizen zou in de voorjaarsvakantie zijn, besloot ik, over een week of drie dus.

Ik herinner me niet meer hoe laat de bel ging, maar het moet rond half negen zijn geweest. Ros lag twee verdiepingen hoger nog te slapen – ze had officieel vrij in het weekend – en aangezien er niemand anders was die erop reageerde, drukte ik op de intercom.

'Bloemen voor u, mevrouw Blair.' Het was een van de politieagenten.

'Kunt u ze niet binnen neerzetten, vlak achter de deur?'

'Helaas niet. Ik sta hier in m'n eentje.' Ik slenterde naar de voordeur, opende die en gaapte; mijn haar zag eruit als de ultieme coupe ravage en ik had waterige oogjes.

Iedereen weet nu wat me buiten te wachten stond. Elke tabloid-hoofdredacteur wist welke foto er die zondag op de voorpagina zou verschijnen en de fotograaf heeft er zonder twijfel een fortuin mee verdiend.

De bloemen bleken afkomstig van het bestuur van St Joan of Arc. Dat was heel lief van hen, maar ik weet zeker dat ze graag hadden gezien dat het anders was gelopen. Nu kan ik er wel om lachen. Marketingmensen die wilden dat ik eruit zou zien als de gewone vrouw in de straat, konden zich geen beter scenario wensen. Uiteindelijk was het misschien niet zo erg, maar ik herinner me dat ik, toen ik weer naar binnen ging, met mijn voorhoofd tegen de binnenkant van de voordeur leunde en dacht: Mijn God, Tony vermoordt me. Ik hoorde het hem al zeggen: 'Hoe kon je zo dom zijn om in je nachtpon naar beneden te gaan zonder zelfs maar een ochtendjas aan te doen.' Maar dat deed hij niet. Hij had belangrijker zaken aan zijn hoofd.

Al die inspanningen die we de weken daarvoor hadden gedaan om mij om te toveren tot een passende wederhelft van de premier – met als eindresultaat dat ik eruitzag als het gekke zoldervrouwtje. Wel maakte ik bezwaar tegen de neerbuigende opmerkingen over mijn nachtpon. Want het was een heel fatsoenlijk, grijs katoenen ponnetje uit de *Next*-catalogus. Natuurlijke materialen, geen goedkoop en lelijk ding, zoals werd beweerd.

Tijdens het ontbijt zei ik tegen de kinderen hoe ik erover dacht. Het akkefietje met de bloemen was de druppel geweest die de emmer deed overlopen: het idee dat we konden blijven zitten waar we zaten, kon ik uit mijn hoofd zetten. De pers zou voortdurend op de loer liggen en de hele buurt zou er last van hebben. Ik zei tegen hen dat we waarschijnlijk met z'n allen naar Downing Street zouden verhuizen en dat ik erover dacht dit te doen tijdens de voorjaarsvakantie.

'Waarom dan pas?' zeiden ze in koor. 'We hebben de slaapkamers al verdeeld. Waarom zouden we dan pas gaan?' Ze waren vastbesloten. Als we het op maandag zouden doen, Bank Holiday en dus een vrije dag, dan zouden ze dinsdag alweer naar school kunnen.

Ik belde Carol Allan. Over een uur zouden we elkaar treffen op Nummer 10, zei ze. Nicky en Kathryn gingen naar hun muziekles, en daarna reden Ros en ik naar Downing Street om de stoelendans te gaan uitvoeren – én een plekje voor de andere meubelen te kiezen. De civiele dienst beschouwt de nummers 10 en 11 als eigendom van de overheid en wilde niet dat we onze eigen meubelen in het huis zouden neerzetten. Dat leverde veel problemen op. De twee sofa's in de zitkamer van de Clarkes waren versleten en jarenlang had men nergens naar omgekeken. Ik wist dat Gordon het appartement van de Majors niet zou gaan gebruiken, zodat we de spullen die we nodig hadden zonder problemen in ons appartement konden neerzetten. Ik liet een dressoir, een paar lampen en twee sofa's verslepen, maar aangezien de zitkamer van Nummer 11 groter was, waren ze iets te klein. Kathryn kreeg het lits-jumeaux uit hun logeerkamer, compleet met het met bloemetjes versierde beddengoed van Laura Ashley. Ik wilde dat de kinderen allemaal twee bedden zouden krijgen, zodat hun vrienden en vriendinnetjes konden blijven logeren; het bleek dat er een aantal bedden was opgeslagen die we konden krijgen. Hetzelfde gold voor bureaus en kasten.

De keukenkastjes hadden qua inhoud minder te bieden dan de kastjes in een vakantiehuisje. In de weinige tijd die we hadden, konden Ros en ik spullen meenemen uit Richmond Crescent. Ik had er nog geen moment aan gedacht wat we met alle spullen daar moesten beginnen.

Tony besteedde de rest van het weekend aan besprekingen met Jonathan en Alastair over de samenstelling van zijn kabinet. Toen we naar buiten liepen, zag ik Harriet Harman en ons eigen plaatselijk parlementslid Chris Smith, die voor de deur van de kabinetskamer, waar Tony mensen ontving en portefeuilles verdeelde, stonden te wachten. Mij was al te verstaan gegeven dat we, hoewel er een achterdeur was, onder alle omstandigheden de deur van Nummer 10 moesten gebruiken, al stonden we met onze handen vol boodschappen.

Intussen probeerde ik uit te vissen hoe we al die spullen op maandag zouden moeten verhuizen. Carol Allan stemde ermee in dat we de ramen zouden openzetten en de kamers zouden luchten voordat we erin trokken. Dat was een begin. Er was geen tijd om een verhuisbus te huren – hoewel we er eigenlijk ook geen nodig hadden. Het enige dat we mee moesten nemen, waren onze persoonlijke bezittingen, onze kleren, het speelgoed van de kinderen en nog wat andere spullen, die allemaal in een van de busjes van Nummer 10 gingen. Zij noemden dat een communicatiewagen, die wordt gebruikt om beveiligde telecommunicatieapparatuur te vervoeren wanneer de premier onderweg is. Met de hulp van Ros, haar moeder en haar broer lukte het ons die maandagochtend de spullen te verhuizen. Zoals de meeste verhuizingen was ook deze onderneming nauwelijks spectaculair te noemen. Het verbaasde me daarom dat ik, dankzij het stoffen opbergsysteem voor mijn schoenen dat Carole had aangeschaft – en dat werd gefotografeerd terwijl Ros ermee in haar handen stond – het Britse antwoord op Imelda Marcos was geworden. John Holroyd kwam langs met een hamer en hielp de kinderen bij het ophangen van hun posters en foto's aan de muur. Het verliep allemaal redelijk vlekkeloos, al was het huis nog lang niet geschikt voor een gezin; dat zou nog jaren duren.

Bijna gebeurde er een ramp. Kathryn en haar vriendinnetje Bella Mostyn-Williams stelden vast dat hun klerenkast een kopie was van die uit *The Lion, the Witch and the Wardrobe*, en klommen erin, op zoek naar avontuur, in de stijl van Narnia. Ineens hoorden we een reusachtige knal die door het hele huis echode: de grote kast was naar voren gevallen, met de kinderen er nog in. Gelukkig waren ze niet gewond, maar als het daarvoor al niet duidelijk was, dan was het dat nu wel: op deze manier moest een kinderkamer niet worden ingericht.

Die maandagavond kwamen Bill en Katy Blair langs met hun gebruikelijke meenemertje: een Chinese afhaalmaaltijd. In de daaropvolgende tien jaar kwamen ze nooit zonder zo'n maaltijd. De volgende dag was Tony vierenveertigste verjaardag. We gingen rond de tafel zitten en hieven de glazen: op hem, en op de eerste avond in ons nieuwe huis. Het begon al een beetje als ons huis te voelen. De Labourpartij had ons een ingelijste poster gegeven die de kinderen hadden opgehangen, op een mooi plekje naast het aanrecht: 'New Labour. Britain just got better'. En zo was het ook. Je voelde het als je op straat keek, je zag het aan de glimlachende gezichten, er heerste een vrolijke sfeer. Het was alsof er ineens een last van ieders schouders was gevallen.

De volgende ochtend werd er een grote verjaardagstaart bezorgd die was gestuurd door de *Mirror*; iemand anders stuurde een zo mogelijk nog indrukwekkender bos rode rozen, in totaal zo'n 350 stuks: een voor elk parlementslid van Labour.

Ik was er niet bij toen ze bezorgd werden, want ik moest gewoon weer aan het werk: ditmaal aan het hof van appel. Het was een grote zaak over een regeling van de Europese Unie waarbij werknemers worden beschermd wanneer hun bedrijf wordt overgenomen en de vraag in hoeverre dan hun arbeidscontracten en -voorwaarden gewaarborgd blijven. De perstribune was veel voller dan normaal. Toen ik opstond om de zaak te openen, stelde ik met vreugde vast dat er zo veel aandacht van de pers was voor de technische details van de regeling. Sommigen waren er om de juiste redenen – in het kader van betrekkingen in het bedrijfsleven was het een belangrijke zaak – maar het merendeel bestond uit politieke verslaggevers, die allemaal wilden zien wat ik zou gaan doen. Ze bleven ongeveer een kwartier. Ik kon niet weten dat me, terwijl ik daar de details van de werknemerswetgeving stond te behandelen, thuis in Downing Street een zeer onaangename verrassing stond te wachten.

Aan het eind van 1996, toen de verhuizing naar Nummer 10 langzaam waarschijnlijk werd in plaats van mogelijk, stelde de accountant voor dat ik een overzicht zou maken van de inkomsten en uitgaven, zoals iemand doet die een hypotheek wil aanvragen. De resultaten waren niet bepaald bemoedigend. Ik heb het papier nu voor me liggen. Overal staan vraagtekens, maar het algemene beeld was dat Tony's inkomen hoger zou worden en het mijne lager. Ik kon er met mijn verstand niet bij dat het feit dat ik de vrouw was van de premier, invloed zou hebben op het aantal zaken dat ik kon behandelen, maar zeker was dat ik er minder zou gaan doen. En door de officiële plichten die ik zou moeten gaan vervullen, wist ik zeker dat ik minder tijd zou kunnen besteden aan mijn carrière.

Ons was verteld dat het wonen in Downing Street zou worden behandeld als een afbetaling in natura en derhalve belast zou worden, maar er stond nog een flinke hypotheek op Richmond Crescent, plus het tekort dat ik eraf moest trekken voor de nieuwe inrichting. Ik wilde ons huis niet opgeven. Ik wist niet hoe lang Tony premier zou blijven. Ik moest ervoor zorgen dat we een huis zouden hebben wanneer we weg zouden moeten, als Labour de daaropvolgende verkiezingen zou verliezen. Positief was dat ik wist dat de premier en de ministers binnenkort een salarisverhoging van zesentwintig procent zouden ontvangen, iets wat een paar maanden daarvoor door het parlement was goedgekeurd. Die maatregel zou ingaan na de eerstvolgende verkiezingen, die van 1997. Na jaren van moeizame onderhandelingen had de *Senior Salaries Review Body* (Commissie voor de herziening van topsalarissen) besloten tot de inkomensstijging, zodat de salarissen meer op een lijn zouden komen met die van andere rijksambtenaren. Met die inkomensstijging zouden we het misschien kunnen redden, dacht ik. Maar toen stak Gordon een spaak tussen de wielen.

Tijdens de eerste kabinetsvergadering van de nieuwe Labourregering kondigde de minister van Financiën aan dat hij de salarisverhoging niet zou uitvoeren en zette anderen onder druk zich bij zijn standpunt aan te sluiten. Tony vertelde het me diezelfde avond nog, en ik kon het niet geloven. Al mijn berekeningen waren gebaseerd op die salarisstijging. Dit was geen vrijblijvend in te voeren douceurtje: de SSRB had de verhoging geadviseerd en het parlement had ermee ingestemd. De commissie had de ministerssalarissen met name genoemd: 'We geloven dat de erkenning van de zwaarte van het ambt van premier en minister lange tijd onderbelicht is geweest.' De oppositieleider aanvaardde de salarisverhoging wél, wat betekende dat Tony nu minder verdiende dan William Hague, die John Major was opgevolgd als toryleider.

Ik herinner me dat ik op Nummer 10 met mijn handen in het haar aan de keukentafel zat te kijken naar mijn nu volledig overbodige financiële overzicht, terwijl Tony probeerde me te kalmeren. Maar ik wilde me niet laten kalmeren. Hoe durfde Gordon zoiets te doen! Wat wist hij van financiële verplichtingen? Hij was een vrijgezel die alleen woonde, in een appartement met een kleine hypotheek. Tony gaf toe dat het een probleem was, maar elk probleem heeft een oplossing, zei hij. Ik hoefde die alleen maar te vinden. Hij wilde verder met zijn regeringszaken.

Hoewel ik er bezwaren tegen had, leek de beste oplossing ons huis aan Richmond Crescent te verhuren om met de opbrengst de hypotheek te betalen, maar zo eenvoudig was het niet. Ten eerste moest dat geregeld worden via het ministerie van Buitenlandse Zaken, luidde het advies. Later, toen we een kindermeisje nodig hadden, kwam ik erachter dat we niet langer gebruik konden maken van de *Northern Echo* of de *Lady*. Vanaf nu mochten we ons alleen nog maar wenden tot door de overheid gescreende bedrijven. Dat was een veiligheidsmaatregel.

'Uw probleem,' zei de ambtenaar van Buitenlandse Zaken, 'is dat de mensen met wie wij te maken hebben, niet in Islington willen wonen. Ze willen in Kensington of Knightsbridge wonen.' Er zou vast wel een jonge ambtenaar zijn die er geen bezwaar tegen had zich te vestigen in een buurt als deze. Ze kwamen kijken.

'Als u dit huis gaat verhuren, zal het helemaal opnieuw ingericht moeten worden, want het is niet geschikt voor het soort gezinnen waarvoor het geschikt zou moeten zijn.' Ik was terechtgekomen in de wereld van de dubbelspraak.

Goed, dan zouden we het zelf wel doen, in weerwil van het advies van het ministerie van Buitenlandze Zaken. 'Vergeet het maar,' zei Alastair. Toen oud-minister van Financiën Norman Lamont zijn huis verhuurde, bleek de huurster een soort Miss Whiplash (een beruchte Britse prostituee) te zijn – lekkere hapjes voor de tabloids.

'Wat moeten we dan doen?' vroeg ik hem. 'We kunnen het ons niet veroorloven die hypotheek te blijven betalen. Zo eenvoudig is het.'

'Ga eens praten met Michael,' zei hij.

Michael Levy, chef fondsenwerving van de Labourpartij, was een vriend en bovendien een succesvol zakenman; als er iemand was die wist wat we moesten doen, was hij het wel, zei Alastair.

In de aanloop naar de verkiezingen was Michael ons diverse malen te hulp geschoten: hij had de kinderen opgevangen in zijn huis in Noord-Londen, waar ze in zijn zwembad mochten zwemmen, zodat ze de hectiek op Richmond Crescent even konden ontvluchten, en bovendien had hij getennist met Tony.

'Verkopen,' zei hij. Geen andere mogelijkheden? 'Nee. Verkopen.'

We deden het huis in de verkoop en kregen vrij snel een bod, dat we aanvaardden. Ik wilde ons huis niet kwijt, en bovendien maakte ik me zorgen over onze positie als huiseigenaar. Ik had gezien wat er gebeurde toen mijn moeder probeerde een huis te kopen in Oxford. Als je zelf geen huis hebt om te verkopen, prijs je jezelf binnen de kortste keren uit de markt. Na de verkoop van het huis hadden we nog tweehonderdduizend pond over. Ik stelde voor het geld in een ander, kleiner huis te steken. Daarmee zouden we onze positie op de markt in ieder geval behouden. Nee. Als premier mocht Tony geen enkele investering bezitten, en als we een huis zouden kopen zonder de intentie erin te gaan wonen, zou dat worden gezien als een investering. Ik gaf het op. We waren ertoe veroordeeld het geld in een blind trust te investeren die volledig op mijn naam stond.

Het enige lichtje in de duisternis was Chequers. Toen Tony voor het eerst oppositieleider werd, kwam Jill Craigie, de vrouw van Michael Foot, tijdens een feestje naar me toe en zei: 'Ik ben niet jaloers op je, maar ik benijd je wel om Chequers.' Als vrouw van een minister in het kabinet van James Callaghan was ze ooit op het officiële buitenverblijf van de Britse premier geweest, en na zo'n aanbeveling kon ik nauwelijks wachten om het te bezoeken.

Op de vrijdag dat we erheen gingen, leken de voortekenen niet gunstig. De beheerster was door mevrouw Thatcher gekozen om Chequers te leiden nadat ze haar carrière als marineofficier had beëindigd – Chequers is eigenlijk een schip en het personeel bestaat uit marine- en luchtmachtofficieren

– maar we hadden gehoord dat ze geen ervaring had met kinderen. Jammer genoeg had ze het overgenomen van haar voorganger juist op het moment dat mevrouw Thatcher uit haar ambt was ontslagen, en haar opvolgers – de Majors – gingen in het weekend liever naar hun huis in Huntingdon, dus die kwamen er zelden. En als ze gingen, vonden ze dat de zaken er strakker geregeld waren dan ze gewend waren. De maaltijden werden op vaste tijden geserveerd, en de beheerster maakte er een gewoonte van pas naar bed te gaan als de Majors hun slaapkamer hadden opgezocht, wat ze niet echt prettig vonden. Die gang van zaken leek me niet al te geschikt voor ons, en ik vroeg me af hoe ze zou reageren op kinderen die door het huis renden – laat staan als ze een wilde bui hadden.

John Holroyd deed zijn best me op mijn gemak te stellen. 'We willen heel graag dat u gebruik zult maken van Chequers,' zei hij. 'Het huis is de laatste tijd minder vaak gebruikt dan we hadden gehoopt, waardoor het moreel van het personeel een beetje is gezakt. Maar ik verzeker u dat ze zich allemaal zeer verheugen op uw komst. Het is waar dat de beheerster er niet aan gewend is dat er kinderen over de vloer komen, maar er is geen aanleiding te denken dat ze niet gecharmeerd van hen zal zijn, want iedereen hier is al gecharmeerd van uw kinderen. Helaas is ze niet in staat u persoonlijk te verwelkomen dit weekend,' voegde hij eraan toe, 'want ze heeft rugproblemen.'

Toen we aankwamen, door de Victoriapoort het terrein op reden en het robuuste gebouw in tudorstijl voor ons zagen opdoemen, kon ik mijn ogen niet geloven. We lieten de kinderen buiten tegen een balletje trappen op het vele hectaren grote landgoed, terwijl Linda, de huishoudster, ons rondleidde. Antieke lambriseringen, schitterende olieverfschilderijen, kunstig vervaardigd houtsnijwerk, vensters met verticale raamstijlen en kamers die zo groot waren dat je er paardenraces in kon houden.

Toen we terugliepen naar de kinderen, schudde Tony het hoofd. 'We kunnen hier onmogelijk met de kinderen naartoe,' zei hij. 'Ze slopen alles.' Buiten hoorden we de kinderen kibbelen en stelden vast dat ze hun overtollige energie kwijt moesten. Aan alle kanten van het huis lagen grasvelden, behalve aan de voorkant, waar je uitzicht had op een bos – prachtig, maar tegelijk zorgelijk. De kinderen waren inmiddels flink ruzie aan het maken. Tony riep met stemverheffing: 'Een beetje rustig nu!' Plotseling keek hij om en zag dat we werden gevolgd door de politie. Hij verstarde, overmand door frustratie en verbijstering.

'Ik kan het niet geloven,' zei hij tussen zijn opeengeklemde tanden door.

'Ik kan mijn eigen kinderen niet eens tot de orde roepen, want de politie luistert mee.' Nooit zou Tony nog ergens kunnen lopen zonder te worden gevolgd – hoewel op een discrete afstand.

Aan het eind van het weekend was het echter duidelijk dat Chequers een uitstekende verblijfplaats was voor ons. Er was een overdekt zwembad. Wilden we daar gebruik van maken? Tijdens het bewind van mevrouw Thatcher had men het leeg laten lopen, want zij zwom niet. De Majors hadden het wel gebruikt, en Norma had er zelfs leren zwemmen, maar omdat ze er bijna nooit kwamen, had men de verwarming uitgeschakeld. We lieten weten dat we er graag gebruik van maakten.

Het bad was aangeboden door Walter Annenberg, de toenmalige Amerikaanse ambassadeur in Groot-Brittannië, ter herinnering aan het bezoek van Richard Nixon. Het ziet eruit als een oranjerie, met een glazen dak en glazen zijwanden die in de zomer helemaal geopend kunnen worden, maar omdat het feitelijk een binnenbad was, konden we er het hele jaar door in zwemmen. Voor de kinderen was het een godsgeschenk.

Tien jaar lang werd Chequers ons toevluchtsoord. Van de buitenkant ziet het er misschien enigszins statig uit, maar de sfeer die er heerst is veel aangenamer en gemoedelijker dan die buitenkant doet vermoeden. Nooit vergeet ik de zucht van opluchting die ik slaakte als de Jaguar op vrijdagavond de poort bij de oostingang binnenreed en Linda – of Ann, haar opvolgster – naar buiten kwam om ons te verwelkomen. Dan renden de kinderen naar binnen, trokken snel hun jas uit en stormden naar hun slaapkamer, of naar de konijnen, of naar Alan in de keuken om te kijken of er nog iets lekkers viel te bietsen. Alan was er nog steeds toen we vertrokken, maar Linda was met haar man verhuisd naar Californië. Ze glimlachte altijd en was allesbehalve het type van de strenge politieagent.

De rugproblemen van de beheerster bleken ernstig te zijn en ze kwam niet meer terug. De bewindvoerders stelden voor Linda officieel als beheerster te benoemen. Zij en Allan werkten al sinds de jaren tachtig op Chequers. Zij wisten van de hoed en de rand.

Chequers was de enige plek ter wereld waar Tony gewoon vader kon zijn en lekker met de kinderen kon gaan voetballen, net als andere vaders. Natuurlijk was het een illusie. Al snel moesten we vaststellen dat de politie en het bewakingspersoneel altijd bij ons in de buurt waren, maar in Chequers zagen we ze tenminste niet. Daar was voldoende ruimte om een normaal leven te leiden.

21

Speciale band

De eersten die ons in Downing Street officieel kwamen bezoeken, waren, zeer gepast, de Clintons. Tony was net een maand aan het werk als premier. Ik herinner me dat iedereen opgetogen was en Bill dolgraag wilde ontmoeten: de kinderen, het kindermeisje, mijn zus en mijn moeder. We verwelkomden het machtigste politieke stel ter wereld buiten voor de deur. Ik had een speciale creatie laten maken door Ronit Zilkha; niet bedreigend, luidde het bondige voorschrift van kantoor. De hemel mocht verhoeden dat ik eruit zou zien als een carrièrevrouw. Op kantoor waren ze als de dood dat ik een soort Hillary Clinton zou worden.

De dagelijkse leiding in Downing Street had zo haar eigen zorgen in verband met het bezoek van Hillary, maar die waren van pragmatische aard. Misschien moest ze zich even ergens 'terugtrekken', zo zei men. Het toilet op de benedenverdieping van Nummer 11 werd niet geschikt bevonden voor de vrouw van de Amerikaanse president. Alleen het toilet van ons kindermeisje Ros voldeed aan de maatstaven: de vroegere logeerkamer van de Clarkes was het enige gedeelte van het appartement dat in de afgelopen tien jaar was opgeknapt.

Toen Hillary een kijkje kwam nemen, was Nummer 11 er in ieder geval een stuk op vooruitgegaan – in de zin dat de jazzclubachtige sigarenlucht verdwenen was. Toen ik Hillary vertelde over mijn aanvaringen met Downing Street over zelfs maar de geringste aanpassingen en verbeteringen (zoals inbouwkasten voor de kinderen en een nieuwe keuken), was ze zeer verbaasd. In Amerika mocht de vrouw van de aanstaande president zelf kiezen; het Witte Huis bleef zoals het was, of het huis werd opnieuw ingericht. Er bestond een liefdadigheidsfonds dat volledig bestemd was voor zo'n nieuwe inrichting en waarvoor de First Lady actief geld inzamelde – en kreeg. Toen ik de kabinetssecretaris voorstelde iets soortgelijks te organiseren voor het interieur in Downing Street, of voor Chequers, was het antwoord: nee.

In plaats van een uiterst formeel diner in Downing Street besloten we het gouden duo mee te nemen naar een restaurant – een veel persoonlijker manier om elkaar te leren kennen, vond Tony. Het Pont de la Tour was fraai gelegen aan de rivier, met uitzicht op de Tower Bridge. Het restaurant was deel van een verbouwd magazijncomplex. Bij aankomst hingen de mensen uit hun ramen en stonden ze op het trottoir te juichen voor Tony en Bill, die uiteraard een grote internationale superster was.

Bill is een buitengewoon gezellige man die het heerlijk vindt om over zijn ideeën en inzichten te discussiëren, maar die pas na tienen echt in zijn element raakt. Als de avond op gang komt, kun je gegarandeerd rekenen op een zeer interessante discussie, hoewel je er de volgende dag misschien wel spijt van hebt. Die avond kwam inderdaad goed op gang. Het was de eerste van een lange reeks avonden die we samen zouden doorbrengen. En zoals vaker zou gebeuren, werd het veel later dan we hadden voorzien. Hillary is van nature niet zo'n lichtgeraakt of gevoelig type. Ik vond haar veel warmer dan haar publieke optredens misschien suggereren. Ze is een buitengewoon waardige vrouw en houdt zich gepassioneerd bezig met het gezamenlijke project van Bill en van haarzelf: Amerika moet een land worden waar niet alleen de bevoorrechten kansen hebben, maar waar iedereen voldoende kansen krijgt.

Een deel van het restaurant was voor ons afgegrendeld die avond, maar wel hadden we afgesproken dat we van de gewone menukaart zouden bestellen. Wat we zouden eten, zou later niet bekend worden gemaakt. Althans, dat was de bedoeling. Toch stond er de volgende dag op de voorpagina's: 'Cherie eet foie gras'. Naast het gebruikelijke rollen met de ogen van Alastair was het gevolg dat er een complete lading protestbrieven kwam van dierenliefhebbers. De giftige toon die eruit sprak, raakte me tot op het bot.

Er werden er zo veel bezorgd dat we besloten een standaardantwoordbrief op te stellen. Tot dit incident had ik alle brieven persoonlijk beantwoord. Vóór de verhuizing naar Nummer 10 werd ik geholpen door Fiona en Roz Preston, wat betaald werd door de Labourpartij. Een van de eerste dingen die we deden na onze komst, was nagaan wat Downing Street ons kon bieden op het terrein van secretariële ondersteuning. Na een flinke strijd had Norma Major hen zo ver weten te krijgen secretariële hulp voor vier dagen te bekostigen. Zoals wel vaker in Downing Street werd nooit echt duidelijk wat er allemaal mogelijk was: dat moest je zelf maar uitzoeken.

Ook werd je niet verteld wat bepaalde zaken kostten. Op Chequers hadden we de beschikking over een complete staf, maar toch kregen we rekeningen die zomaar uit het niets op de deurmat vielen, zoals die voor de kosten van het reinigen van servetten. Het hing ervan af wie de servetten had gebruikt. Als dat familie was of officieel bezoek, dan werden de kosten gedekt. Maar als het servet was gebruikt door iemand die niet op de lijst stond, dan moesten we er zelf voor betalen. Dat systeem was verwarrend, om het zachtjes uit te drukken. Maar in het appartement in Downing Street kenden we dat soort problemen niet, want daar regelden we het zelf.

We hadden een kindermeisje – Ros, en later Jackie, die haar in 1998 opvolgde – en een schoonmaakster voor drie uur per dag. Zo kwam die schat van een Maureen in ons leven. Al snel werd ze onmisbaar, vooral toen duidelijk werd dat het appartement een al even publieke plek was als het kantoor van Tony. Ik herinner me dat ik moest lachen toen Hillary me vertelde dat het Witte Huis vier koks telde. Op Nummer 11 ging het net zo als op Richmond Crescent: het kindermeisje deed de boodschappen en zij en ik kookten samen, hoewel ik op zondagavond terugkwam van Chequers als een tiener die teruggaat naar de universiteit na een weekend thuis te zijn geweest. Ik had dan de handen vol met maaltijden, waarvoor we betaalden maar die Alan bereidde om ons door de drukke maandag- en dinsdagavonden heen te helpen, wanneer we gasten moesten ontvangen.

Helaas bleken de precedenten die ik schiep allemaal negatief. Er was niet eerder een vrouw van een premier geweest met een voltijdbaan. En er was niet eerder een vrouw van een premier geweest met schoolgaande kinderen die thuis woonden. Sinds de geboorte van Euan had ik twee tijdrovende banen: ik was moeder en advocaat. Nu had ik er drie, en jongleren met drie ballen is niet hetzelfde als met twee. Mijn rol was dan misschien niet officieel – wat ik nooit mocht vergeten – maar het vrat wel tijd en het was belangrijk: ik was niet van plan Tony er alleen voor te laten op draaien. Dit was iets voor ons samen.

Toen de brieven van de dierenbeschermers kwamen, vroeg ik of we hulp konden krijgen van de Garden Girls, het secretariële personeel van Nummer 10, die zo genoemd werden omdat hun kantoor op de benedenverdieping uitziet op de tuin. Mijn verzoek werd afgewezen. Men herinnerde mij eraan dat hun rol bestond in het ondersteunen van de premier. Vervolgens vroeg ik of ik briefpapier van Downing Street kon krijgen. Ze gingen akkoord met een briefhoofd waar vermeld stond: 'Van het kantoor van mevrouw Cherie Blair, QC', maar niet met: 'Van het kantoor van Cherie Booth,

QC'. Volgens Downing Street was ik mevrouw Blair, legde het hoofd van de Garden Girls uit.

'Dat is goed,' zei ik, 'maar ik ben niet Cherie Blair, QC. Al zoek je met een vergrootglas, dan nog zul je die persoon niet vinden in de jaarboeken van de Engelse balie.' Uiteindelijk bereikten we een compromis. Ik mocht het adres gebruiken, maar niet het wapen. Als ik het wapen wilde gebruiken, moest het mevrouw Blair worden. Op Buitenlandse Zaken heerste een soortgelijke cultuur, ofschoon meer dan de helft van de echtgenotes van leiders die ik in de loop van de jaren leerde kennen, een naam gebruiken die verschilt van die van hun echtgenoot.

Ruim tien jaar later heb ik niet langer het gevoel dat ik me druk moet maken om dit soort zaken. Maar in 1997 had ik nog het idee dat ik aan mijn identiteit moest vasthouden, al was het maar met een heel dun draadje. Ik trad toe tot een wereld waarin werd gezegd: 'U bent geen persoon, u bent een aanhangsel van de premier.' Zo ervaar ik het niet meer.

De antwoordbrieven op het papier van Downing Street (zonder het wapen) waren nog maar net de deur uit of de *Daily Mail* publiceerde een dagboekfragment van lady Olga Maitland, waarin stond hoe belachelijk het was dat ik mezelf Cherie Booth, QC, noemde, en niet Cherie Blair.

'Maar is zij dan niet getrouwd met iemand anders?' vroeg Fiona.

Dat was inderdaad zo. Het bleek dat lady Olga Maitland de dochter was van de zeventiende graaf van Lauderdale, vandaar 'lady'. Maar ze was getrouwd met een advocaat, Robin Hay. Tussen 1992 en 1997 was ze het tory-parlementslid geweest voor Sutton and Cheam, maar was verslagen door een van de zogenoemde Blair-babes. Dit was duidelijk een gevalletje van zuurpruimerij.

Fiona, die hier redelijk vrolijk van werd, schreef vervolgens privé een brief aan de *Daily Mail*, niet bestemd voor publicatie, waarin ze verklaarde dat het nogal amusant was dat uitgerekend lady Maitland er bezwaar tegen maakte dat ik mijn meisjesnaam gebruikte, terwijl zij zelf precies hetzelfde deed.

De Garden Girls mochten me niet te hulp komen, en al had het wel gemogen, dan was het onmogelijk geweest. Datzelfde gold voor de afdeling correspondentie, die overstelpt werd met werk. Toen John Major nog in Downing Street zat, kreeg de premier per jaar zo'n vijfduizend brieven. Toen Tony er zat, veranderde het stroompje is een kolkende rivier: ze konden het eenvoudigweg niet aan. Gezien de druk waaronder ze moesten werken, wekte het geen verbazing dat er af en toe een fout werd gemaakt.

Zo kwam er een brief van een dovenschool waarin werd gevraagd of Tony op bezoek kon komen. Hij was geschreven door de kinderen zelf, maar als antwoord hadden ze een tweeregelig standaardbriefje gekregen: 'Dank u voor uw brief, maar de premier verstuurt geen handtekeningen.' Aangezien toen inmiddels bekend was dat ik belangstelling had voor scholen voor bijzonder onderwijs, had het hoofd een brief naar mij geschreven en kopieën bijgesloten van het oorspronkelijke verzoek en van het antwoord van Downing Street. Ze begreep dat de premier een drukbezet man was, zei ze, maar de kinderen hadden zo hun best gedaan dat het misschien beter was geweest als men hiermee op een andere manier was omgegaan. Daar was ik het volkomen mee eens.

Ik besefte dat dit een van de dingen was die ik kon doen. Vanaf dat moment stemde men ermee in dat alle brieven van kinderen op mijn bureau terecht zouden komen. Tony zou dan misschien niet persoonlijk antwoorden, maar ik in ieder geval wel. Het werd uiteindelijk een omvangrijke correspondentie: hoe vaker je mensen antwoordt, des te vaker zijn ze geneigd terug te schrijven, ontdekte ik al snel.

Na een paar weken al bezochten we onze eerste internationale topconferentie, de G7. Deze jaarlijkse bijeenkomsten worden georganiseerd door de zeven machtigste geïndustrialiseerde landen ter wereld: Canada, Frankrijk, Duitsland, Italië, Japan, het Verenigd Koninkrijk en de Verenigde Staten, en in 1997 waren de Amerikanen de gastheren. Denver, Colorado, werd de locatie voor het eerste grote optreden van Tony op het podium van de wereldpolitiek. Voor mij was het vliegen met een Concorde een droom die werkelijkheid werd, en ik kan nog steeds niet geloven dat er niet een manier is gevonden om dit wonder van techniek in de lucht te houden. De piloot en zijn bemanning waren buitengewoon capabel en nodigden me tijdens de landing uit in de cockpit – een buitenkansje dat ik niet snel zal vergeten.

Het was zeer Amerikaans allemaal. De ontvangst werd opgeluisterd door een country-and-westernorkest. In aanwezigheid van de verzamelde hoogwaardigheidsbekleders van Denver werden de leiders en hun echtgenotes tijdens een ceremonie een voor een op het podium geroepen, in de volgorde die het protocol voorschreef. Eerst kwamen de staatshoofden – de langst zittende als eerste – gevolgd door de regeringsleiders. Tony was de meest recente en kwam dus als laatste.

'De premier van Groot-Brittannië en Noord-Ierland, de zeer geachte premier Tony Blair, en mevrouw Cherie Blair,' kondigde een stem aan. Met de schijnwerpers op ons gericht betraden we onder donderend applaus het podium. Het was een onwerkelijke ervaring, net als een paar uur daarvoor, toen we de trap van de Concorde afdaalden en een orkest *God Save the Queen* begon te spelen.

De G7 (of G8, want Rusland maakt nu ook deel uit van de groep) neemt tussen de topconferenties een bijzondere plaats in, in die zin dat de echtgenotes (of echtgenoten) een wezenlijk deel van de top vormen en de gastvrouw een afzonderlijk, parallel programma organiseert. Aangezien de G7 het jaar daarop door Groot-Brittannië (Birmingham) zou worden georganiseerd, letten we goed op hoe het precies in zijn werk ging. Tony had zijn eigen team, en ik had Fiona, al had ze een enorme hekel aan vliegen en vond ze het nog erger om Grace alleen te laten, die nauwelijks nog een peuter was. André was ook bij me, hoewel Alastair duidelijk had gemaakt dat diens aanwezigheid onopgemerkt moest blijven. Hij mocht zelfs niet meevliegen in hetzelfde vliegtuig. Het was André die me uitdrukkelijk verbood bij aankomst het cowgirl-kostuum aan te trekken, compleet met laarzen met kwastjes en rundlederen hoed.

'Dat trek je *niet* aan, Cherie,' zei hij toen hij het zag. En hij had gelijk. Het was zonder meer een verkleedkostuum, met een tafelkleed in plaats van een rok, zoals André opmerkte. Ook Tony's kostuum was een tikkeltje overdreven. Maar het overhemd kon nog wel, oordeelde hij, en hij trok er een van zijn eigen spijkerbroeken bij aan. Helaas zat ik in een alles-of-nietssituatie, en mijn land vertegenwoordigen als een Doris Day die haar zweep laat knallen op de Deadwood Stage, dat kon gewoon niet. Op de 'Denver Stage' moest ik er chic en tegelijk niet al te formeel uitzien. De enigen die het jammer vonden dat ik niet aan de verkleedpartij deelnam, waren de Britse persvertegenwoordigers. Had ik dat tafelkleed daadwerkelijk aangetrokken, dan had mijn outfit zonder enige twijfel een eervolle plaats ingenomen in de eregalerij van Cheries kledingmissers.

Ondanks de waarschuwingen van Alastair dat André in de luwte moest opereren, werd hij door iemand gezien. Alastair reageerde door te zeggen dat het feit dat mevrouw Blair haar kapper bij zich had, een privékwestie was en dat ze hem uit eigen zak betaalde – wat inderdaad waar was. Daarna verschenen er verhalen over de verkwistende Cherie, die haar geld over de balk smeet. Het was de twintigste-eeuwse equivalent van de aandelenbeurs, stelde ik vast: men kon mij zo'n beetje alles straffeloos voor de voeten werpen. Ik werd er zelfs van beschuldigd dat ik Humphrey, de kat van Downing Street, weg had gedaan. Het is waar dat ik allergisch ben voor katten, maar

God weet dat er in een labyrint als Downing Street meer dan genoeg plekken zijn waar het arme dier naartoe kon. De prozaïsche waarheid is dat hij oud was. Niet ik had besloten dat hij met pensioen moest, maar het huishoudelijk personeel, dat voortdurend achter hem aan moest rennen om de troep op te ruimen. Uiteindelijk werd Humphrey opgenomen door een onlangs gepensioneerde bode van het kantoor van het kabinet en genoot van een aangenaam pensioen in Bromley.

Het programma voor de echtgenotes begon op de tweede dag. Samen met de andere echtgenotes – die keer waren er geen echtgenoten – maakten we een ritje met een van die typerende treinen uit het Westen, compleet met een balkon aan de achterzijde. Terwijl we de Rocky Mountains in tjoekten en het fantastische landschap bewonderden, verbaasde ik me erover hoe Hillary omging met de mensen die langs de spoorlijn stonden toe te kijken. Ineens viel mijn oog ergens op, en op hetzelfde moment zei Hillary: 'Ik denk dat we nu weer naar binnen moeten gaan.' Terwijl we met z'n allen naar binnen schuifelden, fluisterde ik: 'Zag jij wat ik zag?' Ze lachte en knikte. Een man had zijn blote kont laten zien terwijl de trein passeerde, maar gelukkig waren de gevoeligheden van de andere dames niet op de proef gesteld, want ze hadden het duidelijk niet gezien. Toen we op onze bestemming aankwamen, werden we verwelkomd door een groep gepensioneerde linedancers, en opnieuw zag ik hoe ze het initiatief nam en ons in een geïmproviseerde en zeer spontane toespraak voorstelde. Toen al besefte ik dat ik naar een pure professional zat te kijken.

Ik zou niet weten wat ik tijdens die reis zonder André had gemoeten. Er was geen tijd ingeruimd voor zoiets triviaals als inpakken. Bij een reis als deze werd de premier altijd vergezeld door een complete entourage van beleidsadviseurs, persvoorlichters, ambtenaren, Garden Girls, bewakingspersoneel en 'comms' (communicatiedeskundigen), maar die waren er allemaal om hem te helpen bij de zaken die moesten worden gedaan. Hun enige bijdrage aan de huishoudelijke kant van het verhaal bestond uit een briefje met daarop de mededeling hoe laat de bagage klaar moest staan. De laatste ochtend in Denver trof André me aan in een paniekstemming en hielp me bij het opvouwen van Tony's overhemden, het bij elkaar rapen van voorwerpen die hij 's avonds uit zijn broekzak haalde, het uitzoeken van zijn pakken, terwijl ikzelf schoenen en sokken van onder het bed tevoorschijn haalde.

De volgende halte was Washington, waar Tony en Bill bilaterale gesprekken zouden voeren. Maar toen ik aan het uitpakken was, besefte ik ineens

dat alles wat hij zou kunnen aantrekken eerst moest worden geperst of gestreken. Deze keer was André er niet om me te hulp te schieten: Alastair had
hem verboden met hetzelfde vliegtuig te reizen, zodat hij via Chicago was
gevlogen. Het was belachelijk, want nu hij niet bij ons was, liep alles in het
honderd.

Hillary vroeg me of ik het leuk vond om te zien hoe zij de zaken aanpakte. Op dat moment was ze al vijf jaar First Lady, zodat zij en haar personeel
al een schat aan ervaring hadden. Hoewel er grote verschillen waren – zo
was Tony geen staatshoofd – had ik de indruk dat we heel wat konden leren
van de manier waarop men in het Witte Huis al die problemen het hoofd
bood.

Haar kantoor lag in de oostvleugel, waar een complete afdeling was gereserveerd voor uitnodigingen en menu's. Een uitnodiging van het Witte Huis
werd gezien als een grote eer, legde ze uit: uitnodigingen werden beschouwd
als familie-erfstukken en werden lang nadat het diner al was vergeten, nog
bewaard. Dit kantoor, waar het een drukte van belang was, stond ook wel
bekend als de kalligrafieafdeling: alles werd gedrukt met gebruikmaking
van koperen platen en de namen en adressen werden erop geschreven in
fraaie, cursieve en met de hand geschreven letters.

'Maar dat is zo arbeidsintensief,' zei ik terwijl ik keek naar al die mensen die over hun werk gebogen zaten. Ze legde uit dat de meesten vrijwilligers waren, jong en oud, die het prachtig vonden om in het Witte Huis
te werken. Sommigen bleven jarenlang en dienden trouw elke president:
ze verzorgden de uitnodigingen en behandelden een bepaald deel van de
correspondentie, zoals de medewerker die ik tegenkwam en die de post
voor Socks, de kat van de Clintons, moest beantwoorden. Ook waren er
stagiaires, jonge studenten die zes maanden in het Witte Huis werkten om
ervaring op te doen. Dat systeem, daterend uit de tijd vóór Monica Le-
winsky, leek uitstekend te werken en bij mijn terugkeer in Downing Street
diende ik een voorstel in bij het kantoor van het kabinet om stagiaires aan
te nemen die ons konden helpen bij het verwerken van de groeiende stapels
correspondentie en aanverwante zaken. Het voorstel werd aangenomen en
op een aantal afdelingen werden stagiaires geplaatst. Het waren studenten
Overheidsbestuur van Peter Hennessey aan het Queen Mary's College. Ze
werkten op een aantal plaatsen, waaronder op mijn kantoor. Maar na een
paar jaar werd duidelijk dat het de overheid nauwelijks geld bespaarde.
Hoewel ze niet werden betaald, moesten er mensen worden aangenomen
die een oogje in het zeil hielden en de zaak organiseerden. In 1999 werd het

stagiaireprogramma stopgezet. Op dat moment werkte Fiona vier dagen per week, en alleen, want Roz Preston was uit Londen vertrokken. Vanwege de grote hoeveelheden werk was ons een secretaresse toegewezen die full-time werkte, Pauline, een ambtenaar die afkomstig was van het ministerie van Defensie.

Mijn rondleiding langs de kantoren van de First Lady was van een on-schatbare waarde. Hillary liet me de Witte-Huisgeschenken zien die ze mee-namen als ze op reis waren. Dat waren niet de cadeaus die tijdens officiële bezoeken werden uitgewisseld, maar kleinere dingetjes, voor mensen die behulpzaam waren geweest, zoals sleutelhangers van het Witte Huis. Geen kostbare zaken, maar een meenemertje dat zeer op prijs werd gesteld. Ook vertelde ze me dat ze, nu het nieuwe millennium op het punt stond aan te breken, een reeks lezingen ging houden in het Witte Huis, te beginnen in 1998. Later deed ik hetzelfde.

Haar laatste advies bleef me echter het langst bij.

'Je moet beseffen,' zei ze, 'dat je het niet iedereen voortdurend naar de zin kunt maken, en dat geldt zeker voor de pers. Daarom moet je doen wat je zelf goeddunkt. Zolang jij het idee hebt dat het goed voor je is, laat je dan niet te veel beïnvloeden door wat andere mensen zeggen.'

De opwinding over André was dermate groot dat Alastair had besloten hem bij de volgende buitenlandse reis niet mee te nemen. Ik moest maar naar de plaatselijke kapper gaan, net als ieder ander, zei hij. Eind juli 1997 werd Hongkong na honderdvijftig jaar overgedragen aan China. Het was zo-wel een politieke als koninklijke gebeurtenis, wat een massale uittocht van hoogwaardigheidsbekleders uit Groot-Brittannië tot gevolg had – onder wie de prins van Wales. Daardoor ontstond een vervoersprobleem. Zoals de koningin beschikte over het koninklijke jacht de *Britannia*, zo had ze ook een eigen vliegtuig. Dat toestel was sterk verouderd en er werd over gesproken het te vervangen, waarna het ook gebruikt kon worden door de premier. Uiteindelijk werd het voorstel vanwege pr-redenen op de lange baan geschoven, en vanaf dat moment moesten er vliegtuigen worden ge-charterd van British Airways. De prins zou terugkeren met het koninklijke jacht, dat al voor anker lag in Hongkong. Er werd besloten dat de premier het koninklijke vliegtuig zou gebruiken en de prins samen met de minister van Buitenlandse Zaken in een gecharterd vliegtuig van BA zou reizen. Dit was die gedenkwaardige gelegenheid waarbij prins Charles businessclass moest reizen, omdat onze minister van Buitenlandse Zaken Robin Cook, diens vrouw Margaret en ambtenaren van Cooks departement de Eerste Klas hadden gereserveerd. In een buitengewoon amusante, maar onbezonnen brief aan zijn vrienden klaagde de prins hoe weinig ruimte hij wel niet tot zijn beschikking had.

Ons transportmiddel – het koninklijke vliegtuig – was oud en traag. Het goede nieuws was dat de cabine aan de voorzijde kon worden omgebouwd tot een slaapkamer met twee gescheiden bedden. Het slechte nieuws was dat het bijna tweemaal zo lang duurde voordat we er waren, want we moesten bijtanken in Wladiwostok. Toen we het vliegtuig verlieten om onze benen te strekken, werd ons te verstaan gegeven dat we dicht in de buurt van het vliegtuig moesten blijven. Niet dat we iets anders wilden, want het toestel was omsingeld door met machinegeweren bewapende Russische soldaten die ons dreigend aankeken.

Toen we boven Hongkong vlogen, gebeurde wat altijd gebeurt in die omstandigheden: er stond een lange rij voor het toilet. Ik wist inmiddels dat er een rode loper lag te wachten, dat er fotografen klaar zouden staan en dat ik er pico bello moest uitzien. Carole had al mijn combinaties met de grootste zorg uitgezocht, inclusief de kleding die ik moest dragen bij aankomst en die aan boord was gebracht in een speciale koffer. Ineens hoorden we: 'Cabinepersoneel, op uw stoelen, we gaan landen.' Maar ik zat nog op het toilet om ervoor te zorgen dat ik er netjes zou uitzien. Het vliegtuig was oud en het leed geen twijfel dat we met een flinke klap op de vreselijke landingsbaan van Hongkong terecht zouden komen. Het enige dat ik kon doen, was doorgaan waarmee ik bezig was, besloot ik. Op het moment dat het toestel landde, stond ik op één been, met mijn billen tegen de klapdeur gedrukt, en met mijn andere been op het toilet zelf in een wanhopige poging mijn panty aan te trekken en daarna het officiële kostuum aan te doen waarin ik van de trappen zou lopen.

Tijdens de terugtocht van die reis zei Alastair: 'Dat moeten we niet nog een keer doen.' De aanwezigheid van André, besefte hij rijkelijk laat, bood toch wel enige voordelen. Toen het vliegtuig eenmaal geland was, zag ik er keurig uit en was ik netjes gekapt, ondanks de lange vlucht en de staat waarin mijn kapsel verkeerde. Aan boord zijn haardrogers niet toegestaan, maar André werd zeer bedreven met gaskrultangen. Dat ik zoiets zelf zou kunnen, is volkomen uitgesloten.

Toen de officiële overdrachtsplechtigheid even voor middernacht aanving, begon het te stromen van de regen. Vol bewondering keek ik toe hoe prins Charles een boodschap van de koningin begon voor te lezen die, door de tropische regenbui, in zijn handen uiteenviel. Hij stond recht voor me. Zijn witte tropische pak werd langzaam maar zeker doorzichtig, wat mij een interessant uitzicht bood op de toekomstige koning. Om middernacht werden de vlaggen van de Volksrepubliek China en van Hongkong tegelijk gehesen terwijl de onbekende klanken van het Chinese volkslied weerklonken. Toen het Volksbevrijdingsleger in paradepas de hal in marcheerde, liepen de rillingen over mijn rug.

22

Reizen

Prinses Diana was vastbesloten contact te houden met Tony. Kort nadat we waren verhuisd naar Nummer 10, liet Maggie Rae ons weten dat de prinses hem graag weer wilde ontmoeten en dat ze met William en Harry naar Chequers wilde komen. Alex Allan, het hoofd van het privésecretariaat, kreeg bijna een beroerte toen hij het hoorde.

Het zou niet goed zijn als Tony Diana eerder zou ontmoeten dan prins Charles, zei hij. Tijdens die paar weken die eraan voorafgingen, had Tony daarom een ontmoeting met de prins, waarna Diana en William op een zondag begin juli op bezoek kwamen op Chequers.

Tijdens de lunch zei ze nogmaals dat ze een prominentere rol wilde in het openbare leven. Ze was vastbesloten William een normale, moderne opvoeding te geven om hem zo 'voor te bereiden op het koningschap', zoals ze zei.

Opnieuw was ze zeer ontspannen. Ditmaal praatte ze met mijn moeder en was ze erg lief voor Kathryn. Ze zei dat ze graag meer kinderen wilde en dat ze verlangde naar een dochtertje. We zaten op het gras, Kathryn zat tussen Diana's knieën, en samen keken we naar de drie jongens en Tony die op het noordelijke grasveld aan het voetballen waren. Later, toen zij en Tony een wandeling gingen maken, ging William met ons naar het zwembad, waar mijn kinderen zich enorm uitsloofden en William heel lief voor Kathryn was. Ze was helemaal verrukt van hem, niet omdat hij een prins was, maar omdat hij een knappe jongen van vijftien was en zij was nog maar negen.

De middag was een groot succes, vonden we: het was ontspannen en normaal geweest. Prinses Diana werd in het gezin-Blair gezien als een aangename vrouw.

Die zomer gingen we naar Toscane met vakantie. We verbleven in het huis van Labourparlementslid Geoffrey Robinson en hadden zoals gewoonlijk een leuke, ontspannen tijd. Eigenlijk was er niets veranderd, zeiden we tegen onszelf, toen het zwemgala van Ros weer begon. Goed, we moesten poseren voor de pers aan het begin van de vakantie – in ruil voor de belofte dat we de rest van de vakantie met rust zouden worden laten – en goed: ergens in het dorp zaten de Garden Girls en ergens in de bosjes zaten de mensen van de beveiliging, maar daar hoefden we niet op te letten. Althans, dat probeerden we.

Tegen het einde van de vakantie werden we uitgenodigd in het huis van prins Strozzi en diens vrouw, omdat de burgemeester van Moskou – Poetins mentor – bij hen te gast was en gevraagd had of hij de nieuwe ster aan het westerse politieke firmament kon ontmoeten. Hoewel onze achtergrond en die van Irina en Girolamo hemelsbreed verschilden van elkaar, raakten we al snel goed bevriend en in de jaren die volgden zochten we de Strozzi's tijdens onze zomervakantie geregeld op.

Toen we eind augustus terugkwamen in Groot-Brittannië, gingen we regelrecht naar Myrobella. Het weekend daarop vond het jaarlijkse bezoek van de premier aan Balmoral plaats, zodat we een paar dagen rust hadden. Maar de premier is nooit echt met vakantie: de *Mail on Sunday* dreigde kennelijk de naam van een Britse spion in een afgelegen deel van de wereld te onthullen. Tony was ervan overtuigd dat de man vermoord zou worden als zijn naam bekend zou worden.

Die zaterdagavond gingen we naar bed in de hoop dat het Alastair was gelukt de zaak op te lossen, maar om drie uur 's ochtends ging de telefoon. Ik herinner me vaag dat ik hem hoorde rinkelen, ergens ver weg, waarna ik weer in een diepe slaap viel. Kort daarop hoorden we buiten onze slaapkamer de intercom zoemen.

Terwijl Tony de gang op liep, dacht ik: Mijn God, *The Mail* heeft het gedaan. Ze hebben de naam van de spion gepubliceerd en hij is vermoord.

Een minuut later kwam hij terug, zijn gezicht was lijkbleek. Het was de politie, zei hij. Er was een ongeluk gebeurd. 'Het is Diana.' De bel van onze telefoon bij het bed werkte niet, zodat we het gerinkel niet hadden gehoord. Hij nam de hoorn van de haak en belde met de dienstdoende ambtenaar in Downing Street.

Ik keek naar hem terwijl hij zwijgend stond te luisteren.

'Een auto-ongeluk in Parijs,' zei hij ten slotte. 'Ze ligt in coma. Ze denken niet dat ze het gaat redden.'

Het was afschuwelijk. Ik zag haar nog op het gras zitten op haar knieën, nog maar een paar weken geleden, en bedacht hoe levenslustig ze was, dat ze nog meer kinderen wilde hebben...

Ten slotte kwam het telefoontje waarop niemand zat te wachten. Ik hoorde Tony voortdurend herhalen: 'Ik kan dit niet geloven. Ik kan dit niet geloven.' We mochten tegen niemand iets zeggen. Het zou binnen korte tijd bekend worden gemaakt aan de pers.

Hij was geschokt en maakte een verslagen indruk. De rest van de nacht zat Tony aan de telefoon of keek televisie, of beide. Er waren zo veel dingen waaraan hij nu moest denken. Er was de kwestie van de paparazzi, maar hij wilde geen voorspelbare reactie geven. Hij wist niet of hij met de koningin moest spreken of met prins Charles.

Toen de kinderen wakker werden, vertelden we wat er was gebeurd. Ze waren er ondersteboven van omdat ze het gevoel hadden dat ze haar kenden en haar graag mochten.

Tony had met Alastair afgesproken dat hij een verklaring zou afleggen voorafgaand aan de ochtenddienst. Alastair was normaal gesproken tegen alles wat met de Kerk of God te maken had, maar in dit geval vond zelfs hij het wel passend. Het was zonneklaar dat er een siddering door het land was gegaan en Tony moest iets zeggen wat het gevoel van de mensen goed zou weergeven.

St John Fisher in Sedgefield is een katholieke kerk en die leek ons ongeschikt omdat er geen plek was waar de pers zou kunnen staan. Daarom gingen we naar St Mary Magdalene in Trimdon, waar Lily Burton, de vrouw van John, het orgel bespeelde. Tegen de tijd dat we aankwamen, stonden de tv-camera's al klaar. Tony sprak en, eerlijk is eerlijk, hij wist de juiste snaar te raken toen hij zei: 'Zij was de prinses van het volk.'

Die avond keerden we terug naar Londen en lieten Terry langs Buckingham Palace rijden om de bloemenzee te bekijken die zich opstapelde tegen de muur. Terug in Downing Street openden we een condoleanceregister, dat door iedereen werd getekend.

Het huidige succes van de film *The Queen* heeft ervoor gezorgd dat dit de officiële lezing is van de buitengewone gebeurtenissen die week, maar toch klopt het niet helemaal. Bezien vanuit schoolmeesterachtig perspectief was de manier waarop Nummer 10 werd afgeschilderd, volkomen onjuist, om nog maar te zwijgen over de manier waarop Tony en ik werden neergezet: ik vloek nooit, en Tony is een stuk langer dan Michael Sheen. Maar er zijn belangrijker bezwaren aan te voeren.

Ik heb nooit gemerkt dat er weerstand bestond vanuit het paleis jegens de handelwijze van Tony; hem werd juist gevraagd zich ermee te bemoeien, namelijk door de Lord Chamberlain. De zaak werd ingewikkelder omdat Robert Fellowes, die ik de eerste dag dat we naar Buckingham Palace gingen, had ontmoet, Diana's zwager was – hij was getrouwd met haar zus Jane. Die eerste paar dagen was de voornaamste zorg van de familie de jongens uit de wind te houden: ze waren nog zo jong en zo in verwarring dat ze niet wilden dat die twee met andere zaken zouden worden geconfronteerd. Dat is het enige waaraan ze dachten. Ze wilden dit binnen de eigen familie verwerken en zagen niet in waarom ze hun verdriet zouden moeten delen met de rest van de wereld. Waarom zouden ze ook? Ik denk dat ze hoopten dat ze gewoon verder konden gaan met hun leven. Aanvaarden wat er was gebeurd, doen wat er gedaan moest worden.

Ik denk dat Tony dat ook wilde, maar in de loop van die dagen bleek dat het toch anders zou lopen.

Toen we net op Nummer 10 woonden, kregen we tot in detail te horen wat er te gebeuren stond als de *Queen Mum* (koningin-moeder) zou komen te overlijden. De verantwoordelijken voor het protocol hadden precies uitgestippeld hoe de zaak zou verlopen, wanneer precies, dat we rouwkleding moesten dragen enzovoort. Tony en ik moesten met vakantie elk jaar zwarte rouwkleding meenemen voor het geval ze zou overlijden. En nu, met de dood van prinses Diana, werden de zaken op soortgelijke wijze aangepakt. Hun voornaamste zorg bestond erin dat alles zou verlopen met gepaste eerbied voor tradities en protocol – inclusief het feit dat ze geen koninklijke hoogheid was. Zelfs bij zaken die de dood betreffen, moest daarmee rekening worden gehouden. Toen het lichaam werd overgebracht naar Engeland, rees de vraag wie aanwezig zou zijn bij de aankomst van het vliegtuig. Tony stelde voor dat hij dat zou zijn, en de koningin stemde daarmee in. Maar toen besloot prins Charles dat hij wilde gaan, terwijl de mensen van het protocol veel liever hadden dat hij dat niet zou doen.

De laatste kwestie die een oplossing behoefde was de vlag. Volgens het protocol mocht die alleen halfstok gehangen worden als de vorst(in) overleden was. Prinses Diana was niet de vorstin, q.e.d.

Een andere protocollaire kwestie was de vraag wie er op de begrafenis zou worden uitgenodigd. Tony vond het belangrijk dat de liefdadigheidsinstellingen van Diana de voorkeur zouden krijgen boven buitenlandse hoogwaardigheidsbekleders – en leden van de regering – die weinig met haar te maken hadden gehad. Ik geloof dat de familie zelf zich nauwelijks bemoeid heeft met dit gekissebis. Ze waren dermate overstuur dat ze zich met niets anders konden bezighouden dan met hun eigen verdriet, en dat van de jongens. Natuurlijk sprak Tony met de koningin, en voor zover ik heb kunnen vaststellen, was het niet zozeer zij persoonlijk als wel het systeem dat de moeilijkheden veroorzaakte.

Tony was er al die tijd van overtuigd dat het voor hem als premier van het grootste belang was dat de monarchie geen schade zou oplopen en dat het koningshuis er zonder kleerscheuren van af zou komen; daarin slaagde hij.

Het was duidelijk dat het traditionele Balmoral-weekend dat jaar geen doorgang zou vinden. In plaats daarvan werden we uitgenodigd voor de lunch. Het was een buitengewoon rustig samenzijn: alleen de koningin, prins Philip en een aantal familievrienden waren aanwezig, en er werd gesproken over onderwerpen als de landbouw, de hertenjacht en de visserij. Toen ik daar zat, dacht ik: Dit is wel vreemd. Gisteren zat ik na de begrafenis bij de lunch op Nummer 10 met Hillary Clinton en koningin Noor van Jordanië te praten over de actualiteit, en nu ben ik met ons staatshoofd in gesprek over de prijs van schapen.

Prinses Diana kwam niet ter sprake, en dat gold ook voor de gebeurtenissen van de dagen daarvoor. Maar de koningin en prins Philip waren zeer aardig. De vorstin houdt van autoritjes. Die middag namen ze ons mee in hun Range Rover voor een tocht over het landgoed Balmoral, waarbij de koningin voortdurend aan het woord was en sprak over het landschap dat ze al kende sinds haar jeugd. Eigenlijk is ze een vrouw van het platteland.

Op een bepaald moment maakte ik een *faux pas*: ik begon te praten terwijl de koningin met iemand anders in gesprek was. We hadden een lijst gekregen met instructies over wat we moesten doen en hoe we ons dienden te gedragen, maar de regel dat je alleen maar met de koningin spreekt als de koningin tegen jou spreekt, was ik even vergeten. Dat zou niet nog eens gebeuren: een van de hovelingen keek me aan met een blik die ik nooit meer zal vergeten.

Die winter hoorde ik dat Tony's chauffeur Sylvie borstkanker had. Niet dat ze daardoor ophield met genieten van het leven. Ze was altijd al dol geweest op motorfietsen – er lag altijd een vaktijdschrift in het handschoenenvakje van de Jaguar – en kort na de diagnose kocht ze een Ducati, de ultieme Italiaanse motor. Maar op 3 december hoorden we dat er een vreselijk ongeluk was gebeurd. Sylvie was op een vrachtwagen gebotst en had het ongeluk niet overleefd. Een week later gingen we naar de begrafenis en Tony sprak namens allen die haar hadden gekend.

De mensen met wie we werken, staan voor ons allebei centraal in ons leven. Dat heeft niets te maken met politiek – al zou dat misschien wel moeten. Ik zal nooit vergeten dat mijn grootmoeder schoonmaakster was en ik wil niet dat iemand ooit nog behandeld wordt zoals zij is behandeld in Blundellsands. Het is niet belangrijk wat mensen voor hun werk doen, maar dat ze met respect worden behandeld.

In 1997 vierden we voor het eerst Kerstmis op Chequers. Iedereen kwam bij ons, net als vroeger op Myrobella. In zekere zin verliep alles op dezelfde manier, alleen op een veel grotere schaal – om te beginnen de kerstboom. Die was een meter of zes hoog en er was een aantal mensen nodig om hem door de voordeur te tillen. Hij stond in de hoek van de grote hal. Tegen de tijd dat de kerstavond aanbrak, was hij compleet versierd. Eromheen lagen de gebruikelijke stapels kleurige cadeaus en de sokken van de kinderen hingen naast de grote open haard. Je kon je nauwelijks een geschiktere plek voorstellen om kerst te vieren. Er ontwikkelden zich rituelen in de loop van de tien jaar dat we daar waren. We bezochten nog steeds de nachtmis, en ook was er de gebruikelijke chaos op de vroege ochtend, zoals in elk gezin met jonge kinderen. Verder gingen we voor de lunch even naar het politie-hokje bij de ingang om onze cadeautjes te overhandigen. Daarna volgden er nog meer cadeaus, en champagne voor het dienstdoende personeel; ook werden er, op mijn aandringen, kerstliedjes gezongen om de stemming er goed in te krijgen. En ten slotte was het tijd voor de verrukkelijke lunch van Alan. Dat verliep, vergeleken met vroeger, wél op een andere manier. Mijn nachtelijke kalkoenexcercitie was niet langer nodig. Wat Alans kerst-pudding betrof: die was van uitzonderlijke klasse. Al in oktober hielpen de kinderen hem bij het bereiden van de pudding en de taart, waarbij ze om de beurt in de grote kom met het plakkerige goedje roerden.

Die eerste decembermaand kwam Alan in grote verwarring naar me toe.

'Wat is er, Alan? Waarom ben je zo terneergeslagen?'

'Op Nummer 10 zeggen ze dat ik mijn kerstkalkoen niet krijg.' Elk jaar, vertelde hij, kwam de Britse Kalkoenfederatie naar Downing Street met een grote kalkoen, die aan een liefdadigheidsorganisatie werd geschonken. Dan werd er een foto gemaakt van het aanbieden van de vogel aan de premier. Ze schonken een kleiner exemplaar dat door de familie en het personeel op eerste kerstdag verorberd werd; dat was de vogel die aan Alan zou worden gegeven. Maar het bleek dat Alastair dit in de agenda had zien staan en hij had het verboden. Het ergste dat hij zich kon voorstellen, was een foto van Tony met een kalkoen op de voorpagina van *Private Eye*, dat zou er belachelijk uitzien. Aangezien ik op dat moment al gewend was er belachelijk uit te zien op foto's, bood ik mezelf aan als alternatief. Gelukkig ging de Kalkoenfederatie akkoord, waarna die sessie de tien jaar die volgden een vast plekje kreeg op mijn adventkalender – en Alan kreeg zijn kalkoen.

Tony en ik hadden het plan opgevat om er met z'n tweeën even tussenuit te gaan: een weekje Seychellen, vlak na tweede kerstdag. Mijn moeder zou op de kinderen passen, Ros zou zich de laatste paar dagen over hen ontfermen. Maar dat ging niet door. Uiteindelijk kon ik de gedachte zonder hen te gaan niet verdragen, dus gingen we met z'n allen: Tony en ik, mijn moeder en de kinderen, die door het dolle heen waren. We hadden een heerlijke vakantie, ofschoon de pers een buitenkansje in de schoot geworpen kreeg toen men ontdekte dat de villa waarin we verbleven twintig jaar daarvoor was gebruikt als locatie voor de beruchte softpornofilm *Emmanuelle*.

In januari 1998 barstte het Monica Lewinsky-schandaal los. Ik had medelijden met Hillary, mede vanwege de door Paula Jones aangespannen rechtszaak wegens aanranding. Het was onvermijdelijk dat ik terugdacht aan al die jonge stagiaires, en aan onze rondleiding in de westvleugel door de president zelf, aan de Oval Office en het kamertje daarnaast met het fotokopieerapparaat. Hoofdzakelijk dacht ik: O, Bill, hoe heb je dat nu kunnen doen?

Vanuit het standpunt van dat meisje kan ik me wel voorstellen hoe zoiets kan gebeuren. Bill is een buitengewoon charismatische man, die iedereen met wie hij spreekt het gevoel kan geven dat hij een en al oor is, wat uiteraard niet altijd het geval is. Ik vond het ongelooflijk dom van hem.

Een paar weken later werden we verwacht in Washington: Tony's eerste officiële bezoek als regeringsleider. Daarvoor al was ik onder de indruk van Hillary, maar nu helemaal. 'Waardig' is nog te zacht uitgedrukt.

Toch merkte ik hoe boos ze op hem was. Niet alleen omdat hij haar vernederd had, maar ook omdat hij hun gezamenlijke project had getorpedeerd. Ik merkte dat hij uit alle macht probeerde weer bij haar in de gunst te komen. Het licht in de duisternis in de hele affaire was Chelsea. Zij is een geweldige jonge vrouw die ongelooflijk fijngevoelig, intelligent en getalenteerd is, die zichzelf blijft en met beide benen op de grond staat. Dat zegt ook wel iets over de opvoeding die ze van haar ouders heeft gekregen, lijkt me. Ze doet me denken aan Tony's broer Bill, een van die mensen die altijd al volwassen zijn geweest, zelfs toen hij nog een jongetje was. Op Chelsea kun je bouwen en je weet met haar precies waar je aan toe bent. Als je vader president is en zo'n belachelijke affaire heeft met een vrouw die niet veel ouder is dan jijzelf, zou je daar overstuur van kunnen raken, lijkt me. Gedurende de hele periode vormde zij een belangrijke schakel tussen haar vader en moeder. Dat ze haar moeder steunde en begreep hoe die zich voelde, en tegelijkertijd in staat was haar vader te vergeven, was een belangrijke reden waarom die twee bij elkaar zijn gebleven.

Sommige mensen hebben zich afgevraagd of Tony of ik ons in een moeilijke situatie geplaatst voelden, gezien het feit dat we christenen zijn. Dat had men zich een paar maanden daarvoor ook al afgevraagd, toen Robin Cook, Tony's minister van Buitenlandse Zaken, er door de pers van werd beschuldigd dat hij een buitenechtelijke affaire had. Het antwoord in beide gevallen luidt nee. Het mag duidelijk zijn dat we alle twee geloven in het huwelijk. Als die ring eenmaal rond je vinger zit en je hebt die belofte voor God gemaakt, zou trouw vanzelfsprekend moeten zijn. Maar wat anderen doen in hun leven, is uiteindelijk hun eigen zaak, en wat Bill Clinton betreft: een Britse premier zal een Amerikaanse president nooit ondermijnen. En wat mijzelf betreft: ik heb zelfs nooit een poging gedaan de zaak met hem te bespreken – en dat is niet omdat hij de president van de Verenigde Staten is. Mij heeft hij niet bedrogen, en gezien de geschiedenis van mijn vader ben ik wel gewend aan mannen die ontrouw zijn.

Ik sprak er echter wel over met Hillary.

Volgens haar maakte het allemaal deel uit van een groter plan van hun vijanden om Bill in diskrediet te brengen. Het belangrijkste was dat het presidentschap niet in gevaar zou komen, zei ze. Op politiek-strategisch niveau was dat de lijn die ze zouden volgen – dit was een om politieke doeleinden te berde gebrachte kwestie die werd opgeklopt door die lieden die het Democratische presidentschap wilden ondermijnen. Op het persoonlijke vlak leed het geen twijfel dat ze razend en gekwetst was – en terecht.

Maar het is onzin om te denken dat mannen er niets aan kunnen doen dat ze zich zo gedragen. Dat is een mythe die leidt tot een hoop ellende: dat is de reden waarom sommige vrouwen boerka's moeten dragen. Ik geloof er niets van dat mannen bij het zien van een vrouwenlichaam dat beschikbaar is, meteen in vuur en vlam staan. Het is onzin dat ze hun seksuele driften niet kunnen beheersen. Natuurlijk kunnen ze dat, net zoals vrouwen dat kunnen. Wat mij vooral zorgen baart, is dat er in dit soort zaken zo dikwijls sprake is van een machtige baas en een kwetsbare jonge vrouw.

Toen Tony nog oppositieleider was, was ik op kantoor voor hulp benaderd door Catherine Laylle. Haar kinderen, zeven en negen jaar oud, waren ontvoerd door hun Duitse vader, en geheel tegen alle conventies in had de Duitse rechtbank niets voor haar gedaan om ze terug te krijgen. Helaas kon ik destijds weinig voor haar doen, maar later stuurde ze me een boek waarin ze haar ervaringen had opgeschreven. Wie schetst mijn verbazing toen ik in 1998 de nieuwe Britse ambassadeur Christopher Meyer en diens vrouw ontmoette.

'U zult zich mij waarschijnlijk niet meer herinneren,' zei ze. Het was Catherine. Ze was vastbesloten ervoor te zorgen dat andere ouders niet zouden lijden zoals zij had gedaan en vroeg mij en Hillary beschermvrouw te worden van de *Parents & Abducted Children Together* (PACT), de liefdadigheidsinstelling die ze opzette ten behoeve van ontvoerde kinderen. Die eerste middag in Washington hielden we tijdens de openingsreceptie allebei een toespraak. Voor een vrouw die onder zo'n enorme emotionele druk stond, hield Hillary zich geweldig. Ik kon haar er alleen maar voor bedanken dat ze zo'n fantastisch voorbeeld was – voor carrièrevrouwen in het algemeen, maar voor mij in het bijzonder. Dankzij haar werd ik steeds beter in het houden van geïmproviseerde toespraken. In Amerika waren ze niet anders gewend, maar op Nummer 10 moesten ze er nog steeds aan wennen dat ik kon lopen en praten. Het systeem was eenvoudigweg niet ingericht op een premiersvrouw die zich met de zaken bemoeide. En wat Catherine Meyer betreft: dat verhaal kende een gelukkig einde, al duurde het bijna tien jaar voordat ze haar jongens weer zag.

Die avond kregen we een staatsbanket aangeboden. Het was zo'n avond waarop je besefte: Dit is iets heel bijzonders – op de avond zelf al. Daar zaten we, naast de president en de First Lady van de Verenigde Staten en maakten kennis met Amerikaanse topartiesten, onder wie Barbra Streisand, Robert Redford, Harrison Ford en Stephen Spielberg. Na het diner volgde een lang en geweldig concert, waarbij Elton John en Stevie Wonder optraden. Diens versie van *My Cherie Amour* haalde het echter niet bij de klassieke vertolking van Tony Blair. Als ik eraan terugdenk hoe we daar zaten, met de Union Jack en de Stars and Stripes duidelijk in het zicht, dan ben ik nog steeds diep onder de indruk.

Die reis naar Washington in 1998 was de eerste waarbij André werd erkend als officieus lid van het gezelschap, in die zin dat hij op de vervoerslijsten werd aangeduid als A. Suard, persoonlijk assistent van mevrouw Blair. Ik moest hem nog steeds zelf betalen, maar hij werd altijd anders behandeld dan de rest van de groep, iets waar ik nog steeds kwaad om kan worden: niet vanwege mezelf, maar vanwege hem.

De NAVO-topontmoetingen en andere bilaterale bezoeken die Tony het halfjaar daarvoor zonder mij had afgelegd, waren chaotisch verlopen. Iedereen wilde de nieuwe, dynamische, jonge Britse leider ontmoeten en zijn agenda was overvol – maar hij opereerde in een twintigste-eeuwse wereld met een negentiende-eeuwse ondersteuning.

Als de tassen niet op de juiste tijd bij zijn deur stonden, stouwden de Garden Girls zijn koffers vol met wat hun maar onder ogen kwam. Dat was niet hun schuld – het was hun werk immers niet – maar er verdwenen alarmerend veel dingen: horloges, manchetknopen, sokken, schoenen, overhemden en broeken. Bij de volgende bestemming tijdens zo'n reis moest alles gestreken worden, en cruciale spullen waren ineens onvindbaar. Langzaam maar zeker werd het hun duidelijk dat het niet zo'n gek idee was om André mee te nemen…

Het omslagpunt met betrekking tot André was onze eerste reis naar Japan, een paar dagen na Nieuwjaar. Ik had erop gestaan dat hij mee zou gaan. Alastair kon stampvoeten zo veel hij wilde, maar ik zou de wind van voren krijgen als ik er niet op mijn paasbest zou uitzien. En dat was niet het enige. Er moest voortdurend in- en uitgepakt worden, om nog maar te zwijgen van de organisatie die het vergde om ervoor te zorgen dat we er altijd keurig uitzagen: we vertegenwoordigden tenslotte ons land. André zei dat hij het prima vond die taak op zich te nemen – we hadden hem heel hard nodig.

Nadat we jarenlang redelijk op ons gemak hadden kunnen reizen, verliepen deze trips heel erg geconcentreerd. Je steeg midden in de winter op van Heathrow en landde vervolgens in de stralende zon met temperaturen van een graad of dertig – maar dan mocht je geen zonnebril dragen of zelfs maar met je ogen knipperen. De kleding die je bij het vertrek aan had (chic) moest voor de landing keurig in koffers worden opgeborgen, en de kleding waarin je het vliegtuig uit kwam, moest ook chic en kreukvrij zijn, en aansluiten bij de temperatuur en het ontvangstcomité.

Er waren onnoemelijk veel dingen waaraan we moesten denken. Jetlags, midden in de nacht opstaan, tevoren de kleding klaarleggen die je aan zou hebben als je van de trap afdaalde – terwijl het enige waaraan je nog kon denken was lekker je bed in duiken in de wetenschap dat de volgende ochtend in alle vroegte de vlucht naar de volgende bestemming zou plaatsvinden. André zorgde ervoor dat alles op rolletjes verliep. 's Ochtends kwam hij binnen, maakte ons wakker en liet het bad vollopen.

'Nog vijf minuutjes, André…'

'Nee. Eruit! Als je er niet uit gaat, trek ik de gordijnen open!' De ultieme wreedheid. Op de een of andere manier slaagde hij er altijd weer in een verse citroen op te scharrelen voor in mijn kopje heet water 's ochtends – ik drink geen thee. Zoiets eenvoudigs via de roomservice bestellen was vrijwel onmogelijk en ik ben er zelden in geslaagd. Het was waarschijnlijk nog eenvoudiger een bord met bloedworst te krijgen.

Ook Tony was gewend aan het gezelschap van André. Hij maakte tenslotte al sinds 1994 deel uit van ons leven. Hij kon zijn toespraken schrijven terwijl hij in zijn onderbroek zat – wat hij tijdens die reizen vaak deed. Dat André er ook rondliep, maakte hem niet uit, maar als er een onbekend kamermeisje of een kapper binnenkwam, versteende hij. In die begintijd was het allemaal zo slecht georganiseerd. We wisten nooit zeker of we een aparte zitkamer kregen. Soms zat Tony te vergaderen terwijl ik me moest omkleden. Nu houd ik erg veel van mijn land, maar de grens is bereikt als ik bepaalde vlezige delen van mijn lichaam aan hoge ambtenaren van het ministerie van Buitenlandse Zaken moet tonen. Uiteindelijk pakte ik in zo'n geval mijn kleren en ging naar Andrées kamer.

Hij vormde een prettig gezelschap. De tweede avond in Tokio had Tony een afspraak waar alleen de mannen bij aanwezig waren. André en ik sloten ons aan bij een aantal andere vertegenwoordigers van het ministerie die aanwezig waren bij de ontmoeting, en gingen met hen naar een noodlerestaurant. Ik vond het heerlijk. Vooral het warme drankje dat in een flesje werd geserveerd, vond ik zalig, al besefte ik niet dat het de bedoeling was dat je dat deelde. Tony's staf had veel vaker gereisd dan ik en moest later toegeven dat ze niet goed wisten hoe ze me moesten vertellen dat sake niet een Japanse versie is van thee, al wordt het in kleine kopjes geserveerd…

Toen ik terugkwam op onze hotelkamer, voelde ik me uitstekend: ik had het tweede deel van de avond onafgebroken gelachen en gezongen. Mijn arme echtgenoot was niet onder de indruk, vooral niet omdat hijzelf een buitengewoon saai diner had gehad, vermoed ik. De avond leverde ook nog iets positiefs op: André kreeg het groene licht van het ministerie. Ze vonden hem een 'goede kerel' en zagen in hoe geolied de Blair-machine draaide als hij erbij was vergeleken met de chaos die ontstond als hij er niet was. En dat betrof niet alleen praktische zaken. Als er geen mensen om me heen waren, zag hij hoe gespannen ik was, en dan hielp hij mij me te ontspannen. In de loop van de jaren werd dat steeds belangrijker, want er was nooit voldoende tijd voor al die dingen die op de agenda stonden, laat staan om tussen twee afspraken in even op adem te komen. We hadden een uurtje de tijd, en dan zei André vaak: 'Voor je het weet, is het weer voorbij.'

Ik begon langzaam te beseffen dat ik tijdens die reizen niet zomaar een aanhangsel was. Ik begreep dat ik een rol kon vervullen die werkelijk zinvol zou kunnen zijn.

Dat gebeurde niet van de ene op de andere dag. Toch moet ik toegeven dat het ministerie van Buitenlandse Zaken veel meer openstond voor een door mij te vervullen politieke rol dan Whitehall, voornamelijk omdat ambassadeursvrouwen altijd al een publieke rol hebben gehad, vermoed ik, terwijl de vrouwen van in Groot-Brittannië gestationeerde ambtenaren grotendeels anoniem bleven. Onze ambassades in het buitenland vonden dat ik een nuttige rol kon vervullen, maar eenmaal terug in het vaderland werd ik gezien als een aanhangsel.

Vanaf het moment dat Tony Downing Street betrok, was Noord-Ierland een prioriteit. Zes maanden nadat de minister voor Noord-Ierland Mo Mowlam gesprekken was begonnen met Sinn Féin, waren Gerry Adams en Martin McGuinness kind aan huis op Nummer 10.

De kinderen maakten volop gebruik van de 'geheime trap' die van het appartement op Nummer 11 direct naar de tuin van Downing Street leidde. Voor Euan en Nicholas had ik op onze reis naar Washington elk een skateboard meegenomen. Na school waren ze buiten enthousiast aan het oefenen toen Alastair ineens woedend aan de lijn hing.

'Haal die kinderen de tuin uit.'

'Hoezo? Ze zijn gewoon lekker aan het spelen.'

'Nou, kijk dan maar eens uit het raam, en haal ze als de donder die tuin uit, voordat de pers er lucht van krijgt.'

Dat deed ik. Tot mijn verbazing stonden Gerry en Martin op de skateboards en lieten de jongens een paar trucjes zien.

Een paar weken later liet ik de Amerikaanse modeontwerper Ralph Lauren het huis zien, en toen we de White Room binnenkwamen, zagen we Gerry en Martin daar zitten. Uiteraard stelde ik hen voor aan mijn gast en tot mijn verbazing begon Gerry met kennis van zaken over kleding te praten. Onverstoorbaar ging ik verder met mijn praatje.

'Deze kamer heeft een beroemd plafond,' vervolgde ik. 'In elke hoek bevindt zich een embleem dat een deel van het Verenigd Koninkrijk vertegenwoordigt.' Een voor een wees ik ze aan. 'De roos voor Engeland, de narcis voor Wales, de distel voor Schotland…'

'En ik denk dat die laatste er binnenkort zal afvallen!' onderbrak Gerry me. Dat was uiteraard de vlasbloem, het symbool van Noord-Ierland.

'Nee, nee,' zei ik lachend, 'dat is het symbool van de vriendschap van onze volken,' waarna ik snel vertrok met Ralph, voordat ik permanente schade zou toebrengen aan het vredesproces.

Pasen 1998 was een beslissende periode. Tony zat nog in Belfast toen de kinderen en ik voor een geplande paasvakantie naar Spanje vertrokken. Eerst zouden we een officieel bezoek brengen aan de Spaanse premier José María Aznar en diens vrouw, waarna we naar Córdoba gingen om te logeren bij onze vriend Paco Peña, de Spaanse flamencogitarist, en diens vrouw Karin, die we jaren daarvoor via Derry hadden leren kennen.

Op woensdag kwamen we aan in het buitenverblijf even buiten Sevilla. Het Parque Nacional de Doñana staat op de Werelderfgoedlijst en ligt vlak bij de Middellandse Zee – een ongerept gebied met fraaie duinen. Het gehele gebied was gesloten voor het publiek. De kinderen en ik konden daar ongestoord en vrij genieten. Het was de bedoeling dat we er maar één nacht zouden logeren, maar de onderhandelingen op Hillsborough Castle duurden nog voort en Tony wilde deze kans niet laten lopen. Als hij nu zou vertrekken, kon de hele zaak alsnog mislukken, overwoog hij. De donderdag ging voorbij, het werd vrijdag. De hele wereld leek op het randje van de afgrond te balanceren. De Aznars waren heel begripvol: we hoefden absoluut niet te vertrekken, zeiden ze. Kinderen vervullen op zulke momenten vaak een heel nuttige brugfunctie. Die van de Aznars waren ongeveer even oud als de onze en iedereen had het reuze naar zijn zin – onder wie mijn moeder, die er ook bij was, zoals zo vaak als de kinderen meegingen. In de loop van de vrijdag volgde een diepe zucht van opluchting: het zogenoemde Goede-Vrijdagakkoord werd getekend. Op zaterdag sloot Tony zich dan eindelijk bij ons aan; je kunt rustig zeggen dat de Aznars en de Blairs elkaar toen al redelijk goed kenden. Misschien speelde het feit dat we allemaal advocaten waren, daar wel een rol in. José María's vrouw, Ana Botella, was bovendien een onafhankelijke en populaire tv-journaliste. Op Witte Donderdag nam ze ons mee naar een traditionele paasoptocht. Overal waar we kwamen, werd ze door de mensen op een hartelijke manier begroet. Ze had veel bereikt in de dingen die ze deed en het verbaasde me dan ook niet dat ze een paar jaar later op eigen kracht werd gekozen in de Madrileense gemeenteraad. In die paar dagen dat we samen waren, voerden we een aantal interessante gesprekken en was ik ten slotte nog vastbeslotener dat ik niet met de armen over elkaar vanaf de zijlijn zou toekijken.

Mensen vragen zich dikwijls af hoe een gematigd linkse politicus omgaat met iemand van de andere zijde van het politieke spectrum, wat vaak gebeurt op regeringsleidersniveau. Het antwoord luidt: redelijk goed. Buitenlands beleid gaat vaak over gemeenschappelijke belangen. Neem Amerika: of de president – of de regering – nu links of rechts is, de kans is groot dat de gezamenlijke belangen ten overstaan van andere grootmachten dezelfde blijven. Natuurlijk kunnen er terreinen zijn waarop de contacten stroever verlopen; in het geval van Spanje kun je dan denken aan Gibraltar.

Dat jaar met Pasen was Euan net veertien geworden, en hoewel het programma *Today* geen verplichte kost meer was in de familie Blair, was hij politiek gezien vrij goed geïnformeerd. Met jeugdige nonchalance besloot hij het onderwerp Gibraltar met José María te bediscussiëren. Na een aanvankelijk ongemakkelijk geslik, van beide zijden – de gastheer en een beschaamde moeder – werd er hartelijk gelachen, waarna we een interessante discussie voerden, iets wat in gewone diplomatieke omstandigheden ondenkbaar was geweest.

Toen Alastair het verhaal hoorde, vond hij het te mooi om te laten liggen, maar omdat we al lang geleden hadden afgesproken dat onze kinderen altijd in de luwte zouden worden gehouden, was mijn moeder bereid voor dit keer de 'schuld' op zich te nemen.

Langere buitenlandse reizen vinden alleen plaats in de perioden dat het parlement niet vergadert: in oktober, meestal tijdens de partijconferentie van de tory's, met Nieuwjaar en met Pasen. Dat jaar vertrokken Tony en ik direct na onze terugkeer uit Spanje naar het Midden-Oosten. Eerst zouden we Egypte bezoeken, daarna Israël. De ambassade daar had me gevraagd of er iets speciaals was wat ik zou willen doen. Bij de diverse bijeenkomsten op het terrein van speciaal onderwijs waarbij ik aanwezig was geweest, had men me verteld over een opvallende ontwikkeling, de zogenoemde Feuerstein-methode, genoemd naar een hoogleraar in Jeruzalem. Het was een fascinerend verhaal: het bleek dat hij leiding gaf aan een centrum dat hulp bood aan Israëlische en Arabische kinderen met een handicap, en dan vooral kinderen met het syndroom van Down. De mogelijkheden die deze kinderen hadden, werden veel te laag ingeschat, vond hij; ze konden veel meer dan veel mensen dachten en hadden vooral veel empathie voor oudere mensen. Het centrum had een programma ontwikkeld waarbij jongeren bejaarden thuis zouden bezoeken. Hij vertelde me dat een oude man in elkaar was gezakt tijdens het bezoek van een jongen met een vrij ernstige variant van het syndroom van Down, maar dat die jongen toch in staat was geweest de nooddiensten te bellen, zodat de man op tijd kon worden geholpen. Bij mijn werkzaamheden in het liefdadigheidswezen had ik veel kinderen met het syndroom van Down ontmoet, en het deed me plezier te zien hoe gelukkig ze schenen.

Het contrast met wat ik de volgende dag zou zien, kon niet groter zijn. Gaza is feitelijk één groot vluchtelingenkamp. Ik werd door mevrouw Arafat meegenomen naar een school voor kinderen met speciale behoeften in Ramallah die ze zelf had opgezet. Hier werden ze door liefdevolle zorg omringd, maar dat was het dan ook wel: men had dringend behoefte aan allerlei apparatuur en speelgoed. Door de constante beschietingen is het aantal te vroeg geboren baby's in Gaza erg hoog, vertelde ze, en veel baby's vertonen bij de geboorte gebreken. Het was allemaal zeer verontrustend, vooral toen ik dacht aan de faciliteiten die ik een paar kilometer verderop net had gezien.

Het hele bezoek stond in het teken van de contrasten. Die avond landden we in Saudi-Arabië. Bij wijze van speciaal eerbetoon aan Tony mocht ik naast hem blijven lopen, en bovendien kreeg ik een hand van de minister van Buitenlandse Zaken. Maar die avond ging het wel gewoon op z'n Saudisch. Tony ging dineren met alleen maar mannen, en ik met alleen maar vrouwen, waarbij zelfs het eten uitsluitend door vrouwen werd opgediend.

Te midden van mannen zijn de vrouwen compleet bedekt, maar daaronder waren ze veel beter gekleed dan ik, merkte ik. Een van de vrouwen vertelde dat haar zoontje aandachtig keek welke schoenen ze droeg voordat ze de deur uit gingen, want hij was doodsbenauwd dat hij haar kwijt zou raken. Als ze eenmaal bedekt was, waren de schoenen het enige waardoor hij haar van anderen kon onderscheiden. We spraken Engels; het was duidelijk dat een groot aantal van deze vrouwen een goede opleiding had genoten en de weg in Londen en Parijs kende.

'Vindt u niet dat u beperkt wordt aangezien u geen auto mag rijden of uit mag gaan?'

Helemaal niet, antwoordden ze lachend. 'We hebben zo'n gemakkelijk leven, het is prima zo.' Maar in de loop van de jaren kwam ik diezelfde goed opgeleide vrouwen opnieuw tegen – en andere, soortgelijke vrouwen – en toen bleek dat het in toenemende mate helemaal niet zo prima was. Ze zaten in een gouden kooi, en als je eenmaal hebt kennisgemaakt met een bredere horizon, is het lastig om altijd maar in die gouden kooi te blijven. Daarom denk ik dat er veranderingen zullen optreden op het moment dat mensen beseffen dat er meer is dat ze kunnen doen. De volgende dag, toen ik weer terug was in Londen en mijn zwarte toga aantrok voordat ik naar de rechtbank ging, dacht ik onwillekeurig aan de overeenkomsten en de verschillen tussen ons.

23

Hogere versnelling

Betrokkenheid bij een bepaalde liefdadigheidsinstelling komt dikwijls voort uit een persoonlijke tragedie, en ik vorm daar geen uitzondering op. Mijn tante Audrey was slechts de eerste in een reeks prachtige vrouwen wier levens, die het mijne op verschillende manieren beïnvloed hadden, vroegtijdig werden beëindigd door borstkanker. Ik weet nu niet meer wanneer ik voor het eerst in het openbaar over haar heb gesproken, maar in 1997 werd ik, kort onze verhuizing naar Downing Street, beschermvrouw van *Breast Cancer Care*. Ook ben ik beschermvrouw van *Restoration of Appearance and Function Trust* (RAFT), een organisatie die zich toelegt op reconstructieve plastische chirurgie en gevestigd is in het Mount Vernon-ziekenhuis, waar mijn vader zo geweldig werd behandeld na zijn vreselijke ongeluk. Geld is niet het enige waarmee een liefdadigheidsinstelling haar doelen kan bereiken. Even belangrijk – en misschien nog wel belangrijker – is het bewust maken van het publiek en, uiteindelijk, het veranderen van de publieke opinie. Toen ik nog jong was, had ik financieel niet veel te makken, maar ik kon wel op andere manieren helpen: op school bood ik praktische hulp en werkte ik met kinderen met het syndroom van Down, en later maakte ik gebruik van mijn rechtskundige expertise. Nu kon ik, via de man met wie ik was getrouwd, andere wegen bewandelen. Beroemdheden – van leden van het koninklijk huis en mediapersoonlijkheden tot iemand als ik, die minder gemakkelijk in een hokje is te plaatsen – kunnen aandacht van de pers vragen op een manier die in individuele ziektegevallen helaas onmogelijk is. Zelfs in de jaren negentig werd er, behalve in het medische katern van de serieuze kranten, niet openlijk gesproken over borstkanker. Ik zag het als mijn taak ervoor te zorgen dat vrouwen er openlijk over zouden gaan praten. Door het taboe te doorbreken en te bewerkstelligen dat begrippen als zelfonderzoek, mammogrammen, lumpectomie en reconstructieve geneeskunde tot het vocabulaire van elke vrouw zouden behoren – van welke leeftijd en nationaliteit ook, en ongeacht haar achtergrond – werd de kans groter dat de ziekte in een vroeger stadium werd vastgesteld. Dankzij Alastairs beslissing dat in het geval van Cherie minder beter was, was ik een beetje een mysterie geworden, met als gevolg dat als ik wat zei of schreef, het werd gepubliceerd en opgemerkt.

De vroegtijdige dood van David Attwoods broer Michael bleef me bezighouden. In de lente van 1998 hoorde ik van Fiona dat Ellie, de dochter van haar vriendin Lindsay Nicholson, die ik had leren kennen toen ik gastredacteur van *Prima* was geweest, aan hetzelfde type leukemie leed als waaraan haar vader was overleden. Toen ik haar opzocht in het Great Ormond Street Hospital, was ik diep onder de indruk geraakt van het werk van *Sargent Cancer Care* en vroeg ik of ik deze organisatie die zich inzet voor jonge mensen met kanker kon bijstaan. Sindsdien zet ik me regelmatig voor hen in. Helaas stierf Ellie begin juni 1998; met Alastair en Fiona ging ik naar de herdenkingsmis.

In de zomer van 1998 kon ik mijn liefdadigheidsnetwerk op een onverwacht terrein uitbreiden. Toen ik met prins Charles rondwandelde op het terrein van Highgrove – ons eerste bezoek – vertelde hij me dat ze af en toe groepen toelieten om de tuinen te bekijken. Mijn neef Paul Thompson, een van de priesters in onze familie, had jaren gewerkt voor een liefdadigheidsinstelling in Liverpool (SHADO), die zich bezighield met drugspreventie. Hij was onlangs overleden aan een embolie na een ongeluk met zijn knie en was nog geen vijftig jaar oud geworden. Men had mij gevraagd of ik me voor SHADO wilde inzetten. Een van de belangrijkste geldinzamelingsacties van de instelling was een jaarlijkse gesponsorde wandeling naar een vooraanstaand landgoed. In 1997 had ik hen met thee verwelkomd op Chequers. Ik raapte al mijn moed bijeen en vroeg de prins of hij bereid was SHADO uit te nodigen om zijn tuin te bekijken. Voor liefdadigheidsinstellingen die zich met drugspreventie bezighouden, is het buitengewoon lastig fondsen te werven en ik ging er eigenlijk vanuit dat de prins negatief zou reageren. Maar dat deed hij niet, zodat de gesponsorde wandeling van SHADO in 1999 eindigde met thee en gebak op Highgrove.

Ik vond dat de tijd gekomen was gebruik te maken van het potentieel van Downing Street. Nummer 10 was weliswaar zowel door Margareth Thatcher als door Norma Major gebruikt voor het organiseren van liefdadigheidsbijeenkomsten, maar ik had het idee dat we nog veel meer konden doen. De ruime zalen op de eerste verdieping stonden het grootste deel van de tijd leeg. Waarom zouden we ze niet iets intensiever gebruiken?

Tony en ik waren er vooral op gebrand mensen te activeren die verder kunnen kijken dan de façade van 'belangrijke personen'. Langzaam maar zeker ontwikkelde zich een traditie waarin Tony en ik op maandagavond een grote ontvangst organiseerden voor meer dan tweehonderd mensen, die afkomstig waren uit een bepaalde arbeidssector, zoals de politie of het welzijnswerk. En elke dinsdag organiseerde ik een ontvangst voor een liefdadigheidsinstelling. Aanvankelijk waren dat die van 'mezelf', dat wil zeggen instellingen waarvan ik beschermvrouw was of waarbij ik op een andere manier betrokken was. Maar dat was puur om praktische redenen: ik bood het aan, en zij namen de uitnodiging aan. Toen eenmaal bekend werd dat die dinsdagavondbijeenkomsten werden gehouden, kwamen er verzoeken van andere instellingen binnen. Tussen 1998 en 2007 organiseerde ik er elke week een, behalve in augustus en de vakantieperioden. Door de regels met betrekking tot het gebruik van publieke gebouwen mochten er op die avonden niet direct fondsen worden geworven, maar wel konden de liefdadigheidsinstellingen zich er profileren of de belangrijkste donoren in het zonnetje zetten. De instellingen betaalden zelf voor de hapjes en drankjes die er werden geserveerd. Het aantal gasten bleef beperkt tot maximaal veertig, zodat ik met iedereen persoonlijk een praatje kon maken. Ze mochten de zalen gebruiken, en ikzelf sprak de gasten toe over de betreffende liefdadigheidsinstelling, haar doelstellingen, haar successen en op welke manier men de instelling kon steunen. Bovendien ging ik met elke gast op de foto. Er werd nooit reclame voor gemaakt en er verschenen geen artikelen in de pers, maar op de een of andere manier raakte het toch bekend. In de jaren daarop kwam ik heel veel te weten over het fantastische werk in de luwte dat in ons land en in het buitenland wordt verricht. Na het voorval met de brief van de dovenschool bleek dat het aantal verzoeken toeneemt wanneer bekend wordt dat je niet iemand bent die voor ieders neus de deur dichtgooit. Door de contacten die ik tijdens Tony's officiële buitenlandse bezoeken legde, werd ik me steeds meer bewust van het potentieel van wat vaak met de vage – of zelfs geringschattende – term 'netwerken' wordt aangeduid. Zo kreeg ik het na mijn terugkeer in Engeland van de reis naar Gaza voor elkaar apparatuur en andere benodigdheden te sturen naar een meisjesschool van mevrouw Arafat en naar het centrum voor gehandicapte kinderen. Ik ben me zeer bewust van de Britse expertise op dit terrein; het is niet altijd nodig dat er dure apparatuur beschikbaar wordt gesteld om de levens van mensen te verbeteren. Zo is de benadering van het gehandicaptenprobleem in het Midden-Oosten eerder een culturele dan een financiële kwestie; door mensen bij elkaar te brengen kan er al veel worden bereikt.

Ik was me ervan bewust dat de gemiddelde kiezer meestal niet de kans krijgt een bezoek te brengen aan Downing Street. Daarom nodigde ik elke maand tien parlementsleden van verschillende politieke partijen uit die drie kinderen plus een ouder mee mochten nemen om thee te komen drinken. Op die manier kon ik ervoor zorgen dat kinderen uit het hele land een kans kregen om langs te komen. Ik zei altijd tegen de kinderen dat ik hoopte dat ze ooit zouden terugkeren als premier, en ze moesten me beloven dat ze mij zouden uitnodigen als dat daadwerkelijk zou gebeuren.

Die zomer maakten we onze traditionele rondreis door Europa, wat minder spontaan ging dan we gewend waren door de voortdurende aanwezigheid van het bewakingspersoneel – hoe aardig ze ook waren – en de Garden Girls. Halverwege augustus streek het steeds onpraktischer reizende gezelschap neer op het kasteel van David Keane in Frankrijk. Om veiligheidsredenen konden we niet langer verblijven bij Maggie en Alan in Miradoux, maar wel konden we er een dagje naartoe. Zo kwam het dat we ons daar bevonden toen het nieuws over de autobom in Omagh bekend werd.

Omagh blijft een verbijsterend verhaal. Bij de aanslag kwamen negenentwintig mensen om het leven en vielen meer dan driehonderd gewonden. De verantwoordelijkheid werd later opgeëist door een splintergroepering die zichzelf de Real IRA noemde, in contrast met de Provisional IRA, waarvan de politieke tak, Sinn Féin, betrokken was geweest bij het Goede-Vrijdagakkoord. Omdat Tony's kleren allemaal in het kasteel lagen, moest hij een pak lenen voor zijn onmiddellijke reactie op tv. Daarna vloog hij meteen van Toulouse naar Belfast.

Hoewel Bill Clinton niet lijfelijk aanwezig was geweest in Hillsborough tijdens de onderhandelingen, had hij er wel een sleutelrol in gespeeld. Twee weken na de afschuwelijke aanslag, op 3 september, vlogen Bill, Hillary, Tony en ik naar Omagh om de verwoestingen te aanschouwen die waren aangericht door een enkele bom, bevestigd aan een oude Vauxhall die op een zaterdagmiddag onopvallend geparkeerd stond in de belangrijkste winkelstraat van het stadje. Hillary is niet zo spontaan en charmant als haar echtgenoot, maar dit was de eerste keer dat ik zag hoe aangedaan ze was. Ze was diep onder de indruk van wat we hoorden en zagen. Je had moeite je tranen te bedwingen als je sprak met de mensen die hun dierbaren verloren hadden.

Maar dit was geen ramptoerisme: Tony wist dat het absoluut noodzakelijk was dat Sinn Féin de plegers van de aanslag zou veroordelen en dat hij
tegelijk de protestanten ervan moest overtuigen niet te reageren. Bovendien
besefte hij dat Bills lijfelijke aanwezigheid, zijn ondubbelzinnige veroordeling van de aanslag en zijn hernieuwde betrokkenheid bij de vredesonder-
handelingen van wezenlijk belang zouden zijn om ervoor te zorgen dat de
terroristen hun doel niet zouden bereiken.

Nadat we naar Nummer 10 waren verhuisd, stelde ik vast dat de indeling van
de kamers zo ouderwets was dat je het je, zo aan het eind van de twintigste
eeuw, nauwelijks kon voorstellen. Maar het was nog erger: Downing Street
was zelfs feodaal. Wat de technische kant van de zaak betreft: computers werden nauwelijks gebruikt. Daar moest uiteraard verandering in komen, want
het was 1997 en de mensen van Tony's kantoor gebruikten allemaal computers. Dan waren er de Garden Girls. Ze vormden de crème de la crème van
het personeel van de civiele dienst, maar tot onze komst waren ze verplicht
rokken te dragen. Zelfs op Chequers mochten ze geen broek dragen.

'Dit is waanzin,' zei ik tegen de kabinetssecretaris. 'Tony en ik lopen in
onze spijkerbroek rond, en dan is het belachelijk dat we van de Garden
Girls verwachten dat ze rondlopen in mantelpakjes en met parelkettingen
om.' Het werd met enige tegenzin aanvaard.

Dan was er de kwestie van de kamerindeling. De beste en grootste kamers op Nummer 10 vormden het domein van de twee privésecretarissen:
die van het ministerie van Buitenlandse Zaken en die van Financiën. Aangezien John Major in de kabinetskamer zelf werkte, school hier wel een
zekere logica in, want de twee kamers waren met elkaar verbonden via grote
dubbele deuren. Tony echter was tevreden met een veel minder luxueus onderkomen. Het enige dat nog over was, bleek een voormalige wachtkamer
links van de kabinetskamer, en daar werd hij geplaatst. Toen ik hoorde waar
hij zijn dagen doorbracht, kon ik mijn oren niet geloven.

'Waarom bezetten die twee ambtenaren de grote kamer, terwijl de premier het moet doen met dat kleine hokje?'

Het probleem was dat er eenvoudigweg te weinig ruimte was. Downing
Street kraakte in zijn voegen en hoe je ook met de mensen zou schuiven:
een oplossing zou dat niet opleveren. De staf werkte ongehoord hard en
stond altijd onder druk. Hoe het kwam dat ze, gelet op de beperkte ruimte
en de weinig gunstige omstandigheden, altijd een zeer goed humeur hadden, blijft een mysterie.

De oplossing vereiste enig onorthodox denken. De afdeling ontvangsten – een aantal kamers en een aantal mensen, van wie John Holroyd de belangrijkste was – verhuisde naar de gang die naar het kabinetskamer leidde, want daar was voldoende ruimte. Feitelijk was het niet noodzakelijk dat zij überhaupt op Nummer 10 zaten.

Het was rond die periode dat ik een goed idee kreeg. Hoe zat het met het appartement op Nummer 10? Dat stond helemaal leeg. Officieel was het van Gordon, maar nadat we hadden geruild, had hij er niets mee gedaan. Ook had ik gezien dat er een kamer was tegenover de ingang van ons appartement die door het ministerie van Financiën werd gebruikt voor de opslag van stoelen. Intussen had het personeel een kamer ter grootte van een flinke kast in een gang naast de hoofdingang van Nummer 10, en bezoekers moesten plaatsnemen in de toegangshal omdat er geen wachtkamer was. Dit is complete waanzin, dacht ik. Ik ging met mijn plannen naar Tony en zei dat hij er met Gordon over moest spreken. 'Je moet iets doen,' zei ik. 'Het is gewoon niet eerlijk tegenover je stafleden.'

'Cherie, luister eens goed naar me. Ik weet zeker dat je het goed bedoelt, maar bemoei je er alsjeblieft niet mee. Op zeker moment zullen we er wel iets aan doen, maar eerlijk gezegd staan er nu belangrijker zaken op de agenda.'

Dat verbaasde me niet. Ik had wel vaker meegemaakt dat mijn ideeën niet serieus werden genomen. Maar ditmaal besloot ik het recht in eigen hand te nemen. Ik pakte de telefoon, belde Sue Nye, al sinds lang Gordons persoonlijke assistent, en zei: 'Ik wil graag een afspraak met Gordon.'

Consternatie op het ministerie van Financiën! Ze belden meteen Tony op om erachter te komen wat er aan de hand was. Die belde mij vervolgens en vroeg me uit te leggen wat ik van plan was.

'Ik wil duidelijk maken dat het in ieders belang is – ook dat van hem als minister van Financiën – dat we verantwoord omspringen met de beschikbare ruimte. Jij gaat niet naar hem toe om erover te praten, dus doe ik dat.'

Ik had inmiddels een afspraak met hem. Niemand kon me nog tegenhouden. Ik ging op weg naar het ministerie en werd keurig aangekondigd.

'Kijk eens, Gordon,' zei ik. 'We hebben een ernstig probleem op Nummer 10. Er zijn te veel mensen. De afdeling personeel kan nergens rustig met iemand praten. Toch is er een prima kamer, vlak bij ons appartement, die op dit moment niet wordt gebruikt.' En als hij dat niet wilde, dan was er nog het appartement op Nummer 10. Een deel daarvan zou kunnen worden gebruikt, opperde ik, al was het alleen maar als vergaderruimte.

'Persoonlijk heb ik er geen bezwaar tegen,' legde hij uit. 'Maar met het oog op de toekomstige ministers van Financiën ben ik verplicht de onkreukbaarheid van de kamers van het ministerie van Financiën te waarborgen.'

'Vertel je me nu dat je dit vreselijke overbevolkingsprobleem niet kunt oplossen vanwege een of andere hypothetische mogelijkheid in de toekomst? Kom, kom, Gordon. Doe het dan voor mij…'

Het drong langzaam tot me door dat Tony gelijk had. Ik had me er nooit mee moeten bemoeien. Ongetwijfeld had Gordon talloze zaken aan zijn hoofd die veel dringender waren dan een lege kamer op Nummer 11. En ongetwijfeld was het niet aan mij om hem onder druk te zetten. Maar de druk op de stafleden op Nummer 10 was ondraaglijk geworden. Terwijl ik daar zat zonder enig resultaat te bereiken, begon het me te dagen dat ik iets te ver was gegaan. Hij zei dat hij erover zou nadenken en ik vertrok.

Later hoorde ik dat hij had besloten dat we de kamer tegenover de ingang van het appartement konden krijgen. Het was bijna ongelooflijk dat Nummer 10 vervolgens tienduizend pond besteedde aan een opknapbeurt van de kamer, maar in ieder geval was er meer ruimte gekomen. Het was de vernedering waard geweest.

En wat Tony betreft: die verhuisde uiteindelijk naar de kamer van de privésecretaris, maar ditmaal niet dankzij mij. Die kamer werd later 'het hol' genoemd.

Toevallig viel Tony's eerste bezoek aan China, in oktober 1998, samen met een initiatief dat was georganiseerd door de internationale commissie van de Orde van Advocaten dat in verband stond met een conferentie in Bejing over de rechten van veroordeelden. Praktiserende advocaten uit Groot-Brittannië gingen mee om een namaakproces te voeren waarin duidelijk werd hoe het Britse rechtssysteem werkt: dat de verdachte onschuldig is totdat zijn schuld bewezen is, dat we kruisverhoren afnemen, en meer van dat soort zaken. Ikzelf kon niet als advocaat deelnemen: mijn taak bestond erin een inleiding te houden voor het proces en uit te leggen wat de aanwezigen te zien zouden krijgen. Daarna ontmoette ik een groep vrouwelijke advocaten voor een rondetafeldiscussie over discriminatiewetgeving. We probeerden erachter te komen welke knelpunten zij zagen in China en ik legde uit hoe wij in Groot-Brittannië tegen diezelfde punten aankeken. Het verliep allemaal vlekkeloos en markeerde het moment waarop ik in toenemende mate mijn eigen programmaonderdelen afhandelde.

Al in een vroeg stadium had ik besloten dat het weinig zin had de wereld

Leo maakt zich geliefd bij de corgi's op Balmoral.

Zo vader zo zoon. Een moment van ontspanning in de zitkamer van het appartement op Nummer 11.

De oprichting van Matrix Chambers. Als specialisten in mensenrechten waren we vastbesloten een niet-hiërarchische organisatie te worden.

Mijn werkkamer in het appartement op Nummer 11. Als gevolg van de verhoogde veiligheidsmaatregelen na 11 september 2001 werkte ik steeds vaker thuis in plaats van op het advocatenkantoor.

Laura en George Bush arriveren per helikopter op het gazon van Chequers. Wij namen maar één keer de helikopter – samen met José María Aznar en zijn vrouw Ana Botella – van de kazerne tussen Downing Street en Buckingham Palace.

Bromley-by-Bow, Londen. Ook al praktiseer ik geen familierecht meer, het welzijn van vrouwen en kinderen is nog steeds heel belangrijk voor mij.

Dollen met Leo en Kathryn in de hal van het appartement. Tony is altijd een praktische papa geweest.

André en een niet nader geïdentificeerd buitenaards wezen in de keuken van Downing Street.

Leo waakt over de rode koffertjes van zijn vader in het appartement op Nummer 11. Soms kwamen die met vier of vijf tegelijk, allemaal even gehavend.

Tijdens een zelfstandig
bezoek aan Rusland, in
2003, op uitnodiging van
Ljoedmila Poetina.
Ofschoon we heel
verschillende achter-
gronden hebben,
konden we het
buitengewoon goed
met elkaar vinden.

Ontvangst van Vladimir
en Ljoedmila Poetin op
de stoep van Downing
Street 10.

Laura Bush en ik waren altijd
blij als we de kans kregen weer
even bij te praten.

Een kwartet Downing Street-echtgenotes: lady Wilson, Norma Major, de gravin van Avon (Clarissa Eden) en ik, in Lincoln's Inn bij de presentatie van *The Goldfish Bowl*.

Juli 2006. De G8 in Sint-Petersburg en de traditionele foto van de echtgenotes. (Angela Merkels echtgenoot ontbreekt.) Van links naar rechts: Laura Bush, Bernadette Chirac, Maria Barroso, Flavia Prodi, Ljoedmila Poetina en Laureen Harper.

Mei 1999. Met Yasser Arafat en zijn vrouw Suha.
Dit was mijn eerste bezoek aan Palestina en het maakte diepe indruk op mij.

Overal waar ik kom, probeer ik kinderen te ontmoeten. Deze schoolkinderen in Kuala Lumpur
maken duidelijk waarom: hun gezelschap beurt je altijd weer enorm op.

Dat er kinderen woonden in het appartement op Nummer 11, was moeilijk te verbergen.

Mei 2005. Ik had het geluk in mijn geboortestad te zijn toen Liverpool de finale van de Champions League won na een bloedstollende reeks strafschoppen tegen AC Milan.

Juli 2005. Misschien waren in Singapore meer ogen gericht op onze sportambassadeur David Beckham, maar Tony bleef onvermoeid de afgevaardigden van het Internationale Olympisch Comité bestoken om hen over te halen voor Londen te stemmen.

Nelson Mandela met Leo in de Zuilenkamer van Nummer 10 in juli 2003. Mandela is de verpersoonlijking van ouderwetse wellevendheid.

Kofi Annan met Raj en Veena Loomba bij de start van de campagne voor Internationale Weduwendag bij de Verenigde Naties. De Loomba Trust, waarvan ik de eer heb president te zijn, neemt daarin het voortouw.

Januari 2002. Eentje voor de versnipperaar: Tony het evenbeeld van 'premier' Jim Hacker in *Yes Minister*, terwijl ik mij weer eens van mijn meest fotogenieke kant laat zien.

Luchtmachtbasis Bagram, januari 2002, met Sima Samar, de Afghaanse minister van Vrouwenzaken, en twee indrukwekkende vrouwelijke soldaten.

Juli 2003. Bezoek aan Antony Gormley's installatie van terracotta figuurtjes in Beijing. Nog nooit had ik Tony zo van streek gezien.

Een gelukkig moment met Zara Willis. Mijn werk op het gebied van onderwijswetgeving bracht mij voor het eerst in contact met gehandicapte kinderen. Ik blijf bij hen betrokken dankzij een aantal specifieke liefdadigheidsinstellingen, in dit geval de Children's Trust.

Een school voor straatkinderen in Zuid-India. Het ministerie van Buitenlandse Zaken accepteerde eindelijk dat ik mij nuttig kon maken.

Feest voor mijn vijftigste verjaardag met mijn vader en halfzussen Bronwen en Jenia, die uit Amerika waren overgekomen. Achter hen is nog juist mijn oude mentor Freddie Reynold te zien.

Mijn vijftigste verjaardagsfeestje. Zoiets hadden ze op Chequers nog nooit gezien (of gehoord).

Samen met Tony vier ik de vijftigste verjaardag van mijn schoonzus Katy Blair.

Links: Aan alles komt een eind: Alastair, Sally Morgan en Philip Gould op de thee in de rozentuin op Chequers – Tony's favoriete werkplek.

Onder: Mei 2005. Voor de achterdeur van Myrobella. Dit was de laatste keer dat ik op mijn echtgenoot zou stemmen. Let op de camera achter ons. We stonden voortdurend onder strenge bewaking.

Met de koningin op de stoep van Nummer 10 na afloop van het Gouden Jubileumdiner in 2002 waarvoor alle voormalige premiers waren uitgenodigd.

De ontmoeting met paus Johannes Paulus II was voor mij de ultieme benedictie.

De foto die tot alle ophef leidde. Meteen na afloop van mijn toespraak ging ik naar paus Benedictus XVI, die kenbaar had gemaakt mij te willen ontvangen.

Met gemengde gevoelens verlieten we Downing Street voor de laatste keer.

Afhaalchinees: het favoriete eten van de familie Blair in noodgevallen.

rond te reizen als een soort veredelde toerist. Als je het dan toch doet, kun je maar beter iets nuttigs doen. Steeds vaker was het zo dat ik een eigen programma afwerkte als Tony en ik samen een officieel bezoek aflegden.

Het was natuurlijk erg belangrijk dat ik me niet met zuiver politieke zaken zou gaan bezighouden, maar het ministerie van Buitenlandse Zaken zag wel in dat ik een nuttige rol zou kunnen vervullen. Vanuit hun perspectief gezien was het grote voordeel dat ik uit de advocatuur kwam. Als advocaat kon ik op een geloofwaardige manier met andere advocaten spreken, waar dan ook ter wereld. Onze ambassades hadden altijd wel een of ander programma bij de hand over juridische zaken, en het bleek nuttig dat ik kon spreken met rechters en belangrijke advocaten: ik kon de stemming peilen op een informeel (maar wel goed geïnformeerd) niveau. Aandacht voor vrouwenrechten bijvoorbeeld is zo'n onderwerp dat niet altijd even gemakkelijk bespreekbaar is, zeker niet in niet-christelijke landen. Toch zou dit het bereiken van de doelstellingen van de ambassade op het gebied van mensenrechten naderbij brengen, en bovendien was alles wat mensen ertoe aanzette het Britse rechtsmodel te aanvaarden, goed voor de juridische instellingen die zo'n belangrijke rol spelen in onze onzichtbare export.

Het China-initiatief van de Orde van Advocaten was van groot belang omdat het rechtssysteem van Hongkong, dat is gebaseerd op het Engelse systeem, moest worden beschermd. Omdat China binnenkort een van de belangrijke spelers op het wereldtoneel zou worden, was het een van de voornaamste doelstellingen van het ministerie van Buitenlandse Zaken de Chinezen – zowel in Shanghai als in Bejing – zo ver te krijgen dat ze het handelsmodel uit Hongkong zouden gaan hanteren.

China was toen nog het land van de fietsen en de in blauwe Mao-pakjes gehulde arbeiders – mannen en vrouwen, iedereen zag er hetzelfde uit. Zes jaar later, tijdens mijn volgende bezoek, was de consumentenrevolutie al in volle gang. Mannen en vrouwen waren nu gemakkelijk van elkaar te onderscheiden en de straten hadden een volledig ander aanzien door het grote aantal auto's – al werd erin gereden alsof het fietsen waren. Overal zag je kleuren, behalve in de lucht, die altijd egaal grijs was, ongeacht het weer – het gevolg van de hemeltergende vervuiling.

Voorafgaand aan dat eerste bezoek had Hillary Clinton me gewaarschuwd voor afluisterpraktijken. Toen zij en Bill in Bejing waren, had hun veiligheidsteam een geluiddichte tent in hun kamer opgesteld, vertelde ze: de enige plek waar ze veilig met elkaar konden praten. Nadat we lekker hadden geslapen in het officiële onderkomen dat was verbonden aan de

Verboden Stad, werden Tony en ik wakker en stelden vast dat André bijna hysterisch was geworden. Hij was midden in de nacht wakker geworden en had gezien dat er iemand in zijn kamer was die in zijn spullen zat te rommelen. Later hoorden we dat de meeste anderen in de delegatie hetzelfde hadden meegemaakt. En alsof dat nog niet genoeg was, zei André, stond hij 's ochtends onder de douche en zag dat de spiegel niet gewoon besloeg, zoals overal in het universum, maar dat er een grote rechthoek op mysterieuze wijze onbeslagen bleef…

Aan het begin van het jaar daarop brachten Tony en ik voor de tweede keer een bezoek aan Zuid-Afrika. Onze eerste reis had plaatsgevonden in de herfst van 1996, tijdens zijn voor de verkiezingen gemaakte reis langs de wereldleiders. Ik had toen een bezoek gebracht aan Albie Sachs, die twee jaar daarvoor door Nelson Mandela was aangewezen om de commissie te leiden die de nieuwe Zuid-Afrikaanse grondwet zou schrijven. Als rechtskundige op het terrein van de mensenrechten was het voor mij een fascinerende ervaring en bovendien een voorrecht om te spreken over de manier waarop de grondwetscommissie de paragrafen over de mensenrechten zou opnemen in de grondwet. Ook bracht ik een bezoek aan de Waarheids- en Verzoeningscommissie, het geesteskind van aartsbisschop Desmond Tutu.

Nelson Mandela tart alle beschrijvingen. Als je hem ontmoet, blijkt hij heel lang te zijn en ongelooflijk taai, met een bos witte haren op zijn kalme, bijna gelukzalige gezicht, maar het opvallendst is wel zijn ouderwetse wellevendheid, en dat niet alleen jegens de groten der aarde. De eerste keer dat hij ons in Downing Street bezocht, was Euan niet op school omdat hij verkouden was, maar hij wilde de grote man dolgraag ontmoeten. Toen het zo ver was, bleek onze zoon diep onder de indruk en het enige dat hij nog kon stamelen was: 'Het is geweldig om u te ontmoeten.' Nelson Mandela antwoordde met zijn vriendelijke stem: 'En het is heel erg leuk om jou te ontmoeten, Euan.' Je voelde dat hij het echt meende. Bij een andere gelegenheid stelde Euan hem voor aan zijn vriend van London Oratory, James Dove, wiens vader uit Zuid-Afrika kwam en zich in de jaren van de apartheid had ingezet voor het ANC. Mandela was ook tegen deze jongen, die hij niet kende, bijzonder voorkomend, maar het was inmiddels duidelijk dat hij zich altijd zo gedraagt en dat het een bijzondere betekenis had, vooral voor jonge mensen.

Het laatste officiële bezoek van Tony, in 2007, vlak voordat hij terugtrad, was ook aan Zuid-Afrika. Het was heel prettig om te zien dat Mandela nog scherp was, al was hij wel ongelooflijk broos. De mensen om hem heen hielden hem nauwlettend in de gaten. Zo mag niemand bij hem in de buurt fotograferen met flits. Al die jaren waarin hij stenen had gehakt in de blikkerende zon van Robbeneiland, hadden zijn ogen aangetast. Hij is nog steeds een zeer bijzondere verschijning, deels door wie hij is. Maar bovendien is hij aardig en bescheiden – zo bescheiden dat je bijna gaat denken dat het niet oprecht is. Maar dat is het wel.

Tijdens ons bezoek in 1996 hadden we een weeshuis voor aidskinderen bezocht, het Nazareth House in Kaapstad, dat deel uitmaakte van dezelfde orde als die van het weeshuis bij Seafield School in Crosby. Nonnen zijn te verdelen in twee categorieën, heb ik ondervonden: oude virago's en schattebouten. Dit waren schattebouten en ze vonden het geweldig om Tony te ontmoeten. Er was een meisje, Ntombi, dat zich om de een of andere reden aan Tony vastklampte. Toen was ze een jaar of drie, vier oud. Ze spreidde haar armen uit en wilde opgetild worden, wat hij braaf deed. Toen we vroegen of we haar financieel konden steunen, waarschuwde men ons dat ze met hiv was besmet. Met een droeve glimlach herinnerden de nonnen ons aan de begraafplaats die we al hadden bezocht en waar de namen en datums getuigden van levens die tragisch kort waren geweest. Tony en ik keken elkaar aan en daarmee was de beslissing genomen. Zo werd Ntombi het eerste kind van Nazareth House dat we financieel steunden. In de loop van de jaren ontwikkelden we een echte vriendschap: zij schreef ons, en wij schreven haar.

Daarna hebben we nog meer kinderen gesteund die in Nazareth House woonden. Alle kinderen waren met hiv besmet, maar velen hadden ook andere aandoeningen. Een meisje dat wij die eerste keer hadden ontmoet, was bijvoorbeeld achtergelaten op straat, waarna de mieren haar ogen hadden uitgevreten. Net als Ntombi is ook zij nog in leven. Ze presteerde goed op school en op haar vijftiende keerde ze terug naar het huis waar haar grootmoeder en andere familieleden woonden. Nu wonen kinderen als zij niet meer in het weeshuis, maar worden opgevangen door pleegmoeders, in een 'gezin' van zo'n zeven kinderen in een township in de buurt. Die pleegmoeders zijn zelf opgeleid en worden financieel gesteund door de nonnen, terwijl in Nazareth House alleen de zwaarst gehandicapte kinderen wonen.

Onze dochter Kathryn besloot het jaar voordat ze ging studeren in Nazareth House te gaan werken. Ik had haar het verhaal verteld van het kleine blinde meisje. De eerste keer dat we haar via de telefoon spraken, vertelde ze dat ze er nog steeds was. Helaas overleed ze echter kort daarna aan meningitis. Haar dood betekende een zware klap, want ze hadden al jaren bijna geen sterfgevallen meer meegemaakt – de behandeling van aids was in de tussentijd immers sterk verbeterd.

Dit is niet de plaats om diep in te gaan op de buitengewoon problematische kwestie-Kosovo en de geschiedenis van dat land als etnisch Albanese provincie binnen het Joegoslavië onder Tito. Hoewel het land overwegend islamitisch is, wordt Albanees Kosovo door de Serviërs beschouwd als een centraal onderdeel van de Servische identiteit en als christelijke frontlijnstaat, mede door een aantal historisch belangrijke – en prachtige – middeleeuwse kloosters. Onder Slobodan Milošević hadden de Servische strijdkrachten de etnische repressie in Kosovo opgevoerd, maar aan het eind van de jaren negentig was Servië vooral bezig aan het thuisfront en vrijheidsstrijders uit Kosovo vochten terug. Aan het eind van 1998 begon de situatie kritiek te worden. De eis dat Servië het probleem zou oplossen, bleek aan dovemansoren gericht en de gevechten werden heviger. Aan beide kanten vonden gruweldaden plaats en als gevolg daarvan stroomden grote groepen vluchtelingen het land uit naar Macedonië, in het zuiden. De hoop was dat Servië zich zou terugtrekken nadat was gedreigd met luchtaanvallen. Tony was er, net als de Britse legerleiding, van overtuigd dat alleen een dreiging met de inzet van grondtroepen Milošević op andere gedachten zou kunnen brengen. Maar Amerika had geen trek in 'body bags'. In de lente van 1999 zette Tony alles op alles om de Amerikanen er via Bill Clinton van te overtuigen dat het dreigen met grondtroepen de enige taal was die Milošević begreep. Toen de Labourpartij nog in de oppositie zat, was men zeer kritisch geweest over het zwakke beleid van de Conservatieven aangaande Bosnië, toen Milošević aan de macht was.

In die periode had Tony voortdurend telefonisch contact met Amerika. Vanwege het tijdsverschil kwamen die telefoontjes vaak laat in de avond, als hij in het appartement was. Als hijzelf belde, deed hij dat vanuit de woonkamer, waar de speciaal beveiligde lijn met Washington was geïnstalleerd. En als de telefoontjes uit Amerika kwamen, laat in de avond of soms zelfs midden in de nacht, nam ik altijd op, want de telefoon stond aan mijn zijde van het bed. Ik vond het niet erg om gewekt te worden, want ik ben altijd al meer een nachtmens geweest dan Tony.

Hoewel ik beide kanten van het gesprek niet hoorde, viel me wel op dat Tony voortdurend tegen Bill zei: 'Dit kan zo niet doorgaan, we moeten iets doen. Als we Milošević overbluffen, zal hij het waarschijnlijk opgeven, of anders zullen de Russen er wel voor zorgen dat hij het opgeeft. Maar ze zullen ervan doordrongen moeten zijn dat we het werkelijk menen.' Op 24 maart begonnen de bombardementen op de Servische hoofdstad Belgrado. Daarna bestond de enige dreiging nog uit een invasie over land, iets waar het NAVO-leger op de grond in toenemende mate voorstander van was. Vier NAVO-landen – Groot-Brittannië, Frankrijk, Duitsland en Italië – hadden hun troepen aan de Macedonische grens verzameld en waren gereed om in te grijpen, maar de Amerikanen bemoeiden zich nog steeds nergens mee.

'Het voelt alsof ik in de steek word gelaten,' zei Tony steeds. 'Alsof ik in een grote boom zit, aan het eind van een tak, die elk moment kan afbreken. Zij zullen hem doorzagen en dan is het gedaan met mij.' 'Zij', dat waren de terughoudende lieden in het adviseurskorps van Clinton, die bezig waren de tak door te zagen waar Tony op zat.

Op 24 april 1999 ging hij naar Chicago om een toespraak te houden voor de Economic Club of Chicago. De wereld, zo zei hij, heeft zich op zo'n manier ontwikkeld dat je dergelijke vreselijke dingen niet meer zomaar kunt laten gebeuren. Je zult moeten ingrijpen, en wat Kosovo betreft was een succesvolle operatie de enige strategie die de NAVO wenste te overwegen. 'We zijn pas in onze missie geslaagd als een internationale troepenmacht Kosovo is binnengetrokken en de vluchtelingen de kans biedt terug te keren naar hun huizen.'

Een week later waren hij en ik in Macedonië. Dit was de eerste keer tijdens Tony's premierschap dat Britse troepen in actie moesten komen. Hij sprak met onze soldaten in de frontlinie – onderdeel van de geallieerde snelle-interventiemacht, onder commando van generaal Mike Jackson – en aanschouwde de vluchtelingenramp met eigen ogen. Door er zelf heen te gaan was hij ervan overtuigd dat hij zich in een sterkere positie bevond als hij de Amerikanen ervan moest overtuigen dat ze zich bij de grondtroepen moesten aansluiten.

Zoals altijd bij dergelijke reizen werden de plaatsen die Tony zou bezoeken niet van tevoren bekendgemaakt. Aan het eind van de week ervoor onderhandelde ik in het Hogerhuis nog twee dagen lang over gelijke betaling voor parttime werknemers van Barclays Bank. De maandag daarop zaten we in Skopje, de hoofdstad van de Voormalige Joegoslavische Republiek Macedonië, zoals we het land omzichtig dienen te noemen – dit vanwege de gevoeligheid van de Grieken, die menen dat ze recht hebben op het gebruik van die naam. De hoofdstad was niet veel meer dan een gemiddeld pro-

vinciestadje en onze ambassade niet veel meer dan een consulaat. Uit gesprekken met de staf, onder wie enige moslims, bleek dat het voor de twee
groepen – moslims en christenen – lastig was om samen te werken terwijl er
een paar kilometer verderop zulke afschuwelijke dingen gebeurden.

Met een helikopter vlogen we naar een groot vluchtelingenkamp aan
de grens met Kosovo. Overal waar je keek, zag je witte tenten, die in rijen
stonden opgesteld die reikten tot aan de horizon. Op het moment dat ze beseften wie er op bezoek was, begonnen ze te roepen: 'To-ny! To-ny! To-ny!'
Nu al zagen ze hem als de man die hen zou bevrijden uit deze afschuwelijke
omstandigheden. We liepen langs de tenten met een tolk en luisterden naar
hun verhalen: dat ze jarenlang op vredige wijze in hun dorpen hadden gewoond en dat hun buren – daarvoor nog vrienden – zich ineens tegen hen
hadden gekeerd en met geweld hadden gedreigd. Ze vertelden dat het hun
was gelukt te ontsnappen, maar dat ze alles hadden moeten achterlaten.
Hoewel de tenten er van de buitenkant identiek uitzagen, waren ze vanbinnen allemaal verschillend. De vrouwen hadden alles in het werk gesteld om
hun tent zo uitnodigend en comfortabel mogelijk in te richten. Niet voor
ons, maar voor de familieleden die er nog waren. Het maakte me heel ne-
derig.

Vandaar werden we naar de grens gebracht, waar we het niemandsland
zagen liggen en daarachter een rij vluchtelingen die stonden te wachten
tot ze naar Macedonië konden, naar het veilige kamp. De rij reikte tot aan
de horizon. Iedereen was beladen met koffers en bundels, waarschijnlijk
kleren en beddengoed. We werden naar het begin van de rij gebracht, waar
de mensen ons de hand wilden schudden. De tolk ging met Tony mee, en
ik sprak met de mensen die het Engels beheersten en dus goed opgeleid
waren. Ik herinner me een advocaat en een hoogleraar van de Universiteit
van Priština, die beiden een volmaakt rustig leven hadden geleid, totdat
dit hun was overkomen. Het leven onder het communistische systeem was
dan misschien niet altijd even prettig geweest, maar werkelijke zware tijden
hadden ze nooit gekend. En nu was dit gebeurd. Ze hadden het overleefd,
maar ze hadden er geen idee van wat hun nog te wachten stond – in ieder
geval geen baan aan de universiteit, dat was zeker.

Ik ben geboren in de jaren vijftig en heb zelf geen oorlog meegemaakt.
Maar op onze speelplaats werden vaak spelletjes gespeeld waarbij de Duitsers tegen de Engelsen vochten, en bovendien herinnerde ik me de verhalen
die meneer Smerdon ons vertelde over de concentratiekampen. Terwijl ik
langs die eindeloze rij mensen liep, wier gezichten getekend waren door

uitputting en angst, was ik diep geschokt. Deze mensen werden lastiggevallen vanwege hun religie, vanwege het feit dat ze moslim waren. Waar was Europa in godsnaam mee bezig? Men was erbij geweest en had dit veroorzaakt. We moesten ons niet terugtrekken.

Drie maanden later, eind juli 1999, keerde Tony terug en ging ditmaal naar de Kosovaarse hoofdstad Priština, waar hij werd onthaald als een ware held. Zijn plan had gewerkt. Amerika had ermee ingestemd grondtroepen beschikbaar te stellen, en op dat moment had Milošević de strijd opgegeven. Het schijnt dat er honderden jongetjes in het nieuwe, onafhankelijke Kosovo rondlopen met de naam Tony.

24

Nieuwe einders

Mijn carrière bij de balie ontwikkelde zich na 1997 zo goed als je kon verwachten gelet op de moeilijkheden die het combineren van de agenda van Downing Street met die van Gray Inn's Square opleverde. Dat was niet het enige probleem. Kort na de verhuizing besloot Nummer 10 een zaak waarvoor ik was benaderd, 'nader te bekijken'. Ik tekende bezwaar aan. Ik was advocaat van beroep en men diende mij in de gelegenheid te stellen mijn werk voort te zetten, zei ik tegen hen. Ik beriep me op het taxistandplaatsprincipe en zei dat ik in moeilijkheden zou komen op het moment dat ik zelf keuzes zou gaan maken. 'Het spijt me als u zich daar ongemakkelijk over voelt, maar geloof me: dit is de beste manier' – zo'n situatie was het. Hoewel ze wisten dat dit mijn stellingname was, gaf het kantoor de daaropvolgende tien jaar af en toe aan dat het liever wilde dat ik een bepaalde zaak niet zou behandelen. Ik heb nooit precies geweten wie de zaken 'nader bekeek'. Tony bracht de boodschap eenvoudigweg over. En achter Tony verschool zich 'het kantoor', 'Nummer 10'. Het was alsof deze anonieme mensen met z'n allen deelnamen aan een discussie – met mijn echtgenoot, maar zonder mij – en zo tot 'een oordeel' kwamen. Het kwam altijd op hetzelfde neer: de pers zou met verhalen komen in de trant van: 'Cherie klaagt de regering aan', en dat zou toch gezichtsverlies betekenen voor de premier, nietwaar? Ik mocht nooit deelnemen aan die discussies, terwijl juist ik wist hoe de vork in de steel zat. Soms werd ik in die gevechten vertegenwoordigd door Fiona en later Hilary Goffman, hoewel ook zij op zeker moment niet meer mochten meepraten. Ik bleef volhouden dat het taxistandplaatsprincipe dé manier was om deze zaak het hoofd te bieden, anders zou de beerput immers opengaan. Dat argument werd altijd aanvaard, tot het moment

waarop de volgende lastige zaak zich aandiende en het hele circus weer
van voren af aan begon.

Mijn vrees dat mijn carrière hieronder zou lijden, werd inmiddels al bewaarheid. Het ging niet zozeer om het geld – ik hield van mijn werk.
Niet alleen eisten mijn officiële taken hun tol, maar bovendien wilden
sommige mensen juist Cherie Booth, QC, omdat ze graag in de publiciteit
kwamen, terwijl anderen juist niets met me te maken wilden hebben, omdat publiciteit wel het laatste was waarop ze zaten te wachten. Het speelde
zich zelden in de openbaarheid af, maar het werd langzaam maar zeker
wel bekend.

Ik herinner me dat ik, kort nadat we naar Downing Street waren verhuisd, als rechter de zaak behandelde van een oude dame die uit het bejaardenhuis was verwijderd omdat ze met haar gedrag de orde verstoorde:
ze bleef maar roepen dat de andere dames dom waren. Voordat ik mijn
oordeel velde, zei ze: 'U moet weten dat ik altijd Labour heb gestemd, en
dat ik bij de algemene verkiezingen op uw man heb gestemd.' Op basis van
de bewijsstukken legde ik haar een voorwaardelijke beslaglegging op, wat
er in de praktijk op neerkwam dat de uitzetting zou worden opgeschort
mits ze zich in de toekomst normaal zou gedragen. Maar door dat nieuws
stelde ze zich ineens heel anders tegen me op: 'Ik ga nooit meer op Labour
stemmen!'

De eerste vier maanden van 1999 was ik betrokken bij een ingewikkelde
zaak betreffende de Bank of Credit and Commerce International (BCCI).
In zijn bloeitijd opereerde die bank, die was opgezet in Pakistan, in achten-
zeventig landen, had meer dan vierhonderd vestigingen en beheerde naar
eigen zeggen in totaal vijfentwintig miljard dollar. In 1991 echter stortte het
imperium ineen: er kwam een schandaal aan het licht waarbij duidelijk
werd dat de bank betrokken was geweest bij witwaspraktijken, omkoping
en diverse andere vergrijpen. De juridische gevolgen van de val strekten
zich uit over vijftien jaar, maar ik was betrokken bij slechts een deel van
de zaak: een gezamenlijke actie van voormalige werknemers, van wie de
meesten moslims waren die in Groot-Brittannië woonden en oorspronkelijk afkomstig waren uit Bangladesh of Pakistan. Na de ondergang van
de bank was het voor hen bijna onmogelijk geworden een nieuwe baan
te krijgen: dit was een onbetrouwbare bank, en zij werden beschouwd als
onbetrouwbare mensen. Het was een nachtmerrieachtig scenario. De twee

partijen stemden ermee in dat er voor vier mensen een proefproces zou worden gevoerd. Maar daarachter stonden nog eens driehonderd cliënten, wier zaak geregeld zou worden op basis van wat we voor die vier zouden bereiken, dus er ontstond spanning tussen de vier proefpersonen én tussen hen en de grote groep. Maar er rezen nog meer problemen. Ik had de algemene leiding over de zaak, maar er waren nog vier advocaten en drie teams van raadslieden bij betrokken. Bovendien gebruikte de *Legal Aid Board* (Raad voor de Rechsbijstand) dit als een proefproces voor een nieuw type financiering van dit soort langdurige zaken. En lang duurde het. Begin februari gingen we naar de rechtbank en pas halverwege mei was het afgelopen. Uiteindelijk wonnen we de jure, maar de facto hadden we verloren. Men erkende dat de werknemers in principe recht hadden op compensatie, maar de vier personen die waren geselecteerd voor het proefproces, konden de rechtbank er niet van overtuigen dat ze waren benadeeld.

Het jaar daarop raakte ik opnieuw betrokken bij een grote zaak, ditmaal voor ICI. Nu was mijn cliënt een groot bedrijf in plaats van een groep werknemers. Door de financiële middelen waarover ICI beschikte, bleek dit proces me veel minder hoofdbrekens te kosten. Maar toen het eenmaal voorbij was, kwam ik tot mijn spijt tot de conclusie dat het voeren van dit soort lange getuigenprocessen vanwege mijn verplichtingen voor Nummer 10 eigenlijk niet mogelijk was. Als ik heb toegezegd me in te zetten voor een rechtszaak, is er geen weg terug.

Het verdedigen van een bepaalde juridische zaak, maar dan vanuit het tegengestelde standpunt, komt dikwijls voor; zeker is dat het je scherp houdt. In 1997 had ik een zaak behandeld waarin een lesbische spoorwegbeambte gratis treinvervoer voor haar partner had geëist. Heteroseksuele partners hadden recht op die regeling, zelfs als ze niet waren getrouwd, maar Lisa Grant mocht er geen gebruik van maken voor haar partner van hetzelfde geslacht en beweerde dat er sprake was van seksediscriminatie. Ik behandelde haar zaak voor het Europese Gerechtshof in Luxemburg, maar uiteindelijk verloren we. Zes jaar later, toen de Human Rights Act in Groot-Brittannië was aangenomen, behandelde ik opnieuw een zaak aangaande seksediscriminatie in relatie tot een lesbische vrouw, maar ditmaal stond ik aan de andere kant. Een lesbische lerares had zich gedwongen gezien ontslag te nemen omdat ze door haar leerlingen werd gepest vanwege haar seksuele geaardheid. Ditmaal pleitte ik voor de school – precies de tegenovergestelde positie als die ik had ingenomen in het geval van Lisa. De zaak ging uiteindelijk naar het Hogerhuis en we wonnen op alle punten – niet in de laatste plaats vanwege de eerdere uitspraak in de zaak van Lisa Grant. Ze aanvaardden mijn redenering dat discriminatie op het punt van seksuele oriëntatie niet hetzelfde is als seksediscriminatie, en dus wonnen we.

In het Britse juridische systeem beginnen rechters hun loopbaan als advocaat; je leert het klappen van de zweep door in deeltijd plaats te nemen op de rechterstoel als *recorder* (voorzitter). In 1996 was ik benoemd tot assistent-recorder en in juli 1999 tot voltijdrecorder. Recorders en rechters worden op de hoogte gehouden van de laatste ontwikkelingen door de *Judicial Studies Board*. Eind september ging ik samen met Marianna Falconer naar een van de driejaarlijkse opfriscursussen. Op de avond van de drieëntwintigste gingen Marianna en ik samen met een paar oude advocatenvrienden uit eten ter gelegenheid van mijn vijfenveertigste verjaardag. Ik voelde me uitgelaten. Die zomer hadden we genoten van een heerlijke vakantie bij de Strozzi's in Italië en Tony voelde zich ontspannen. De energie die hij in de kwestie-Kosovo had gestoken, had vruchten afgeworpen. Toen we daar zaten en een glas champagne hieven, was er maar één wolkje aan de verder stralende hemel: mijn menstruatie. Waar was die?

'Het is een beetje raar,' zei ik tegen Tony toen die me die avond vanuit Chequers belde. 'Normaal gesproken ben ik de regelmaat zelve.'

'En wat betekent dat?'

'Waarschijnlijk niets,' zei ik. 'Waarschijnlijk is het mijn leeftijd. Maak je geen zorgen.'

Dat was hij ook niet van plan. Hij werkte aan zijn conferentietoespraak en had weinig aandacht voor andere zaken. Maar het bleef knagen in mijn achterhoofd.

Een paar weken daarvoor waren we naar het traditionele premiersweekend in Balmoral geweest. Het eerste jaar dat we dat hadden gedaan – in 1998 – ontdekte ik tot mijn ontsteltenis dat al mijn spullen door iemand waren uitgepakt. Niet alleen mijn kleding, maar ook de complete inhoud van mijn oude toilettas, met al die niet nader te noemen spulletjes. Dit jaar was ik op mijn hoede geweest en had mijn voorbehoedmiddelen niet meegenomen, puur omdat ik me ervoor schaamde. Zoals gewoonlijk was het er bitter koud, en om een lang verhaal kort te maken... Maar goed, dacht ik, het kan niet. Ik ben te oud. Het zal de menopauze zijn.

Toen de cursus voorbij was, maakte ik met Carol een afspraak in de fitnesszaal.

'Ik weet dat het een beetje raar klinkt,' zei ik, 'maar zou je voor mij een zwangerschapstest kunnen halen?' Dat was zoiets waar ikzelf bij de plaatselijke drogist niet om kon vragen. Donderdag nam ze er een voor me mee en op vrijdagochtend: kijk eens aan. Ik kon het niet geloven.

Meteen belde ik Tony.

'De test is positief,' zei ik.

'En wat betekent dat?'

'Volgens mij dat ik zwanger ben.'

'Mijn God.'

Die avond kwam hij terug uit Chequers en zodra er gelegenheid was, liet ik hem het staafje zien en legde uit wat de blauwe lijn betekende.

'Hoe betrouwbaar is dat?' vroeg hij. Ik zei dat ik dat niet wist, maar dat Carol er nog een voor me had gehaald, al moest ik tot de volgende ochtend wachten.

'We zullen het tegen Alastair moeten zeggen.'

Alastair en Fiona kwamen de volgende ochtend, voordat we naar Bournemouth en de conferentie gingen. Op het tweede staafje was dezelfde blauwe lijn te zien.

'Hoe zwanger ben je eigenlijk?' vroeg Alastair.

'Dat weet ik niet.'

'Hebben we het over weken of maanden?'

'Weken.'

Eerlijk gezegd kon hij er wel om lachen. Aangezien het nog in een vroegtijdig stadium was, stelden ze zich op het standpunt dat we er maar beter geen ruchtbaarheid aan moesten geven. Toevallig had ik al een afspraak gemaakt om maandag terug te gaan naar Londen voor een bijeenkomst van Breast Cancer Care. Ik zou iets eerder vertrekken voor een bezoek aan mijn huisarts.

Tony stond erop dat we het nieuws aan Sally Morgan zouden vertellen, die samen met ons de treinreis zou maken. We konden daar niet gewoon zitten en niets zeggen, zei hij.

'Stel je voor, volgend jaar rond deze tijd lopen we achter een kinderwagen als we naar de conferentie gaan,' zei ze. We giechelden als schoolmeisjes.

Zoals afgesproken namen Fiona en ik maandag de trein terug naar Londen. Ik wilde niet riskeren dat er grote ophef zou ontstaan. Ik ging daarom naar het spreekuur in het Westminster Health Centre. Het bleek dat de arts die ik gewoonlijk bezocht, Susan Rankin, er niet was. Ik kreeg een afspraak met een andere arts.

'Zo, mevrouw Blair,' zei hij. 'Wat kan ik voor u doen?'

'Ik geloof dat ik zwanger ben,' antwoordde ik met een glimlach. De arme man schrok zich een hoedje.

Ik moest hem kalmeren. Hij wilde geen inwendig onderzoek doen, zei hij. Omdat hij zich verplicht voelde mijn buik toch een beetje te onderzoeken, zei hij aldoor: 'Susan moet dit doen.'

'Kunnen we niet een van uw tests doen?' stelde ik voor. 'Die zijn waarschijnlijk wel betrouwbaar, toch?'

Hij slaakte een zucht van opluchting.

'En?' vroeg Fiona, toen ik weer buiten stond.

'Eind mei.'

De volgende dag was het moeilijk er niet over te beginnen. Zoals gewoonlijk lunchten we gezamenlijk met familie en vrienden, terwijl Tony de laatste wijzigingen in zijn toespraak aanbracht. Mijn halfzus Sarah, die nu journaliste was onder de naam Lauren Booth, had net een miskraam gehad – ze had erover geschreven in de krant – en het laatste dat ik wilde, was dat ze nog meer overstuur zou raken. Om dezelfde reden vertelde ik het ook niet aan mijn vader – die zou immers zo zijn mond voorbij praten.

Alleen de mensen die ervan op de hoogte waren, zagen die middag misschien een twinkeling in Tony's ogen toen hij op een bepaald punt van zijn toespraak was aanbeland. Heel toevallig had Peter Hyman, een van de mensen die toespraken schreef voor Tony, een passage over kinderen toegevoegd.

'Voor onze kinderen zijn we onvervangbaar. Als er iets met mij zou gebeuren, zou u binnen de kortste keren een nieuwe leider hebben. Maar mijn kinderen zouden geen nieuwe vader krijgen. Er is geen krachtiger symbool van onze politiek dan de indrukken die je opdoet als je op een kraamafdeling bent. Er liggen twee baby's, naast elkaar. Ter wereld gebracht door dezelfde artsen en vroedvrouwen. Maar vóór hen liggen twee compleet verschillende levens.' Toen Tony die woorden uitsprak, keek hij naar mij, want we wisten allebei dat we zeer binnenkort zelf op de kraamafdeling zouden zijn.

Het lag in de bedoeling het aantal mensen dat op de hoogte was, zo gering mogelijk te houden. Nu bevestigd was dat ik zwanger was, wilde ik wat tijd voor mezelf om aan het idee te wennen dat ik opnieuw een baby zou krijgen. Ook was ik me ervan bewust dat er dingen mis konden gaan, zeker op je vijfenveertigste, maar persoonlijk was ik ervan overtuigd dat alles goed zou verlopen. Ik had besloten te wachten tot de twaalfde, dertiende week voordat we het in bredere kring bekend zouden maken. We moesten naar een Derde-Wegcongres in Florence, dat was georganiseerd door Tony en Bill, en het laatste dat ik wilde, was dat de aandacht op mij zou worden gericht. We zouden wachten tot we terugkwamen uit Florence, want tegen die tijd zou het waarschijnlijk ook wel te zien zijn – en in ieder geval hadden we op die manier de aankondiging in eigen hand.

Ik vertelde het aan mijn moeder, mijn zus en aan Jackie, ons kindermeisje. In juli 1998 had Ros Mark ons verlaten om een lerarenopleiding te volgen – een lang gekoesterde wens. Jackie vond het prachtig. Voor een echt kindermeisje zijn schoolgaande kinderen natuurlijk leuk, maar een baby is fantastisch.

Ik twijfelde erover het tegen de kinderen te zeggen. Ik wilde wel dat ze op de hoogte waren, maar ik herinner me dat ik dacht: Misschien vinden ze het wel walgelijk. Ik bedoel: ouders! Maar ze vonden het geweldig en waren heel enthousiast. Kathryn ging met me mee toen ik een van de eerste scans liet maken; terwijl we over de afdeling echoscopie liepen, besefte ik ineens dat de mensen die mij, een vrouw van middelbare leeftijd, zagen lopen, misschien wel dachten dat mijn prepuberale dochter zwanger was.

Toen het congres van de Labourpartij voorbij was, werd ik door Susan Rankin uitgebreid onderzocht. 'U beseft toch wel dat de kans op het krijgen van een kind met het syndroom van Down of met andere afwijkingen veel groter is op uw leeftijd?'

Dat wist ik, maar nu het zo ver was, besloot ik geen vruchtwaterpunctie te laten uitvoeren om schadelijke gevolgen te voorkomen. Wel liet ik een bloedonderzoek doen en werden er scans gemaakt. Alles zag er, mijn leeftijd in aanmerking genomen, goed uit.

De dagen daarop breidde de kleine groep die op de hoogte was, zich verder uit. Tony vertelde het aan Anji, want als hij dat niet zou doen, zou ze boos worden, zei hij. Toen vertelde hij dat hij het ook tegen Gordon had gezegd.

'Wat heeft Gordon daar nu mee te maken?' protesteerde ik.

'Dat moet je begrijpen, Cherie. Voor hem is het een heel gevoelig onderwerp. Het hele idee dat ik een gezinsman ben, ligt gevoelig voor hem.' Hij wilde rekening houden met de gevoelens van Gordon, zei hij.

Zwanger of niet, we ploeterden voort. Aangezien niemand op de hoogte was, kon ik me niet beroepen op verzachtende omstandigheden. Een paar dagen later zat ik in de trein van Liverpool Street naar Norwich om de feestelijke opening bij te wonen van het nieuwe kantoor van een groot bedrijf van Legal Aid-advocaten. Tijdens de reis werd ik misselijk en spuugde alles onder. Het was halverwege de middag en gelukkig was de coupé leeg. Nadat ik me op het toilet wat had opgeknapt, ging ik terug naar de coupé om de stoel en de vloer schoon te maken. Onderwijl dacht ik: 'Dit is zwaar, dit is heel zwaar.'

Bij een andere gelegenheid reden we rond in het kiesdistrict. Ik was alleen met Dave, een chauffeur van Nummer 10. Ineens werd ik misselijk. Dave zette de auto aan de kant, haalde een emmer uit de achterbak en hield die voor me vast terwijl ik alles eruit spuugde. Hij was zo lief voor me die dag dat ik hem bezwoer dat ik de rest van mijn leven van hem zou houden.

Ik kwam er op een zeer onaangename manier achter dat ik geen dertig meer was. Op zeker moment ging ik naar Liverpool om iets te doen voor Jospice. Inmiddels is dat een internationale instelling op het terrein van verpleeghuizen, ooit opgezet door pater Francis O'Leary, geboren en getogen in Crosby. Zoals gebruikelijk logeerde ik bij mijn oude vriendin Cathy, die nu zes kinderen had: haar jongste was toen zo'n beetje vier jaar, en haar oudste was ouder dan Euan. Uitgeput van de reis ging ik naar boven om in een van de slaapkamers van de meisjes een dutje te doen. De zesjarige was net thuisgekomen uit school en de vierjarige rende rond in het huis. Ik zat op het bed en probeerde op adem te komen, toen Cathy binnenkwam met een kop thee. Ineens barstte ik in huilen uit.

'Wat is er in godsnaam aan de hand?' zei ze.

'Ik ben zwanger. En ineens herinner ik me weer hoe het allemaal was. De chaos, het lawaai. Hoe krijg ik het in godsnaam voor elkaar nu ik in Downing Street zit?' Het was niet de eerste keer dat ik dergelijke negatieve gedachten had. Het had meer dan twee jaar geduurd, maar nu was op Nummer 11 alles goed georganiseerd: de keuken, onze badkamer, de kinderkamers. En nu zaten we binnenkort weer met luiers en slapeloze nachten. Terwijl ik daar zat, werd ik overweldigd door de enorme omvang van dat alles. Maar tegelijk dacht ik: Hoe durf je? Cathy deed immers haar uiterste best de eindjes aan elkaar te knopen. Haar man was zojuist zijn baan kwijtgeraakt, zij had een parttime baan als onderwijzeres en bovendien voedde zij, die lieve katholieke moeder, ook nog eens die prachtige, gelukkige kinderen op.

Op een middag halverwege november kreeg ik een telefoontje van Fiona. Ik moest een toespraak houden op de jaarvergadering van het Mary Ward Legal Centre, waarvan ik beschermvrouw was.

'Ik waarschuw maar even: er dreigt een probleempje te ontstaan,' zei ze. Piers Morgan, hoofdredacteur van de *Daily Mirror*, had net gesproken met

Alastair en leek te weten dat ik zwanger was. 'Hij wil dat Alastair het bevestigt of ontkent, en Alastair kan niet liegen.'

'Ik zie niet in waarom niet,' zei ik. 'Het is toch zijn baby niet? Waarom zegt hij niet gewoon dat hij het niet weet?'

'Omdat hij het wel weet.'

'En wie heeft dat aan de *Mirror* verteld?'

'Lauren?'

'Nee. Die weet het niet. Ik heb het haar niet verteld.' Bovendien was ik ervan overtuigd dat mijn halfzuster me nooit zou verraden, niet bij zo'n kwestie. Ik liep iedereen eens langs. Sally Morgan zou zoiets nooit doen, en Anji ook niet, hoewel ik niet had gewild dat ze ervan op de hoogte werd gesteld. Ik was er zeker van dat het niet afkomstig was uit het ziekenhuis. De scan was geregistreerd onder een andere naam en ze hadden me niet in de computer gezet. Daarmee bleef alleen Gordon over, maar welk voordeel had hij erbij dit te vertellen aan de *Daily Mirror*?

Ik belde Alastair. 'Waarom kun je niet gewoon zeggen dat het nog maar net bekend is en dat we het nog niet willen aankondigen?'

'Doe niet zo belachelijk, Cherie. Dit is zijn grote primeur.'

'Ik wil niet dat Piers Morgan een grote primeur heeft dankzij mijn lichaam, daar pas ik voor.'

'Goed, dan melden we het via de Press Association (PA). Het enige dat we nu nog kunnen doen, is ervoor zorgen dat het geen exclusief verhaal voor de *Mirror* wordt.' Dat was wat Alastair betrof prima, want als Piers met de primeur zou komen, zouden de andere bladen ziedend zijn. Voor Alastair was het omgaan met de tabloids alsof hij aan het jongleren was met rauwe eieren.

'We moeten een verklaring van Tony hebben en een van jou,' zei hij en hing op.

Toen we op weg waren naar de vergadering, ging de mobiele telefoon van Fiona. Het was Rebekah Wade, plaatsvervangend hoofdredacteur van de *Sun*. 'De aankondiging zal inmiddels de deur wel uit zijn. Tegen haar kun je vrijuit spreken,' fluisterde Fiona.

Ik nam de telefoon aan. Ik kende Rebekah al een poosje en kon haar wel waarderen: een vrouw die zich staande probeert te houden in de mannenwereld van Fleet Street.

We hadden zo'n typisch vrouwengesprek, over vrouwenonderwerpen en zwanger zijn, en dat was het. De volgende ochtend stond dat intieme vrouwengesprek breed uitgemeten in de *Sun*. In plaats van een exclusief verhaal voor de *Mirror* was het nu een exclusief verhaal voor de *Sun* geworden, en Piers Morgan was furieus. Tot op de dag van vandaag blijft hij ervan overtuigd dat ik expres met de *Sun* heb gepraat om hem dwars te zitten. Wat ik in ieder geval niet wist toen ik met Rebekah sprak, was dat het nieuws nog niet aan de PA was gemeld toen Fiona mij de telefoon gaf. Het werd uiteindelijk wel bekendgemaakt die avond, maar op een veel later tijdstip. Ik had zo mijn verdenkingen over de kwestie hoe de *Sun* erachter was gekomen, maar die zijn nooit bevestigd.

Piers kreeg toch nog zijn primeur. Hij zorgde ervoor dat iedereen ervan op de hoogte was dat hij het verhaal naar buiten had gekregen en dat hij het was die Nummer 10 ertoe had gedwongen het nieuws bekend te maken. Maar Rebekah was de enige met wie ik erover had gesproken. Piers heeft het me nooit vergeven dat ik zijn feestje had bedorven, en in de loop van de jaren groeide zijn verontwaardiging uit tot regelrechte haat.

Vanaf dat moment had iedereen het over Cherie en haar zwangerschap. De verslaggeving was dermate positief dat we hoorden dat er mensen waren in het Brown-kamp die beweerden dat we dit expres deden om Gordon onderuit te halen. Werkelijk verontrustend waren de verhalen van dokter Thomas Stuttaford in *The Times* over oude moeders, de kans op hersenbeschadiging en meer van dat soort zaken. 'Uiteraard wordt het een keizersnee,' schreef de pers, en kwam met alle ter zake dienende statistieken. Maar hé, wacht eens even, jongens: dit is mijn lichaam, en het is mijn beslissing!

Mijn verloskundige, Zoë Penn, zei dat, omdat Kathryn met een keizersnee ter wereld was gekomen, ook deze baby normaal gesproken met een keizersnee geboren zou worden, maar ik wilde per se dat het een normale geboorte zou worden, omdat de nasleep zo vervelend was geweest – tenzij het gevaar zou opleveren voor de baby. Men vreesde dat door de spanning als gevolg van de weeën het litteken zou openscheuren, en dat zou schadelijk zijn voor mij. Het was zeer irritant dat de hele wereld, inclusief professor Robert Winston, van mening was dat Zoë Penn de keizersnee zou uitvoeren. Ik had Robert Winston een paar keer ontmoet, maar nooit met hem gesproken over mijn zwangerschap. Hoe komt het toch dat mensen die er niets van afweten, met zo veel overtuiging en kennis over mijn zwangerschap kunnen spreken?

De gebeurtenissen voltrokken zich op een wijze die ik juist had willen voorkomen. Dat weekend gingen we naar Florence. De Italiaanse pers was ervan overtuigd dat de baby was verwekt toen we met vakantie waren bij de Strozzi's – en wat het nog erger maakte, was dat de Strozzi's ervan overtuigd waren dat dit inderdaad het geval was. Natuurlijk waren Bill en Hillary er, en die waren heel lief, en Gerhard en Doris Schröder, met wie we ook op vriendschappelijke voet stonden. Er werd een hoop drukte over mij gemaakt, maar het leek wel alsof iedereen een stukje van de taart wilde hebben, terwijl ik dat kleine schepseltje veilig bij me wilde houden.

Voor ons was altijd duidelijk geweest dat als het een jongetje zou zijn, we hem zouden noemen naar Tony's vader. Hij zou al die dingen bereiken die opa Leo had kunnen bereiken als hij voor zijn vijftigste geen beroerte had gehad. Hij was dol op politiek en het is algemeen bekend dat hij de ambitie had om zelf parlementslid te worden – voor de tory's nota bene! Het leven was voor hem een nog grotere frustratie geworden omdat hij kort geleden opnieuw een beroerte had gehad, waardoor hij niet meer kon spreken. Ik was er zo van overtuigd dat het een jongen zou worden dat we niet echt hebben nagedacht over een meisjesnaam. De bookmakers hadden al weddenschappen afgesloten en ik herinner me dat Euan naar me toekwam en vroeg: 'Zal ik ook een gokje wagen?'

'Als je het maar laat!' zei ik. 'De pers zou ervan smullen. En terecht.'

Tot de mensen die wel een gokje waagden, behoorde een van de protestantse onderhandelaars bij de besprekingen over Noord-Ierland.

Na de aankondiging was hij naar Tony gegaan om hem te feliciteren. 'Geweldig nieuws, Tony. En heb je al een naam verzonnen voor de nieuwe aanwinst?'

Tony vertelde het hem. Een paar maanden nadat Leo was geboren, was Tony opnieuw in Noord-Ierland en zag dat diezelfde kerel een fraai kleurtje had.

'Je ziet er goed uit,' zei hij. 'Met vakantie geweest?'

'Inderdaad,' zei hij. 'En dat allemaal dankzij jou. Ik kreeg een mooie uitbetaling op Leo als de baby van de Blairs een jongetje zou zijn, en van de opbrengst ben ik met de hele familie met vakantie gegaan.'

Een andere kwestie waarvoor elke ouder zich gesteld ziet, is: waar moet de nieuwe baby naartoe? Gezien onze inrichting leek het duidelijk dat het Euans kamer moest worden, naast die van ons. Euan was net zestien geworden en het was nog maar de vraag of hij een kamer wilde op zolder. Nu werd die ruimte gebruikt als kantoor en als slaapkamer voor de officier van dienst, maar het was een mooi klein flatje, en er was al een badkamer. De officier van dienst moest natuurlijk wel ergens slapen, en aangezien het appartement op Nummer 10 nog steeds niet werd gebruikt, leek dat de oplossing. Ditmaal ging Cherie echter niet op bezoek bij Gordon, alles werd geregeld via het kantoor. Gordon wilde de kamers wel beschikbaar stellen, maar onder bepaalde voorwaarden. Hij maakte duidelijk dat dit een voorlopige regeling was, en zodra Euan ging studeren – dat zou op dat moment nog twee jaar duren – wilde hij de kamers terug.

Tony vond het goed.

'Hoe bedoel je, ik vind het goed? Waar moet Euan dan wonen als hij in de vakanties thuiskomt?' vroeg ik.

'Maak je geen zorgen,' zei hij. 'Zo zal het niet lopen. Als we die kamers eenmaal hebben, zal hij ze niet terug willen.' En dat klopte. Euan verhuisde naar boven, voelde zich heel volwassen en had nooit het idee dat hij door de nieuwe huisgenoot verdreven was.

De eerste jaren als premiersvrouw reed ik dagelijks naar het advocatenkantoor. Ik was in toenemende mate gefrustreerd geraakt over de manier waarop de zaken daar verliepen: alsof we nog in de negentiende eeuw leefden. Ik probeerde Leslie ertoe over te halen het klantensysteem te gebruiken dat we op de computer hadden opgezet, maar hij wilde er niets van weten. Hij noteerde alles nog in zijn grootboek. Leslie Page was een legende onder de griffiers: een jongen uit East End die het helemaal had gemaakt en inmiddels in een groot huis in Essex woonde. Ik had voorgesteld managementadviseurs uit te nodigen om ons kantoor eens door te lichten, maar ook dat werd met weinig enthousiasme begroet, ditmaal door de hoger geplaatste leden van het kantoor. Wij hadden geen mensen van buitenaf nodig die ons kwamen vertellen hoe we onze zaken moesten regelen. Vervolgens werd ik benaderd door een student van de London Business School die stage wilde lopen. Ditmaal stemde men toe, niet in de laatste plaats omdat het niets zou kosten. Een van de dingen die we moesten doen, was het beschrijven van onze sterke punten en analyseren wat we zelf dachten dat we te bieden hadden. Voorsprong op juridisch gebied en briljante advocatuur waren de meest genoemde kwaliteiten. Maar toen ons werd gevraagd naar de dienstverlening, werd de eindgebruiker – de cliënt – niet één keer genoemd. Allemaal heel leuk, maar ook verontrustend: alsof we dachten dat het voor hen een voorrecht was door ons te worden geholpen in plaats van dat het voor ons een voorrecht was hen te dienen.

De afgelopen tien jaar is die houding echter compleet veranderd. Nu zijn we ons er veel meer van bewust dat we ons moeten inzetten en aantrekkelijk voor onze cliënten dienen te zijn. Vroeger kwam je Queen's Counsel je kamer binnen en gaf zijn mening, en dan zei de cliënt: 'Wat aardig van u om ons te woord te staan,' en: 'Dank u vriendelijk.' Nu draait het veel meer om teamwork. Wat ik interessant vind, is dat die veranderde houding vooral is veroorzaakt door het terugdringen van beperkende maatregelen: we mogen nu adverteren, en advocaten hebben niet meer het exclusieve recht om het woord te voeren in de rechtbank.

Mijn eerste poging het kantoor te moderniseren ondernam ik nog voordat ik QC werd. Mijn stagiair op dat moment was David Wolfe. De deur op mijn grote kamer aan Gray's Inn Square 4-5 stond altijd open en vaak kwamen er mensen bij mij lunchen en een praatje maken. Op elk kantoor waaraan ik verbonden was, bestonden er spanningen tussen enerzijds advocaten op het gebied van handelsrecht en alle andere advocaten anderzijds. Het was een verschil in filosofische benadering.

Nadat Labour in 1997 de verkiezingen had gewonnen, werd er in de eerste troonrede voor gepleit de Europese Conventie op het gebied van mensenrechten in onze eigen rechtbanken te behandelen in plaats van in Straatsburg. Dat zou worden geëffectueerd in oktober 2000, en vanaf 1998 spraken gelijkgestemden over de mogelijkheid een interdisciplinair advocatenkantoor op te zetten gespecialiseerd in mensenrechten. Maar dat moest een modern kantoor worden, met moderne systemen, waar de griffiers ons geen meneer of juffrouw hoefden te noemen. Het lag in de bedoeling de zaak internationaal te benaderen, waarbij zaken over mensenrechten ook in rechtbanken buiten het Verenigd Koninkrijk zouden worden behandeld. Er waren advocaten in Londen die zich bezighielden met internationaal recht, maar dat waren voornamelijk commerciële kantoren. Er waren wel wat advocaten die af en toe een zaak behandelden in Straatsburg, maar die kwamen van allerlei verschillende kantoren en hadden meestal weinig ervaring. Als we dit wilden doorzetten, dan hadden ze een Queen's Cousel nodig. Veel mensen die belangstelling hadden voor het plan, waren stagiairs van mij geweest of ik had ze aangenomen op Gray's Inn Square. Bij elkaar waren we met z'n vijven of zessen.

De zaak kwam in een stroomversnelling in oktober 1999, toen ik een afspraak had met David Wolfe. De eerste officiële vergadering vond plaats in het Russell Hotel aan Russell Square. Er waren zo'n tien mensen aanwezig. Ik was de enige QC; we overlegden wie we nog meer zouden benaderen.

Terwijl we discussieerden, hoorden we dat het oude politiebureau aan het eind van Gray's Inn, dat de laatste paar jaar was gebruikt door de parkeerpolitie, door de Inn zou worden verbouwd tot een kantorencomplex. Een van de problemen bij het opzetten van een nieuw kantoor met een compleet nieuwe benadering, was het vinden van een gebouw dat we niet hoefden te delen. We hadden al bedacht dat we de Inn uit zouden moeten en een pand zouden moeten huren. Nu dit buitenkansje zich aandiende, moesten we het met beide handen aangrijpen, al waren we nog niet helemaal klaar. We vertelden het op onze verschillende kantoren, en de teerling was geworpen.

Ten behoeve van de verlate modernisering van Gray's Inn Square 4-5 hadden we Amanda Illing aangenomen. Ze was privésecretaresse geweest van de openbare aanklager, Barbara Mills, en in de lente van 2000 had ze het vak van griffier geleerd onder Leslie Page en Michael Kaplan, die ook mij de kneepjes van het vak hadden geleerd. Zo werd Amanda onze eerste griffier, al werd ze zo nooit genoemd, behalve door mij als ik mijn mond voorbijpraatte. Nu was ze onze praktijkmanager, en later praktijkdirecteur; ze heeft altijd haar beste beentje voorgezet.

Het was onvermijdelijk dat er ook mensen afvielen. Sommigen wilden een nichepraktijk, maar ik was een van de mensen die de voorkeur gaven aan iets omvattenders. Uiteindelijk waren er zesentwintig advocaten, en de Queen's Cousels onder ons moesten persoonlijk garant staan voor de banklening die we moesten afsluiten om het nieuwe kantoor te beginnen.

Gewoonlijk worden advocatenkantoren genoemd naar de straat waar ze gevestigd zijn, en af en toe naar mannelijke advocaten die al heel lang dood zijn. 'The old police station' gaf niet het juiste signaal af; ten slotte was het Clare Montgomery, QC, een succesvolle strafpleiter op het gebied van fraude, die kwam met de naam Matrix, waarvan ze de definitie in een woordenboek had gevonden: kruispunt van ideeën. De balie was inmiddels steeds meer verdeeld in strafrecht- en civiele specialisten. Wij deden het tegenovergestelde: we brachten de verschillende disciplines bij elkaar, maar richtten ons op mensenrechten en burgerlijke vrijheden. Een tweede betekenis van matrix bleek vruchtbaarheid te zijn. Aangezien ik zwanger was, net als vier van mijn collega's, leek dat een goed voorteken. Maar Matrix zonder meer vonden we een beetje te radicaal klinken. En daarom werd het Matrix Chambers.

Elk aspect werd nauwkeurig bekeken. Om te beginnen kenden we geen hiërarchische verhoudingen. In plaats van de advocaten in volgorde van anciënniteit te plaatsen, deden we dat op alfabetische volgorde. De toewijzing van de kamers werd geregeld door het trekken van lootjes. Dat was in theorie allemaal heel mooi, hoewel ik mijn twijfels had als puntje bij paaltje kwam. Overigens werkte ik toen al steeds vaker thuis, omdat ik goed met computers kon omgaan. Op 1 mei konden we het oude politiebureau in. Ik voltooide mijn laatste zaak op 17 mei. Tot grote vreugde van de pers ging die over ouderschapsverlof. Ik trad op namens het vakverbond TUC tegen de regering, die volgens ons te lang treuzelde ouderschapsverlof onder de EU-richtlijnen te plaatsen. De cartoonisten stortten zich op het thema Blair versus Blair. We waren in de rechtszaal van de opperrechter, en toen ik opstond zei de Lord Chief Justice: 'Wilt u in deze omstandigheden liever zitten, mevrouw Booth?' Ik antwoordde: 'Dank u, maar ik sta liever.'

En dat was ook zo. Ik oogde kolossaal. Ik had erop gerekend dat het kind vroeg geboren zou worden – de zwangerschap bij de andere drie had nooit langer geduurd dan veertig weken – en aan het eind sliep ik slecht. Dan stond ik op terwijl Tony gewoon verder sliep, en ging naar de kamer ernaast, die uiteindelijk de babykamer zou worden. Daar ging ik in een schommelstoel zitten die we even daarvoor hadden gekocht. Met de lichten uit zat ik daar lekker te schommelen en keek uit het raam, waar ik aan de achterkant van het gebouw duidelijk een fotograaf zag zitten van de *Daily Mail*, die buiten het hek stond te wachten. Ze losten elkaar af. Dag in dag uit, drie weken lang. Ik had de nachtmerrieachtige gedachte dat ik weeën zou krijgen en dat die fotograaf dan binnen kwam stormen om foto's te nemen. Ik wilde dat kind niet ter wereld brengen terwijl de *Mail* naar binnen stond te gluren. Waarom kon ik mijn baby niet in mijn eigen privéomgeving krijgen?

Al vanaf het begin had geen krant zo negatief bericht als de *Mail*. Als ze een weinig flatteuze foto te pakken kregen, plaatsten ze die. Het leek wel of ze een vete aan het uitvechten waren. In maart waren ze benaderd door iemand die berucht was in de krantenwereld en die het manuscript had aangeboden van de herinneringen die waren geschreven door ons vroegere kindermeisje, Ros Mark. Ze moeten hebben geweten dat ik me er met hand en tand tegen zou verzetten, en het gevolg was een zaak van Blair tegen Associated Newspapers. Zij verloren.

Ros was naïef, maar de *Daily Mail* had dat excuus niet.

Het eerste dat we over de zaak hoorden, was toen Ros ons in paniek opbelde. De *Mail* stond bij haar huis in Lancaster, waar ze studeerde. Ze probeerden een interview met haar te krijgen, zei ze. Op dat moment wisten we nog niets van het boek. We dachten dat ze gewoon werd lastiggevallen door de pers, die erachter was gekomen dat ze voor de Blairs had gewerkt. Ze wist niet wat ze moest doen, waarop ik haar voorstelde Alastair te bellen. Hij belde op zijn beurt de *Mail* en vroeg wat hen bezielde om zomaar het kindermeisje lastig te vallen. Ze vertelden hem dat ze haar herinneringen had opgeschreven en probeerde die te verkopen. Ze hadden fragmenten opgestuurd gekregen, zeiden ze.

We waren stomverbaasd. Iedereen, ook Tony, ook Alastair. We kenden haar zo goed. Ros was een lieve en sportieve meid, die veel liefde in zich had, die ze in overvloed aan de kinderen gaf. Ze was vier jaar bij ons geweest; het is moeilijk voorstelbaar hoe we de verhuizing van Richmond Crescent naar Downing Street zonder haar voor elkaar hadden gekregen. Alastair had inmiddels contact met de agent die, zo zei Alastair, beweerde dat niet alleen Ros zelf verantwoordelijk was, maar dat haar moeder en broer bij de zaak betrokken waren. Ros had alleen de anekdotes en details verstrekt: het dagelijks leven van een kindermeisje in een chaotisch, maar verder doodgewoon gezin dat in buitengewone omstandigheden verkeerde.

Grotendeels waren het warme beschrijvingen, maar ze konden onmogelijk in een boek worden gepubliceerd. Wat Tony en mijzelf betreft, was het in het ergste geval beschamend, maar wat de kinderen betreft was het onmogelijk. Wie je ook bent, op die manier kun je niet over kinderen schrijven: hun gewoonten, driftbuien, grillen, ziekten en eigenzinnigheid – hoe lief ook verteld. Hun privacy werd ernstig aangetast.

Als advocaat op het gebied van arbeidsrecht had ik altijd goede contracten afgesloten met mijn kindermeisjes; zo moesten ze altijd een vertrouwelijkheidsverklaring tekenen. Toen Tony oppositieleider werd, liet ik Ros er zelfs nog een tekenen, voor de zekerheid.

Ik sprak met iemand van het ministerie van Justitie, maar die zei dat dit een privékwestie was. Daarna ging ik naar mijn oude vriendin Val Davies, die nu partner was op een groot kantoor in de City, en vroeg haar of maatregelen kon nemen – en dat deed ze.

Die zondag publiceerde de *Mail* een aantal fragmenten. Niets over de kinderen – wat me niet verbaasde, want het was allemaal heel huiselijk gebabbel – maar een uitspraak die Bill Clinton op een onbewaakt moment had gedaan en die Ros had gehoord, en nog wat opmerkingen van mensen die op bezoek waren geweest in Downing Street.

We konden de artikelen in de pers niet tegenhouden – het feit dat het kindermeisje van de Blairs een boek had geschreven – maar alles wat met het manuscript te maken had, moest aan ons overhandigd worden. De *Mail* diende op te draaien voor de juridische kosten die ik aanvankelijk maakte. De proceskosten mochten we Ros in rekening brengen, maar dat besloot ik niet te doen. Daarmee had er een einde aan de zaak moeten komen, maar inmiddels was Ros in contact gekomen met een vrouw die door de kranten later werd omschreven als een fantast. Ze werkte aan het manuscript, dit ondanks het dwangbevel, waarin werd bepaald dat alle exemplaren aan mij toekwamen. Er werden de vreemdste dingen beweerd. Daarop was ik gedwongen deze vrouw een publicatieverbod op te leggen. De rechter stemde in met het dwangbevel en zei dat 'mevrouw Blair was gechanteerd'. Het was een complete nachtmerrie.

De baby werd verwacht op 23 mei, maar in de ochtend van de negentiende voelde ik de weeën beginnen. Ik was zo iemand die dat tochtje naar het ziekenhuis tot de allerlaatste minuut wilde uitstellen, en dus besloot ik nog één ding te doen. Euan was met zijn eindexamen bezig, en zijn rector had voorgesteld dat ik langs zou komen om te bespreken hoe we konden voorkomen dat de pers achter zijn cijfers zou komen. Uiteraard werden we gevolgd, maar Robbie, een van de chauffeurs van Tony, maakte een snelle U-bocht in Victoria Street en wist ze af te schudden. Jackie ging met me mee, want zij was zeer betrokken bij alles wat met de school van de kinderen te maken had. Ook Fiona ging mee, want dit hield verband met persactiviteiten.

Mijn weeën werden heviger. Hij zal niet beseffen, dacht ik terwijl ik naar meneer McIntosh luisterde, dat ik in zijn kantoor ga bevallen terwijl we bespreken hoe we ervoor kunnen zorgen dat de cijfers van mijn zoon niet in de tabloids worden gepubliceerd.

Ik was zo bang dat de pers erachter zou komen dat ik geweigerd had het Chelsea and Westminster Hospital te verwittigen van onze komst. Robbie reed achterom en zo slopen we naar binnen. Ik werd meteen naar een van de verloskamers gebracht. Toen vroegen we ons af wat we met Tony moesten. Als hij zou komen, zou de pers uiteraard meteen weten wat er aan de hand was. Ze hadden er trouwens lucht van gekregen, want ze stonden al buiten. Mijn weeën hielden meteen op. Alleen al de gedachte aan dat leger aan fotografen was voor mij voldoende om te verstarren.

Sally Benatar, de enige vrouw in het beveiligingsteam van Tony, was inmiddels aangekomen, en Fiona stond buiten te wachten toen de weeën echt begonnen. Mijn andere kinderen werden allemaal zonder al te veel gegil en geschreeuw geboren, maar dat heb ik met Leo even goed rechtgezet! Ik herinner me dat het verplegend personeel zei dat ik me geen zorgen moest maken om het lawaai, want de kamer was geluiddicht. 'Niemand hoort er iets van,' beweerden ze. Pas later besefte ik dat de kamer helemaal niet geluiddicht was; die arme Sally, die zelf net zwanger was, had spijt dat ze vrijwillig was langsgekomen. Rond achten zei Tony dat hij niet langer kon wachten en dat hij eraan kwam. De rechercheurs staken allemaal hun hoofd om de deur om even gedag te zeggen, en stuk voor stuk zagen ze eruit alsof ze spontaan moesten overgeven. Leo werd even na middernacht geboren. Zijn geboorte had verreweg het langst geduurd van allemaal; ik denk dat ik het onder meer zo lang heb opgehouden omdat ik nog steeds doodsbang was dat ik zou worden gefotografeerd. Dat was dom natuurlijk, maar als je zwanger bent, fixeer je je nu eenmaal op dat soort dingen. Ik dacht alleen maar: Zo wil ik niet gefotografeerd worden. Bevallen is iets heel intiems. Je denkt dat je heel erg lelijk bent en dat het hele circus afschuwelijk is. Je denkt: Ik wil niet dat mijn man me zo ziet, laat staan de hele wereld. Uiteindelijk interesseert het je natuurlijk helemaal niets.

Voor Tony was dit de mooiste geboorte, want hij verliep helemaal op natuurlijke wijze. Die van Euan was eng, omdat ze een verlostang hadden gebruikt. Die van Kathryn was eng omdat ik was opengesneden en die van Nicholas – de enige die rustig en op natuurlijke wijze was verlopen – had hij volledig gemist. Ik was gezond gebleven en had alle medicijnen geweigerd, want ik wilde het ziekenhuis uit zonder dat iemand het in de gaten had, en dat betekende zo snel mogelijk.

Een paar minuten over twee wandelde ik naar de gereedstaande auto, met de baby in mijn armen en Tony naast me. Dat was het dan. Niemand verwachtte dat we diezelfde nacht alweer thuis zouden komen. De jongens zaten op ons te wachten – Kathryn logeerde bij een vriendinnetje – en mijn moeder was er om ons te helpen; alles verliep op rolletjes. Toen ik mijn nieuwe baby voor het eerst voedde, voelde ik me totaal veilig. Ik lag in mijn eigen bed, was in mijn eigen huis en er was niemand die plotseling kwam binnenstormen om een foto te maken.

We wisten dat de pers zat te springen om foto's. Ik had Mary McCartney daarom gevraagd of ze die wilde komen maken. Ik had haar leren kennen via Breast Cancer Care – haar moeder Linda was gestorven aan borstkanker. We besloten dat ervoor betaald moest worden, en dat de opbrengst naar een goed doel zou gaan. Letterlijk de volgende dag – geheel in contrast met de periode na de geboorte van Euan – kwam André om me toonbaar te maken. Mary nam de foto's: een voor de pers en een voor onszelf, met alle kinderen. De nacht daarvoor waren ze zo laat naar bed gegaan dat ze zich heel slecht gedroegen: Nicholas liep uiteindelijk met een blauw oog, hem bezorgd door Euan, terwijl mijn moeder in tranen was.

25

Onvoltooid toekomstige tijd

Leo had op geen beter moment kunnen komen. Hij werd geboren op de vrijdag voorafgaand aan de Bank Holiday-week. Al eeuwen probeerde ik Tony zo ver te krijgen ouderschapsverlof op te nemen, maar hij weigerde en zei: 'Dat kan niet. Ik ben de premier.' Maar vanaf het moment dat hij zijn zoon in de ogen had gekeken, was hij zo dol op hem dat hij absoluut bij hem wilde zijn. Aangezien het parlement met reces was, was het niet zo moeilijk zijn andere afspraken af te zeggen. Natuurlijk was hij telefonisch bereikbaar en las hij zijn kranten, maar de meeste tijd was hij in het appartement aan het genieten van het feit dat hij opnieuw vader was geworden.

Toen Leo zo'n zes weken oud was, besloot ik dat ik er even tussenuit wilde om op adem te komen. Cliff Richard, die ik een jaar daarvoor had ontmoet bij een liefdadigheidsbijeenkomst, had gezegd dat we zijn villa in de Algarve konden gebruiken als we zin hadden om er even tussenuit te gaan. Tony en ik hadden hem daar de vorige kerst opgezocht toen we logeerden bij John Holmes, die Tony's belangrijkste privésecretaris op het terrein van Buitenlandse Zaken was en de onderhandelingen over Noord-Ierland met hem had afgewikkeld; kort geleden was hij benoemd tot ambassadeur in Portugal.

Terwijl Tony thuisbleef om op de kinderen te passen, vlogen Leo en ik – samen met Carole en mijn moeder – naar Portugal, voor een weekje vakantie. Dat was precies wat de arts had aangeraden: zon, goed eten en lichte oefeningen. Alles verliep uitstekend, totdat ik op 6 juli een telefoontje kreeg van mijn man, die me vertelde dat hij juist terug was van het politiebureau met Euan, die men laveloos op het trottoir op Leicester Square had aangetroffen.

'Maar nu zit hij veilig thuis,' zei Tony, toen hij me belde om de blijde boodschap te verkondigen. 'Ik denk dat het beter is als je nog niet met hem spreekt, want hij is nogal verward. Maar maak je geen zorgen, want ik let op hem.'

'Als je echt op hem had gelet, was dit niet gebeurd.'

Het was een kort gesprek. Toen ik de hoorn op de haak had gelegd, zette ik de tv aan. Het nieuws had zelfs Portugal bereikt.

De valse naam die Euan had opgegeven, gebruikte hij wel vaker, dat was hem aangeraden. Met een naam als Euan Blair kon hij erop rekenen dat hij in moeilijkheden zou komen, vooral op het rugbyveld. Als zijn tegenstanders eenmaal wisten wie hij was, zouden ze ongetwijfeld proberen hem onderuit te schoppen.

Gelukkig keerde ik de volgende dag terug naar Engeland, waar ik werd begroet door een zeer schuldbewuste, zestienjarige jongen. Zijn vader was er niet veel beter aan toe. Ik was niet echt kwaad. De pers pakte fors uit, maar laten we wel wezen: als dit de zoon was geweest van iemand anders, zouden ze hebben gezegd: 'Goed, laat het niet nog een keer gebeuren.' Vanwege de druk die de pers uitoefende, werd een officiële waarschuwing gegeven.

Het plaatselijke politiebureau kwam uiteraard niet in aanmerking; men raadde Euan en mij aan de vluchtroute-in-noodgevallen te nemen, een spookachtige, oude tunnel die onder Whitehall door loopt, rechtstreeks naar het ministerie van Defensie. Bij een terreuraanslag of een bomalarm konden we via deze route rechtstreeks naar de atoombunker.

Aan het eind van het gebouw van het ministerie van Defensie stond een auto te wachten, die ons naar een politiebureau in Zuid-Londen bracht. Daar legde Euan een verklaring af en kreeg hij zijn officiële waarschuwing.

'Als je niet opnieuw in moeilijkheden komt,' zei de vriendelijke agent, 'zal dit op je achttiende tenietgedaan worden en zal het niet meer geregistreerd staan.'

Euan keek opgelucht en zei: 'U bedoelt dat als ik eenmaal achttien ben, niemand nog zal weten dat dit ooit is gebeurd?'

De moed zonk me in de schoenen. Mijn lieve, onschuldige jongen, dacht ik. Je beseft nog niet dat ze je eeuwig zullen herinneren aan het feit dat je op je zestiende dronken was en een officiële waarschuwing kreeg.

Door de geboorte van Leo had ik de G8 in Okinawa die zomer niet bijgewoond, de reden waarom André er niet was om mijn man ervan te weerhouden een afschuwelijk veelkleurig Japans overhemd aan te trekken, waar de pers gretig bovenop sprong. Toen hij thuiskwam, vertelde Tony dat ze allemaal hadden mogen kiezen en dat hij het minst lelijke snit had uitgekozen. Tot zijn verbazing had hij moeten vaststellen dat Bill Clinton het ergste hemd van allemaal had gekozen.

'Waarom heb je in godsnaam juist dat hemd gekozen?' vroeg Tony.

'Luister maar eens naar een oudgediende,' had Bill gezegd. 'Bij dit soort topconferenties kom je af en toe voor een moeilijke keuze te staan. Als je het hemd niet draagt, beledig je je gastheer. Doe je het wel, dan word je thuis uitgelachen. Doordat jij juist dat hemd hebt aangetrokken, zullen de mensen thuis onterecht denken dat je dat uit vrije wil hebt gedaan. Van mij, in het hemd dat ik heb gekozen, zullen ze thuis denken: "Kijk nou eens, dat is Clinton de diplomaat. Wat is hij toch aardig voor die buitenlanders – want dat hemd heeft hij zeker niet zelf uitgekozen. Wat is het toch een goeie kerel!"'

In de Verenigde Naties zijn ze niet geporteerd voor grappige kostuums, en omdat de Algemene Millenniumvergadering in september een eenmalige gebeurtenis was, wilde ik er absoluut heen. Ik gaf nog steeds borstvoeding, dus Leo zou ook mee moeten. De eerste vraag luidde: Mag Jackie ook mee? Het antwoord van het kantoor van het kabinet was duidelijk: Nee. Gelukkig kende Leo André – letterlijk – vanaf de dag dat hij werd geboren. André wilde de zorg graag op zich nemen. Tijdens de hele reis zorgde André voor hem als ik ergens anders moest zijn; hij verschoonde zijn luier, gaf hem zijn fles moedermelk, kortom: hij regelde alles. André had in de loop van de jaren al heel wat met mij te stellen gehad, maar hij zal nooit hebben kunnen vermoeden dat hij de zoon van de Britse premier zou moeten voorstellen aan de Amerikaanse president – en toch is dat precies wat er gebeurde.

We logeerden in het UN Plaza Hotel, dat qua vervoer gunstig gelegen is. Ik was te laat terug op mijn kamer, iets wat André al vaker had meegemaakt. De babytas was ingepakt en Leo hing op zijn buik in de draagriem toen er twee mannen van de FBI aan de deur kwamen. Ze zeiden tegen hem dat hij de baby mee moest nemen; mevrouw Blair zou hem ontmoeten op de plaats van bestemming. Op van de zenuwen werd hij een limousine in geduwd – een van de vijf, waarvan er vier leeg waren – en daarop reden ze weg. Toen gebeurde de ramp. Leo poepte zijn luier vol. Het ergste was nog dat Leo buitengewoon goed zijn best had gedaan en André was vergeten een extra setje kleren mee te nemen. André is geen professioneel kindermeisje, zoals hijzelf voortdurend herhaalt, en hij raakte in paniek.

'Het spijt me,' zei hij tegen de man van de veiligheidsdienst die naast de chauffeur zat. 'Er doet zich een probleem voor.'

De bodyguard blikte noch bloosde en een paar seconden later, vertelde

André, stopten ze met piepende remmen. De deur zwaaide open en hij werd uit de auto geholpen. Leo hing nog steeds op zijn buik en hij werd naar een vestiging van Ralph Lauren geëscorteerd.

'Kijk nou eens!' zei de man die hem begroette – alle klanten waren inmiddels uit de winkel verwijderd. 'U zult wel heel belangrijk zijn!' Toen viel het kwartje. 'Mijn God, het is Baby Blair!'

Ze werden naar de achterzijde van de winkel gebracht, en nadat André Leo had schoongemaakt en een nieuwe luier had omgedaan, kreeg hij splinternieuwe kleertjes: een trappelpakje en een truitje met een fraaie Amerikaanse vlag erop. Daarop reden ze naar het Waldorf Hotel, waar ik zat te wachten, zo had men hem verzekerd. Hij werd binnengebracht via de keukeningang – de route die de Amerikaanse president en diens vrouw gewoonlijk ook nemen – en naar de presidentiële suite op de bovenste verdieping begeleid, waar het wemelde van de bodyguards, oortelefoontjes en mobiele telefoons. Uiteindelijk stond hij voor een dubbele deur.

'U zult nu ontvangen worden door de president,' werd hem gezegd, en de deur ging open.

'En mevrouw Blair dan?'

'Die is er nog niet. U kunt naar binnen gaan.'

Hij was verbijsterd. Hij liep door de lege gang en riep: 'Hallo! Hallo! Is daar iemand?'

'Hier,' werd er geantwoord, waarna André de deur van de kamer opende waar de stem vandaan kwam. Aan het eind van een kamer ter grootte van een tennisbaan zag hij Bill en Hillary staan.

Ik arriveerde een minuut of vijf later en trof Bill knuffelend met Leo in zijn armen aan, hoewel het rode gezichtje van mijn zoon aangaf dat hij kort daarvoor zijn longen uit zijn lijf had gehuild. André keek me vernietigend aan.

'Cherie,' fluisterde hij. 'Dit was eens maar nooit weer.'

Daarna vertrokken we met zijn allen naar de Verenigde Naties om Tony te ontmoeten. Ze kwamen net naar buiten. Als eerste kwamen de Chinezen. Gewoonlijk zijn ze nogal stijfjes en ontoeschietelijk, maar toen ze Leo zagen in zijn Amerikaanse truitje, was dat zelfs voor hen te veel. Ze bleven staan, begonnen te praten en gingen op de foto met Baby Blair. Daarna kwam Jacques Chirac naar buiten en gebeurde precies hetzelfde. Tony kon zijn ogen niet geloven. 'Hoe is het in godsnaam mogelijk,' zei hij, 'dat de zoon van de Britse premier een Amerikaans truitje aan heeft?'

'Dat is een lang verhaal,' zei ik.

De verkiezingen van 2001 zouden op 2 mei plaatsvinden en vielen samen met de lokale verkiezingen, maar door een ernstige uitbraak van mond- en klauwzeer werden ze uitgesteld tot 7 juni. Het betekende een grote ramp voor de boeren. De regering stond volkomen in haar recht de verkiezingen uit te stellen totdat de situatie onder controle was, maar mij kwam het zeer slecht uit, want op 8 mei zou ik met de ICI-zaak beginnen. Toen ik de klus had aangenomen, ging ik ervan uit dat de verkiezingen dan al voorbij zouden zijn en de rust was weergekeerd. Het was een langdurige zaak. Gelukkig stemde de rechter in met het voorstel elke vrijdag tot 'leesdag' te bestempelen. Bovendien waren er een paar vrije dagen: de meivakantie en de tweede voorjaarsvakantie, tijdens Pinksteren.

Omdat mijn campagnewerkzaamheden met Tony beperkt bleven tot de weekends, kon ik zelf ook enige activiteiten ontplooien met Angela Goodchild, die tijdens de campagneweken mijn agenda beheerde. Aangezien Fiona en Roz 'speciale adviseurs' waren die door de regering werden betaald, was het hun verboden zich in te laten met partijpolitieke zaken. Angela was vrijwilligster geweest op het Labourhoofdkwartier bij de verkiezingen in 1997 en was vervolgens parttime medewerkster geworden: als politiek medewerkster van de Labourpartij stond zij Tony terzijde bij de meer persoonlijke correspondentie.

Door de publiciteit die ontstond na de oprichting van Matrix, beschouwde het publiek me als aanspreekpunt voor juridisch advies, en ik werd overspoeld met verzoeken. Het was duidelijk dat Downing Street me niet kon helpen – alles wat met juridische zaken te maken had, behoorde tot mijn professionele domein. Met Angela sprak ik af dat zij me tegen betaling één dag in de week zou bijstaan. We konden het goed met elkaar vinden, en vanaf dat moment werd ik bij mijn politieke afspraken begeleid door Angela.

Tijdens de vier weken voorafgaand aan de verkiezingen bezocht ik elke vrijdag een klein kiesdistrict in de buurt van Londen. In de laatste week sloot ik me aan bij Tony. Maandag was een vrije dag, mijn medewerker op kantoor werkte op dinsdag en woensdag, op donderdag waren de verkiezingen en vrijdag was de laatste 'leesdag'. De week daarop ging ik weer aan de slag voor ICI.

Opnieuw was het een verpletterende overwinning: Labour verloor slechts één zetel aan de Conservatieven. Maar de pers had geen oog voor de overweldigende meerderheid; men beweerde dat het vanwege de lage opkomst een overwinning voor de apathie was. Tony beschouwde de uitslag –

volgens mij terecht – als een aanwijzing dat de mensen tevreden waren over de manier waarop hij regeerde en het daarom niet zo nodig vonden te gaan stemmen. Er werden wel enige ministers vervangen. Robin Cook moest plaatsmaken op het ministerie van Buitenlandse Zaken, en er was sprake van dat Gordon hem zou vervangen, maar dat gebeurde niet. Gordon, die in augustus 2000 was getrouwd met Sarah Macaulay, had recentelijk geëist dat Tony zou aangeven wanneer hij zou opstappen. Maar Tony wist dat er nog veel werk aan de winkel was, vooral op het terrein van hervormingen in de publieke sector – gezondheidszorg en onderwijs – en hij was vastbesloten dat zelf te doen.

Er vonden niet alleen wisselingen plaats op kabinetsniveau, maar ook het kantoor zelf werd flink gereorganiseerd. Alastair was niet langer verantwoordelijk voor de dagelijkse perscontacten, en Anji kreeg een nieuwe functie: hoofd regeringsrelaties. Ook Fiona kreeg promotie: zij werd hoofd Evenementen en Bezoeken. Als gevolg daarvan stond Angela mij vaker terzijde, en toen Pauline vertrok, kwam Sue Geddes om me te helpen bij mijn officiële afspraken – hoewel de kabinetssecretaris, Richard Wilson, erop stond dat ze de titel 'assistente van Fiona Millar' zou dragen...

Iedereen weet nog waar hij op 11 september 2001 was. Ik zat op het advocatenkantoor. Ik had twee vergaderingen over verschillende zaken: een in de ochtend en een in de middag. De ochtendvergadering was juist voorbij toen het nieuws begon binnen te sijpelen. Mijn eerste reactie was direct terug te gaan naar Nummer 10. Als er iets belangrijks gebeurt, is het zaak om in Downing Street te zijn. Tony zat in Brighton, waar hij een toespraak moest houden voor het TUC-congres. Zijn toespraak werd in handen geven van afgevaardigden. Hij ging rechtstreeks terug naar Londen. Zijn overheersende gedachte was dat de rook eerst moest optrekken en dat het vertrouwen geen deuk mocht oplopen – vooral in de financiële sector. Hij was ervan overtuigd dat de Amerikanen zich zwaar op de proef gesteld voelden en dat we hun moesten laten weten dat ze niet alleen stonden.

Tony bleef voortdurend zichtbaar. Vanaf het begin was dit het tegenovergestelde van een bunkermentaliteit. Tijdens zijn eerste tv-toespraak, minder dan een uur nadat het nieuws over de aanslagen bekend was geworden, zei hij: 'Ik hoop dat u samen met mij bereid bent ons medeleven te betuigen met het Amerikaanse volk en met president Bush, namens het Britse volk. Het massaterrorisme is het nieuwe kwaad in onze wereld en wordt gepleegd door fanatiekelingen die geen enkel respect tonen voor het menselijk leven. Alle democratische landen moeten zich verenigen om dit kwaad uit onze wereld te verdrijven.'

Drie dagen later hield Tony tijdens een speciale zitting van het Lagerhuis een geweldige toespraak, die een boodschap bevatte voor Groot-Brittannië én voor de hele wereld:

> Eén ding is in elk geval glashelder. Door hun daden zijn deze terroristen en de mensen die achter hen staan de vijand geworden van de beschaafde wereld. Het doel is die mensen die deze schandelijke daad hebben georganiseerd, eraan hebben bijgedragen, erbij hebben geholpen en ertoe hebben opgeroepen, ter verantwoording te roepen. De mensen die hun onderdak verlenen of hen ondersteunen, kunnen een keuze maken: ze staken de bescherming van onze vijanden, of ze zullen zelf als onze vijanden worden beschouwd... We weten nog niet precies wat de bron is van dit kwaad. Maar als het – en daar lijkt het op – de zogenoemde islamitische fundamentalisten betreft, dan weten we dat ze niet spreken namens de overgrote meerderheid van fatsoenlijke, gezagsgetrouwe moslims in de wereld. Ik zeg tegen onze Arabische en islamitische vrienden: u noch de islam is hier verantwoordelijk voor; integendeel: ik weet dat u net zo geschokt bent als wij door deze terreurdaden. We vragen u, als onze vrienden, u bij ons aan te sluiten om een einde te maken aan dit barbaarse gedrag, dat volkomen in tegenspraak is met de geest en de leer van de islam.

Nog voordat Tony tot premier werd gekozen, vond hij het belangrijk kennis te nemen van de islam. Moslims vormen in Groot-Brittannië een omvangrijk en belangrijk deel van de bevolking. Al in januari 1997 werden we door Khawar Qureshi, een bevriende advocaat, nu QC, uitgenodigd een bezoek te brengen aan de moskee in Regent's Park. Hij wist dat we daar belangstelling voor hadden en dat Tony andere moslims wilde ontmoeten en spreken. In de zomer van 2001 had Tony tijdens onze vakantie de Koran gelezen.

The Washington Post beschouwde hem, naast de New Yorkse burgemeester Rudy Giuliani, als de 'enige politicus die de verbijstering en het ongeloof in de wereld wist te doorbreken'. Tot de slachtoffers behoorden 67 Britten, een klein aantal vergeleken met het uiteindelijk aantal slachtoffers van drieduizend, al is het de grootste terreuraanslag op Britse burgers ooit. Die vrijdag bezochten we samen een herdenkingsdienst in St Paul's Cathedral. Het was een ontroerende bijeenkomst: we waren allemaal geschokt en bovendien was het hartverscheurend om de familieleden – vrouwen, kinderen – te zien, want een groot aantal vermisten en doden was nog relatief jong. Tony wilde de nieuwe Amerikaanse president, George Bush, zo snel mogelijk onder vier ogen spreken. De week daarop al vlogen we naar Amerika. In de tussenliggende dagen had hij de belangrijkste Europese leiders al ontmoet. Hij vond dat de reactie op de aanslagen een internationaal karakter moest hebben, in plaats van dat Amerika dat alleen zou doen.

Tijdens de lange vlucht over de Atlantische Oceaan herinnerde ik me een gesprek dat ik met George had gevoerd toen hij en Laura in de lente op Chequers hadden gelogeerd. We zaten gezamenlijk te dineren en het gesprek verliep op een open en vrije manier, niet in de laatste plaats omdat de kinderen erbij waren. George had gesproken over Star Wars, het raketafweersysteem waartoe het initiatief was genomen door Reagan en dat hij beschouwde als het ultieme verdedigingsschild.

Maar ik was opgegroeid in de schaduw van het IRA-terrorisme. 'Denk je niet dat het werkelijke gevaar niet wordt gevormd door Rusland of enig ander land dat raketten afvuurt, maar door een terreuraanslag van individuele personen?'

George was in verwarring door die veronderstelling. Amerika had er geen idee van dat er zoiets zou kunnen gebeuren, en daardoor was 11 september zo'n traumatische ervaring: het was een terreuraanslag, en er was geen raketafweersysteem dat daartegen ook maar iets had kunnen uitrichten.

Bij aankomst in New York gingen we eerst naar een opvangcentrum in de buurt van de rivier. Overal waar je keek waren mensen bezig foto's van hun dierbaren aan de muur te plakken, met een boodschap en een telefoonnummer om contact op te nemen, in de hoop dat ze nog levend zouden worden gevonden. De aanslag had slechts negen dagen daarvoor plaatsgevonden, en de verslagenheid was nog steeds groot. Overal zag je groepjes mensen die zachtjes met elkaar stonden te praten. Een gedeelte van het opvangcentrum werd ingenomen door het Britse consulaat. We spraken met mensen die slachtoffers opvingen, mensen die de dagen daarvoor nauwelijks hadden geslapen. Het was de bedoeling dat we daarna naar een brandweerkazerne zouden gaan, maar aangezien Manhattan nog steeds in een staat van verlamming verkeerde, zouden we zelfs met een politieescorte en onder begeleiding van motoren te weinig tijd hebben, zodat we direct door gingen naar St Thomas' Church, waar een herdenkingsdienst plaatsvond voor de Britse doden.

We wisten dat ze wilden dat Tony een voordracht zou houden, maar de vraag die we in het vliegtuig stelden was: waaruit moest die bestaan? Het was buitengewoon lastig om de juiste toon te vinden. Magi Cleaver stelde voor een fragment voor te lezen uit *De brug van San Luis Rey*, een roman van de Amerikaanse schrijver Thornton Wilder. Magi was overgeplaatst van het ministerie van Buitenlandse Zaken om de ambtelijke aspecten van de afdeling Evenementen en Bezoeken in goede banen te leiden. (De mysterieuze regels schreven voor dat Fiona als speciaal adviseur uitsluitend leiding mocht geven aan andere speciale adviseurs.) Ze was een kleine, bazige tante en iedereen leek nogal bang te zijn voor haar, maar wij vonden haar charmant en lief. Ze nam mij volledig onder haar vleugels en ik was dol op haar. Ze was haar carrière bij Buitenlandse Zaken begonnen in Chili in de tijd van Salvador Allende en was geïnteresseerd in alles wat met Zuid-Amerika te maken had – vandaar dat ze dat boek bij zich had. De voordracht eindigde met de woorden: 'Er is een land van de levenden en een land van de doden, en de brug daartussen is de liefde. Het enige dat overwint, het enige dat betekenis heeft.'

Na afloop van de dienst sprak ik met een aantal familieleden van de slachtoffers, onder wie zwangere vrouwen. Ik ben blij te kunnen zeggen dat ik met hen contact heb gehouden in de periode dat ze hun levens opnieuw aan het opbouwen waren. Op dat moment hoopten ze nog steeds dat hun echtgenoten levend gevonden zouden worden. Na de dienst ging Tony meteen door naar Washington om met de president te spreken, terwijl Bill Clinton in plaats van Tony naar de brandweerkazerne ging – de New Yorkse brandweerlieden waren uitgegroeid tot de helden van de tragedie. Juist deze kazerne was gekozen omdat er hier bij de reddingsoperatie veel mensen om het leven waren gekomen. Op dat soort momenten is Bill op z'n best. De mannen die we ontmoetten, waren fantastisch, moedig en krachtig. Een van de mannen met wie ik sprak, herkende ik van een van die beroemde foto's. Aan het eind overhandigden ze me een Amerikaanse vlag – voor Tony – die in een driehoek was gevouwen, met een plaquette erbij waarop ze hem dankten voor zijn steun: een bedankje van de brandweerlieden uit New York. Jarenlang hing hij in Downing Street, maar nu hangt hij bij ons thuis. Toen we vertrokken, stond ik erop dat we hem mee zouden nemen: een veelzeggende herinnering aan een gedenkwaardig bezoek.

Toen we terugkwamen in Londen, was men bezig een compleet nieuw beveiligingssysteem op te zetten. Men had besloten dat ik vanaf nu permanent door de politie zou worden bewaakt. In de praktijk betekende dit dat ik niet meer elke dag naar het advocatenkantoor ging. Net als Tony mocht ik niet meer autorijden: waar ik ook heen wilde, ik zou worden gereden door een chauffeur van Nummer 10 en er ging altijd een beveiligingsbeambte mee. Als ik eenmaal terug was op Nummer 10, moest ik daar ook blijven. De kinderen ophalen als ze op bezoek waren bij hun vriendjes, was er niet meer bij, ook mocht ik ze niet meer naar hun sportactiviteiten brengen, ik mocht niet meer winkelen, en joggen in St James's Park was er ook niet meer bij. Nou ja, dat kon wel, maar dan zou er altijd een beveiligingsofficier mee-lopen. Alles moest van tevoren gepland en in de juiste agenda genoteerd worden. De kinderen mochten geen gebruik meer maken van het openbaar vervoer. Om ervoor te zorgen dat ze niet met hun portret in de kranten zouden komen, wilde ik dat ze een zo normaal mogelijk leven zouden lei-den, wat betekende dat ze gewoon gebruik zouden maken van de metro en de bus. Daar waren we verrassend goed in geslaagd. Ook de kindermeis-jes waren niet bekend bij het grote publiek, zodat ze met de kinderen een hamburger konden gaan halen zonder bang te hoeven zijn dat ze werden herkend. Euan vond het heel vervelend. Al sinds 1996 ging hij met de metro naar school en het idee dat hij nu door de politie moest worden gebracht, viel slecht. Ook Nicholas was niet blij. Kathryn daarentegen was nog maar twaalf en had nog niet helemaal in de gaten wat vrijheid betekende.

Beveiliging op dit niveau betekent dat je enige aanpassingen moet door-voeren. Politiebescherming betekent politiebescherming: het is niet zo dat je ervoor kunt kiezen. Je kunt letterlijk nergens heen zonder dat er iemand met je meegaat; ze moeten voortdurend weten waar je bent en wat je doet. Op een avond dat najaar besloten Kathryn en ik op het laatste moment naar het theater te gaan om *Blood brothers* te zien. Ik had er goede herinneringen aan: het stuk is geschreven door Willy Russell, die ik kende uit de tijd dat hij een folkclub had in Liverpool. De hoofdrol werd gespeeld door Barbara Dick-son, die lang voordat ze beroemd was geworden een optreden had verzorgd in de folkclub in Trimdon. We stonden op het punt om weg te gaan, toen ik het me ineens herinnerde. De beveiligingsbeambten waren al weg en ik had er niet aan gedacht dat ze nog een avonddienst zouden moeten draaien. Ik voelde me schuldig, maar belde ze desondanks op en stelde voor dat we elkaar bij het theater zouden ontmoeten. 'Ik ga wel met de taxi,' zei ik.

'Het spijt me, mevrouw B. U zult moeten wachten totdat ik er ben.'

'Maar dan komen we te laat.'

'Nou ja, dan bent u maar te laat.'

Een ander punt was de atoombunker. Na de verhuizing had ik die ge-inspecteerd, om te kijken of de ruimte geschikt was voor de kinderen. Er stonden stapelbedden in legerstijl; ik kon me niet voorstellen dat ik ze hier mee naartoe zou nemen. Het personeel van Downing Street was verdeeld in groepen: rood, blauw, groen en oranje. Bij een calamiteit moest de rode groep met ons mee naar beneden, de blauwe groep moest zich verzamelen op het grasveld, de groene groep moest naar huis, maar diende wel beschik-baar te blijven enzovoort. Alastair was ingedeeld in de rode groep, maar Fiona zat in de groene. Alastair gaat bij een nucleaire calamiteit nooit met ons naar beneden terwijl Fiona en de kinderen thuis moeten blijven, over-woog ik. Ik bracht de heren die het voor het zeggen hadden hiervan op de hoogte. 'Hoe realistisch is dat plan eigenlijk?' Ze vroegen of ik de kinderen mee wilde nemen om het hun te laten zien, maar dat weigerde ik. Het was volledig ondergronds en er heerste een spookachtige sfeer. Nu moest ik me wel serieus bezighouden met deze zaak. Jackie en ik gingen naar beneden, met kleren, spelletjes en boeken voor de kinderen, zoals ons was opgedra-gen. Afgezien van het gezoem van de airconditioning was het er doodstil. Jackie en ik waren het erover eens dat ze hier compleet gek zouden worden, mocht het er ooit van komen. Naarmate de veiligheidsvoorschriften stren-ger werden, nam de last op de schouders van Jackie verder toe.

Begin december begon de *Daily Mail* met een nieuwe reeks aanvallen op mij. Ditmaal was Leo het onderwerp van discussie. Ze wilden weten of hij wel een bmr-prik had gehad. 'Voor de draad ermee, Cherie,' luidde de kop. In die dagen werd er veel gediscussieerd over de vraag of het bmr-vaccin autisme kan veroorzaken. In een rapport – waaraan vanaf dat moment geen enkele waarde meer werd gehecht – was gesteld dat dit het geval was. Daar-na besloot de *Mirror* zich ermee te bemoeien. In antwoord op een brief van de moeder van een autistsich kind had ik gezegd dat ik 'de zaak in de gaten zou houden' – ik was me van geen kwaad bewust. Op dat moment leek het allemaal tamelijk onschuldig. Ik zag geen reden aan de grote klok te hangen welke inentingen mijn gezinsleden kregen toegediend.

Een aantal mensen in mijn omgeving wier opvattingen ik respecteerde, was faliekant tegen elke vorm van inenting. Ik had altijd goed geluisterd naar hun kant van het verhaal en, eerlijk is eerlijk, ik hinkte op twee gedachten. Ik liet Leo wel inenten, niet in de laatste plaats omdat het onverantwoord zou zijn het niet te doen: het lijdt geen twijfel dat het aantal ziektegeval-len toeneemt als het aantal inentingen afneemt. Hij kreeg zijn bmr-prikken binnen de daartoe aanbevolen periode. Maar ik was vastbesloten de pers daar niet van op de hoogte te stellen. Men had zich er niet mee te bemoeien en bovendien zou ik een precedent scheppen. Iedereen – daarmee bedoel ik Alastair en Fiona – was het met me eens.

26

Grenzen

De invasie van Afghanistan begon nog geen maand na 11 september 2001. De verwoesting van de torens van het World Trade Center werd algemeen beschouwd als het werk van al Qaida, de door Osama bin Laden geleide terreurgroepering. Men wist dat hun trainingskampen zich in Afghanistan bevonden en in ieder geval deels werden bekostigd door de Taliban, die hen steunden en hun een schuilplaats boden. In 1998 had Bill Clinton kruisraketten laten afvuren op deze kampen ter vergelding van de al Qaida-aanval op twee Amerikaanse ambassades in Oost-Afrika, maar dat had weinig opgeleverd. Op 7 oktober begon men met luchtbombardementen en ruim een maand later viel Kabul.

Aan het begin van het nieuwe jaar vertrokken Tony en ik voor een officieel bezoek aan Bangladesh, India en Pakistan. Het ministerie van Buitenlandse Zaken had inmiddels begrepen dat ik zinvolle dingen kon doen: terwijl Tony met diverse hoogwaardigheidsbekleders sprak, zou ik een aantal projecten bezoeken waarbij vrouwen waren betrokken.

Ondanks de vele positieve elementen – de kleuren, de levendigheid – is de armoede op het subcontinent altijd een schokkende ervaring. Toch deed men verwoede pogingen de vrouwen meer over zelfstandig ondernemerschap bij te brengen. In de buurt van Dhaka bracht ik een bezoek aan een microkredietprogramma van BRAC, een niet-gouvernementele organisatie die niet alleen helpt bij het opzetten van een coöperatie waar vrouwen leren hoe ze moeten omgaan met microkredieten die ze krijgen aangeboden, maar die hun ook de grondbeginselen van de gezondheidszorg bijbrengt. Een van de vrouwen kreeg les in de basisprincipes en -technieken en kon beschikken over malariatabletten en anticonceptiemiddelen. Een andere vrouw werd bijgeschoold in de basisrechten voor vrouwen in het islamitische rechtssysteem: eenvoudige boeken waarin vrouwen duidelijk wordt gemaakt dat hun echtgenoten niet zomaar kunnen beschikken over hun bezittingen, dat de familie van hun echtgenoten niet het recht heeft zich te ontfermen over hun eigendommen, en dat ze onder de sharia bepaalde rechten heeft.

De Britse diplomatieke vertegenwoordiging houdt zich intensief bezig met kwesties als gedwongen huwelijken. Ik ging naar een opvangcentrum voor vrouwen wier schoonfamilie niet tevreden was met hen – óf vanwege hun fysieke verschijning, óf vanwege hun bruidsschat. Om hun bewering kracht bij te zetten dat deze vrouwen op een of andere manier niet aan hun norm voldeden, goten de familie van de schoonfamilie zuur uit autoaccu's over de hoofden van de nieuwe bruiden. Volgens Human Rights Watch kwamen alleen al in 2002 in Pakistan 280 vrouwen om het leven en raakten er 750 gewond. In Bangladesh vonden er dat jaar 485 anvallen plaats. Doordat autoaccu's in toenemende mate beschikbaar waren, vonden er steeds meer van deze gruwelijke aanslagen plaats. De verwondingen tarten elke beschrijving. De slachtoffers hadden geen gezicht meer, althans, geen onderscheidende gezichtskenmerken. Het was alsof ze waren gesmolten. Het omarmen van deze vrouwen was voor mij een manier om de daders te tarten. Ik weet hoe belangrijk het is om menselijk contact te hebben, en gelukkig heb ik nooit enige fysieke weerzin gevoeld jegens wie dan ook – terwijl dat toch het doel was van die wrede, laffe aanvallen.

Omdat ik de laatste tijd door de zaak-BCCI zo vaak in contact was gekomen met mensen uit zowel Bangladesh als Pakistan, was ik zeer benieuwd waar ze vandaan kwamen en wat voor levens ze achter zich hadden gelaten. Op dat moment was in Bangladesh zowel de premier als de oppositieleider een vrouw, maar ze hadden een grote hekel aan elkaar, wat ook hun politieke relatie geen goed deed. Khaleda Zia was de eerste vrouw in het land die premier werd. Ze was de weduwe van Zia ur-Rahman, de vermoorde president van Bangladesh. Haar rivale, Sheikha Hasina Wazed, was de dochter van de eerste president van Bangladesh. Ik vind het nog steeds wonderbaarlijk dat vrouwen in een land waar ze kennelijk de hoogste ambten kunnen bekleden, tegelijk slechter worden behandeld dan dieren.

Omdat ik comfortabele kleren wilde dragen maar tegelijk het nodige respect wilde tonen, was al mijn kleding voor deze reis gemaakt door Babs Mahil. Ze wilde ook iets maken voor Tony, met als resultaat een Nehru-achtig pak dat hij tijdens het staatsbanket in India droeg. Zelf vond ik dat het hem prachtig stond. Maar dat gold niet voor de Britse pers die er, zoals gebruikelijk, de grootste moeite mee had. Jammer genoeg droeg hij het pak daarna nooit meer. Hoewel Alastair beweerde dat hij het een prima pak vond, was hij over het algemeen van oordeel dat Tony mocht dragen wat hij wilde, zolang het maar een gewoon pak was. Hij was degene die uiteindelijk besliste.

Toen we in Bangladesh aankwamen, droeg Tony niet eens zijn eigen pak. Dat was volgens Alastair te zeer gekreukeld. Daarom werd Magi Cleaver naar de aankomsthal gestuurd om er een op te snorren. Een verbijsterde jongeman, die van het departement van Ontwikkelingssamenwerking bleek te zijn, werd ertoe overgehaald een uurlang zijn pak af te staan, zodat de Britse premier er keurig uit zou zien. De rest van de reis was dit soort zaken uiteraard geregeld door André, maar eens te meer werd duidelijk dat de zaak volledig in de soep liep als hij er niet was.

Onze volgende bestemming was niet in het officiële reisschema opgenomen. Er gold een volledig persembargo. 'U hoeft niet mee,' was me verteld, maar ik was vastbesloten. 'Ik ga mee met Tony.' Bijna twee maanden daarvoor was Kabul ingenomen, maar het was er nog verre van veilig. Daarom vlogen we midden in de nacht; ik wist dat we niet verder zouden vliegen dan de luchtmachtbasis Bagram.

Het wekt geen verbazing dat dit de eerste maal was dat ik in een leger-vliegtuig vloog. Het was ontworpen voor troepentransport en ik was van tevoren gewaarschuwd dat het er ontbrak aan zelfs het meest fundamentele comfort. Er waren geen gewone stoelen, en het toilet was letterlijk een emmer. Niet dat ik die heb gebruikt. Ik ging liever dood dan dat ik over de persvertegenwoordigers heen moest klimmen en naar de emmer achterin zou lopen. Er waren niet zo veel mensen aan boord. Tony en ik hadden het geluk dat we in de cockpit mochten plaatsnemen, waar we van het opstijgen tot de landing bleven zitten.

De bemanning bestond hoofdzakelijk uit mensen van de Special Service die sinds het begin van de oorlog verschillende missies vanuit en naar Afghanistan hadden uitgevoerd, zodat het voor hen een peulenschilletje leek. Ze waren van het soort onverschrokken piloten waar schrijvers zo dol op zijn – bepaald geen laffe inborsten. Tony en ik zaten achter in de cockpit, waar gewoonlijk de boordwerktuigkundige zit. Boven ons bevond zich een soort doorzichtige koepel waar de boordschutter stond om de vuurrichting te bepalen. Toen we opstegen, vroeg Tony of hij rechtop mocht staan om te kijken. Daar stond hij dan, alsof hij zo was weggelopen uit een illustratie uit het stripboek *Eagle*. Hij tuurde in de duisternis en stelde allerlei vragen. Een van de piloten wierp zich op als gids: hij wees ons diverse bergtoppen aan en vertelde op zeker moment dat we de Khyber-pas passeerden – een gebied waar tot op de dag van vandaag wetteloosheid heerst. Toen we via de bergen van Noord-Pakistan het luchtruim van Afghanistan binnenvlogen, gingen alle lichten uit. Hoewel we niet meer zichtbaar waren, konden we altijd nog geraakt worden door een hittezoekende raket, legde de piloot uit, behulpzaam als hij was. Een aanwijzing op de radar dat we mogelijk ontdekt waren, had tot gevolg dat er onmiddellijk een afleidingstactiek werd gevolgd, waarbij het vliegtuig begon te zwenken en te slingeren. Het idee daarachter was dat raketten die inmiddels waren afgevuurd, misleid zouden worden en zich zouden richten op plekken waar we inmiddels al waren geweest. Tony stond rechtop te kijken naar alles wat er gebeurde, terwijl ik bij mezelf dacht: Waarom ben ik eigenlijk meegegaan? Ik heb vier kinderen thuis, van wie er een nog geen twee jaar oud is. Ik was stapelgek dat ik was ingestapt. Het lijkt misschien een goedkoop verhaaltje, maar terwijl ik daar zat, trok mijn hele leven aan me voorbij. Het enige dat ik dacht, was: Als ten minste een van ons niet was meegegaan, had die zich kunnen ontfermen over de kinderen. Om half twee 's nachts landden we op het vliegveld van Bagram.

Pas wanneer je ooit een landing van een militair toestel hebt meegemaakt, besef je dat de landing van een commerciële vlucht voornamelijk ten behoeve van de passagiers wordt uitgevoerd. Er kon geen misverstand over bestaan dat we de grond hadden geraakt.

Vergis je niet: in januari is het koud in Afghanistan. Ik had mijn dikke jas aan, maar dat was niet voldoende. De rode loper was uitgerold. Op zo'n ontvangst had ik niet gerekend. Maar al snel werd ik uit de droom geholpen.

'Wat u ook doet,' zeiden ze toen we de trap afdaalden, 'blijf altijd op de loper.' Op het vliegveld van Bagram waren mijnen gelegd door regeringstroepen; sommige van die mijnen waren onschadelijk gemaakt, maar dat werk was nog lang niet voltooid. 'Zolang u op de rode loper blijft, garanderen wij dat er niets kan gebeuren.' Altijd als ik daarna op een rode loper liep, moest ik denken aan die keer in Bagram.

Hoewel het midden in de nacht was, werden we met het gebruikelijke ceremonieel begroet door president Hamid Karzai en diens kabinet. Ik was zo dankbaar dat we veilig waren geland dat ik ze allemaal wel had willen zoenen.

De SAS had een belangrijke rol gespeeld bij de invasie. Ik zat geboeid te luisteren naar hun verhalen: hoe ze de schuilplaatsen van de Taliban hadden bestormd, ongelooflijke waagstukjes waarbij ze ternauwernood aan de dood waren ontsnapt, en hoe ze er, tegen alle verwachtingen in, ten slotte in waren geslaagd hun doel te bereiken. Het departement van Ontwikkelings-samenwerking verzorgde een indrukwekkende presentatie over de zaken die op de agenda stonden om Afghanistan er weer bovenop te helpen. De Afghanen zelf bleven maar herhalen dat ze zo dankbaar waren en dat het fantastisch was dat onze mensen zich voor deze zaak inzetten. Als je iemand wilde hebben om je land opnieuw op te bouwen, zeiden ze, dan moet je bij de Britten zijn.

Terwijl Tony een ontmoeting had met de president, werd ik voorgesteld aan Sima Samar, minister van Vrouwenzaken. Samen spraken we met een groep vrouwelijke soldaten die assisteerde bij vredestaken en vroegen hun wat hun indrukken waren. Dagelijks liepen er meer vrouwen op straat, zeiden ze, hoewel een steeds kleiner aantal het gezicht onbedekt liet. De minister zei tegen hen dat de aanwezigheid van deze jonge vrouwen voor de mensen in Kabul een belangrijke stap betekende in de richting van de erkenning van de rechten van vrouwen. Toen ik haar vroeg wat ik kon doen om te helpen en wat de vrouwen van Afghanistan wilden, had ze een dui-delijke boodschap: zorg ervoor dat de mannen onder druk blijven staan. Alstublieft, vergeet de vrouwen van Afghanistan niet.

Terwijl we met de troepen op het vliegveld spraken, kreeg Tony een tele-foontje van het kantoor van Gordon Brown. Uit de blik op zijn gezicht kon ik al opmaken wat er aan de hand was. Jennifer, het pasgeboren dochtertje van Gordon en zijn vrouw Sarah, was overleden. We waren op weg naar Hyderabad toen ons het nieuws had bereikt dat ze ernstig ziek was. Ze was te vroeg geboren in het ziekenhuis en hoewel ze vocht als een leeuw, zag het er niet goed voor haar uit. Tijdens de reis had ik het moeilijk gevonden te glimlachen als er een foto werd gemaakt omdat ik op de hoogte was van de problemen waarmee zij thuis te kampen hadden. Tony, die niet zo lang geleden zelf weer vader was geworden, begreep maar al te goed onder welke emotionele spanningen ze te lijden hadden.

Op donderdag kwamen we aan in Engeland, en op vrijdag waren we in Schotland. Meteen gingen we naar hun huis. Sarah was de rust zelve; het was erg moedig van haar dat ze ons wilde ontvangen. Het was de eerste en enige keer dat ik daar ooit ben geweest. Vroeger was het in het appartement van Gordon altijd een beetje een rommeltje, maar Sarah had van hun wo-ning een gastvrij huis gemaakt. De begrafenis van een baby is sowieso al afschuwelijk, maar wanneer je dat overkomt met je eerste kind, is het hart-verscheurend. Ik had enorm met hen te doen.

Ik had George Bush eind februari van het jaar daarvoor voor het eerst ont-moet, op Camp David, kort nadat hij president was geworden. Doordat we geregeld in Washington waren, hadden we de Democratische kandidaat, Al Gore, en diens vrouw Tipper vrij goed leren kennen. Ik vind wel dat ik mag zeggen dat we teleurgesteld waren toen de resultaten uiteindelijk bekend werden. Bush was tenslotte een Republikein. Tony vond dat Gore het spel niet goed had gespeeld en dat hij meer gebruik had moeten maken van Bill, in plaats van afstand van hem te nemen. Hij leek niet te beseffen hoe-veel goodwill Bill nog had en dat hij een geweldige uitstraling had. Net als de rest van de wereld volgden we de dramatische verkiezingen op de voet. Voor mij als advocaat was het fascinerend te zien dat het Hooggerechtshof verdeeld raakte op politieke punten. Zoiets zou in Groot-Brittannië nooit gebeuren, omdat de benoeming van rechters hier veel minder een zaak van de politiek is.

We hadden George W. op televisie gezien en kregen niet de indruk dat de internationale politiek nu zijn *fort* was. Toch was Tony ervan overtuigd dat ze een goede verhouding met elkaar zouden krijgen. Anderen in de Labour-partij – onder wie Alastair en Sally – hadden daar gemengde gevoelens bij.

'We kunnen gewoon niet ontkennen dat het voor hem evenmin een ide-ale situatie is,' zei ik. 'Hij weet dat wij bevriend zijn met de Clintons. En hij weet ook dat jij een Labourpremier bent, en al die andere dingen. Iedereen zal een beetje nerveus zijn en proberen het beste ervan te maken.'

Het feit dat de ontmoeting zou plaatsvinden in de quasi-rustieke omge-ving van Camp David, was in zekere zin illustratief voor de verschillen tus-sen de twee mannen. Bill Clinton had ons getrakteerd op een officieel diner in het Witte Huis, met Stevie Wonder en Elton John. De Clintons kwamen meestal pas later op de avond op gang, terwijl het echtpaar Bush al om tien uur tussen de klamme lappen lag. We waren uit Ottawa gekomen, waar ik half doodgevroren was, niet wetend hoe ongehoord koud het was. Van Washington vlogen we verder met de presidentiële helikopter, de *Marine One*, eerder een klein vliegtuig dan een helikopter.

Ik was ooit een keer eerder in Camp David geweest, met de Clintons, maar het was niet wat ik had verwacht. Ik dacht ik dat het een landhuis zou zijn, ongeveer zoals Chequers, maar Camp David is letterlijk een Ameri-kaanse legerbasis – of beter: een marinebasis. Je logeert in houten 'hutten', die genoemd zijn naar bomen. Je beschikt over een zitkamer, een badka-mer en twee slaapkamers, stuk voor stuk luxueus ingericht. In de tijd van de Clintons waren de handlotion en de zeep afkomstig van een bedrijf uit

Arkansas, herinner ik me. De hutten liggen een eind uit elkaar; zodra je naar buiten gaat, word je gevolgd door militairen.

De eerste avond met het echtpaar Bush zaten we al vroeg aan het diner. Toen we klaar waren, zei de president: 'Zullen we een film gaan kijken?' En dat deden we. Hij kreeg de nieuwste films allemaal op dvd, vertelde hij, en die avond keken we naar *Meet the Parents*, met Robert De Niro. Er stonden leunstoelen rond de tv, en ik zat naast George, die al snel zat te schateren van het lachen. Het was een aangename, rustige avond. We waren niet met z'n vieren: we werden vergezeld door onze ambassadeur Christopher Meyer en Catherine, en natuurlijk waren Jonathan, Alastair en de anderen er ook bij.

Dit was die beroemde gelegenheid waarbij George opmerkte dat hij en Tony allebei hun tanden met Colgate poetsten. Ze konden het verrassend goed met elkaar vinden. George is een grappige, charmante man met een goed gevoel voor humor. Hij krijgt zo'n slechte pers, zegt hij, omdat hij 'met een Texaans accent' spreekt. Bill Clinton kwam ook uit het Zuiden, maar terwijl Clinton met een Zuidelijk accent spreekt, denkt hij niet Zuidelijk – en Bush denkt wel Texaans.

Voorafgaand aan de ontmoeting was er de nodige spanning geweest, maar toen we vertrokken, was de algemene indruk dat dit 'een man is met wie we prima zaken kunnen doen'. We zijn het misschien niet eens over kwesties die in onze eigen landen spelen, maar op het gebied van internationale diplomatie is dat niet echt relevant. Die speciale verhouding was precies de reden waarom er geen twijfel bestond dat we, toen de Republikeinen de macht overnamen, alles in het werk zouden stellen om een goede relatie met hen op te bouwen.

Toen we na het ontbijt naar de *Marine One* werden gebracht, besefte ik ineens dat we niet waren teruggegaan naar onze hut om André en onze bagage op te halen.

'Maakt u zich geen zorgen,' werd me verteld. 'Hij zit al in de helikopter.' Daar zat hij niet, maar tegen de tijd dat ik daarachter kwam, was het al te laat. André was niet de enige die was achtergelaten; er was ook nog een Garden Girl, en, niet te vergeten, onze bagage. Blijkbaar hadden ze geduldig zitten wachten tot we terug zouden komen van het ontbijt. Iemand moest ervoor zorgen dat er een tweede helikopter zou komen om hen terug te brengen naar Washington. Christopher Meyer had de pest in en beweerde dat het mijn schuld was. Zoals elke onderwijzer weet, is bij een schoolreisje het tellen van de neuzen bij aankomst en vertrek het eerste dat je doet. Welke rol ik ook vervulde tijdens die ontmoeting, die rol hoorde daar zeker niet bij. Volgens mij had André het zelf zo geregeld, zodat hij nog wat meer tijd kon doorbrengen in het gezelschap van al die knappe mariniers…

De volgende keer dat we het echtpaar Bush ontmoetten, was ongeveer een maand later, op Chequers. We wisten inmiddels dat George niet hield van officiële diners, en als hij naar Nummer 10 zou komen, zou er zeker een formeel diner worden gegeven. Ze voelden zich veel prettiger in een informele, huiselijke omgeving dan wanneer ze omringd werden door pracht en praal, en pas laat naar bed konden. We maakten duidelijk dat we onder elkaar wilden zijn, en toen ons werd gevraagd of Condoleezza Rice mocht blijven logeren, weigerden we dat. Iedereen kon langskomen tijdens de vergaderingen, zei ik, maar er bleef niemand slapen, behalve de familie. Op de dag dat ze arriveerden, kwam Linda, die nu de leiding had op Chequers, naar me toe.

'Ik heb een slaapplaats gevonden voor de lijfarts van meneer Bush,' zei ze. 'Hij slaapt op mijn kamer.'

'Lijfarts?' vroeg ik.

'Dokter Rice.'

'Dokter Rice?' En toen viel het kwartje. Condi, zoals ze vaak wordt genoemd, had Linda voor de gek gehouden door te zeggen dat de president een lijfarts bij zich in de buurt moest hebben. Ik fronste mijn wenkbrauwen. Maar evengoed is ze een briljante vrouw en ik bewonder haar zeer.

Net als bij ons staat bij het echtpaar Bush het gezin centraal. Laura was enig kind en was opgevoed door haar moeder. Daarna was ze getrouwd in die grote familie, waar iedereen een groot aantal kinderen had. Maar zij en George hadden alleen maar hun tweeling, van wie de ene genoemd was naar haar moeder en de andere naar de zijne: Jenna en Barbara. Die avond op Chequers stond in het teken van het gezin, en behalve onze kinderen was ook James Dove aanwezig, een vriend van Euan van Oratory. Hij had veel belangstelling voor politiek, en misschien was het aan zijn aanwezigheid te danken dat de gesprekken een bredere reikwijdte hadden dan wanneer we onder elkaar waren geweest. Ik zag mezelf of Tony een onderwerp als de doodstraf niet zo snel te berde brengen, maar uitgerekend dat thema werd door een van de kinderen aangesneden. En dus discussieerden we over de doodstraf. In de ene hoek zat de Amerikaanse president, die er een voorstander van was, en in de andere zat een advocaat op het gebied van de mensenrechten die er absoluut niet in geloofde. Ik lichtte mijn standpunt toe en zei dat het principieel onjuist was: als je een fout maakt, kun je die niet meer rechtzetten.

George zei: 'Nou, zo gaat het niet in Amerika. Wij hebben het standpunt: oog om oog, tand om tand.'

Maar hij bedoelde het absoluut goed. Zoals George omging met die kinderen en hun vragen beantwoordde: petje af. En ik weet dat zowel James als Euan aangenaam verrast was dat hij in staat bleek een intelligente discussie te voeren en zich niet verloor in bekrompen oppervlakkigheden. Ik zeg weleens dat ik de enige linkse persoon moet zijn met wie George Bush het goed kan vinden. Maar niemand kan beweren – ik in ieder geval niet – dat hij geen gevoel voor humor heeft.

Een van de laatste dingen die Clinton deed voordat hij het Witte Huis verliet, was het tekenen van het Statuut van Rome, aan de hand waarvan later het Internationaal Strafhof werd opgericht. Na de Balkanoorlog en de genocide in Rwanda besloten de Verenigde Naties het Internationale Tribunaal voor Voormalig Joegoslavië en het Internationaal Tribunaal voor Rwanda in het leven te roepen. Het succes van deze tribunalen leidde ertoe dat het Internationaal Strafhof permanent werd gevestigd in Den Haag. Daar stonden mensen terecht die beschuldigd werden van misdaden tegen de menselijkheid en genocide als hun eigen land geen goede infrastructuur kende of wanneer het land de internationale gemeenschap vroeg het proces te voeren. Clinton tekende dit statuut, maar wist heel goed dat het Congres dit nooit zou ratificeren.

De laatste tijd heeft Amerika weinig internationale verdragen getekend, een patroon dat wel aangeduid wordt als 'Amerikaans exceptionalisme'. Dit is een houding die feitelijk voortkomt uit een gevoel van morele superioriteit: het geloof dat Amerika kwalitatief gezien verschilt van de andere naties, die het land niet door middel van internationale verdragen hoeven te vertellen wat het wel en niet zou moeten doen. Een voorbeeld is het Internationale Verdrag inzake de Rechten van het Kind. Dat is door alle landen ter wereld getekend, op twee na: Somalië, dat nauwelijks een regering heeft, en de Verenigde Staten. Een van de redenen waarom de Amerikanen het verdrag niet tekenden, was dat men destijds nog de doodstraf toepaste op jongeren. Het federale Hooggerechtshof heeft die vreselijke maatregel inmiddels verboden, maar wie de president ook zal zijn: voor hem of haar zal het moeilijk worden het Congres op andere gedachten te brengen. Wanneer een land een verdrag eenmaal heeft getekend, dient het geratificeerd te worden. In de Verenigde Staten dient dit te gebeuren met goedkeuring van het Congres. We moeten niet vergeten dat het Congres vol mensen zit die geen paspoort bezitten. Toen Clinton het Statuut van Rome tekende waarmee het Internationaal Strafhof opgericht kon worden, wist hij dat het niet zou worden geratificeerd. Het was zijn manier om de baard van het Congres te schroeien.

Wanneer men het eens is over een internationaal verdrag, kan het worden ondertekend. Gewoonlijk wordt het alleen dan van kracht wanneer een afgesproken minimumaantal landen het heeft getekend. In 2002 werd duidelijk dat het Statuut van Rome dat magische aantal binnenkort zou gaan bereiken. Het was het eerste internationale verdrag waarin was opgenomen dat het strafhof een minimumaantal vrouwelijke rechters zou krijgen; ik was betrokken bij de campagne die ervoor moest zorgen dat we voldoende vrouwen zouden hebben om boven dat minimum uit te stijgen. Aangezien er al weinig internationale gerechtshoven zijn die vrouwelijke rechters hebben, werd dit een van mijn stokpaardjes.

Iedereen in de internationale juridische gemeenschap legde zich erbij neer dat de Verenigde Staten het Statuut van Rome niet zouden tekenen en dus geen rechters zou kunnen aanwijzen. Maar toen staken geruchten de kop op dat er iets veel ernstigers aan de hand was. George Bush zou de handtekening onder het verdrag formeel ongedaan maken, werd gezegd. Een van Tony's adviseurs stelde voor dat hij George er direct over zou aanspreken, onder vier ogen, en zou zeggen: 'Dit is niet slim. Er zal niets veranderen. Je geeft het verkeerde signaal af aan de internationale gemeenschap; ze zullen denken dat het je niets interesseert.'

Ik was het ermee eens. 'Je moet erover beginnen, Tony,' zei ik telkens weer – totdat ik zelf in de gelegenheid was er iets aan te doen.

George en Laura hadden ons uitgenodigd om na Pasen 2002 naar Crawford te komen, hun ranch in Texas. Euan en Nicholas waren met hun examens bezig – Euan met zijn eindexamen, Nicholas voor zijn GCSE's. Ik besloot Kathryn en Leo mee te nemen naar Disneyland, terwijl Tony met de jongens in Engeland zou blijven en me later zou treffen in Texas. We gingen samen met mijn vriendin Val Davies en haar tweeling. Na vier dagen een en al plezier maken brachten we de paasdagen door bij Bob Dudiak, een oude vriend van mij van de LSE, die een vakantiehuisje in Florida had. Terwijl Jackie nog een dag met de kinderen bij Bob bleef, ging ik samen met Laura naar een liefdadigheidsbijeenkomst ten behoeve van borstkanker in Dallas.

Laura is een warme, oprechte vrouw die ik al mocht vanaf het moment dat ik haar voor het eerst ontmoette en bij wie ik me meteen op mijn gemak voelde. Het was duidelijk dat we een gemeenschappelijke achtergrond

hadden: net als ik was ze geïnteresseerd in andere vrouwen en in vrouwenonderwerpen in het algemeen. Als we elkaar zagen, spraken we over onze
gezinnen en over literatuur, want we houden beiden van boeken lezen. We
hadden een typische vrouwenvriendschap, meer dan ik met Hillary had
gehad. Met Hillary gingen de gesprekken vaak over ideeën, en natuurlijk
hadden we dezelfde politieke voorkeur. Toen we elkaar voor het eerst ontmoetten, was ik nogal onder de indruk. Zij was de vrouw van Bill en had al
een paar jaar ervaring als First Lady. Maar toen ik Laura ontmoette, stonden we meer op gelijke voet, en dat is ook zo gebleven. Onze kinderen zijn
ook ongeveer van dezelfde leeftijd.

Laura volgde een lerarenopleiding, en als onderdeel van een uitwisse-
lingsproject had ze een deel van haar opleiding in Oxfordshire gevolgd,
zodat ze verrassend goed op de hoogte was van het leven in Engeland. Ik
wist dat Laura betrokken was bij een liefdadigheidsinstelling ten behoeve
van borstkanker, maar het was de Amerikaanse ambassadeur in Hongarije
geweest die had voorgesteld een gezamenlijke wervingsactie te organiseren
toen ze had gehoord dat ik toch in Texas was. Het was mijn eerste ervaring
met de professionele manier waarop Amerikanen aan fondsenwerving doen
en het was heel bijzonder: de mensen betaalden verschillende bedragen en
hadden op grond daarvan verschillende voorrechten. Tijdens de ontvangst
stonden Laura en ik naast elkaar en de mensen stonden in een rij te wachten. Tot zover was alles normaal. Het gaat net zoals bij mijn ontvangsten in
Downing Street, dacht ik, en begon te praten met de mensen die vooraan
in de rij stonden. Het volgende moment hoorde ik iemand in mijn oor
zeggen: 'Mevrouw Blair, u moet niet meer met die mensen praten. Blijft u
gewoon staan, geef hun een hand en laat de fotograaf een foto nemen. Daar
hebben ze voor betaald. Er staan hier 220 mensen te wachten. Ik hoop dat
u het begrijpt. Het enige dat ze willen, is een foto met u en de First Lady.
Praat u alstublieft niet met hen. Daar gaat het niet om.' Dat deden we. Het
was lopendebandwerk.

Toen volgde het diner. Omdat we in Texas waren, was vrijwel iedereen
Republikeins, en dit waren Texaanse Republikeinen. Ik bevond me in een
situatie die ik bijna niet kon verdragen. De vrouwen zeiden eerst hoe geweldig ze Laura wel niet vonden, waarmee ik kon instemmen, en daarna
vergeleken ze haar met 'die vreselijke vrouw van Clinton'. Ze bleven maar
praten over Hillary, op een uiterst neerbuigende manier; ik kon nauwelijks
geloven dat mensen zo grof konden zijn. Ik zei niets terug. Dat had geen
enkele zin en ik had geen behoefte om een scène te maken, maar ik moest

mezelf er die avond voortdurend aan herinneren dat de helft van het geld bestemd was voor Breast Cancer Care. Terwijl ik naar Laura keek en zag hoe charmant ze zich gedroeg, zag ik haar ineens in een heel ander licht. Ze leefde in een andere wereld. Enfin, de mensen van het Britse Breast Cancer Care die waren meegekomen, waren niet teleurgesteld. Net als ik waren ze diep onder de indruk van de professionele manier waarop alles was geregeld. Het was een groot succes en we haalden heel veel geld op voor een zeer goed doel.

Het was een grote eer uitgenodigd te worden op Crawford. Dit was het privéonderkomen van het echtpaar Bush. Ik reisde vanuit Dallas per auto, maar al snel werd duidelijk dat men zich hier verplaatste per helikopter. Het zijn rijke olieboeren. De weg zag er net zo uit als in Amerikaanse films: je rijdt met een rustig gangetje door eindeloze, lege landschappen. Uiteindelijk kom je aan in Crawford, het 'dorp', met een café en een benzinepomp en verder eigenlijk niets. De pers die met Tony was meegereisd, was woedend omdat er nergens fatsoenlijke hotels te vinden waren. Ik herinner me dat ik tijdens die lange rit dacht: Als ik de president van Amerika was en mocht kiezen waar ik wilde wonen, dan zou het zeker niet hier zijn. Maar het huis was geweldig. Een strakke en moderne inrichting, met overal schilderijen aan de muur en geen rommel. Een warm huis.

Maar er was nog één ding dat ik moest doen. Vlak voor de lunch op onze laatste dag sprak ik er nog een keer over met Tony.

'Heb je het nog gehad over het Internationaal Strafhof?'

'Wind je niet op, mens. Ik heb belangrijke zaken aan mijn hoofd.'

Nou, ik ook.

'Kijk eens, George,' begon ik. Zoals gewoonlijk zat ik naast hem. 'Ik wil nog even met je praten over het Internationaal Strafhof. Er wordt gezegd dat je de handtekening terugtrekt. Iedereen begrijpt dat het Congres het Statuut niet zal ratificeren, maar wil jij je middelvinger opsteken naar de internationale gemeenschap? Ik weet dat Clinton je in deze positie heeft gebracht, maar het zal niemand in Amerika deren. Waarom laat je het niet zoals het is? Dan lijkt het in ieder geval of je erbij hoort. Waarom zou je de internationale gemeenschap tegen je in het harnas jagen, juist nu de verhoudingen zo goed zijn?' Hij keek rond waar Condi was – ze was altijd in de buurt – en wenkte haar.

'Condi,' zei hij, 'herinner me eraan dat je me hier iets over vertelt.'

Tony zat aan een andere tafel met Laura en had niets gehoord. Toen we ten slotte afscheid namen, legde George zijn hand op Tony's arm.

'Zeg, Tony, die vrouw van jou is nogal vasthoudend over dat gedoe met het Internationale Hof.'

Tony's glimlach verdween van zijn gezicht terwijl we naar de gereedstaande auto liepen. 'Cherie, waar denk je dat je mee bezig bent?'

Op het moment dat de auto wilde wegrijden, kwam George achter ons aan gerend en de chauffeur draaide het raampje naar beneden.

'Nu begrijp ik waarom Clinton dat vervloekte verdrag überhaupt heeft getekend,' zei hij. 'Dat is allemaal jouw schuld, Cherie!' Dat was natuurlijk niet waar. Ik had er nooit met Clinton over gesproken, maar we konden erom lachen en hij bleef goedgemutst.

Helaas had mijn tussenkomst geen succes. Uiteindelijk trok de president de handtekening terug. Maar ik denk dat het in de aard van de man ligt dat hij het niet als een persoonlijke belediging opvatte. Het was een standpunt, en toevallig was het niet het standpunt van zijn adviseur.

In het werven van meer vrouwelijke rechters waren we zeer succesvol. Uiteindelijk hadden we er zelfs meer dan het aantal dat we hadden gehoopt.

27

Ramkoers

De koningin-moeder stierf terwijl Kathryn, Leo en ik in Florida waren. Op 8 april waren we terug in Downing Street, en Kathryn en ik gingen te voet naar Westminster Abbey, waar ze opgebaard lag, om haar de laatste eer te bewijzen. De koningin-moeder was altijd op Balmoral geweest als wij daarheen gingen. Het was een geduchte vrouw, zelfs toen ze al ver in de negentig was: ze kon bikkelhard zijn. Vlak na Leo's geboorte nam ik hem mee. Die eerste keer had ik aan de koningin gevraagd of ik hem misschien mocht introduceren, en dat vond ze uitstekend. Tot mijn verbazing zei ze: 'Het zou moeder niet onwelgevallig zijn als er een foto van haar en Leo zou worden genomen.' We hebben nu een foto van een koningin geboren in 1900, die een baby vasthoudt geboren in 2000.

Het jaar 2002 moet een moeilijk jaar geweest zijn voor de koningin. Al die grootse festiviteiten ter gelegenheid van haar vijftigjarige troonjubileum, en net een paar weken voor al het feestgedruis zou beginnen, had ze zowel haar moeder als haar zuster, die in februari was overleden, verloren.

Voor de begrafenis van de koningin-moeder lagen de plannen al jarenlang klaar. Het was een totaal andere plechtigheid dan die van Diana maar, zittend op dezelfde stoel en gehuld in dezelfde mantel, riep ze bij mij onvermijdelijk herinneringen op aan toen. Toevallig stond de dag daarop ook in het teken van het verleden met een receptie ter gelegenheid van de negentigste verjaardag van James ('Jim') Callaghan. Alle sleutelfiguren uit mijn politieke jeugd waren verzameld in de Zuilenkamer: Michael Foot, Tony Benn en Denis Healey. Eén belangrijk persoon ontbrak: Jims echtgenote Audrey Callaghan. Ze leed toen al aan alzheimer, en de manier waarop Jim over haar sprak in zijn toespraak, was ongelooflijk ontroerend. Ze stierf korte tijd daarna, slechts tien dagen later gevolgd door Jim. Ze waren zo lang samen geweest dat hij eenvoudigweg geen zin had zonder haar verder te gaan.

Tegen het einde van de maand vond er op Nummer 10 nog zo'n nostalgisch evenement plaats. De minister-president – Tony – organiseerde een Gouden Jubileumdiner voor alle voormalige premiers van de koningin. Tony zelf was de tiende. Ik vond het belangrijk dat ze allemaal vertegenwoordigd waren. Degenen die nog leefden uiteraard in eigen persoon, maar anders iemand die de overledene kon vertegenwoordigen: hun weduwe, of een ander familielid. Ik had me niet gerealiseerd hoe gevoelig dit zou liggen. Zo hadden wij om Alec Douglas-Home te vertegenwoordigen zijn oudste zoon, de vijftiende graaf, uitgenodigd. Vervolgens kregen we via via te horen dat andere familieleden vonden dat zíj hadden moeten worden uitgenodigd. Ook de tafelschikking bleek problematisch, met als hamvraag welke premier aan de zijde van de koningin zou plaatsnemen en vervolgens wie er naast prins Philip mocht zitten. Het was uitgesloten dat Edward Heath naast Margaret Thatcher zou aanschuiven, en ik kon me zo voorstellen dat John Major ook liever niet haar tafelheer wilde zijn.

Uiteindelijk zat Edward Heath naast de koningin. Hoewel Jim Callaghan in levensjaren een tikkeltje ouder was, was Heath vóór hem premier geweest. Als gastheer nam Tony plaats aan haar andere zijde. We gaven Margaret Thatcher een stoel naast prins Philip, en ik nam plaats aan de andere kant. De prins en ik hebben het altijd uitstekend met elkaar kunnen vinden. Ik weet weliswaar weinig af van paarden – van dieren in het algemeen eigenlijk – maar we zijn allebei geïnteresseerd in IT.

De staatsiezalen van Nummer 10 waren zojuist gerenoveerd. Ze worden om de tien jaar onder handen genomen en een sociaal antropoloog zou zijn hart kunnen ophalen aan het bestuderen van de kleurkeuze door de jaren heen. Wat in de tijd van mevrouw Thatcher de Blauwe Kamer was, werd door de Majors getransformeerd tot de Groene Kamer. Nu was het een warm terracotta geworden, passend bij de bouwperiode van de residentie, volgens het advies dat het comité had gekregen. Het was de bedoeling van de adviseur geweest het gebouw weer terug te brengen in de oorspronkelijke 'zuiver Kentse' stijl en hij had graag alle verguldsels willen laten verwijderen die mevrouw Thatcher had laten aanbrengen. Maar dat aanbrengen was een dure grap geweest en bovendien met zo veel aandacht voor detail gedaan dat het verwijderen ervan een fortuin zou hebben gekost. Norma Major nam een kijkje in de kamer en zei dat ze het echt heel mooi vond. Mevrouw Thatcher was minder onder de indruk. 'Dit is walgelijk,' zei ze. Een ander vertrek waarover ze niet te spreken was, was haar voormalige werkkamer op de eerste verdieping, waar we trouwens bij de recente opknapbeurt niet aan toe waren gekomen. 'Wat hebben jullie gedaan met mijn prachtige kamer?' brieste ze. 'Het is ronduit afzichtelijk.' In dit geval had ze gelijk. Het vertrek was afschuwelijk verminkt in de tussenliggende jaren en ik was vastbesloten daar iets aan te doen.

Haar kleuren mogen dan verdwenen zijn uit de (nu) Terracotta Kamer, maar boven de deur, in de gepleisterde fries, is het figuurtje zichtbaar van een mannetje dat een ladder beklimt met een baal stro op zijn rug – een verwijzing naar de naam 'Thatcher' (rietdekker). Ook ik heb mijn stempel achtergelaten. Vlak voor ons vertrek uit Nummer 10 waren mijn plannen om de werkkamer van mevrouw Thatcher in haar vroegere glorie te herstellen, eindelijk verwezenlijkt. Bij de officiële inauguratie zijn heel wat traantjes weggepinkt aangezien dit een van de laatste dingen was die ik deed in Downing Street. Ik stond alom bekend als mevrouw B [op z'n Engels uitgesproken als 'bee', 'bij'], en als je goed kijkt, zie je zes bijen gekerfd in het hout van de boekenkast: vijf grote en één kleintje.

Nooit had ik de koningin zo ontspannen gezien als tijdens die avond. Het leek wel alsof ze de hele tijd glimlachte. 'Wat een opluchting,' zei ze lachend toen ze binnenkwam, 'Niemand hoeft te worden voorgesteld!' Al snel was iedereen bezig herinneringen op te halen en ik vond het fascinerend te luisteren naar de ervaringen van de verschillende gezinnen die op Nummer 10 hadden gewoond.

Een paar dagen later dineerden Tony en ik met Roy en Jennifer Jenkins. Jennifer had het boek *Hidden Power* gelezen over de Amerikaanse First Lady's. 'Iemand zou iets soortgelijks moeten schrijven over ons land,' zei ze. En omdat ik net dat fascinerende diner met al die premiers en hun familieleden had meegemaakt, bleef het idee door mijn hoofd spelen. Ik beschikte over alle noodzakelijke contacten en, het allerbelangrijkste, ik zou straks veel vrije tijd hebben: Ik had net tot mijn eigen consternatie ontdekt dat ik weer zwanger was.

Het behoeft geen betoog dat ik stomverbaasd was. Leo's geboorte had een wonder geleken, en onderhand was ik nog eens bijna drie jaar ouder. Hoewel ik er aan de ene kant enorm tegenop zag, realiseerde ik me aan de andere kant dat het leuk zou zijn voor Leo om niet op te groeien als bijna enig kind, want daar kwam het voor hem in feite op neer. Net als de vorige keer ging ik naar Susan Rankin, die ervoor zorgde dat er thuis een echografie kon worden gemaakt.

De radioloog was helemaal lyrisch. 'Nooit eerder heb ik een baby gezien in een moeder van uw leeftijd die niet via IVF werd verwekt,' zei ze.

Tony was minder in de wolken. 'Ik weet eigenlijk niet of ik op m'n vijftigste nog wel vader wil worden,' zei hij.

Deze keer besloten we niemand iets te vertellen over mijn zwangerschap. Niet aan Alastair, niet aan Fiona, en al helemaal niet aan Gordon. Zelfs niet aan mijn eigen vader en moeder. Alleen Jackie en de kinderen waren op de hoogte. In tegenstelling tot de vorige keren voelde ik me ditmaal helemaal niet goed. Ik besefte dat het een moeilijke zwangerschap zou worden. Het merendeel van de tijd voelde ik me gewoon beroerd. De *Mirror* heeft toen trouwens nog een foto van mij gepubliceerd terwijl ik haastig weer ging zitten meteen na het nemen van de officiële foto met de koningin tijdens een lunch in de Guildhall in het kader van haar jubileumviering. Uiteraard werd dit gezien als bewijs van mijn ongemanierdheid en mijn antimonarchisme, en de kop luidde dan ook iets in de trant van 'Cherie affronteert koningin'.

Dat jaar leek het alsof verleden, heden en toekomst op ramkoers lagen. In mei kwam Tony terug van een EU-bijeenkomst in Madrid waar hij had gesproken met José María Aznar. Aznar was precies één jaar voor Tony voor de eerste keer verkozen tot premier van Spanje, en zat nu twee jaar in zijn tweede ambtstermijn. Hij had Tony verteld dat hij van plan was aan te kondigen dat hij niet beschikbaar zou zijn voor een derde ambtstermijn en dat hij zijn opvolger zou aanwijzen. Dat had Tony tot nadenken gestemd. Zelfs toen we nog maar net in Downing Street zaten, had hij al gezegd dat er een moment zou komen dat je je gretigheid kwijt was, en dat het na twee ambtstermijnen – of maximaal tien jaar – tijd zou worden voor verandering van spijs. Praktisch gesproken hield dat ook in dat ik onze kinderen door hun schooljaren zou hebben geloodst en een paar zelfs door de universiteit. Uiteraard veranderde die situatie toen Leo zijn intrede deed.

Ook tijdens Tony's eerste ambtstermijn waren er al spanningen geweest tussen Gordon en hem. Een groot deel van die spanningen was te wijten aan de houding van Charlie Whelan, Gordon Browns equivalent van Alastair die, zo werd gezegd, de helft van de tijd bezig was 'tegen Tony te briefen' en het verhaal rond te strooien dat Gordon de macht achter de troon was en degene die alle beslissingen nam. Er waren maar weinig mensen die daar geloof aan hechtten, maar het was niettemin irritant. Veel meer kwaad veroorzaakte de bewering dat Tony een afspraak met Gordon zou hebben gemaakt – het zogeheten Granita Pact – en dat hij nu bezig was terug te krabbelen. Hoewel Tony altijd heeft gezegd dat het na twee ambtstermijnen waarschijnlijk wel mooi geweest zou zijn, heeft hij, voor zover ik weet, nooit een toezegging gedaan over het exacte tijdstip. Maar Gordon probeerde Tony vast te pinnen op een datum door voortdurend te vragen: 'Wanneer stap je nu precies op?'

Toen José María Aznar vertelde hoe hij zijn vertrek had geregeld, was Tony meteen enthousiast en dacht de oplossing gevonden te hebben. Hij capituleerde dan immers niet voor Gordons eisen, legde hij uit, maar door er een openbare aankondiging van te maken, zou Gordon wellicht meer bereid zijn tot teamwerk. 'Hij kan er dan gerust op zijn dat ik bereid ben op te stappen, en daardoor gaat hij misschien meewerken en zo zouden we de hervormingen van de gezondheidssector en het onderwijs erdoor kunnen krijgen.'

'Je bent gek,' zei ik. 'Dat werkt misschien voor José María Aznar en zijn opvolger, maar Gordon zou er alleen maar misbruik van maken en het zou je eigen positie verzwakken in de ogen van de mensen die ertoe doen.' Gelukkig dachten Sally, Jonathan en Alastair er net zo over, en tegen juni had Tony zich erbij neergelegd dat hij, als hij zijn hervormingen erdoor wilde krijgen, op Nummer 10 moest blijven en niet moest aankondigen dat hij van plan was zijn koffers te pakken.

De donderwolken boven Irak begonnen samen te pakken, en Tony maakte zich steeds meer zorgen. Dat voorjaar was Amerika de *no-fly* zone weer gaan bombarderen in een poging Saddam Hoesseins militaire commandostructuur te ontwrichten. Toen Bill Clinton begin juni voor een weekend naar Chequers kwam, trof ik ze met z'n tweeën aan terwijl ze rondkropen over de met kaarten bedekte de vloer van de werkkamer. Bill zei altijd het gevoel te hebben gehad nog niet af te zijn van Irak, en dat Saddam Hoessein een gevaarlijk man was die een ernstige bedreiging vormde voor de wereldvrede. Op basis van de inlichtingen die hij had gekregen, was hij ervan overtuigd dat het land beschikte over massavernietigingswapens. Hij maande zeer zeker niet tot terughoudendheid – hij was tenslotte degene die met de bombardementen was begonnen – maar hij vertelde Tony wel dat de Verenigde Naties nu nauw betrokken waren bij het hele proces. Ik kon zijn frustratie voelen over het feit dat hij niet langer in zijn eentje de beslissingen kon nemen.

Carole was er dat weekend ook. Ze zou gaan trainen met Tony, en ik zal nooit vergeten hoe ze daar die grote hal binnenkwam en binnen een paar seconden een gesprek had aangeknoopt met de voormalige president.

'Je mag nooit vergeten hoe belangrijk het is je rug te strekken,' zei ze, terwijl ze die van haar welfde, vlak voor zijn neus, een en al strakgespannen witte legging en nauwsluitende body terwijl haar lange haar over de grond zwierde. Ik zag hoe Bill zijn ogen opensperde en wist niet hoe snel ik haar daar weg moest krijgen.

Hoe meer ik erover nadacht, hoe aantrekkelijker het idee van een boek over de echtgenotes van Downing Street me toescheen. Ik had er zelfs al een titel voor verzonnen: *De goudviskom*, want zo voelde het. Ik had het erover met Fiona, maar die was mordicus tegen en vond het een verschrikkelijk slecht idee. Volgens haar moest ik ervoor zorgen juist minder de aandacht op mezelf te vestigen, niet méér. Maar zelf bleef ik enthousiast. Aangezien we toch van plan waren een paar dagen in het Lake District door te brengen alvorens met vakantie naar Frankrijk te gaan, besloot ik er met Cate Haste, de vrouw van schrijver en programmaker Melvyn Bragg, over te spreken. Zij was een sociaal-historica, en ik was benieuwd wat zij ervan zou vinden.

Maar eerst waren er nog de Gemenebest Spelen in Manchester. Ik heb altijd van atletiek gehouden, en hoewel ikzelf geen atleet ben, kan ik me voor honderd procent identificeren met het verlangen de beste te willen zijn in wat je doet. Alles draait om jouw eigen wilskracht, om het aftasten van je eigen grenzen, en ik vind het fascinerend te zien wat dat oplevert, of het nu een overwinning is of een nederlaag – het karakter dat je nodig hebt om je schouders weer te rechten na een nederlaag, of zelfs na een overwinning, in de wetenschap dat je jezelf volgend jaar opnieuw zult moeten bewijzen. Ik denk dat de drijfveer van alle atleten de behoefte is uit te blinken op het onderdeel dat zij hebben gekozen, hoe beperkt dat gebied van buitenaf ook mag lijken. Toen de liefdadigheidsinstellingen waarin ik actief ben eenmaal op de hoogte waren van mijn fascinatie, spraken we met elkaar af bij de finish van de marathon van Londen. Of we nodigden de marathonlopers een week of zo van tevoren uit in Downing Street. Als de foto's daarvan in hun lokale kranten verschenen, kon dat behoorlijk wat sponsorgeld opleveren.

Tegen de zomer van 2002 was er sprake van dat ik zou worden ingeschakeld bij de Britse gooi naar de organisatie van de Olympische Spelen van 2012, en daarom was ik uitgenodigd voor de openingsceremonie van de Gemenebest Spelen. Kathryn, Leo en Jackie gingen ook mee. Kathryn was toen veertien, en voor haar was het hoogtepunt van de dag onze ontmoeting met de Beckhams. Ik heb geboeid zitten kijken naar Leo en Davids zoontje Brooklyn. Zelfs tijdens die allereerste, uiterst gezellige ontmoeting was het al zonneklaar: daar was die driejarige peuter met zijn onwaarschijnlijke coördinatievermogen, een sportman in de dop, en overduidelijk een aardje naar zijn vaartje. Terwijl die van mij bijzonder veel leek op zijn moeder, nog in het onwennige waggelstadium, maar toen al kletste hij je de oren van het hoofd.

Politiebescherming is niet een optioneel extraatje. Zelfs toen we bij oude vrienden in Manchester logeerden, moest er een speciale hotline worden aangelegd omdat er geen ruimte was om de lijfwachten in het huis zelf onder te brengen. In plaats daarvan beschikte ik over een enorme rode paniekknop terwijl twee agenten in uniform de hele nacht de wacht hielden.

Tony arriveerde voor de slotceremonie van de spelen, en die avond gingen de hemelsluizen open. De hoogwaardigheidsbekleders zaten op de voorste rij, dat wil zeggen de koningin, prins Philip, Tony en ik. We waren voorzien van plastic regenjassen en ik deed die van mij aan, voornamelijk omdat ik zwanger was en me zo beroerd voelde. De koningin bleef echter stoïcijns in de regen zitten, evenals mijn echtgenoot. De rest van de spelen was perfect georganiseerd, maar iedereen was het erover eens dat ze Hare Majesteit daar weg hadden moeten loodsen voordat de stortbui losbrak.

Aangezien die vreselijke mond- en klauwzeerepidemie de toeristenindustrie zo veel schade had toegebracht, hadden we besloten een paar dagen door te brengen in het Lake District, hoewel een vakantie in het Verenigd Koninkrijk altijd minder ontspannend is, vooral voor Tony, omdat de media hem nooit met rust wilden laten. Maar we zijn met Leo naar het Beatrix Pottermuseum geweest en de laatste dag hadden we prachtig weer, wat me herinnerde aan de tijd, nu jaren geleden, dat ik nog in Crosby woonde en altijd langs de M6 stond te liften. Uiteindelijk hebben we daar een leuke vakantie gehad.

Op 5 augustus waren we terug op Chequers. Aangezien ik toch een vergadering had bij Matrix op de ochtend voor ons vertrek naar Frankrijk, wilde ik meteen van de gelegenheid gebruikmaken om een nieuwe echo te laten maken. Het was dezelfde radioloog als de vorige keer en ze was opnieuw helemaal opgewonden en bleef maar zeggen hoe zeldzaam het was voor iemand van mijn leeftijd om zwanger te zijn van een natuurlijk verwekte baby. Ze gleed met de sensor over mijn ingevette buik, maar plotseling stopte ze.

'Het hartje klopt niet,' zei ze, nog steeds naar het scherm starend. Een paar tellen lang begreep ik het niet.

'Wat zei u?'

'Het hartje klopt niet, mevrouw Blair. Ik ben bang dat de baby dood is.'

'O,' zei ik, 'Daarom voel ik me beter.' Want dat was zo. Sinds de storm op de avond van de Gemenebest Spelen was het voortdurende gevoel van misselijkheid verdwenen. Ik zei haar dat ik naar de wc moest en ze verwees me naar een toilet vlak naast de spreekkamer. Ik was nog maar nauwelijks gaan zitten of het bloeden begon. Later heb ik gedacht dat het net leek alsof mijn lichaam, nu ik het eenmaal wist, de baby los kon laten.

Tegen de tijd dat ik eindelijk uit het toilet kwam, was dokter Rankin gearriveerd. Ze moesten mijn baarmoeder schoonschrapen – dilatatie curettage – zei ze. Ze zou Zoë Penn bellen. 'We zullen proberen u zo snel mogelijk in en uit het ziekenhuis te krijgen.' Niemand behoefde het te weten. Voorlopig zou ik gewoon terug moeten gaan naar Downing Street en rusten.

Ik stond als verdoofd bij de deur van de wachtkamer, en de lijfwacht kwam naar me toe.

'Komaan, mevrouw B, geen getreuzel. U gaat met vakantie. U moet uw vlucht niet missen natuurlijk.'

'Ik geloof niet dat ik met vakantie ga,' zei ik. Ik voelde me opgelaten. Hij had niet eens geweten dat ik zwanger was en ik wist niet goed wat ik moest doen of zeggen. 'Ik moet met de premier praten.'

'Is alles in orde, mevrouw B?'

'Zorg gewoon dat ik de premier te spreken krijg en breng me terug naar Nummer 10.'

Het appartement was leeg en stil. Leo's speelgoed was in manden gestouwd, want we zouden de eerste weken niet terugkomen. Normaal was er altijd zo veel lawaai, muziek vanuit de slaapkamer van de kinderen, pianooefeningen, de fluitketel, de wasmachine, een televisie ergens op de achtergrond. De gewone geluiden van een gezinsleven. Ik liep de trap op naar boven en voelde me plotseling oud, stokoud. Ik kroop onder de lakens en bleef zo liggen, mijn oren vol rare geluiden. Pas toen ik Tony aan de lijn kreeg, liet ik me gaan.

Hij zei dat hij meteen naar Londen zou komen zodra hij de zaak had uitgelegd aan mijn moeder en de kinderen. Twintig minuten later belde hij terug. Alles was oké met de kinderen en hij hoopte dat ik het zou begrijpen, maar hij moest het aan Alastair vertellen. O ja, Alastair. Ik bleef gewoon liggen wachten. Opnieuw de telefoon, deze keer waren ze allebei aan de lijn.

Er waren implicaties als we niet met vakantie zouden gaan, zeiden ze. Het was bekend dat we naar Frankrijk zouden vertrekken. Het had allemaal te maken met Irak. Er waren geruchten geweest dat wij wellicht troepen zouden sturen. Als we niet met vakantie gingen, bestond de mogelijkheid dat dit een verkeerd signaal zou geven. Ze hadden besloten dat het beter zou zijn de pers te vertellen dat ik een miskraam had gehad.

Ik kon mijn oren niet geloven. Daar lag ik te bloeden, en zij hadden het erover wat ze precies tegen de pers moesten zeggen. Ik legde de hoorn op de haak en staarde naar het plafond terwijl de pijn zich meester van me maakte.

Eindelijk belde Susan Rankin. Ik moest zo snel mogelijk naar het Chelsea and Westminster Hospital, waar ik Leo had gekregen. Zoë Penn zou me daar opvangen.

Toen ik weer bijkwam uit de verdoving, werd ik net uit de operatiezaal gereden. De eerste die ik daar zag, was Gary, een van de lijfwachten. Hij zag er zo overstuur uit dat ik in tranen uitbarstte, en al snikkend steeds maar herhaalde: 'Ik wil mijn man, ik wil nu echt mijn man.' Tony was er ook, maar vanwege veiligheidsaangelegenheden was het Gary die ik als eerste zag.

Voor Tony zelf leek het overheersende gevoel opluchting te zijn. 'Je weet dat je voelde dat er iets niet helemaal klopte, Cherie,' zei hij. 'Dit is waarschijnlijk gewoon maar het beste.' Ik besef nu wel dat hij gewoon zijn best deed me op te beuren, het kwam gewoon wat onhandig over. Natuurlijk had hij gelijk, maar ik was verbaasd over de mate waarin het mij aangreep. Ik was immers niet kinderloos. Ik had vier prachtige, gezonde kinderen. En toch werd ik overweldigd door een enorm gevoel van verlies. Meer dan voor wie dan ook was de baby voor mij een realiteit geweest. Ik had hem gezien. Ik heb nog altijd de echografie.

Ik besloot verder te gaan met het boek. Het leek passend. Tijdens ons verblijf in het Lake District had ik gesproken met Cate Haste die het, in tegenstelling tot Fiona, wel een goed idee vond. Het zou gebaseerd worden op vraaggesprekken met de nog levende vrouwen van voormalige premiers. Ik had hen allemaal ontmoet en intuïtief gevoeld dat ze uitgesproken, persoonlijke standpunten hadden en interessante verhalen konden vertellen. Fiona was nog steeds gekant tegen het idee. Ze meende dat ik beschuldigd zou worden van het misbruiken van mijn positie. Ik wees haar erop dat er een precedent bestond. Norma Major had een boek over Chequers geschreven. Na dat fantastische diner ter gelegenheid van het Gouden Jubileum van de koningin had ik echt zin anderen deelgenoot te maken van de levensgeschiedenis van deze fascinerende mensen. Ik vond hen inspirerend. Wellicht zag Fiona het anders. Misschien vond ze dat ik had moeten voorstellen het samen met haar te doen.

Maar ik geloof dat haar mistroostigheid niet zozeer met mij als wel met Alastair te maken had. Ze kreeg het hoe langer hoe moeilijker met het feit dat Alastair zo veel tijd doorbracht met Tony, en dat beïnvloedde dan weer haar relatie met mij, die in snel tempo aan het verslechteren was. Fiona behoorde uitdrukkelijk tot het kamp van tegenstanders van de Britse betrokkenheid bij Irak. Het werd een onophoudelijke tirade. 'Waarom zeg je niet gewoon tegen Tony dat hij ermee moet kappen! Naar jou zal hij luisteren!' En ze kapittelde niet alleen mij, maar ook Alastair. Als het voor mij al zo zwaar was, moet het voor hem helemaal verschrikkelijk zijn geweest. Geen seconde rust, op het werk niet, thuis niet. Mijn antwoord aan haar was altijd hetzelfde. 'Luister eens, Fiona. Ik heb geen inzicht in de rapporten, ik zie niet wat hij en Alastair zien, en wanneer Tony mij zegt, zoals hij herhaaldelijk heeft gedaan, dat als wij Saddam Hoessein niet een halt toeroepen, de wereld een stuk gevaarlijker zal worden, dan geloof ik hem. En volgens mij moeten jij en ik onze mannen bij deze moeilijke beslissingen steunen en het niet nog erger maken door hen aan hun hoofd te zeuren.'

De discussies over Tony's mogelijke beslissing zich niet beschikbaar te stellen voor een derde ambtstermijn, had me wel met de neus op onze kwetsbare positie gedrukt. Hoe comfortabel we ons ook hadden genesteld in het appartement op Nummer 11, hoezeer we de woning ook 'de onze' hadden gemaakt, de naakte waarheid was dat het niet meer was dan een luxueuze versie van een *tied cottage* (een niet-vrije arbeiderswoning waarbij de huurder in dienst is van de eigenaar en na beëindiging van het dienstverband moet vertrekken). We konden nergens aanspraak op maken. Als Tony premier af was, stonden we op straat. Natuurlijk was Myrobella er nog, maar ik zou met geen mogelijkheid mijn carrière kunnen voortzetten vanuit het graafschap Durham, en met drie kinderen op school in hartje Londen moesten we wel in de buurt blijven. Andere premiers hadden nooit te kampen gehad met dergelijke problemen. Dankzij Denis waren de Thatchers al rijk lang voordat ze hun intrek namen in Downing Street, en de Majors hadden hun woning in Huntingdon aangehouden.

In dat laatste jaar was het onderwerp van gesprek bij elk diner de huizenprijzen. Tussen 1997 en 2002 waren die prijzen, met name in Londen, dramatisch gestegen, en ons oude huis in Richmond Crescent was nu meer dan een miljoen pond waard. Onze vrienden plaagden ons regelmatig met het feit dat wij geen huis bezaten. Maar het was helemaal niet grappig. Om het allemaal nog wat erger te maken, had ook de aandelenmarkt een duikvlucht genomen na 9 september 2001. Het gevolg daarvan was dat het kapitaal in de blind trust was afgenomen. De harde waarheid was dat wij er een stuk slechter voorstonden dan vijf jaar geleden toen Tony premier werd. Op het moment dat ik hierover zat te piekeren, was ik natuurlijk zwanger van mijn vijfde kind, waardoor dergelijke gedachten alleen maar prangender werden. Hoe zouden we ons ooit weer een goed plaatsje op de huizenmarkt kunnen veroveren?

In augustus gingen we voor de zomervakantie terug naar ons favoriete plekje in Frankrijk, en deze keer hadden we iets gehuurd. Het was niet eenvoudig geweest een huis op de vrije markt te huren dat beschikte over de veiligheidskenmerken waarop de jongens van de beveiliging stonden. Uiteindelijk hadden we iets gevonden maar ideaal was het niet, en aangezien ik me in die periode nogal down voelde, kan ik niet zeggen dat het de beste vakantie van ons leven is geweest. Maar er woonden wel vrienden in de omgeving, en omdat nu algemeen bekend was dat ik een miskraam had gehad, waren de mensen heel meelevend.

Jackie was naar haar familie om van een welverdiende vakantie te genieten, en dus was onze huishoudhulp en babysitter Maureen meegekomen. Die verrassend bluesy Schotse stem uit de mond van dat frêle persoontje heeft heel wat avonden van zang en gitaarspel van de lokale gitaarvirtuozen, waaronder uiteraard Tony, opgeluisterd.

Onder de vertrouwde gezichten bevond zich ook dat van Caroline, een Engelse jonge vrouw die getrouwd was met een Fransman die in de *foie gras* business zat. Euan was net klaar met zijn middelbare school en had besloten naar de Universiteit van Bristol te gaan. Toen we het daarover hadden, vroeg Caroline of ik al eens had nagedacht over het kopen van een woning voor Euan in plaats van huren? Het korte antwoord daarop was, nee, daar had ik niet over nagedacht. Nu, dat zou je eigenlijk moeten doen, zei ze. Waarom je geld te vergooien aan huur als je kunt kopen? Je investering zou immers meer waard worden. Ze had een vriendin in Bristol, Sheila Murison, die doceerde aan de universiteit en die daarnaast ook woningen kocht en verhuurde aan studenten. Ik besloot dat het zeker de moeite van het overwegen waard was en vroeg haar om haar vriendin te vragen voor ons uit te kijken. 's Avonds sprak ik erover met Tony. Ik werd niet geacht het überhaupt over investeringen te hebben, maar ik dacht dat een algemene vraag geen kwaad kon. Vond hij dat het in principe een goed idee was? Nee, dat vond hij helemaal niet. Hij vond het belachelijk.

Nu ja, het was niet zijn beslissing. De hoofdreden voor de blind trust was dat ik de enige begunstigde was, en hoe meer ik erover nadacht, hoe doenlijker het mij leek. Het zou niet op onze naam staan. De regerings-voorwaarde dat elk onroerend goed in ons bezit beveiligd moest kunnen worden, zou niet van toepassing zijn.

Het werd er voor mij niet vrolijker op toen het moment was aangebro-ken dat Euan naar Bristol vertrok. In twee maanden tijd had ik mijn laatste baby verloren en nu ook nog mijn eerste. Het mag stom en sentimenteel klinken, maar zo voelde het voor mij. Het was precies dertig jaar geleden dat ik mijn arme oude moeder de deur uitwerkte van Passfield Hall, mijn studentenhuis, terwijl de tranen over haar wangen stroomden. En ik her-innerde me hoe opgelaten ik me voelde en hoe ik haar gewoon weg wilde hebben, zodat ik aan mijn nieuwe leven kon beginnen. En hier stond ik dan in een ander studentenhuis. Ik huilde niet toen ik afscheid nam van Euan hoewel hij overduidelijk wist dat de tranen niet veraf waren. Hij zei, 'Mam, ik denk dat je nu maar moet gaan.' Tony had niet kunnen komen. Euan en ik hadden samen geluncht in een eetcafé, en het was prima zo.

Ik kon met mijn gevoelens ook niet echt bij Tony terecht. Irak werd een hoe langer hoe groter probleem en de spanning zowel in ons appartement als op Nummer 10 was te snijden. Leo was een schat, maar hij maakte ons leven er niet gemakkelijker op. Wanneer de telefoon 's nachts rinkelde, werd Leo wakker en begon te huilen. Dan stond ik op en ging naar zijn kamer om hem te troosten, en vaak viel ik dan naast hem in slaap in een ongemakke-lijke houding in dat houten bedje van hem in de vorm van een racewagen, om een paar uur later zo stijf als een plank wakker te worden.

Kort na onze terugkomst uit Frankrijk nam Carolines vriendin Sheila contact met me op. We wisselden e-mails uit over het soort huisvesting waarnaar ik op zoek was, in dit geval iets met twee slaapkamers en een prijs tussen de 225.000 en de 275.000 pond. Begin oktober mailde ze me om te zeggen dat ze een nieuwbouwproject had gevonden, *The Panoramic* genaamd, dat misschien wel iets voor mij was, en ze stuurde me de catalo-gus. Hoewel de prijs die daarin werd vermeld – 295.000 pond – hoger was dan mijn maximum, zei ze te overwegen zelf ook een woning te kopen, en de aannemer had zijn vraagprijs al laten zakken. Aangezien er nog maar vijf van de oorspronkelijk vijfenvijftig woningen over waren, was ze ervan overtuigd dat ze er eentje voor me zou kunnen bemachtigen. En dat deed ze ook. Op 6 oktober liet ze me weten dat het haar gelukt was de prijs terug te brengen tot 269.000 pond, 26.000 pond goedkoper dan de oorspronkelijke vraagprijs. Ze voegde eraan toe dat, aangezien er ook een garage bij zat, de prijs waarschijnlijk zo kon worden uitgesplitst dat daar apart voor betaald kon worden, zodat het appartement zelf zou uitkomen op minder dan 250.000 pond, de limiet waarboven je zegelrechten moet betalen. Natuurlijk zou een dergelijke constructie als een geval van belastingontduiking worden gezien, en daar kon ik niet aan meedoen. Later werd beweerd dat ik een speciale korting zou hebben gekregen; dat klopt gewoon niet.

Vervolgens kwam ik erachter dat de prijs op de website slechts 275.000 pond was, en ik mailde Sheila om haar te zeggen dat onze korting neerkwam op maar zesduizend pond, en dat we er hoogstwaarschijnlijk wel meer uit zouden kunnen slepen. Ik liet het verder aan haar over, aangezien ik Tony zou vergezellen op een bezoek aan Moskou. Hij zou president Vladimir Poetin ontmoeten om over Irak te praten naar aanleiding van de publicatie twee weken daarvoor van een dossier gebaseerd op de inschatting van verschillende inlichtingendiensten over Saddam Hoesseins arsenaal aan massavernietigingswapens.

Ondertussen moesten de veiligheidsmensen controleren hoe het zat met de beveiligingsmogelijkheden van het appartement, en de Bristolse *Special Branch* kweet zich keurig van die taak. Zij voorzagen geen problemen. Ze merkten echter wel op dat het – indien mogelijk – beter onder een andere naam aangekocht zou kunnen worden, bijvoorbeeld onder een bedrijfsnaam. Ik liet hun weten dat het zou worden aangekocht onder de naam van het trustfonds. Ik had het in principe al besproken met de beheerders en zij waren bereid om honderdduizend pond vrij te maken. De rest zou ik financieren met een hypotheek. Het was niet mijn bedoeling geweest om zo snel iets te kopen, maar het geld zat daar toch maar. Aangezien ik hier niet met Tony over kon spreken, vroeg ik Fiona wat zij ervan vond.

'Het is een risico wanneer je er zelf een kijkje gaat nemen,' zei ze. 'Je kunt er zeker van zijn dat iemand je zal opmerken.'

'Ik kan altijd aan Carole vragen namens mij te gaan.'

Ze haalde haar schouders op en zei: 'Dat moet je zelf weten.' Onze verhouding werd hoe langer hoe gespannener.

Het kon allemaal prima geregeld worden. Carole vertelde me dat ze het weekend daarop met een vriend naar Bath zou gaan, en Bristol ligt dan zo ongeveer om de hoek. Ik nam contact op met de projectontwikkelaar en maakte een afspraak voor haar om samen met Euan te gaan kijken. Hij was tenslotte degene die er zou gaan wonen. Uiteindelijk bleek dat ik sowieso niet had kunnen gaan, omdat ik in Bermuda moest zijn voor een commerciële zaak en op de negentiende moest vertrekken. Toen ik Carole belde om het tijdstip te bevestigen, zei ze dat ze misschien haar vriend zou meenemen – haar nieuwe vlam, bekende ze, de Australiër Peter Foster. Prima, zei ik. Ik had al vermoed dat er iemand was – ik had de tekenen herkend – hoewel ze ongebruikelijk terughoudend was geweest.

Ze belde me op in Bermuda. Ze had een aantal appartementen bekeken, zei ze, en had de indruk dat ze oké waren. Uiteindelijk was Euan toch niet meegegaan. 'Maar,' zei ze, 'ik heb mijn vriend meegenomen – hij is zakenman en hij heeft ervaring met dit soort dingen. Dat leek me wel nuttig. Volgens hem is het een goede koop. Hij overweegt zelfs om ook een appartement te kopen. Hier, ik geef hem even aan je.'

De nieuwe vlam kwam aan de telefoon, bevestigde wat Carole gezegd had en voegde eraan toe dat hij dacht dat ik het wel voor een lagere prijs zou kunnen krijgen. Dat wist ik natuurlijk al, maar dat vertelde ik hem niet. Hij vertelde me ook, net zoals Sheila had gedaan, hoe ik met wat creatief geschuif met die garage de betaling van zegelrechten zou kunnen voorkomen. Ook deze keer maakte ik heel duidelijk dat ik daar niet in geïnteresseerd was. Ik begon hem zo langzamerhand wat opdringerig te vinden, maar bedankte hem niettemin voor zijn hulp, en dat was dat. Althans, dat dacht ik.

28

Mea culpa

En week later kreeg ik op 28 oktober, de dag nadat ik terug was gekomen uit Bermuda, een e-mail van Peter Foster, de nieuwe man in Caroles leven, met in de bijlage kopieën van plattegronden van *The Panoramic*. Hij leek uit mijn naam te hebben gesproken met de projectontwikkelaar, wat belachelijk was, want dat deed Sheila Murison al. Ik ging ervan uit dat hij, toen hij toch met hen in gesprek was over zijn eigen mogelijke aankoop, een betere onderhandelingspositie dacht te hebben door mijn interesse daar ook bij te betrekken. In een andere e-mail verstrekte hij mij gegevens over zijn hypotheekmakelaar die ik doorgaf aan mijn eigen accountant bij wie ik al sinds 1982 ben. Ook daar zag ik geen kwaad in.

De hele toestand met de blind trust was verschrikkelijk moeilijk. Ik kon geen overleg plegen met Tony, maar ik kon ook niet zomaar een kwart miljoen pond spenderen op grond van de beweringen van een vreemde, hoezeer Carole die ook onophoudelijk bewierookte. Daarom maakte ik een afspraak voor de zaterdag daarop om de appartementen persoonlijk te komen bezichtigen. Vervolgens belde ik een aantal andere vastgoedmakelaars, zodat ik diezelfde ochtend ook nog andere woonruimte kon bekijken.

Zo gezegd zo gedaan. Twee van de beschikbare appartementen lagen naast elkaar, en ik dacht opeens dat als ik ze allebei zou kopen, ik misschien extra korting kon bedingen, en dan zou Euan in een ervan kunnen wonen en zou ik het andere kunnen verhuren. De hypotheekrente was laag op dat moment en ik moest op de een of andere manier kapitaal opbouwen. Ik besprak de mogelijkheid ter plekke met de persoon die me rondleidde en deed een globaal bod van 430.000 pond voor beide flats. En dat was uiteindelijk ook het bedrag dat ik ervoor heb betaald.

De dag daarop kreeg ik opnieuw een mail van Peter Foster. Carole brief-de duidelijk alles door wat er gebeurde, maar aangezien ze me net had verteld dat ze zwanger was, vond ik dit niet het aangewezen moment om blijk te geven van mijn irritatie. Ik wist hoezeer ze naar een baby verlangde en ik leefde enorm met haar mee. Dit was waarschijnlijk haar laatste kans. Haar vriendje hengelde overduidelijk naar een baantje, maar eerlijk gezegd had ik hem niet nodig. In een van zijn mails schreef hij dat hij wel wat verhuur-bureaus kende. Om Carole een plezier te doen en hem zoet te houden, liet ik hem weten dat hij me hun gegevens mocht doorsturen. Ik begreep niet waarom hij er met alle geweld bij betrokken wilde worden en begon me er uiterst ongemakkelijk onder te voelen.

De Manchester Trust ging akkoord met mijn verzoek om honderddui-zend pond te mogen investeren in de aankoop, en de rest van het bedrag kreeg ik via een normale hypotheek die ik afsloot bij mijn bank. De contrac-ten werden op 22 november uitgewisseld en een week later ondertekend.

Op zondag 24 november ontvingen de speciale beveiligingsfunctiona-rissen van Downing Street een rapport van hun collega's in Cheshire. Ze waren getipt: een veroordeelde oplichter genaamd Peter Foster beweerde dat hij via Carole Caplin contacten had met de Blairs. Hij was van plan Carole te betrekken bij een zwendel met dieetthee waarvoor hij al eerder in de gevangenis had gezeten. Er werd ook gesproken over zijn betrokkenheid bij een vastgoedtransactie en hij had gepocht dat hij Euan, de zoon van de Blairs, had ontmoet. Toen belde Alastair. Hij had zojuist een telefoon-tje ontvangen van een vroegere perscollega van hem, Ian Monk, destijds werkzaam als pr-man. Hij was adviseur van Carole en Peter Foster, zei hij. Foster had net de zaak tegen zijn uitzetting verloren en aangezien Carole nu een kind van hem verwachtte, had hij 'advies' nodig. Hij beweerde ook te worden gechanteerd – door de man die de politie getipt had. Ze hadden via publicist Max Clifford contact opgenomen met *News of the World* en waren van plan mij erin te laten lopen, dat wil zeggen dat ze een ontmoeting tus-sen mij en Carole en Peter Foster wilden opnemen.

Ik voelde me onpasselijk, Tony was razend, Alastair gewoon grimmig. Vroeg of laat, en waarschijnlijk vroeg, zei hij, zou het bekend raken. Voor hem was dat het ultieme 'heb-ik-het-je-niet-gezegd'. Carole zou moeten opstappen. Die zondag zagen we haar op Chequers en confronteerden haar met deze informatie. Ze gaf toe op de hoogte te zijn van Fosters verleden, maar zei dat hij volledig onschuldig was: hij was erin geluisd door de vei-ligheidsdienst.

'Alsjeblieft, Carole,' zei Tony, duidelijk geërgerd, 'Dit is belachelijk, die kerel is een fantast. Je moet toch begrijpen dat we op geen enkele manier connecties kunnen hebben met een crimineel.'

Daarop legde ze Tony een waanzinnige brief voor van een jurist op Fiji, die Fosters schimmige verleden 'in context plaatste'. Dit was verre van geruststellend, zoals iedereen je kan vertellen die ooit te maken heeft gehad met schurken en criminelen zoals Tony ik toen we strafpleiters waren. Het was een klassieke truc. Foster was, om het mild uit te drukken, een onbetrouwbaar type, en dat zeiden we haar ook.

'Jullie hebben het wel over de vader van mijn ongeboren kind,' zei ze, en barstte in tranen uit. Het was afschuwelijk. Het was alsof ze zich plotseling realiseerde dat als hij vertrok, ze met de gebakken peren en een baby zou blijven zitten. Eerlijk gezegd konden wij geen van beiden de emotionele energie opbrengen om haar te troosten. Tony had zijn handen vol aan Irak. De politieke situatie was bijzonder heikel. De tegenstanders van de oorlog roerden zich hoe langer hoe meer; dit was het laatste dat hij kon gebruiken, en ik wist het. Ik werd geacht zijn steun en toeverlaat te zijn, niet zijn ondergang. Zelf werkte ik, naast mijn officiële verplichtingen als vrouw van de premier, twee weken bij de arrondissementsrechtbank Isleworth Crown Court, van 25 november tot 5 december. Later diezelfde dag had ik in verband met het boek afspraken met een aantal echtgenotes van voormalige eerste ministers: lady Wilson, de gravin van Avon (lady Eden), en Margaret Jay, de dochter van Jim Callaghan.

We zeiden tegen Carole dat het natuurlijk haar leven was, maar dat wij die man nooit in onze nabijheid zouden dulden. Dat was alles wat we konden doen. Ze stemde ermee in weg te blijven van Downing Street. Ik zou haar zelfs een hele tijd niet meer zien. Dat zou voor ons allebei heel vreemd zijn: voor zolang als ik me kon herinneren, hadden we als ik in Londen was, praktisch elke dag samen getraind.

Op zaterdag 28 november kopte de *Daily Mail*: 'Cherie's stijlgoeroe gevallen voor zwendelaar'. En die middag ontving de voorlichtingsdienst van Downing Street van de *Mail on Sunday* een lijstje met tweeëntwintig vragen, allemaal in verband met Foster. Het was een nachtmerrie en Tony was ziedend.

'Ik heb je toch verdomme gezegd dat je die klereflats niet moest kopen.'

'Hij had niets te maken met die klereflats. Ik heb die kerel nooit ontmoet. Hij is hier nooit geweest, hij is nooit in Downing Street geweest. Wat kan ik er verder over zeggen? Ik vind het onvoorstelbaar dat jij kennelijk meer geloof hecht aan de woorden van een veroordeelde oplichter dan aan die van je eigen vrouw! Die vent komt met liegen aan de kost!'

'Jij ontkent categorisch dat je ooit contact met hem hebt gehad?'

'Afgezien van een paar e-mails. Ik kan ze je laten lezen als je wilt.' Technologie en Tony gaan niet samen. Hij wimpelde dat aanbod af en vloog door het vragenlijstje heen, vulde ja's en nee's in – vooral nee's – en faxte het terug. Ik vrees alleen dat hij Alastair in niet mis te verstane bewoordingen heeft laten weten dat ik absoluut geen enkel contact met Foster had gehad. Zelf heb ik daarentegen helemaal niet met Alastair gesproken.

In de dagen daarop regende het ontkenningen vanuit Downing Street. Toen publiceerde de *Daily Mail* op donderdag 5 december de e-mails die waren uitgewisseld tussen Peter Foster en mij. Alastairs blik van superieure tevredenheid veranderde totaal. Nooit eerder had ik hem zo woedend gezien. Vanuit zijn standpunt bekeken had hij gelogen om mijn gezicht te redden en hij was vastbesloten dat als iemand hiervoor zou worden afgeschoten, het niet Alastair Campbell zou zijn.

Die ochtend kwam Hilary Coffman naar mijn slaapkamer terwijl André bezig was mijn haar te doen. Ze wist dat er maar weinig tijd was: ik moest om half tien in de rechtbank van Isleworth zijn. Binnen een paar seconden nam ze me een derdegraadsverhoor af, duidelijk op instructie. Ik kende haar al heel lang als iemand die trouw de partij dient en het was duidelijk dat ze het hier moeilijk mee had, niet het minst omdat ze een vriendin van me was die nu moest zeggen dat ze niet accepteerde wat ik haar vertelde.

'Maar Hilary, begrijp je dan niet dat er helemaal geen schandaal is? Jullie zorgen er met z'n allen voor dat het een schandaal aan het worden is. Luister, ik heb mijn eigen geld gebruikt om twee flats te kopen. Ik heb er de gangbare prijs voor betaald. Niemand heeft er de volle 295.000 pond voor op tafel gelegd. Oké, ik heb een korting gekregen op de oorspronkelijke vraagprijs, maar dat is de normale gang van zaken – het is een marketingtruc om je het gevoel te geven dat je een koopje doet. Nee, ik kende hem niet. Nee, ik heb hem nooit ontmoet – ik heb een keer hallo tegen hem gezegd toen ik naar de fitnesszaal liep. Nee, hij heeft Euan nooit ontmoet. Nee, hij is nooit op Chequers geweest. Nee, ik heb hem niet gevraagd me te helpen ervoor te zorgen dat ik geen zegelrecht zou hoeven te betalen. Nee, hij was niet mijn financieel adviseur. Nee, ik heb hem geen advocaat bezorgd. Nee, ik heb geen contact opgenomen met de immigratiedienst of met welke overheidsfunctionaris of rechtsvertegenwoordiger dan ook om iets voor hem te regelen. Nee, nee, nee, nee, NEE, NEE.'

Op een gegeven moment kon André het niet langer aanzien.

'Hoe kun je haar dit aandoen? Kijk nu eens wat je haar aandoet! Ik ga het tegen iemand zeggen. Dit kun je haar niet aandoen,' en hij stormde de kamer uit.

Ik herkende mijn eigen gezicht in de spiegel nauwelijks. Mijn kin trilde. Mijn spiegelbeeld was wazig terwijl ik knipperend mijn tranen in bedwang probeerde te houden. Op mijn toilettafel stonden foto's van alle kinderen. Als de dingen anders waren gelopen, zou er over twee maanden nog eentje bij zijn gekomen... Ik werd gedwongen een verklaring af te geven waarin ik zei dat Peter Foster erbij betrokken was. Schadebeperking noemen ze dat, geloof ik.

Toen ik terugkwam van de rechtbank, werd ik gebeld door Magi Cleaver. André was langs geweest, zei ze, duidelijk bezorgd. Was er iets wat ze kon doen? Ik zei dat ik dacht van niet, afgezien dan van me niet te laten vallen. Ze zei dat de plannen waren veranderd: men vond het beter als er iemand met me mee zou gaan op reis naar Warschau, en zij had aangeboden me te vergezellen. Ik voelde een enorme opluchting. Ik was beschermvrouw van de Lord Slynn Foundation, een stichting die juristen in Oost-Europa onderricht over de EU, en ik zou spreken tijdens een congres van de stichting dat in Warschau gehouden werd. Vervolgens zou ik in mijn hoedanigheid als presidente van Barnardo's, een organisatie die zich inzet voor kwetsbare, verwaarloosde en gediscrimineerde kinderen, een bezoek brengen aan een centrum voor mishandelde kinderen. Het zou allemaal wel goed komen, zei ze. 'Kop op! Je hebt wel ergere dingen meegemaakt.' Maar zelf was ik daar niet zo zeker van.

Fiona pakte het enigszins anders aan. 'Iedereen bij de voorlichtingsdienst heeft de pest aan je,' liet ze me weten. 'Ze hebben voor je gelogen en geen van hen wil ooit nog voor je werken. Ze willen helemaal niets meer met je te maken hebben.'

Ik liep een van de mensen van de voorlichtingsdienst tegen het lijf in de gang onder ons appartement, bij de ingang van de dienst. 'Ik vind dit allemaal zo vreselijk, Cherie,' zei hij.

Ik kreeg ook steun uit andere hoek. Thuis zorgden Jackie en Maureen ervoor dat ik op de been bleef, en de mensen van mijn kantoor – Angela en Sue – stelden zich verbazingwekkend loyaal op, niettegenstaande het feit dat ze waren gewaarschuwd, zo vertelden ze me, om zich niet in mijn buurt te vertonen.

De dag daarop belde ik mijn accountant, Martin Kaye. Hij had zijn gerechtelijk team gevraagd mijn computers grondig uit te pluizen, zowel die in Downing Street als die bij Matrix, en kon een volledige lijst voorleggen van alle e-mailverkeer van en naar Downing Street Nummer 10. De twee dagen die daarop volgden was ik weer in functie als rechter. Wat een opluchting om me te kunnen hullen in toga en pruik. Nooit eerder was ik zo blij geweest met die mantel van anonimiteit en veiligheid. Gedurende deze hele periode heb ik ongelooflijk veel steun gekregen van mijn collega's. Dat was hartverwarmend.

We brachten een ijzig weekend door op Chequers. Tony hing het grootste deel van de tijd aan de telefoon in zijn werkkamer met de deur dicht. Irak. Alan was bezig met de bereiding van zijn traditionele kerstpuddingen en ik ging samen met de kinderen in de pan roeren en een wens doen, terwijl Jackie probeerde er bij iedereen de stemming in te houden. Ik vond het allemaal heel, heel erg moeilijk. Maar het zou nog erger worden. Die zondag deed *News of the World* ook nog een duit in het zakje. Later kwamen we erachter dat ze Peter Foster honderdduizend pond hadden geboden om zijn verhaal te doen. Voorlopig stelden ze zich slechts vragen bij kortingen die ik op mijn kleding had gekregen. Die avond wipte Bill Clinton even langs in Downing Street en omhelsde me stevig.

Op maandag de negende kwamen de advocaten van Peter Foster met een verklaring waarin stond dat ik contact met hen had opgenomen over de uitzettingszaak van hun cliënt, maar dat ik op geen enkele manier tussenbeide was gekomen, dat het uitsluitend was geweest om mevrouw Caplin gerust te stellen. Dit deed de zaak uiteraard meer kwaad dan goed, maar het klopte wel. Ik had hen inderdaad gebeld, maar alleen om na te gaan of alles wat gedaan had kunnen worden, ook gedaan was. Ik wist immers heel goed dat hij geen enkele kans had zijn beroep te winnen. Zijn strafblad – gevangenisstraffen op drie continenten, en ook in Groot-Brittannië – sprak voor zich, maar dat had ik niet tegen mijn vriendin willen zeggen. En ze was nog altijd mijn vriendin. Ik had net gehoord dat ze haar baby verloren had.

André arriveerde om acht uur om mijn haar te doen. Die avond moest ik naar een receptie van de Loomba Trust die zich tot doel heeft gesteld ervoor te zorgen dat de kinderen van weduwes in India onderwijs krijgen. 's Middags zou ik mijn jaarlijkse kinderkerstfeest hebben. Ieder jaar worden de kinderen van een bepaalde charitatieve instelling uitgenodigd op de thee, en dan komt de kerstman langs en is er een goochelaar of iets dergelijks, en het eindigt met het ontsteken van de lichten van de kerstboom buiten bij de voordeur. Ik probeerde mezelf te amuseren, maar ik voelde me een paria.

André was net bezig zich vreselijk op te winden over de situatie waarin ik verzeild was geraakt, toen Alastair de slaapkamer kwam binnenstormen. Tot op dat moment had hij geweigerd met me te praten en had ofwel Hilary gestuurd om zijn vuile werk voor hem op te knappen, of Tony gebruikt als tussenpersoon. Ik denk dat zelfs Tony niet wilde dat hij met mij sprak. Mijn echtgenoot had zich opgeworpen als schild tussen hem en mij omdat hij wist hoe woedend Alastair was.

'Het is zo ver,' zei Alastair, zijn armen over elkaar gevouwen en naar mij kijkend via de spiegel. 'Het is nu een politieke kwestie geworden. De tory's zijn vragen aan het stellen en je echtgenoot zal die moeten beantwoorden. Nog één keer, Cherie, heb je ooit op enigerlei moment iets te maken gehad met de immigratiezaak?'

'Ik heb het je al gezegd: nee. Je bent vastbesloten me te vernederen, hè? Ik weet dat je mensen tegen me hebt zitten opstoken.'

'Dat hoef ik helemaal niet te doen. Dat doe je zelf al.'

'Waag het niet zo tegen Cherie te spreken!' barstte André uit.

'Bemoei jij je met je eigen zaken,' beet Alastair terug. 'Je bent niet meer dan een *fucking* kappertje, vergeet dat niet.'

'Bied je excuses aan,' zei ik.

'Ik dacht van niet,' brieste Alastair. 'Voor de laatste keer, ik wil die vrouw uit je leven hebben.'

'Ze heeft zojuist haar baby verloren en haar vriend wordt bedreigd met uitzetting. Ik laat haar echt niet in de steek. Ik heb al gezegd dat ik niet meer met haar zal spreken, is dat niet voldoende?'

'Vergeet niet dat je dit allemaal aan jezelf te wijten hebt.'

Ik vond het vreselijk voor Carole en de tranen sprongen me in de ogen. Toen ik hoorde dat ze een miskraam had gehad, moest ik onmiddellijk terugdenken aan die vreselijke middag een paar maanden daarvoor, toen ik bloedend boven in mijn kamer had gelegen. Zelfs met mijn vier kinderen had ik me totaal leeg en verloren gevoeld. Hoe Carole zich moest voelen, kon ik me alleen maar bij benadering voorstellen. Aangezien het mij verboden was enig contact met haar te hebben, kon ik haar niet eens troosten. De hele situatie was belachelijk. Tony mocht wel met haar praten, maar ik niet.

Die ochtend sprak ik een uur lang met lady Wilson over haar leven op Nummer 10 in de jaren zestig. Terwijl ik naar haar zat te luisteren, realiseerde ik me dat er in veertig jaar tijd maar weinig was veranderd. Ze had zich vaak eenzaam en ongelukkig gevoeld. Ze was de eerste geweest van de

Downing Street echtgenotes die niet afkomstig was uit het 'establishment'. Haar zoon Giles was een tiener geweest toen zij hun intrek hadden genomen in het appartement naast Nummer 10, en zelfs na al die jaren herinnerde ze zich hoe verschrikkelijk ze het had gevonden dat hij onmogelijk simpelweg de deur uit had kunnen gaan en weer terugkomen zonder dat er een enorme toestand van werd gemaakt. Ze herinnerde zich hoe ze soms midden in de nacht wakker werd en een Garden Girl aan het voeteneinde van hun bed aantrof die iets gedicteerd kreeg. Ze vertelde me dat ze, om niet gillend gek te worden, af en toe de bus nam naar Noord-Londen, waar ze vroeger had gewoond, om uit te kunnen huilen bij vrienden. Het gebrek aan privacy, het verlies van je identiteit – ik hoorde telkens opnieuw dezelfde verhalen. Verschillende vrouwen, verschillende achtergronden, verschillende generaties, maar verbonden door een sterk moreel gevoel van dienstbaarheid aan de samenleving, vrouwen die zichzelf zagen als steun en toeverlaat van de premier.

Vlak voor de lunch belde André me vanuit zijn kapsalon. 'Hoe voel je je?'

'Niet zo denderend, André.'

'Je weet wel dat ik niet echt een fan van haar ben, maar ik denk dat je met Carole moet praten.'

'Ze mag hier niet meer komen.'

'Precies. Jullie kunnen elkaar in mijn flat zien!'

'Maar wanneer dan?'

'Vanmiddag. Ik heb het allemaal geregeld. Je ontsteekt de kerstlichtjes met de kinderen en ik wacht je op bij de achterdeur.'

'Bedoel je dat ik gewoon naar buiten moet wandelen?'

'Ik bedoel dat je gewoon naar buiten moet wandelen. Vertel niemand iets. Wees eens verschrikkelijk ondeugend. Muis er tussenuit!'

'Maar ik moet naar de receptie van de Loomba Trust...'

'Ik lever je op tijd weer thuis af. Beloofd.'

En zo geschiedde het. 's Middags was ik tussen drie en half vijf op Nummer 10 voor het Barnardo's kinderkerstfeest. Ik had het presidentschap een jaar eerder op me genomen, een grote eer en een taak die ik zou blijven vervullen voor de volledige maximale termijn van zes jaar. Toen de ceremonie met de kerstboom achter de rug was, liep ik weer naar binnen via de voordeur van Downing Street, sloeg links af en duwde op het knopje van de lift voor Nummer 11. Normaal vond ik het de moeite niet om de lift te nemen voor één verdieping, en dit was geen uitzondering. Ik ging niet naar boven maar naar beneden. Beneden naar het souterrain, via de voorlichtingsdienst en naar buiten naar het parkeerterrein aan de achterkant, waar André me opwachtte. Niemand hield me tegen, niemand leek me zelfs maar opgemerkt te hebben. Zijn flat bevond zich in Berwick Street, in Soho. Carole was er al, zei hij. Hij zou zo lang wachten in het café aan de overkant van de straat. Maar veel tijd hadden we niet. 'Maximaal een halfuur,' waarschuwde hij me. Het was toen een paar minuten over vijf.

Ze was er slecht aan toe. Erg van streek, erg berouwvol, erg betraand, vooral ook omdat ze net de baby had verloren. Ik zei haar dat ik haar niet in de steek zou laten. Dat ze wat mij betreft niets verkeerds had gedaan. Ik heb geen idee of dat geholpen heeft of niet, maar we hebben allebei eens goed kunnen uithuilen, en ik denk dat we ons daarna allebei beter voelden. Ze liet me het contract zien dat Ian Monk was overeengekomen met de *Mail on Sunday* voor het schrijven van een wekelijkse column. Ze wees op de passage die stipuleerde: 'Elke verwijzing naar mevrouw Cherie Blair zal uitsluitend met toestemming vooraf verschijnen.' Ze zou nooit iets over ons zeggen, zei ze. En toen moest ik weg. Uiteraard koesterde ik niet de illusie dat niemand achter mijn escapade zou komen. Ze hadden me op de beveiligingscamera's zien vertrekken. Maar ze hadden tenminste niet de tijd gehad ons te volgen. Ze hadden niet geweten waar ik naartoe ging. Het voelde als een overwinning. André omhelsde me en toen opende ik het autoportier en wandelde weer naar binnen langs dezelfde weg die ik zojuist had genomen. Ik knikte naar de dienstdoende agent in uniform. Hij knikte terug en pakte de telefoon. De gevangene was weergekeerd.

De dag daarop werd het nog erger. De tory's eisten een onderzoek. Ik kon er niet meer tegen. Ik trilde als een rietje. Alastair had nog een lijstje met vragen gekregen van de *Daily Mail* waarin werd gesuggereerd dat ik een rechter zou hebben geprobeerd om te kopen. De wet was mijn leven! Hoe kon iemand het in zijn hoofd halen dat ik zoiets zou doen? En toch vroeg Alastair mij of dit zou kunnen kloppen. Ik was zo woedend dat, toen ze zeiden dat ze wilden dat ik een verklaring zou afleggen, ik daarmee instemde. Zij hebben de verklaring voor me geschreven. Die avond zou ik als beschermvrouw van de Loomba Trust de jaarlijkse *Partners in Excellence*-prijzen uitreiken aan organisaties die zich inzetten voor betaalbare kinderopvang en aanverwante dienstverlening. De ceremonie zou plaatsvinden in het Atriumrestaurant, vlak bij het Lagerhuis, en Fiona stelde voor gebruik te maken van de gelegenheid en een verklaring af te leggen.

Het oude, vertrouwde team had zich verzameld in Alastairs kantoor:

Peter Mandelson, Charlie Falconer, die heel aardig voor me was maar al vroeg weg moest, Alastair en Fiona. Tony bemoeide zich er niet mee. Toen ik terugkwam van een van mijn liefdadigheidsbezigheden, voegde ik er zelf nog iets aan toe over Carole. Alastair was daar niet blij mee, maar dat kon me niet schelen. Het werd tenslotte geacht mijn verklaring te zijn. Toen ik in de auto stapte naast een grimmig kijkende Fiona, was ik dankbaar dat die leuke Dave onze chauffeur was. Eindelijk eens geen Magic FM op de radio. We waren de slagbomen van Whitehall nog niet gepasseerd of het begon: flitslichten tegen de autoramen, het geschreeuw van fotografen. Nooit te-voren, en ook nooit meer sindsdien, heb ik mezelf zo opgejaagd gevoeld. Ik was hun prooi. Zo simpel was het. Langs het Lagerhuis via de Embankment en eindelijk waren we er. De aardige nieuwe veiligheidsman deed de deur open, ergens kwam een arm vandaan die mij naar binnen leidde, verblindende lichten, schreeuwende stemmen, maar ik zag niets meer. Eenmaal binnen stond ik op mijn benen te trillen, terwijl ik probeerde te controleren of de microfoon aan stond. Het was getimed op negen minuten. Nog negen minuten en het zou allemaal achter de rug zijn. En deze goeie mensen dachten dat ze een toespraak zouden krijgen over kinderen en uitmuntendheid. Zij waren het aan wie ik mijn verontschuldigingen zou moeten aanbieden. Ze hadden zo hard gewerkt en nu kregen ze deze poppenkast op hun dak. Een knikje van Fiona en het was aan mij.

'Met het oog op alle controverse die momenteel rondom mijn persoon heerst, hoop ik dat u het mij niet kwalijk neemt als ik van deze gelegenheid gebruik maak om een paar woorden te zeggen... Het zal u niet zijn ont-gaan dat er nogal wat aantijgingen aan mijn adres zijn geuit en dat ik daar nooit op gereageerd heb, maar toen ik vandaag terugkwam in Downing Street en ontdekte dat een deel van de pers daadwerkelijk suggereert dat ik geprobeerd zou hebben een rechter te beïnvloeden, wist ik dat de tijd was aangebroken om te reageren. Het is niet eerlijk ten aanzien van Tony of van de regering dat het hele politieke debat op dit moment over mij gaat...'

Tony was op dat moment op zijn wekelijkse audiëntie bij de koningin, maar hij heeft het later op het nieuws gezien. Er was een moment ergens aan het einde, dat ik bijna in tranen ben uitgebarsten toen ik vertelde dat Euan uit huis was gegaan om te studeren. Onze vurigste wens voor hem was geweest dat hij veilig zou zijn in Bristol, weg van de pers. Hij had die hele toestand over zich heen gekregen toen hij naar school ging, daarna had hij alcoholproblemen gehad. Hij was naar Bristol gegaan om dat allemaal achter zich te laten. En nu was hij, zijdelings althans, toch weer bij de hele affaire betrokken. Ik had mijn zoon, die ik had willen beschermen, in het nieuws gebracht, en mijn vriendin, die haar zo vurig gewenste baby had verloren, werd achtervolgd door de pers. En daarbovenop moest ikzelf proberen al mijn officiële verplichtingen gewoon na te komen en thuis zo kalm mogelijk te blijven om de andere kinderen niet te veel van streek te maken. Ik had me goed kunnen houden, maar het noemen van Euans naam was de laatste druppel.

Ooit, een paar maanden voor de verkiezingen van 1997, had Philip Gould me gezegd dat Tony op een lange reis zou gaan en dat niet al zijn vroegere vrienden, en zelfs niet alle collega's van zijn kantoor, hem zouden kunnen vergezellen. De enige die dat zou kunnen, was ik, en ik moest ervoor zorgen dat ik aan zijn zijde zou staan om hem te steunen. Ik heb me die woorden zeer ter harte genomen en gezworen dat ik er altijd voor hem zou zijn.

Het ergste van de hele nachtmerrie rond de Bristolse flat was voor mij dat ik Tony had teleurgesteld. Op een moment in zijn leven dat hij mij het meeste nodig had, was ik een blok aan zijn been in plaats van een bron van steun. En toch heb ik, hoe slecht de zaken er ook voorstonden, nooit het gevoel gehad dat hij me in de steek liet. Een kwart eeuw lang waren we niet alleen geliefden geweest, maar ook elkaars beste vrienden. Ik heb altijd geweten dat er dingen zouden zijn waarover Tony niet zou kunnen praten maar ik wist ook dat hij nooit tegen me zou liegen, en om die reden stond ik honderd procent achter hem inzake Irak en de bedreiging die Saddam Hoessein vormde voor de wereldorde. Die zorg over wat hem te doen stond en de gevolgen daarvan voor individuele levens en voor zowel de Britse troepen als de Iraakse burgers, woog dag en nacht op hem, of hij nu sliep of wakker was. Om de Veiligheidsraad van de Verenigde Naties te bewegen maatregelen te nemen om Saddam te dwingen zich te houden aan de resoluties, was een titanenstrijd. Hij was onvermoeibaar in zijn inspanningen de Amerikanen ervan te overtuigen niet eenzijdig te handelen en tegelijkertijd de rest van de wereld aan te sporen actie te ondernemen toen duidelijk werd dat diplomatieke taal niet langer volstond.

Hoewel 2002 zonder enige twijfel een slecht jaar voor mij is geweest, vielen al mijn persoonlijke problemen in het niet vergeleken met wat hij te verduren kreeg. Er was niet één premiersvrouw geweest die niet had gesproken over hoe eenzaam het kon zijn op Nummer 10, en ik denk dat dit eens te meer geldt voor de premier zelf. Op hoeveel adviseurs je ook een beroep kunt doen, uiteindelijk ben jij degene die de beslissingen moet nemen. Ik was minder eenzaam vanwege de kinderen; het gezinsleven zorgde ervoor dat ik zelden alleen was, en door hen bleef ik voeling houden met het normale ritme van het leven. Datzelfde geldt trouwens ook voor Tony. In de loop der jaren was ik mij hoe langer hoe meer gaan realiseren hoe goed hij wel niet was in zijn werk, en hoe groot het respect voor hem was in de hele wereld. En toch was dat werk op zich dermate veeleisend en zwaar dat ik vastbesloten was dat wij – als gezin – er alles aan zouden doen wat in onze macht lag om het gemakkelijker voor hem te maken en ervoor te zorgen dat ons huis een veilige haven was waar hij gewoon zichzelf kon zijn.

Nog nooit was ik zo blij geweest dat ik het land kon verlaten. Magi Cleaver en ik vlogen de volgende dag naar Warschau voor het congres van de Lord Slynn Foundation. Niet dat ik daar aan alle heisa kon ontsnappen. Het verhaal over de appartementen had zelfs Polen bereikt, en zowel de echtgenote van de president als die van de premier spraken mij erover aan en toonden zich uiterst meelevend. We verbleven in de ambtswoning van de pas benoemde ambassadeur in Polen, Michael Pakenham, een van de zoons van lord Longford. Ik had dat jaar net de eerste van de jaarlijkse Longford-lezingen gegeven over de hervorming van het strafrecht. Ze stonden welwillend tegenover mij, maar afgezien daarvan zijn het ook gewoon fatsoenlijke mensen en ik denk dat ze onder de gegeven omstandigheden aardig zouden zijn geweest tegen iedereen. In feite waren ze buitengewoon aardig en ik was ze ongelooflijk dankbaar voor hun vriendelijkheid op het moment dat ik het zo hard nodig had. Ik herinner me dat Magi en ik samen met hen in de woonkamer zaten, vermoeid na een uitputtend programma – een juridische toespraak en een bezoek aan een liefdadigheidsinstelling – dat we de televisie aanzetten om naar *Sky News* te kijken. Daar verscheen Peter Foster in beeld met een nieuwe reeks schaamteloze aantijgingen. En hoewel Downing Street alles had ontkend, rapporteerde Adam Boulton, toch een gerespecteerd journalist, erover alsof Fosters beweringen klopten. Ik kon mijn oren niet geloven. 'Maar als hun verwijt aan mijn adres is dat ik me niet had mogen inlaten met een veroordeelde zwendelaar, waarom geloven zij hem dan op zijn woord?'

Trouw aan dat briljante grondbeginsel van de sensatiepers: geen rook zonder vuur, bleef 'Cheriegate' zoals het geestig was gedoopt, wekenlang aanslepen totdat ten langen leste de belangstelling ervoor wegebde. Het enig positieve aan de hele zaak waren de meelevende brieven die ik ontving, van de liefdadigheidsinstellingen waarbij ik betrokken was, van collega's uit de advocatuur en de rechterlijke macht, van politici van beide zijden van het Huis, van priesters en dominees, monniken en nonnen, van vrienden en van mensen die ik nooit had ontmoet en ook nooit zou ontmoeten. Ik kreeg zelfs een aardige brief van prins Charles. Hoewel ik ze destijds uiteraard allemaal beantwoord heb, zullen ze nooit precies weten hoe ongelooflijk veel hun steun voor mij heeft betekend. Met name de volgende brief van advocaat Robert Flach heeft me echt een hart onder de riem gestoken:

Ik denk dat ik het oudste nog praktiserende lid ben van de Orde van Advocaten, en aangezien ik binnenkort tachtig word, maakt het wellicht indruk als ik u vertel dat dit de allereerste fanmail is die ik ooit in mijn leven aan iemand heb geschreven. Ik ben werkelijk ontzet over de wijze waarop de media over u berichten terwijl u absoluut niets verkeerds heeft gedaan. Mocht u daar inmiddels zelf nog niet achter zijn gekomen, dan kan ik u vertellen dat de advocatuur een heel venijnig beroep is waar ongelooflijk veel geroddeld wordt tijdens de lange uren van wachten en niks doen waartoe wij allemaal bij tijd en wijle veroordeeld zijn. Hoewel uw naam om evidente redenen in veel gesprekken genoemd wordt, heb ik nog nooit iemand een kwaad woord over u horen zeggen in welke zin dan ook. Ik heb rechters in wier rechtbank u voorzitter was, opmerkingen horen maken over de hoffelijke en bescheiden wijze waarop u met hen omging. Een jong, vrouwelijk lid van mijn Kamer heeft me ooit verteld over de eerste keer dat ze moest pleiten voor de rechtbank en hoe doodzenuwachtig ze daarvoor was, en dat er toen in de kleedkamer een oudere vrouw was die met haar praatte en haar op haar gemak probeerde te stellen. Ze was daar zo dankbaar voor, hoewel ze niet wist wie u was tot ze uw naam zag staan op de pruikendoos. U wordt alom gerespecteerd omwille van uw vakkundigheid, uw houding en uw integriteit, alsmede uw toewijding aan uw cliënten.

Deze sympathiebetuigingen van zo veel uiteenlopende mensen zorgden ervoor, net als na mijn miskraam van nog geen zes maanden geleden, dat het allemaal nog net draaglijk bleef. Ik had het gevoel niet helemaal alleen te staan. Uiteindelijk werd Peter Foster het land uitgezet. Een van zijn meest spectaculaire beweringen, de moeite van het vermelden waard puur vanwege het lef ervan, was dat Tony de vader zou zijn van Caroles baby. Foster zit op dit moment in Australië een gevangenisstraf uit van viereneenhalf jaar wegens fraude. Zelfs vervalsen was hem niet te min. Een paar maanden nadat hij het land was uitgezet, had hij opnieuw contact opgenomen met de *Mail* en kopieën gestuurd van vervalste e-mails die moesten aantonen dat ik geprobeerd zou hebben geld naar een buitenlands belastingparadijs te sluizen. Hij had er duidelijk geen idee van hoe weinig geld we hadden. Uiteraard eiste de *Mail* opnieuw antwoorden. En deze keer kon Downing Street dankzij Martin Kaye's nasporing van mijn volledige computersysteem de hele zaak categorisch ontkennen. De *Mail* besloot het verhaal niet te publiceren. Wat mensen vergeten, is dat oplichters als Forster per definitie geloofwaardig zijn. Hun talent bestaat er juist uit dat zij de gewone sterveling van hun gelijk weten te overtuigen.

De echo's bleven narommelen in Downing Street. Er waren nog een paar kruisverhoren van Hilary Coffman. Er werd gezegd dat Carole kleding had meegenomen voor mij of voor zichzelf, zonder ervoor te betalen. Mij werd opgedragen contact op te nemen met iedereen die me ooit van kleding had voorzien en hen te vragen om een schriftelijke verklaring waaruit bleek dat kortingen die ik had gekregen standaard waren en dat er geen sprake was geweest van speciale gunsten. Dat deed ik. Het bleek niet voldoende te zijn. Het nieuwe kabinetslid sir Andrew Turnbull zei me dat ik de kortingen desalniettemin moest terugbetalen. Ik weigerde. Ik wilde weten op basis van welke bevoegdheid hij zich kon bemoeien met mijn privécontracten. 'Als u me kunt vertellen in welke wet staat dat ik dit behoor terug te betalen, zal ik het doen. Anders niet.' Uiteindelijk werd er een privésecretaresse in dienst genomen om de hele kledingkwestie uit te pluizen. Ze zei me dat ze zou proberen een beter systeem uit te werken met duidelijke regels. Ik had mijn huiswerk gedaan en er bestond niemand anders, van de echtgenotes van ambassadeurs tot de hofdames van de koningin, die een dergelijke financiële last droeg zonder enige vorm van tegemoetkoming zoals ik dat deed. De vrouwen van andere wereldleiders wisten gewoon niet wat ze hoorden toen bleek dat ik geen budget had, dat er van mij werd verwacht dat ik alles uit eigen zak betaalde. Naar verluidt is er een rapport over opgesteld en gepresenteerd, maar ondanks verschillende verzoeken mijnerzijds heb ik het nooit te zien gekregen.

Terwijl al deze onzin speelde, begon de toestand in Irak hoe langer hoe gespannener te worden en dit betekende voor Tony niet alleen een dag en nacht rinkelende telefoon, maar ook eindeloze bilaterale gespreksrondes waarbij ik hem soms moest vergezellen.

Op 11 oktober waren we naar Moskou gevlogen voor een ontmoeting tussen Tony en Vladimir Poetin. Het doel van de bijeenkomst was de Russische president ervan te overtuigen dat de Verengde Naties zich eendrachtig moesten tonen, zodat deAmeriken niet het gevoel kregen eenzijdig te moeten optreden. Het was een kans, zei Tony, om te laten zien dat in de nieuwe wereldorde de Verenigde Naties wel degelijk macht hadden en dingen voor elkaar konden krijgen. Ik herinner me dat Poetin zich die avond enorm inspande om ons duidelijk te maken dat hij verre van een overtuigd communist, juist altijd een godsdienstig man was geweest die een sterke band had met de orthodoxe Kerk, maar mij heeft hij niet helemaal weten te overtuigen. Je voelde gewoon dat in hem nog steeds de voormalige KGB-agent schuilde. Hij heeft een enorm krachtige uitstraling, hij is breedgeschouderd en houdt zich uitstekend in vorm met judo. Hij hecht veel waarde aan fysieke kracht, zowel die van hemzelf als die van Rusland. Dit is niet een man die je tegen je in het harnas wilt jagen.

Het feit dat hij ons uitnodigde op zijn privédatsja, was een teken dat hij ons goed gezind was, en die avond brachten we, afgezien van de tolk, gewoon met z'n vieren door. Het was in feite een jachthut en Ljoedmila, zijn vrouw, was er zelfs nooit eerder geweest. Hun voornaamste datsja lag tenslotte net buiten Sint-Petersburg. De maaltijd was traditioneel Russisch en lag zwaar op de maag: veel vlees en geen groente, tenzij je de augurken meetelde. Toen we klaar waren, stond Poetin op en rekte zich uit.

'En nu,' sprak hij, 'wil ik jullie meenemen op everzwijnjacht.' Het was op dat moment ongeveer half elf 's avonds. De wanhoop was van mijn gezicht af te lezen. Niemand had iets gezegd over jagen op wilde zwijnen of op wat dan ook, ik was gekleed voor een diner met hoge hakken en een japon, en de temperatuur buiten lag ver onder het vriespunt. Tony kwam me in mijn mantel helpen.

'Tanden op elkaar meid, en niet zeuren.'

Ljoedmila wierp me een blik toe: zij kon zich ook wel iets leukers voorstellen. Buiten was het aardedonker en ik kon absoluut niets doen aan het geklikklak van mijn hoge hakken op het betonnen pad terwijl de anderen allemaal overdreven heimelijk hun weg zochten. Ik was verstijfd van angst. De met machinegeweren uitgeruste Russische lijfwachten bevonden zich ergens achter ons, terwijl onze eigen lijfwachten zich vermoedelijk weer achter hen bevonden. Dat hoopte ik althans, voor het geval wij op het punt stonden ceremonieel vermoord te worden. Ik wist niet of ik banger moest zijn voor al dat wapentuig of voor de wilde zwijnen waarvan ik foto's had gezien en waarvan ik wist dat het bijzonder wreedaardige dieren zijn. Poetin leidde ons naar een schuilhut en deed ons de fijnere kneepjes van de zwijnenjacht uit de doeken, terwijl hij door het vizier van zijn geweer met nachtvisie tuurde. Ooit, dacht ik bij mezelf, zal ik mijn kleinkinderen hierover vertellen. Ongetwijfeld zal tot hun grote teleurstelling – maar niet de mijne – het verhaal niet eindigen met een gewelddadige ontknoping. We hebben die avond niet één wild zwijn te zien gekregen, laat staan gedood.

De Russische gastvrijheid is niet voor tere zieltjes. De dag daarop kregen we te horen dat we zouden gaan picknicken. De temperatuur was opnieuw onder nul, maar het was heel erg mooi op een woeste manier, met een immens meer en overal watervogels en glitterende rijp. Er werd een everzwijn geroosterd boven een gigantisch vuur en daarnaast was er in een soort prieeltje een tafel gedekt, compleet met wit tafellaken en zilveren bestek. Toen hij me zag rillen van de kou, beval Poetin een van zijn soldaten me zijn overjas, die zo uit *Dokter Zjivago* had kunnen komen, te geven. En toen restte er nog slechts één ander praktisch probleempje. Om het vlees te kunnen snijden, moest ik mijn handschoenen uittrekken, maar als ik mijn handschoenen uittrok, vroor het bestek vast aan mijn huid. Het everzwijn was overheerlijk, maar het was zo verschrikkelijk koud dat ik overdrijf als ik zou zeggen dat ik ervan heb genoten.

De ontmoeting werd daarentegen algemeen beschouwd als een succes. Tony had de indruk dat Poetin begreep wat zijn beweegredenen waren, dat hij dit niet slechts had gedaan als boodschappenjongen van de Amerikaanse president maar omdat hij wilde dat het vn-systeem zou functioneren.

In december, vlak na de Peter Foster-nachtmerrie, gingen we op soortgelijke missie naar de Schröders in Berlijn. Gerhard Schröder was in 1998 aan de macht gekomen en aangezien hij sociaal-democraat was en een vernieuwer, was er sprake van een natuurlijke affiniteit. Zijn vrouw Doris had kort blond haar en was journaliste geweest ondanks haar frêle verschijning. Ik mocht haar. In tegenstelling tot het gangbare gebruik waren we te gast bij hen thuis, waar we kennismaakten met haar dochter uit een vorig huwelijk. Opnieuw was het een heel ongedwongen ontmoeting, gewoon met ons vieren. Gerhard verzekerde Tony dat, hoewel hij op eieren moest lopen met het oog op zijn eigen politieke positie, hij de Amerikanen, wanneer die met een vn-mandaat zouden opereren, niet zou dwarsbomen. Maar uiteindelijk vormden hij, Jacques Chirac en Poetin een bondgenootschap dat Tony's pogingen eendracht te smeden om zeep heeft geholpen. Op 24 februari 2003 steunden de Verenigde Staten, het Verenigd Koninkrijk en Spanje een nieuwe resolutie. Frankrijk kondigde aan een veto uit te spreken over die nieuwe resolutie 'wat de omstandigheden ook mochten zijn'. Zij werd nooit geratificeerd.

Na die avond bij de Schröders was er een vraaggesprek met Tony op het radiostation voor de Britse strijdkrachten in Duitsland, vlak voor Kerstmis. Zij wisten beter dan wie dan ook dat de voorbereidingen voor een invasie in Irak al in een vergevorderd stadium waren. Toen hem een vraag werd gesteld over de uiteindelijke beslissing om al of niet ten strijde te trekken, en hoe moeilijk die beslissing zou zijn, antwoordde Tony: 'Dit zijn de allerzwaarste beslissingen omdat je weet dat er mensenlevens op het spel staan, en dat is waarom wij nooit ten strijde mogen trekken voordat we alle andere opties en mogelijkheden volledig hebben uitgeprobeerd.'

Dat was daadwerkelijk wat hij voelde, waarmee hij zich bezighield en waarmee hij zich bezig had gehouden, maanden achter elkaar. Op hetzelfde moment dat Tony zijn best deed een bondgenootschap tussen de Europese leiders te smeden, overlegde hij ook met Chili, Kameroen en Angola, destijds allemaal lid van de Veiligheidsraad, met gesprekken die tot diep in de nacht duurden, in een wanhopige poging een verenigd front te behouden, opdat Saddam Hoessein uiteindelijk zou inbinden. Dat was de boodschap. En dat is waarom, toen Chirac zei dat hij die tweede resolutie niet zou steunen 'wat de omstandigheden ook mochten zijn', al Tony's omzichtige onderhandelingen teniet werden gedaan, en hij wist dat als Saddam Hoessein niet zou inbinden, de Amerikanen hoe dan ook ten aanval zouden trekken. En dat is uiteraard precies wat er is gebeurd. George Bush bood hem een uitweg, maar die weigerde Tony. Hij vond dat hij Amerika moest steunen omdat hij meende dat dit de juiste handelwijze was. Hij kon niet toezien dat Saddam Hoessein ongestraft de internationale gemeenschap aan zijn laars lapte en het leven van zijn eigen volk tot een hel maakte. De teerling was geworpen. Daarna was het slechts een kwestie van tijd.

Tot op de avond van 10 maart de rode telefoon in ons appartement overging. Het was het telefoontje dat Tony al had verwacht. Het waren de Amerikanen om te zeggen dat ze tot de aanval overgingen.

29

Familieaangelegenheden

Ergens in 2006 was ik te gast in het programma *A Good Read* van Radio 4 waarin gasten een boek dat hen getroffen heeft, bespreken. Als boek had ik *Zaterdag* gekozen van Ian McEwan, een verhaal dat zich afspeelt binnen één etmaal, tegen de achtergrond van de grote anti-oorlogsdemonstratie van 15 februari 2003. De sfeer die hij beschrijft, roept bij mij veel herinneringen op. McEwans fictie gaat vaak over gewone mensen wier leven uit elkaar wordt gereten door onverwachte agressie, en ik weet maar al te goed hoe het is om het middelpunt van een storm te zijn. Tony was nu de paria geworden en overal zag je anti-Blairleuzen. De kinderen hadden het er verschrikkelijk moeilijk mee. Om telkens als ze het huis verlieten, hun vader afgeschilderd te zien als 'B-LIAR' – '*liar*' 'leugenaar' – was op z'n zachtst gezegd een pijnlijke ervaring. We probeerden hen zo goed mogelijk af te schermen, maar het was niet eenvoudig. We konden ze moeilijk blinddoeken. Terwijl dit allemaal gaande was, werden we gewaarschuwd dat er een bedreiging binnen was gekomen tegen Euan in Bristol. Ik had met hem afgesproken samen te gaan lunchen op zijn negentiende verjaardag, en ik herinner me dat ik hem moest bellen en uiterst vaag moest zijn. De plannen waren veranderd, zei ik. Hij moest wat kleren inpakken en naar me toe komen in een hotel in Bristol. Toen hij daar eenmaal was, bracht ik hem op de hoogte van de situatie; dat er sprake was van een bedreiging aan zijn adres, en dat hij naar een *safe house*, een veilig onderkomen, moest worden overgebracht en daar blijven tot we erachter waren of de bedreiging echt was of niet.

'Maar mijn verjaardagsfeest dan?'

'Het spijt me, de politie staat erop.'

De lijfwacht van dienst was Gary. De eerste paar dagen zaten ze letterlijk

samen opgesloten in het pand en mochten nergens naartoe. Daarna verge-
zelde Gary hem tot alles weer enigszins tot rust was gekomen. Hij kon alleen niet meer terug naar zijn studentenhuis, want dat adres was algemeen
bekend. En met alle publiciteit rondom de flats zou hij daar ook nooit kunnen wonen. Niet alleen hij zou gevaar lopen, maar alle andere bewoners
met hem. Het was, kortom, een totale puinhoop.

Ondertussen was Carole begonnen aan een documentaire met Peter Foster. Aangezien de vrouw die de documentaire maakte een cliënt van haar
was, dacht ze op deze manier eindelijk haar kant van het verhaal te kunnen
vertellen. Niet dus. Alastair was, terecht, mordicus tegen. Fiona en hij wilden haar het liefst verbannen zien naar de andere kant van het heelal. Tony
daarentegen vond dat ik best met haar kon trainen zolang het maar ver van
de schijnwerpers gebeurde.

De oplichter, zijn geliefde en de vrouw van de premier werd in februari uit-
gezonden. Het was merkwaardig fascinerend om te kijken naar de man die
ons zo veel ellende had bezorgd. Afgezien van die eenmalige korte begroe-
ting in de fitnesszaal had ik hem nooit ontmoet. Op het scherm kwam hij
over als een volkomen gewetenloze schurk.

Maar kijkend naar het programma gebeurde er iets wat ik niet had voorzien. Voor het eerst keek ik objectief naar Carole en begon ik me vragen te
stellen over haar onderscheidingsvermogen. Ze wist wat de man allemaal
had uitgespookt en ze hoefde niet meer bij hem te blijven omwille van de
baby. Zag ze nu echt niet in wat ze zich met hem op de hals haalde? Het was
niet van het ene moment op het andere, maar in de loop van de maanden
die volgden dat ik merkte dat ik hoe langer hoe meer afstand van haar begon te nemen. Ik ontdekte dat ik minder vaak naar de fitnesszaal ging. En
wat mijn garderobe betreft, Angela en ik slaagden er heel aardig in dat zelf
te regelen met behulp van de ontwerpers met wie ik ondertussen al jarenlange connecties had.

Helaas zit er nog een staartje aan het hele verhaal.

Ergens in de loop van dat voorjaar nam de persdienst van Barnardo's
contact op met Fiona. Ze waren van plan een campagne te lanceren tegen
kinderprostitutie, vertelden ze. De campagne werd gesteund door *Marie
Claire*, en zij hadden Barnardo's gevraagd of ik – als president – hun niet een
interview kon toestaan, waarvan mijn bezoek aan een project in Islington
voor veertien- en vijftienjarige meisjes deel zou uitmaken. Uiteraard stemde ik toe. Een paar dagen later hadden ze plotseling een ander voorstel. Ze

gaven toch de voorkeur aan een soort 'Een dag uit het leven van'-reportage, zeiden ze. Niemand was daar erg happig op – er waren geen precedenten – maar uiteindelijk gingen we ermee akkoord. De datum die werd gekozen was 8 mei, een dag waarop ik niet in het gerechtshof behoefde te zijn – dat zou niet erg kies zijn geweest – maar het zou wel een bezoek omvatten aan Matrix, aan het Barnardo's project, plus 's avonds de prijsuitreiking van de *Asian Women of Achievement*, waarvan ik beschermvrouw ben.

Die ochtend kwam André mijn haar om acht uur doen. De fotografe van de *Marie Claire* nam wat foto's van mij toen ik Nummer 10 verliet op weg naar de fitnesszaal. De volgende halte was Matrix, waar ik overleg pleegde met een aantal medewerkers – meer foto's – vervolgens terug naar Nummer 10, waar we allemaal een lunchpauze namen. We spraken af weer te verzamelen om twee uur, om samen naar Islington en het Barnardo's-project te gaan.

Rond half twee kwam Carole langs. Ik had haar die ochtend in de fitnesszaal getroffen en ze had voorgesteld voor de middagsessie even binnen te wippen om ervoor te zorgen dat ik er nog steeds presentabel uitzag. Ze had vaak mijn make-up gedaan voor fotosessies, dus had ik gezegd: 'Graag.' Ons contactverbod was verstreken, grotendeels omdat ik haar buiten de fitnesszaal nauwelijks meer zag. Kort nadat zij was gearriveerd, kreeg ik een telefoontje van de conciërge bij de deur van Nummer 10. Of ik mensen van de *Marie Claire* verwachtte? Jazeker.

Carole en ik waren boven toen ik stemmen hoorde. Toen ik van de overloop naar beneden spiedde, zag ik tot mijn ontsteltenis dat de journaliste en de fotografe er waren maar Fiona niet, en ik wist dat Leo ergens op de benedenverdieping aan het spelen was. Ik wist ook waartoe journalisten in staat zijn, en het laatste dat ik wilde, was dat ze een gesprek zouden aanknopen met mijn driejarige zoon, of zelfs dat ze hem te zien kregen. Ik moest snel handelen om hen daar weg te krijgen. 'Ik ben nog niet helemaal klaar voor jullie,' riep ik, 'Maar misschien dat jullie alvast boven kunnen komen?' Ondertussen belde ik snel naar Jackie en zei haar ervoor te zorgen dat Leo in zijn kamer bleef. Daarna belde ik Angela en vroeg haar naar het appartement te komen, zodat ik haar kon introduceren: om het even wat om ervoor te zorgen dat de mensen van *Marie Claire* niet op eigen houtje zouden gaan ronddwalen.

Eenmaal gearriveerd in de slaapkamer gaven ze toe inderdaad aan de vroege kant te zijn. Carole werkte vlug mijn make-up bij voor de fotosessie die beneden plaats zou vinden. Toen de fotografe haar camera instelde om een foto te nemen, deed Carole haar hand omhoog en zei: 'Nee.' Zodra ik

Angela's stem hoorde, nam ik de twee mensen van *Marie Claire* mee naar de werkkamer om haar voor te stellen, en vervolgens opperde ik dat zij hun wellicht de tuin zou kunnen laten zien. Het maakte me allemaal niet uit als ik ze maar het appartement uit kon werken. Op dat moment verscheen Fiona ten tonele. Afgezien van de kwestie-Irak had ik haar nog nooit zo ziedend meegemaakt. Aanvankelijk richtte haar woede zich op die arme Angela, omdat ze – ten onrechte – aannam dat zij degene was geweest die de twee journalistes had binnengelaten. (Uiteindelijk was het de arme conciërge die hun toegang tot het gebouw had verschaft die de schuld kreeg).

Een paar weken later zond het tijdschrift mij de foto's die ze van plan waren te gebruiken. Ik was ontzet. De reeks omvatte een foto van Carole, bezig mijn lipstick bij te werken, hoewel haar hand die een afwijzend gebaar maakt, duidelijk zichtbaar was. Erger nog, er zat een foto bij van ons bed. We belden onmiddellijk op om te zeggen dat we die specifieke foto's niet gepubliceerd wensten te zien omdat dat ze een inbreuk op onze privacy vormden. Het antwoord van de uitgever was: Sorry, maar dit zijn onze foto's en we zijn van plan ze te gebruiken. Toen pas bleek dat Fiona geen afspraken had gemaakt over het geven van toestemming voor publicatie van foto's. Dat was niet hoe Downing Street dergelijke zaken aanpakte, legde ze later uit. Normaal gesproken zou zij steeds in de buurt van de fotograaf blijven, zodat dergelijke situaties zich eenvoudigweg niet zouden voordoen. Maar ja, deze keer was ze er niet bij geweest, en de situatie had zich voorgedaan.

Het augustusnummer van *Marie Claire* verscheen zoals gebruikelijk tijdens de laatste week van juli 2003, en de foto van Carole die mijn lipstick bijwerkte, werd voorpaginanieuws. 'Lippygate' was de goed bekende term die de sensatiepers deze keer had verzonnen. Ik was echt kwaad. Misschien dat het niet helemaal Fiona's fout was geweest, maar zij was degene die de verantwoordelijkheid droeg en ik vond dat ze mij op de een of andere manier met de gebakken peren had laten zitten. Het bleek de laatste druppel te zijn. Ze vertrok voor de zomervakantie en is niet meer teruggekomen. Een droevig einde. Zij wist maar al te goed hoe groot de druk was die op mij rustte omdat zij ongeveer onder eenzelfde druk moest leven met Alastair, en in dat opzicht is ze van onschatbare waarde geweest. Ik kan me moeilijk voorstellen hoe ik het die eerste jaren zonder haar had kunnen redden en ik zal haar altijd dankbaar blijven voor haar bijstand van toen.

En ondertussen besprak Carole voor het tijdschrift *Hello!* opgewekt de verschillende ensembles die ik in de loop der jaren had gedragen, wie de ontwerpers waren enzovoort. Het verstrekken van dergelijke informatie was van het begin af aan uitdrukkelijk verboden door Nummer 10, en dat wist ze heel goed. Dat was het moment waarop ik tot de slotsom kwam dat haar naïviteit minder onschuldig was dan ik altijd had aangenomen. Ik was een trouwe vriendin geweest, maar na deze stunt was het moment aangebroken er een punt achter te zetten.

'Dit werkt voor geen van beiden, Carole,' zei ik tegen haar, 'Zolang jij ergens nog een connectie met mij hebt, zul je nooit een eigen leven kunnen opbouwen.' Alles bij elkaar genomen leek het ons het beste enige afstand te bewaren. En dat was dat. Nog een droevig einde.

Fiona's baan werd overgenomen door Jo Gibbons. Ze was een totaal ander persoon dan Fiona en had geen enkele interesse in mijn charitatieve activiteiten. Ze vond het uitstekend dat Angela en Sue dat voor mij regelden. Vanaf dat moment zorgden die twee voor alles, van het bijhouden van mijn agenda en het regelen van charitatieve activiteiten tot het kiezen van mijn garderobe. Ze vergezelden me overal, zowel in Groot-Brittannië als in het buitenland, tot mijn laatste dag in Downing Street en zelfs nog daarna. Ze hebben enorm veel moeten incasseren maar hebben dat allebei fantastisch opgevangen. Zonder hen had ik het niet volgehouden en onze kleine ploeg begon plotseling een hoop beter te draaien.

We hadden de Poetins voor de eerste keer ontmoet in februari 2000. Hij was toen de gedoodverfde opvolger en dit was een soort kennismakingsbezoek. We waren uitgenodigd naar Sint-Petersburg te komen, zijn geboorteplaats en machtsbasis. Na een bliksembezoek aan de Hermitage werden we meegenomen naar *Oorlog en vrede*, een vier uur durende opera van Sergej Prokofjev. De verfrissingen die ons tijdens de twee pauzes werden aangeboden, bestonden uitsluitend uit champagne en kaviaar. Het was allemaal niet gemakkelijk voor mij, want ik was op dat moment zes maanden zwanger van Leo en, hoewel het hotel een oven was, was het buiten bitterkoud.

Een groter contrast met mijn volgende bezoek kan ik me nauwelijks voorstellen. Sint-Petersburg vierde op dat moment zijn driehonderdjarig bestaan. In de korte tijd dat hij nu president was, had Poetin enorme bedragen in de stad gepompt en haar volledig getransformeerd, of zo leek het althans. Later ontdekten we dat een groot deel niet veel substantiëler was dan een filmdecor: de voorgevels van de huizen waren 'geverfd' en andere zo bewerkt dat het leek alsof ze volledig waren gerenoveerd. Het was eind mei en heerlijk weer. Een paar jaar later zouden ze nota bene vliegtuigen het luchtruim in sturen om de wolken uiteen te drijven, zodat de zon zou kunnen schijnen voor de G8.

Het was de bedoeling Sint-Petersburg te tonen in al zijn vroegere glorie, en daarin was Poetin zeer zeker geslaagd. De meest indrukwekkende renovatie was voor mij de barnsteenkamer in het Catharinapaleis. Wij waren de eersten die het resultaat te zien kregen. De oorspronkelijke kamer dateert van begin achttiende eeuw, een vertrek dat vanbinnen compleet was afgezet met barnsteen en halfedelstenen, maar dat tijdens de oorlog door de Duitsers was geplunderd en waarvan de oorspronkelijke stenen nooit zijn teruggevonden. Kosten noch moeite waren gespaard om ons te vermaken: ballet, vuurwerk, wodka en kaviaar waar je ook keek. Misschien zelfs tot mijn eigen verrassing vond ik het lekker. Toen onze gastheer mij een hapje zag nemen, haastte hij zich naar me toe.

'Dit is niet het goedje dat je wilt,' zei Poetin terwijl hij mijn bord wegnam en wat belugakaviaar voor me opschepte.

Het was alles bij elkaar een verbijsterende demonstratie van Russisch machtsvertoon, en alweer zo'n gelegenheid waarbij ik het gevoel had mezelf te moeten knijpen omdat ik deze kans kreeg al die fascinerende mensen te leren kennen, ongelooflijke gebeurtenissen te mogen meemaken en vanaf de eerste rij mocht toekijken hoe geschiedenis werd geschreven.

Drie weken later kwamen de Poetins bij ons op hun eerste staatsiebezoek, en ik zou een middag met Ljoedmila doorbrengen. Aangezien zij ons bij ons eerste bezoek aan hen hadden uitgenodigd voor *Oorlog en vrede* in Sint-Petersburg, organiseerde ik een bezoek aan het recent heropende operahuis in Covent Garden, waar we zouden lunchen met allerhande mensen die iets te betekenen hadden op cultureel vlak. Zodra de Poetins in Londen waren aangekomen, kreeg ik via een assistent echter te horen dat mevrouw Poetina eigenlijk vooral graag wilde winkelen. Op basis van wat ik van haar wist, dacht ik dat Burberry's waarschijnlijk wel in de smaak zou vallen. Voor na de lunch organiseerde ik een discreet bezoekje aan hun showroom vlak bij Piccadilly Circus. Aangezien het hier echter ging om een staatsbezoek, had het paleis helaas het vervoer geregeld, zodat Ljoedmila in Downing Street arriveerde in de koninklijke Bentley: overal glas en speciaal ontworpen om een onbelemmerde blik te gunnen op de inzittenden. Het was, kortom, allesbehalve discreet. Maar de assistent had gelijk, Covent Garden had haar niet echt kunnen boeien maar ze fleurde helemaal op zodra we Burberry's betraden. We waren de showroom nog niet binnen of ze kleedde zich uit tot op haar ondergoed. In het belang van de diplomatie besloot ik dat ik haar maar beter gezelschap kon houden. Aangezien ze geen geld bij zich had, betaalde ik haar aanzienlijke aankopen met mijn creditcard. De dag daarop kreeg ik te horen dat er een groot pak van mevrouw Poetina was bezorgd. Ze betaalde me terug in contanten! Ik had nog nooit zo veel vijftigpond-biljetten bij elkaar gezien. Onze vriendschap was ontegenzeglijk bezegeld door die middag in ons ondergoed.

Aanvankelijk was Ljoedmila Poetin nog heel onzeker van zichzelf. Haar man had een redelijk chauvinistisch standpunt inzake de rol van een echt-genote. Ze vertrouwde me toe dat hij twee grondregels had: 'Een vrouw moet alles doen in huis,' en: 'Maak een vrouw nooit complimenten. Daar wordt ze alleen maar een verwend nest van.' Taal was belangrijk voor haar. Ze had moderne talen gestudeerd aan de afdeling filologie van de Universi-teit van Leningrad, en ze sprak vloeiend Duits omdat de Poetins een aantal jaren in Duitsland hadden gewoond.

Ze vertelde me dat ze na de val van de Berlijnse Muur had gevreesd voor de toekomst van de Russische taal en literatuur, en vandaar dat ze een plan had bedacht. In 2002 was ze in de Verenigde Staten geweest om de tweede editie bij te wonen van het jaarlijkse *National Book Festival*, georganiseerd op initiatief van Laura Bush, en daarop had ze besloten een soortgelijk evene-ment in haar eigen land te organiseren. Ik zegde haar mijn steun toe en heb me aan mijn woord gehouden door samen met Laura over te komen voor de lancering ervan. Ik ben daarna nog tweemaal geweest, en heb toen kennis kunnen maken met de First Lady van Armenië, Bella Kotsjarian, en de First Lady van Bulgarije, Zorka Poervanova. Ljoedmilla vertelde me later dat ze zonder mijn steun waarschijnlijk niet zou hebben doorgezet. Er bestaat geen twijfel over dat de organisatie van dit boekenfestival haar zelfvertrouwen enorm heeft opgekrikt, en ik denk ook haar status. Bij wijze van dank bood ze ons een lunch aan in de staatsiezalen van het Kremlin, plus een wel heel bijzondere privérondleiding. En dat 'ons' sloeg op mijn 'entourage', te weten André en Sue Geddes. Het strekt onze ambassadeur, die eveneens werd uit-genodigd, tot eer dat hij geen bezwaar maakte tegen deze ongebruikelijke gang van zaken. We zijn helemaal het dak op geweest, tot naast de iconische gouden koepels, en van daaruit keken we neer op de kathedraal die Boris Jeltsin volledig opnieuw heeft laten opbouwen na die vernederende decen-nia waarin de bouwput van het bouwwerk dienstdeed als openbaar zwem-bad. De communistische apparatsjiks hadden de oorspronkelijke kathedraal met de grond gelijk gemaakt omdat ze er niet op wilden uitkijken.

Een belangrijke dag voor Tony was 18 juli 2003. Hij was de eerste Britse premier sinds Winston Churchill die de *Congressional Gold Medal* kreeg van het Amerikaanse Congres als erkenning voor het feit dat hij zich een 'trouw en standvastig bondgenoot van de Verenigde Staten' had getoond. We mochten een aantal gasten meenemen naar het Capitool, en ik had mijn halfzussen Jenia en Bronwen, die beiden in Amerika wonen, uitgenodigd en hen kunnen voorstellen aan zowel Laura als Hillary. Op het moment dat Tony het podium op liep, stond het hele auditorium op en gaf hem een staande ovatie. Het zou onder alle omstandigheden een aangrijpend moment zijn geweest, maar nu, na alle verdriet en negatieve reacties, was het nog eens zo hartverwarmend.

Washington was slechts de eerste halte op onze reis. Daarna volgden nog Japan, Korea, China en ten slotte Hongkong. Voor één keer zou Alastair niet meekomen. Zijn misnoegen groeide met de dag en Fiona had meer dan duidelijk gemaakt dat zij allebei hun buik vol hadden van Downing Street. Zodra de ceremonie voorbij was, vloog hij terug naar Londen terwijl wij doorreisden naar Tokio. We waren allemaal opgetogen, gelukkig en lacherig en we stonden op het punt te gaan slapen toen het eerste telefoontje kwam. Een communicatiemedewerker kwam vanuit het achterste deel van het vliegtuig aan gelopen en overhandigde Tony de telefoon. Het was Downing Street: David Kelly, de wetenschapper die een sleutelrol speelde in de netelige kwestie tussen Nummer 10 en de BBC werd vermist.

Het ging daarbij om de beschuldigingen die de BBC had geuit naar aanleiding van het regeringsrapport over de massavernietigingswapens van Saddam Hoessein. In het programma *Today* was beweerd dat Downing Street, tegen de wens van de inlichtingendienst in, met opzet onjuiste informatie aan een dossier zou hebben toegevoegd. Nummer 10 had de beschuldigingen, die als een lopend vuurtje de wereld rondgingen, met nadruk ontkend en geëist dat ze zouden worden ingetrokken. De BBC had dat met dezelfde nadruk geweigerd. Naar de mening van de leiding van de BBC was dat door David Kelly aan een van hun journalisten verteld. In het rapport-Hutton werd later vastgesteld dat dat niet waar was. Maar dat zou pas later blijken. Op dat moment was Alastair al een paar weken verwikkeld in een afschuwelijke en zeer openbare woordenwisseling met de BBC. Ze hadden hem een leugenaar genoemd en hij maakte daar ernstig bezwaar tegen. De 'bron' van het verhaal was tot een week geleden anoniem gebleven. Toen was Kelly's naam gevallen. En nu werd hij vermist. Slechts een paar uur later kregen we een tweede telefoontje.

Ik keek toe terwijl Tony de telefoon teruggaf, zag hem ineenkrimpen en terugzinken in zijn stoel. David Kelly was dood, zei hij. Zijn lichaam was teruggevonden in de bossen vlak bij zijn huis. Het was verschrikkelijk. Hij besloot ter plekke dat er een onderzoek moest worden ingesteld en belde vanuit het vliegtuig met Charlie Falconer, nu Lord Chancellor, om te bespreken welke rechter daarvoor eventueel beschikbaar was. Ik had hem nog nooit zo van streek gezien en wist gewoon niet wat ik voor hem kon doen. Uiteindelijk kreeg hij ook Alastair aan de lijn, net terug in Londen – God mag weten hoe laat het op dat moment voor hen allebei was. Alastair zei dat hij er niets meer bij kon hebben en dat hij het voor gezien hield.

Na een praktisch slapeloze nacht in Tokio had Tony gesprekken met de Japanse eerste minister terwijl ik een bezoek bracht aan een centrum voor behoeftige kinderen, maar ik vond het moeilijk de kinderen en het personeel de aandacht te geven die ze verdienden. Vervolgens vlogen we per helikopter naar Hakone, gelegen vlak onder de berg Fuji. De eerste minister, Junichiro Koizumi, had ons al heel lang een traditionele Japanse ervaring willen bezorgen, en daar was hij zeer zeker in geslaagd. Hotel Ryuguden had futons en schuifdeuren en het was er adembenemend mooi, met uitzicht over het Asinoko-meer en omringd door warmwaterbronnen. Koizumi was totaal anders dan alle andere politici, vooral Japanse politici. Hij had het uiterlijk van de jonge Richard Gere en was nota bene gek op Elvis en Cliff Richard. Ik had voor de gelegenheid een cd voor hem meegebracht die speciaal door Cliff gesigneerd was.

Het had een fantastische reis moeten worden. We realiseerden ons echter al snel dat het precies het tegenovergestelde zou zijn. In de vijfentwintig jaren die ik Tony had gekend, had ik hem nog nooit zo aangeslagen meegemaakt. Tijdens de persconferentie in Tokio riep een journalist van de *Mail on Sunday* naar mijn man: 'Hoe voelt het, meneer Blair, om bloed aan uw handen te hebben?'

Onze volgende bestemming was Korea, waar we dineerden met de zojuist verkozen president Roh Moo-hyun en diens vrouw. Het bleek dat wij haar eerste westerse bezoekers waren en ze was ongelooflijk zenuwachtig, hoewel ze gaandeweg wat meer ontspande toen we eenmaal aan de praat waren geraakt. Ze hadden er duidelijk geen idee van wat Tony op dat moment moest doormaken, en ik deed mijn best onze conversatie over koetjes en kalfjes gaande te houden. Aan het einde van het diner bewonderde ik haar oorbellen. Ze deed ze onmiddellijk af en gaf ze aan mij. Er gelden strenge regels in Downing Street inzake geschenken, en alles met een waarde van meer dan honderdveertig pond moet ofwel worden betaald, dan wel worden opgeborgen in een kluis en mag in dat geval slechts bij heel speciale gelegenheden tijdelijk worden geleend. Ik kon de oorbellen onmogelijk accepteren, legde ik haar uit. Maar ze stond erop. Zo duur waren ze niet, zei ze. Ze waren in Korea gemaakt en ze kon gemakkelijk aan nog zo'n paar komen, maar wij waren haar eerste officiële bezoekers geweest en ze wilde me graag bedanken omdat ik het zo gemakkelijk had gemaakt voor haar. Ik draag die oorbellen de hele tijd.

Na dit verblijf van slechts enkele uren vertrokken we naar Beijing. Ik had nog net tijd om naar de mis te gaan en te bidden voor David Kelly, zijn familie, en voor Tony.

Gedurende de hele reis heeft Tony zijn best gedaan opgewekt te zijn om zijn gastheren niet voor het hoofd te stoten, maar het lukte maar net. In Beijing bezochten we een enorme verzameling terracotta figuurtjes ter grootte van een hand, gemaakt door de Engelse beeldhouwer Antony Gormley. Die ochtend is er een foto van ons tweeën genomen die ik in mijn werkkamer heb staan: Tony die op zijn hurken tussen al die duizenden minuscule figuurtjes zit, en ik die achter hem kniel, mijn armen om hem heen geslagen, om hem de steun te geven die hij zo nodig had.

'Je bent een goed mens,' zei ik tegen hem terwijl we daar samen hurkten en de camera's snorden. 'En God weet dat je beweegredenen zuiver zijn, zelfs al blijken de gevolgen niet uit te pakken zoals je had gehoopt.' En het is waar. Tony wist dat David Kelly een loyale ambtenaar was die door alle heisa tot wanhoop was gedreven, verstrikt in een situatie die hij zich nooit had kunnen voorstellen.

Bij de Tsinghua Universiteit in Beijing werden alle vragen die ze maar konden bedenken op Tony afgevuurd. We stonden op het punt te vertrekken toen er nog één stem boven alles uit klonk. 'Zing een lied voor ons!' Vanuit westers perspectief mag dat een uiterst merkwaardig verzoek zijn gezien de ernst van de onderwerpen die hij tot op dat moment had besproken, maar ik had het al vaker meegemaakt in het Oosten – de thuisbasis van de karaoke. Ze wisten dat Shanghai, onze volgende halte, een band had met Liverpool, en dus vroegen ze om iets van de Beatles. Tony bleef maar nee schudden en zei toen uiteindelijk: 'Vraag het maar aan mijn vrouw. Zij kan wel zingen.' De sfeer was zo gespannen dat ik alles zou hebben gedaan om de stemming te verlichten. Ik wierp hem een blik toe als om te vragen, is dit echt wat je wilt? 'Waar je maar zin in hebt,' zei hij. En voegde er toen aan toe, *When I'm Sixty-four*. En dat is wat ik heb gezongen.

De rest van onze reis door het Verre Oosten kon wat mij betreft niet snel genoeg voorbij zijn. We lunchten in Shanghai en vertrokken vervolgens naar Hongkong. Hoewel de hele reis maar zes dagen duurde, leek Tony in die korte tijd wel tien jaar ouder te worden en de spanning stond op zijn gezicht te lezen, hoe hij ook zijn best deed de schijn op te houden. Het zou niet eerlijk zijn, vond hij, om het te verpesten voor al die mensen die zo veel tijd en energie hadden gestoken in het organiseren van dit bezoek.

In Londen stond Alastair ondertussen op instorten, en de helft van de telefoongesprekken was Tony bezig te proberen hem te kalmeren: hij was óp, zowel lichamelijk als emotioneel. In Hongkong hadden we volgens het programma een rustdag. Dat was althans de bedoeling. Maar er bleek een orkaan op komst te zijn. Als we nog weg wilden, werd ons verteld, dan moest dat nu. De rest van het bezoek werd geannuleerd. Ik was in de cock-pit voor de take-off, wat ik altijd doe als de bemanning mij dat toestaat. De wind begon al op te steken toen het vliegtuig voor ons plotseling zijn take-off halverwege afbrak.

'Als we de premier hier nu niet wegkrijgen, zit hij hier vast,' zei de pi-loot. 'Ik ga het proberen.' Terwijl we een steeds grotere snelheid kregen, begon het fonkelnieuwe automatische waarschuwingssysteem plotseling op te spelen: er was een zoemgeluid en er begonnen lichten te knipperen met ABORT ABORT ABORT – AFBREKEN!! Het vliegtuig zwenkte. De piloot keek beteuterd. 'Dit is de eerste keer dat me zoiets overkomt,' zei hij. 'Ik probeer het nog eens.' Zelfs ik was bang, maar deze keer stegen we steil op het lucht-ruim in, hoog boven het einde van de startbaan en een woelige Chinese Zee, maakten een scherpe bocht en zetten koers naar huis.

Na de tragische dood van David Kelly kwamen zijn weduwe en volwas-sen kinderen ons op Chequers bezoeken. Wij wilden hun persoonlijk laten weten hoe vreselijk we het vonden wat er gebeurd was. Voor mij was het duidelijk dat wat het leven van mevrouw Kelly nog ondraaglijker had ge-maakt, het gedrag van de pers was geweest na zijn zelfmoord. Er waren zelfs foto's genomen door de ramen aan de voorkant van hun huis, een absoluut gebrek aan respect voor hun privacy.

Wat er verder ook moge spelen, Balmoral is een vaste afspraak op de kalen-der van de premier. Koningin Victoria had Balmoral laten bouwen in het dal van de rivier de Dee, en daar brengen de koningin en prins Philip altijd hun zomers door. Waarschijnlijk is er voor hen niets dat dichter in de buurt komt van een privéwoning. In dat eerste jaar hadden wij richtsnoeren gekregen over wat we konden verwachten, maar door het overlijden van Diana waren we er slechts voor de lunch geweest in plaats van voor een heel weekeinde. In de negen daaropvolgende jaren was het echter een vast patroon: na op zaterdagochtend van Northolt naar Aberdeen te zijn gevlogen, lunchten we eerst met de privésecretaris van de koningin. Vanaf 1998 was dat Robin Janvrin. Hij en zijn Franse vrouw waren ongeveer van onze generatie, en we hadden kinderen van min of meer dezelfde leeftijd. Dat verliep altijd prima.

Balmoral zelf gaf me de eerste keer dat ik ernaartoe ging het gevoel op een filmset rond te lopen. Hertenkoppen en Schotse ruiten alom. En omdat het gelegen is in de Schotse Hooglanden, is het er altijd koud, zelfs in de eerste week van september. We verbleven doorgaans in wat bekendstaat als de suite van de minister-president, die werd verwarmd door een klein elektrisch kacheltje zoals mijn oma had op Ferndale Road. We beschikten over twee slaapkamers: een met een tweepersoonsbed, de andere met een eenpersoonsbed. Het grote bed was voorzien van donzen kussens waarvoor ik helaas allergisch ben, en later werden die heel attent vervangen. Naast het bed bevonden zich twee belletjes, één voor 'dienstmeisje', het andere voor 'bediende'. Het aan mij toegewezen 'dienstmeisje' dat eerste jaar was piepjong en hield niet op reverences voor me maken en me met 'My Lady' hier en 'My Lady' daar aan te spreken. 'Noem me alsjeblieft niet "my lady", zei ik telkens opnieuw, maar daar werd ze alleen maar nerveuzer van.

De sfeer was tijdens dat eerste jaar van onze bezoeken duidelijk meer gespannen dan in de daaropvolgende jaren, maar dat was begrijpelijk aangezien het in 1998 precies een jaar na de dood van Diana was en William en Harry allebei bij hun grootmoeder logeerden. Maar ook andere familieleden waren prominent aanwezig. Dat eerste jaar lijkt me duidelijker voor de geest te staan dan alle latere jaren omdat het zo'n enorme omschakeling vergde. Ik herinner me dat prins Edward zich net had verloofd met Sophie Rhys-Jones. Zij waren aanwezig, evenals prinses Anne en prinses Margaret, terwijl de koningin-moeder er tot haar dood eenvoudigweg altijd was. Ik kreeg de onmiskenbare indruk dat het oudste lid van de koninklijke familie meende dat ik geen jota afwist van protocol. En gelijk had ze. De koningin zelf was heel benaderbaar. Ze is nooit anders dan hoffelijk en charmant geweest en ik bewonder haar enorm. Afgaande op wat ik daar heb meegemaakt, was ze niet half zo bekrompen als sommige van haar hovelingen.

Het bezoek begon onveranderlijk met thee, keurig met z'n allen aan een grote tafel en de koningin aan het hoofd met een ketel kokend water onder haar hoede. Ze zette de thee altijd zelf, van het in de pot doen van de thee-

bladeren tot het inschenken. Daarbij kregen we altijd komkommersand-
wiches, brood, Balmoral-honing en Dutchy jams, en ten slotte Dundee
cake. Het was allemaal heel verfijnd, en die eerste keer lette ik nauwgezet
op wat andere mensen deden voordat ik ook maar een vinger durfde uit te
steken of zelfs mijn theekopje maar durfde op te pakken.

Om zes uur gaat de minister-president op audiëntie bij de koningin. Ik
ging samen met alle anderen behalve Tony terug naar onze kamers om me
klaar te maken voor de avondbarbecue. Tot mijn afgrijzen ontdekte ik daar
dat mijn koffer ondertussen was uitgepakt en dat alles in laden was gestopt
en in kasten gehangen. We waren allebei verbaasd over wat uiteindelijk een
gangbare traditie in landhuizen bleek te zijn, namelijk het deponeren van
de spullen van de man in de eenpersoonskamer. Werd hij geacht daar ook
te slapen, vroegen wij ons af, of mocht hij mij komen opzoeken in mijn
tweepersoonsbed?

Eenmaal opgefrist en gepast gekleed gingen we weer naar beneden. De
zaterdagmiddagactiviteiten varieerden – naargelang de datum konden bijvoorbeeld de *Highland Games* in Braemar op het programma staan – maar
zaterdagavond was er altijd een barbecue. In geval van slecht weer zou er in
plaats daarvan een formeel diner in avondkostuum zijn – waarvoor we dan
ook altijd passende kleding meenamen – maar in de negen jaar dat wij naar
Balmoral gingen, is dat niet eenmaal voorgekomen. En bij de barbecue werden we geacht in lange broek en pullover te verschijnen. Dat de koningin
geschokt zou zijn omdat ik broeken droeg zoals de pers berichtte, is weer
eens uit een duim gezogen. Toen Tony en ik beneden kwamen tijdens dat
eerste bezoek, viel het me plotseling op dat we uitgenodigd waren in wat in
feite een heel huiselijke kring was. De koningin vond dat vermoedelijk geen
enkel probleem – ze zal er in ieder geval aan gewend zijn geweest – maar ik
had het onbehaaglijke gevoel op de een of andere manier hun privéleven
binnen te dringen. Toch zag het er allemaal heel gewoon uit. De koningin
legde een kaartje met de jongens, en prins Edward probeerde een kruis-
woordpuzzel op te lossen. De gebruikelijke dingen die je in familiekring
doet. En daar rondom bevonden wij ons, de gasten. Niet alleen Tony en
ik, maar ook andere aanwezigen die niet duidelijk deel uitmaakten van de
familieactiviteiten en daar maar zo'n beetje rondhingen.

Op een gegeven moment kwam prinses Anne in de loop van ons eerste
verblijf op Balmoral naar me toe en zei iets waarbij ze de woorden 'mevrouw Blair' gebruikte.

'O alstublieft, noem me Cherie,' zei ik.

'Liever niet,' antwoordde ze. 'Dat is niet de manier waarop ik ben opge-voed.'

'Wat jammer,' zei ik.

Mijn relatie met de enige dochter van de koningin ging daarna snel bergafwaarts en het is nooit meer goed gekomen.

De protocollaire voorschriften inzake de wijze waarop je werd geacht mensen aan te spreken en te begroeten, heb ik nooit helemaal onder de knie gekregen. Diana noemde ik Diana. Charles noemde ik Charles en ik zoende hem altijd, hoewel ik er niet van overtuigd ben of hij dat eigenlijk wel pret-tig vond. De koningin was daarentegen altijd 'Ma'am', mevrouw.

Ik keek toe hoe andere mensen met die poppenkast omsprongen. Sophie Rhys-Jones was tijdens dat eerste weekeinde nog duidelijk bezig haar weg te zoeken in de protocollaire jungle. Als Charles binnenkwam, maakte ze een kniebuiging; als prinses Anne binnenkwam, maakte ze een kniebuiging. Ik besloot mijn kniebuigingen te beperken tot de koningin en de koningin-moeder, en het daarbij te laten.

Het hoogtepunt van het bezoek was ongetwijfeld de barbecue, hoewel het totaal anders was dan ik had verwacht. De barbecue zelf was van een verbazingwekkend ontwerp en ik was er zo van onder de indruk dat ik vroeg waar het ding vandaan kwam. Het antwoord was op z'n minst onver-wacht: prins Philip had de barbecue persoonlijk ontworpen, en hij is zelfs zo vriendelijk geweest ons er ook een te schenken.

Het verliep altijd op precies dezelfde manier: Tony en ik werden er met de auto over de heide naar toe gebracht, de koningin achter het stuur, en dan arriveerden we tegen een uur of acht. Omdat we daar zo noordelijk zaten, was het op dat uur nog redelijk licht, zelfs in september. Prins Phi-lip en zijn adjudant waren al veel eerder gegaan, en tegen de tijd dat wij aankwamen bij het kleine huis waar de barbecue werd gehouden, hing de met haggis gevulde korhoen al boven het vuur te roosteren. Misschien geen gangbare barbecuekost, maar wel iets wat ik warm kan aanbevelen. In de loop der jaren heeft dit gerecht regelmatig op het menu gestaan, evenals worstjes gemaakt van vlees van wild. Borden en bestek en salades in plastic schalen arriveerden in een gigantische picknickmand op wielen die achter de Range Rover werd getrokken. Iedereen had zijn taak. Dat eerste jaar zou prins Edward de eerste gang verzorgen en hij maakte een gerecht met gar-nalen. De koningin dekte de tafel die in de keuken stond naast een grote houtkachel, en ik hielp haar. Elektriciteit was er niet, en als het begon te schemeren werden er kaarsen aangestoken. Er was geen personeel aanwezig behalve de adjudant van de koningin. Dat is een officier van een van de legeronderdelen die een jaar of iets langer aan de koningin wordt toegewezen, een functie die het midden houdt tussen privésecretaris, metgezel en helper, terwijl een hofdame meer een gelijke is, een vriendin.

Ik had het onverwachte genoegen lady Susan Hussey terug te zien, de hofdame die zo aardig tegen me was geweest die allereerste ochtend op Buckingham Palace in mei 1997. Toen de koningin haar benoemde, was ze pas achttien jaar, de dochter van de graaf van Waldegrave. Dit was eind jaren vijftig en tot op dat ogenblik hadden anderen altijd haar hofdames voor haar uitgekozen. In 1959 trouwde lady Susan met 'hertog' Hussey, maar aangezien deze zeer ernstig gewond was geraakt bij Anzio gedurende de oorlog – de Duitsers hadden hem zelf gerepatrieerd – was iedereen ervan overtuigd dat ze geen kinderen zouden kunnen krijgen. Maar ze werd praktisch onmiddellijk zwanger, waarop de koningin opmerkte: 'Tja, Gods wegen zijn nu eenmaal ondoorgrondelijk.' Er is nooit sprake van geweest dat dit een belemmering zou kunnen vormen voor het uitoefenen van haar functie, en lady Susan is altijd hofdame gebleven.

Welke personeelsleden ook meegaan, van de Garden Girls tot de beveiligings- en communicatiemensen toe, ze moeten onzichtbaar blijven. Hun instructies luiden: als je de koningin tegenkomt, negeer je haar; dit is haar vakantie, en het laatste dat ze wil is steeds maar hallo tegen iedereen te moeten zeggen. Alleen de meest vooraanstaande privésecretarissen bestaan in deze context. Ze kwamen bij toerbeurt en verbleven dan altijd bij Robin Janvrin en zijn vrouw, in een kleiner onderkomen – waar de koningin en de prins trouwens ook verblijven als ze het niet nodig vinden het grote huis te gebruiken – en sloten zich dan aan bij de verzamelde menigte rondom de barbecue. Ik keek er altijd naar uit: de rit, de maaltijd, de informele sfeer. Naarmate de avond vorderde, werd het hoe langer hoe donkerder en dan hielpen we allemaal mee de boel op te ruimen voordat we weer terugreden. Het was gewoon fantastisch, die prachtige omgeving, die totale leegte en die zuivere lucht.

Na het overlijden van de koningin-moeder, in het voorjaar, vroeg ik in de septembermaand die daarop volgde aan de koningin of wij misschien een foto van Leo met haar mochten nemen, en dat mocht. Ze kan heel goed opschieten met kleine kinderen en ze mocht Leo graag, en Leo was dol op de honden. Ik herinner me dat, toen hij zo'n anderhalf jaar oud was, de koningin hem liet zien hoe hij een koekje naar een van de corgi's moest gooien. Ze vertelde hem dat ze nu natuurlijk allemaal een koekje moesten hebben. Hij nam een handjevol en gooide die door de hele kamer. De corgi's waren door het dolle heen.

'O,' zei de koningin, 'dat was niet helemaal wat ik in gedachten had.' Maar de chaos die daarop volgde, stoorde haar niet in het minst. Toen hij tweeënhalf was, had hij de woorden van *God Save the Queen* uit zijn hoofd geleerd, en aan het einde van ons verblijf heeft hij dat in zijn eentje voor haar gezongen. Hare Majesteit was bijzonder vriendelijk en feliciteerde hem. Alle hulde aan Jackie, die zich heel veel moeite had getroost om Leo de tekst bij te brengen. Leo was echt degene die het ijs in Balmoral heeft gebroken. Vanaf het moment dat hij meekwam, veranderde de hele sfeer.

Bij dat eerste bezoek stond ik voortdurend stijf van de zenuwen en dacht steeds: 'O mijn god, welke *faux pas* zal ik nu weer begaan.' Maar in de loop der jaren zijn we aan elkaar gewend geraakt. De koningin had duidelijk een grote waardering voor Tony, en de laatste keer dat we naar Balmoral gingen, was ik oprecht triest toen ik me realiseerde dat we er nooit meer naartoe zouden gaan.

Terwijl de koningin in feite heel benaderbaar is, kan ik niet hetzelfde zeggen van prinses Margaret, die ik een aantal keren op Balmoral heb ontmoet. Op een avond was ik in het Royal Opera House voor een galavoorstelling en stond net met haar te praten over de voorstelling, toen Chris Smith naar ons toekwam.

'Heeft u al kennisgemaakt met Chris Smith, onze minister van Cultuur, mevrouw?' vroeg ik.

Ze staarde naar hem.

'En dit is zijn partner,' voegde ik eraan toe.

'Wat voor partner?'

Ik haalde diep adem. 'Zijn sekspartner, mevrouw'.

Ze beende weg. Ze had exact geweten welk soort partner ik had bedoeld. Ze had me gewoon van mijn stuk willen brengen.

Ook tussen haar nicht prinses Anne en mij heeft het nooit willen boteren. De reden daarvoor was, denk ik, niet zozeer ons enigszins ongemakkelijke gesprek toen we voor het eerst aan elkaar werden voorgesteld op Balmoral, als wel haar indruk dat ik degene was die bij Tony had aangedrongen op een verbod op de vossenjacht, waarover Anne een heel uitgesproken mening heeft. Ze heeft me dat ook in niet mis te verstane bewoordingen duidelijk gemaakt tijdens een staatsbanket op het kasteel van Windsor, waar Tony en ik aanwezig waren op het moment dat het parlement het wetsontwerp behandelde. Prins Charles en prins Andrew, daarentegen, die hier allebei ook heel duidelijke ideeën over hebben, lieten zich uiterst beschaafd over de kwestie uit.

Aangaande mijn mening over de vossenjacht: ik ben nooit zo fanatiek geïnteresseerd geweest in dieren. Wat er precies gebeurt met de rode vos, gaat volledig langs me heen. Mijn interesse gaat uit naar mensen.

Het was mevrouw Jacob Rothschild die me vertelde dat ik de reputatie had tegen de jacht te zijn. Zelf was zij nadrukkelijk vóór de jacht. Zozeer zelfs dat ze tijdens een dinertje bij wijze van grap een namaakvossenstaart op mijn stoel had gelegd. Ik vertelde haar dat ik juist absoluut geen uitgesproken mening koesterde over de hele kwestie, dat ik voor noch tegen was. In die kringen waren ze er kennelijk van overtuigd dat ik degene was die Tony had opgestookt. Ik heb even de puntjes op de i gezet. 'Ik vind dat er wel belangrijker zaken zijn om ons zorgen over te maken,' zei ik. Maar die boodschap is nooit echt doorgedrongen tot de voorstanders van de vossenjacht; in september 2004 werd mijn vijftigste verjaardagsfeest op Chequers verstoord door een groep voorstanders van de jacht. Het feest had die avond om half acht moeten beginnen, maar omdat de activisten de toegang blokkeerden, waren alleen Charlie en Marianna en Freddie Reynold er op de een of andere manier in geslaagd erdoor te komen. Het zag ernaar uit dat het een heel rustige avond zou worden. Tony was somber gestemd. 'Ik heb je gewaarschuwd, Cherie. Ik zei al dat we ons in onze positie geen feestje kunnen veroorloven.' We hadden in ieder geval het jaar daarvoor zeker geen feestje georganiseerd ter gelegenheid van zijn vijftigste verjaardag vanwege de oorlog in Irak.

Uiteindelijk nodigde Tony de leider van de actievoerders uit binnen te komen en wist haar op zijn eigen charmante manier tot rede te brengen. Ze hadden hun bedoelingen duidelijk gemaakt, zei hij. Misschien dat ze dan nu de weg konden vrijmaken? Vanaf dat moment was hij een stuk beter geluimd. Geleidelijk aan druppelden de vrienden binnen die de politie had laten uitwijken naar de parking van een nabijgelegen supermarkt in Princes Risborough, maar het duurde tot negen uur voordat we echt konden beginnen. Voor veel gasten was het een merkwaardige ervaring geweest: in hun jeugd zouden zij eerder deel hebben genomen aan een blokkade dan er door eentje buitengesloten te worden. Uiteindelijk waren we het er allemaal roerend over eens dat dit in ieder geval een verjaardagsfeest was dat we niet snel zouden vergeten, met Tony die meespeelde met de band en de tijd van zijn leven had, en die voor mijn gevoel voor de eerste keer in jaren weer eens onbekommerd plezier maakte.

30

Volhouden

Septer 2003. We waren nog maar koud terug van Balmoral of Tony was alweer onderweg: deze keer naar Berlijn voor overleg met Jacques Chirac en Gerhard Schröder over de wederopbouw in Irak. Geen wonder dat hij er altijd zo moe uitzag: geen enkele wereldleider vóór hem had zo veel gereisd. De volgende op het lijstje was de Spaanse premier, maar de Aznars kwamen tenminste naar ons toe. Die avond gingen de gesprekken tijdens het diner opnieuw over zijn beslissing terug te treden aan het einde van zijn tweede ambtstermijn in 2004.

Een paar weken later waren we zoals gebruikelijk op Chequers voor het weekeinde. Tony was naar het politiewachthuis geweest – waar ze een klein fitnesszaaltje hadden – en had getraind op de loopband. Hij kwam grijs terug. Hij had pijn in zijn borst, zei hij. Hij begreep er niets van: hoe hard hij ook trainde, hij bleef kortademig en leek absoluut niet fitter te worden. Ik zei dat ik een dokter ging bellen. Hij vond het belachelijk, maar ik deed het toch.

Dokter Shah was arts op de lokale luchtmachtbasis. Het verbaasde hem dat de minister-president geen persoonlijke lijfarts in de buurt had. Ik antwoordde dat ze hem die waarschijnlijk wel hadden aangeboden maar, mijn echtgenoot kennende, had hij die natuurlijk gewoon geweigerd. Dokter Shah regelde een afspraak voor Tony in het Stoke Mandeville Hospital om ogenblikkelijk onderzocht te worden. Ik ging met hem mee en beloofde contact te houden met de Garden Girl die wordt geacht zijn zijde niet te verlaten. In het Stoke Mandeville namen ze het zekere voor het onzekere en zeiden ze dat ze hem liever wilden doorsturen naar Londen. De Garden Girl arriveerde vlak na ons in Hammersmith en bleef de hele tijd naast de spreekkamer zitten met de rode doos van de premier bij de hand. Tony's probleem, zo legde de consulterend arts uit, was een hartritmestoornis, en dat kon normaal gesproken verholpen worden door middel van een elektrische schok. De hele procedure zou niet meer dan een paar seconden duren. We behoefden niet eens John Prescott te waarschuwen, wiens taak het is, als Tony's plaatsvervanger, om de leiding over te nemen als er iets mis was met Tony. Na de behandeling voelde Tony zich meteen veel beter, maar hij nam zelfs niet de moeite de voorgeschreven dagelijkse aspirine in te nemen. Niet verrassend dat het probleem zich een jaar later weer voordeed. Deze keer werd besloten tot een operatie. Het was opnieuw een tamelijk eenvoudige ingreep maar hij moest wel volledig onder narcose worden gebracht, al zou dat slechts een paar minuten duren. Deze keer zou John Prescott wel moeten worden ingeschakeld.

Het partijcongres van Labour in 2004 was ophanden en Tony was vastbesloten te wachten tot na het congres. Ik meende dat de stress van het schrijven van zijn toespraak zijn gezondheidstoestand zeker niet ten goede zou komen en zei hem dat ik liever had dat hij het meteen liet doen. Maar ook deze keer wilde hij niet luisteren. Ik besloot het dan maar zelf te regelen en maakte een afspraak voor hem om naar het ziekenhuis te gaan op de vrijdag na afloop van het congres, doorgaans een heel rustige dag.

In 1997 had Tony tijdens zijn eerst Labourpartijcongres als minister-president zowel beloofd als gewaarschuwd dat zijn ambtstermijn er een van 'hoogstaande idealen en moeilijke keuzes' zou worden. Dat is nooit meer bewaarheid geworden dan in het geval van Irak. Er zijn momenten geweest waarop ik het ook niet meer wist, dat ik me zorgen maakte over waar het allemaal naartoe ging in Irak, momenten waarop ik mijzelf eraan moest herinneren dat ik niet het volledige overzicht had zoals Tony. En omdat ik vertrouwen had in zijn oordeel, was ik bereid mijn eigen twijfels opzij te schuiven, want ik kende hem en ik wist dat hij nooit het verkeerde zou doen. Hij had een enorme innerlijke overtuiging, een kwaliteit die ik al heel vroeg in hem had herkend, en mijn taak als zijn vrouw was om hem te steunen.

Hoewel tijdens het congres in 2004 vier op de vijf afgevaardigden tegen het terugtrekken van onze troepen uit Irak stemden, was de druk op Tony in de loop van het voorgaande jaar hoe langer hoe groter geworden. Er was Irak en er was Gordon. Gordon was er zo op gebrand premier te worden dat hij niet inzag dat als hij bereid zou zijn geweest Tony's programma's voor binnenlandse hervormingen – academische opleidingen, meer geld naar ziekenhuizen en pensioenen – uit te voeren, Tony zonder meer zou zijn afgetreden. In plaats daarvan had Tony het gevoel dat hem geen andere keuze restte dan aan te blijven en te vechten voor de dingen waarin hij geloofde.

Terwijl de spanningen op Nummer 10 toenamen, overwoog Tony opnieuw af te treden, en ik wist eigenlijk niet wat ik nog kon zeggen. Met dergelijke nauwe banden in de broeikasomgeving van de politiek is het niet verbazingwekkend dat er problemen ontstaan. Gordon wilde partijvoorzitter worden en had daartoe het volste recht. Maar mijn sympathie lag onvermijdelijk bij Tony en ik wilde dat hij op zijn eigen voorwaarden zou kunnen aftreden. De voortdurende wrijvingen lieten hun sporen na op mijn echtgenoot, de man van wie ik hield, en kleurden mijn gevoelens. Ik weet best dat ik in dezen niet objectief ben – en eerlijk gezegd, het zou ook raar zijn als ik dat wel was. Ik ben evenmin blind voor Gordons vele kwaliteiten. Maar ik ben altijd intens trouw geweest aan Tony, en ik vond het vreselijk dat hij zo onder druk werd gezet.

Deze keer was er tenminste ook een positieve mogelijkheid: de functie van voorzitter van de Europese Commissie zou in juni vrijkomen. Tony was altijd enthousiast geweest over de Europese gedachte en we overwogen of hij zich misschien kandidaat moest stellen. Ik ben zelfs op internet gaan zoeken naar mogelijke scholen voor Leo. Uiteindelijk besloot Tony zijn steun te geven aan de kandidatuur van José Manuel Barroso, de premier van Portugal, voor wie hij bewondering had, die Tony's opvattingen over de toekomst van Europa deelde en die een bondgenoot was van de Verenigde Staten.

Er was een moment ten tijde van het Irakdebat, in maart 2003, dat Tony het gevoel had dat er een reële mogelijkheid bestond dat hij opzij zou worden geschoven. Met de tory's die aan zijn kant stonden, heeft hij nooit gedacht dat hij de stemming zou verliezen, maar als een belangrijk deel van Labour zich tegen hem had gekeerd, vond hij dat hij zijn ontslag had moeten indienen. De gedachte dat wij met z'n allen van het ene moment op het andere op straat zouden kunnen komen te staan, beangstigde me. Ik vond dat we hoe dan ook een huis in Londen moesten zien te vinden, en deze keer was Tony het met me eens.

Gezien mijn recente rampzalige ervaringen met de vastgoedmarkt besloot Tony onze vriendin Martha Greene te vragen ons te helpen.

Ik had Martha leren kennen in 2001, in de fitnesszaal, via Carole. In 2002 kreeg ze borstkanker, wat onze vriendschap alleen maar hechter heeft gemaakt. Martha is Amerikaanse, zo eentje van het soort dat op jonge leeftijd naar Londen komt en vervolgens nooit meer weggaat. Toen ik haar voor de eerste keer ontmoette, runde ze een restaurant, *Villandry* geheten, waarvan ze een goedlopende zaak had weten te maken. Ze had de catering verzorgd voor onze eenentwintigste huwelijksdag, bracht Tony zijn avondeten als ik er niet was, en was een huisvriendin geworden. Tony en ik hadden een enorm vertrouwen in haar talenten op culinair en financieel vlak.

Waar we precies moesten gaan zoeken, bleek nog een hele toer. Tony had geen zin in de buurt van Westminster te blijven, terwijl ik absoluut niet wilde dat Leo van school zou moeten veranderen. We moesten redelijk dicht in de buurt van de kathedraal van Westminster blijven. En vervolgens moest ik op een steenworp afstand van de rechtbank wonen, terwijl Tony in de buurt van de sneltrein naar Heathrow wilde zitten. Connaught Square voldeed aan al onze criteria op één na: de prijs. Hoewel er geen tuin bij zat, keek het in ieder geval wel op een tuin uit, en ondertussen hadden we al doorgekregen dat Tony toch nooit buiten zou kunnen zitten.

Voor een echtpaar van middelbare leeftijd dat niet eens over voldoende kapitaal beschikt om een flat in Bristol te kopen, laat staan twee, betekende de aanschaf van een huis in deze prijsklasse een enorme sprong in het ongewisse. Maar we moesten iets hebben. Als we plotseling weg moesten uit Nummer 10, hadden we een plek nodig waar we naartoe konden gaan. Ik moest werken, en Tony ook. Drie jaar na 9 september 2001 waren we ons maar al te zeer bewust van de veiligheidsimplicaties voor onze toekomstige woonruimte, waar die zich ook mocht bevinden, als Tony eenmaal was afgetreden. We konden ons onmogelijk houden aan de wijze lessen die er door mijn grootmoeder ingehamerd waren, namelijk dat we de tering naar de nering moesten zetten. Het antwoord was een torenhoge hypotheek.

Om al dat geld bij elkaar te kunnen schrapen werkte Martha een bedrijfsplan uit. Op langere termijn had Tony 'vooruitzichten'. Op kortere termijn moesten we nog steeds onze renteaflossingen kunnen betalen. De huur die we voor het pand konden krijgen, zou niet de volledige hypotheek compenseren. We realiseerden ons ook dat we om veiligheidsredenen op een gegeven moment de tot woning verbouwde stallen achter het oorspronkelijke huis zouden moeten kopen. Aangezien Tony een vast inkomen had, zou ikzelf op de een of andere manier een stuk meer moeten gaan verdienen om het verschil te kunnen overbruggen. Vandaar mijn beslissing om lezingen te geven, die Martha voor me regelde via haar contacten in Amerika.

Als advocaat was ik gewend in het openbaar te spreken en met name het onderwerp vrouwenrechten lag me na aan het hart. In Amerika sprak ik op conferenties over deze materie en over andere juridische aangelegenheden.

Het geven van openbare lezingen leek een ideale manier om iets wat me zo bezielde te combineren met het verlichten van onze benarde financiële situatie.

Hoewel ik nog steeds van mening ben dat ik het recht had die lezingen te geven, bleken ze een rampzalig idee vanuit pr-standpunt, met name de reeks in Australië. Ik was maar een 'onderdeel' van een rondreizend benefietdiner, dat verder ook nog entertainment en een veiling omvatte, en ik kreeg er, evenals de vier andere gasten die optraden in het programma, een vast bedrag voor. We deden verschillende steden aan en het was de bedoeling geld in te zamelen voor de Australische charitatieve organisatie Children's Cancer Institute, en dat is uiteindelijk ook gelukt. Het was verre van de ramp die de Britse pers ervan maakte, en het evenement heeft zelfs de verwachtingen overtroffen. In totaal leverde de tournee door Australië en Nieuw-Zeeland 350.000 pond op. Dat was het hoogste bedrag dat de organisatie ooit had ingezameld, en de hele tournee werd beschouwd als een groot succes. Het mag standaardpraktijk zijn in de wereld van de liefdadigheid om als spreker een honorarium te ontvangen, maar het is een pijnlijke les geweest dat die 'standaardpraktijk' voor mij niet gold.

Het lijkt geen twijfel dat Tony in april 2004, met Gordon die met de sleutels boven zijn hoofd rammelde, een vertrouwenscrisis doormaakte en er niet meer zeker van was of hij nog steeds iets kon betekenen voor de Labourpartij. Ik bleef ervan overtuigd dat Tony niet moest aftreden, dat hij de strijd moest aangaan bij de volgende verkiezingen, en dat hij die volgende verkiezingen zou gaan winnen. Ik kreeg op dat vlak enorm veel steun van onze beste vrienden in het kabinet, met name van Tessa Jowell, Charlie Falconer, John Reid, Hilary Armstrong en David Blunkett. Ook de bijval van Patricia Hewitt, Alan Milburn en Stephen Byers hielp Tony overtuigen dat hij moest aanblijven. Het ging niet alleen om zijn eigen reputatie maar ook om de agenda van New Labour en, het allerbelangrijkste, om de openbare voorzieningen. Net zoals in het verleden als hij geen zetel had gekregen, of twijfelde of hij ooit partijleider zou worden, spoorde ik hem aan 'zichzelf van de grond te rapen, af te stoffen en van voren af aan te beginnen'. Zoals velen met mij was ik ervan overtuigd dat als Tony zich niet kandidaat zou stellen voor een derde ambtstermijn, dat zou worden opgevat als een reactie op de negatieve kritiek over de oorlog. Historici zouden dat interpreteren als een stilzwijgend toegeven van falen. Ik maakte me zorgen dat hij te gevoelig was voor intelligentsia van het soort dat de *Guardian* leest en dat hem zijn standpunt in de kwestie-Irak nooit zou vergeven, ook al zou hij zichzelf voor hun ogen geselen, en die alleen maar zouden zeggen: 'Hebben we jullie niet gewaarschuwd, we hadden hem nooit moeten vertrouwen.' Ik heb altijd heel sterk gevoeld dat hij geen excuses moest aanbieden voor iets waarvan hij geloofde dat het juist was. Hij kon de doden in Irak betreuren, maar hij behoorde zich niet te verontschuldigen voor het nemen van de juiste beslissingen voor het land.

Tegen de tijd van het partijcongres had Tony zijn strategie bepaald. In een vraaggesprek met de politiek redacteur van de BBC Andrew Marr, op de laatste avond van het congres, zei hij dat als hij verkozen zou worden, hij een derde ambtstermijn zou volmaken maar niet een vierde. Hij vertelde ook dat hij een hartritmestoornis had en dat hij de volgende dag geopereerd zou worden. Tegelijkertijd kondigde Downing Street aan dat we een huis in Connaught Square hadden gekocht.

Die vrijdagavond reden we na afloop van het congres naar het Hammersmith Hospital in White City. Ik bleef bij hem tot het verdovingsmiddel begon te werken. Toen ben ik teruggegaan naar zijn kamer waar ik met mijn rozenkrans neerknielde en ben blijven bidden tot de Garden Girl me kwam zeggen dat het allemaal goed was gegaan.

Toen Matrix werd opgericht, had ik gehoopt dat mijn vroegere mentor Michael Beloff zich bij ons zou voegen. Uiteindelijk deed hij dat niet uit vrees dat we dan te links zouden zijn. Michael en ik bleven echter bevriend, en ergens in 2002 belde hij me op met een voorstel. Wat zou ik ervan vinden me actief in te zetten voor de Britse poging de Olympische Spelen naar Londen te halen? Ik was op de hoogte van zijn belangstelling voor atletiek, dat was een van onze gespreksonderwerpen geweest in de dagen van Gray's Inn Square. Zelf was hij in zijn jeugd geen onverdienstelijk atleet geweest en in de loop der jaren had hij gewerkt als rechter bij de Olympische Spelen, waar een internationaal panel van advocaten dienstdoet als tribunaal als bepaalde beslissingen worden betwist of aangevochten. Hij had gesproken met de sportredacteur van de *Daily Telegraph*, die betrokken was bij het Brits Olympisch Comité. Er werd gezegd dat het Internationale Olympisch Comité (IOC) zich had laten inpakken door de charmes van de Griekse zakenvrouw die het gezicht van de Atheense kandidatuur was geweest, en op dat moment stonden de Olympische Spelen in Athene voor de deur. Gegeven mijn interesse voor atletiek wilde ik er misschien eens over nadenken?

Er waren twee redenen waarom ik niet kon ingaan op zijn verzoek, vertelde ik hem. In de eerste plaats zou het, vanwege mijn positie, allemaal te veel op een initiatief van de regering lijken. Bovendien zou ik mijn carrière moeten opgeven, want het ging hier om een betaalde baan, en het feit dat ik overheidsgeld zou aannemen zou koren op de molen zijn van de sensatiepers. Kortom, het was absoluut uitgesloten. Uiteindelijk kreeg Barbara Casanni de functie, een jaar later vervangen door Sebastian Coe, die het fantastisch heeft gedaan. Het enthousiasme van het comité was echter aanstekelijk. Ik bood mijn diensten aan waar zij maar dachten dat die het nuttigst ingezet konden worden. Prompt werd ik ambassadrice naast, onder anderen, Steve Redgrave en David Beckham.

Het verwerven van steun voor de kandidatuur van een individueel land onder de leden van het IOC – de mensen die uiteindelijk de beslissing nemen – is een gecompliceerd geheel vanwege een verleden van corruptie, waarbij door de met elkaar concurrerende landen 'douceurtjes' van uiteenlopende aard en waarde werden geschonken om de stemmen van individuele IOC-leden te 'kopen'. Maar wat het IOC uiteindelijk wil, zijn succesvolle Spelen. Ze moeten weten of het land zelf achter de kandidatuur staat. Ze moeten weten of het land beschikt over de noodzakelijke infrastructuur. Ze moeten weten of er goed is nagedacht over de financiële gevolgen, zodat niemand failliet zal gaan vanwege de Spelen. En ten slotte moeten ze weten of atleten vanuit de gehele wereld welkom zullen zijn en goed verzorgd zullen worden. Het was mijn taak om informeel over al die aspecten te praten met degenen die, direct of indirect, iets te zeggen hadden over de keuze. Kort gezegd: ik was op stemmenjacht.

Vóór elke reis die ik in de daaropvolgende twee jaren maakte, nam ik eerst contact op met het Brits Olympisch Comité, dat altijd wel iemand wist te bedenken die de moeite waard was om tegenaan te kletsen. Zelfs gedurende dat bliksembezoek aan Korea, bijvoorbeeld, was ik er nog in geslaagd met de IOC-gedelegeerde te spreken. Het IOC is een gemêleerd gezelschap. Het zijn atleten uiteraard, maar er zit veel meer achter dan alleen maar dat. In die twee jaar is mijn kennis van veldevenementen enorm toegenomen: de stemmen van polsstokhoogspringers en gewichtheffers waren ten slotte net zo waardevol als die van hordelopers en sprinters. Ik herinner me nog hoeveel moeite Sue heeft moeten doen de Mongoolse gedelegeerde te pakken te krijgen. Uiteindelijk werd het een succesvolle maar ongebruikelijke ontmoeting. Hij had zijn kleindochter meegenomen om te tolken. Ergens had zij iets opgevangen over mijn interesse voor vrouwenkwesties, en dat was dan ook het onderwerp van ons gesprek.

Het was verrassend hard werk, maar om in 2004 vanaf de eretribune de Spelen in Athene te mogen bijwonen, was een genot. Tony en ik zijn naar de openingsceremonie geweest en ik ben een week of zo later nog een keer teruggeweest met Jackie, die mijn enthousiasme voor atletiek deelde. We hadden Tony achtergelaten bij de Strozzi's met Leo, Kathryn en haar vriendin Bella, en met Maureen als achtervanger. Jackie en ik waren erbij toen de roeier Steve Redgrave zijn vijfde gouden medaille won en zijn collega Matthew Pinsent zijn derde. Bij die gelegenheid zaten we op de vip-tribune, net achter de Australische televisieploeg. Ik kon de roeiers in de verte zien, en tegelijkertijd kon ik ze ook van dichtbij volgen op het scherm dat bovendien de tijden liet zien. De sfeer was fantastisch en na afloop ben ik naar beneden gegaan om hen te feliciteren. Ik kende hen beiden, dus hoe kon ik die open armen weerstaan? Zelfs al waren ze warm en zweterig, het zijn zulke aardige mensen. En dan heb ik het nog niet eens over die fantastische lijven.

Hoewel het Paralympisch Comité slechts één stem heeft, hebben ze een grotere invloed dan je op basis daarvan zou denken. Het kon voor ons natuurlijk ook geen kwaad dat de Paralympische beweging een uitvinding is geweest van de Britten tijdens de Olympische Spelen in Londen van 1948, als reactie op het aantal gehandicapte militairen dat anders niet had kunnen meedoen. In veel opzichten is de moed en de wilskracht in de Paralympische beweging nog verbazingwekkender dan die bij de Olympische Spelen zelf, en in september keerde ik terug naar Athene voor de Paralympische Spelen. Ik kon uit die ervaring putten toen ik een bezoek bracht aan de Chinese Paralympische Associatie tijdens een reis met Tony naar Beijing. De zoon van de voormalige Chinese leider Deng Xiaoping was de voorzitter van de Associatie. Toen Deng uit de gunst raakte, werd zijn zoon door een soldaat van de Revolutionaire Garde uit de bovenste verdieping van een gebouw gegooid, waarbij hij zijn rug brak. Sindsdien zijn zijn onderste ledematen verlamd. Het is een zeer indrukwekkende, intelligente kerel, en het was een oefening in nederigheid om met hem te spreken.

De Olympische Spelen van 1948 in Londen zijn volgens mij ook nog in ander opzicht belangrijk geweest. In Athene sprak ik met een Ierse arts die vlak na de oorlog in Londen werkzaam was en als arts werd toegewezen aan de kleine Ierse olympische ploeg. Onderhand was hij al in de tachtig, maar hij was er nog altijd bij betrokken. Hij zei dat de bereidheid van Londen om de Spelen te organiseren op een moment dat de financiële nood zo hoog was, een buitengewoon gebaar was geweest. Hij is ervan overtuigd dat als dat niet was gebeurd, de Spelen wellicht nooit meer waren gehouden. Hij dacht dat heel wat van de oudere leden de omstandigheden wel kenden, maar dat het toch de moeite waard zou zijn hen er nog eens aan te herinneren. En dat heb ik gedaan.

Zonder de steun van de regering zou de kandidatuur van Londen niet eens aan de meet zijn verschenen, laat staan de eindstreep hebben gehaald. En hoewel mijn echtgenoot minder dol is op atletiek dan ik, was hij er vanaf het begin ondubbelzinnig vóór. Hij dacht daarbij niet alleen aan wat het voor Londen en de Londenaren zou betekenen, maar ook aan de invloed die het zou hebben op jongeren, op sport in het algemeen, en op het geloof van ons land in zichzelf. En daar kwam dan nog de 'erfenis' bij, zoals dat wordt genoemd, niet alleen voor Oost-Londen, maar voor het gehele land. Zo omvatten de voorstellen de verplaatsing van trainingsbaden van Olympische afmetingen naar andere delen van het land. Er zijn weinig dingen die ons land wereldwijd meer in de kijker zouden zetten dan dit.

Silvio Berlusconi, de Italiaanse premier, had er al een aantal jaren op aangedrongen dat wij een keer op bezoek zouden komen als zijn persoonlijke gasten, iets wat we altijd geweigerd hadden. Aangezien Italië een sleutelrol speelt binnen het IOC, meende Tony dat als hij zijn kaarten goed speelde, hij de drie Italiaanse stemmen voor Londen zou kunnen binnenhalen. Hij had afgesproken om voor een kort verblijf naar Berlusconi's zomervilla op Sardinië te komen. Downing Street, bevreesd voor negatieve publiciteit, trok zich natuurlijk de haren uit het hoofd, maar Tony hield voet bij stuk. Berlusconi had ons gesteund inzake Irak – een van de 'coalitie van de bereidwilligen' – en als we er bovendien de Italiaanse IOC-stemmen mee konden binnenhalen, zou hij het doen, liet hij weten, en 'loop naar de pomp met jullie schandaal'.

Hoewel wij als gezin waren uitgenodigd, gingen uiteindelijk Tony en ik. Het zou een bliksembezoek van vierentwintig uur worden. Kathryn en Leo waren er niet blij mee. Zij vonden toch al dat hun vakantie ernstig had geleden onder ons vertrek naar Athene, en nu knepen pappie en mammie er opnieuw tussenuit.

Silvio Berlusconi houdt niet van halve maatregelen. Het jacht dat in de haven van Olbia voor anker lag, overschaduwde ruimschoots het Britse Koninklijke Jacht. Silvio wachtte ons al op. Plotseling voelde ik Tony naast me verstarren, en geen wonder: onze gastheer droeg iets wat er op het eerste gezicht uitzag als een piratenkostuum, compleet met veelkleurige bandana rond zijn hoofd.

'O mijn god,' mompelde Tony terwijl wij over de loopplank liepen, 'het departement zal een rolberoerte krijgen.'

Hij had gelijk. Alsof er met grote letters 'Hier kan een heel stomme foto van gemaakt worden' overheen was geplakt.

'Wat er ook gebeurt,' zei ik, 'ik zal ervoor zorgen dat ik degene ben die naast hem staat.' Ik zuchtte. Hiervoor had ik tijd met mijn kinderen moeten opgeven en nu moest ik mezelf ook nog eens belachelijk maken. Maar goed. Guitige hoofddeksels zijn mijn specialiteit. 'Eén troost,' zei ik, 'het schip is niet bepaald een publieke plek en niemand weet dat je hier op bezoek bent.'

Dat had ik beter niet kunnen zeggen. 'Nu ga ik jullie een beetje van het eiland laten zien,' kondigde Silvio aan, terwijl we uit de haven zoefden. We realiseerden ons dat dit niet echt een rustige cruise langs stranden en landtongen zou worden toen het jacht een beschutte haven binnenracete bomvol kleine vaartuigen.

'Verontschuldig me alsjeblieft een moment,' zei onze gastheer, 'Ik moet me benedendeks even omkleden.'

Tony slaakte een zucht van opluchting. Het gezonde verstand had gezegevierd. Maar toen Berlusconi een paar minuten later weer verscheen, was het enige verschil dat hij nu een witte bandana droeg, aangepast aan de rest van zijn kleding. Op de kade was het een drukte van belang. Er was geen sprake van dat dit een privébezoek zou kunnen blijven. Tony kon de camera's niet helemaal ontwijken maar ik hield me aan mijn belofte en voor de oppervlakkige waarnemer moet het hebben geleken alsof ik compleet idolaat was van onze Italiaanse gastheer, want ik week niet van zijn zijde. Ondertussen sloegen de lijfwachten volledig op tilt. Normaal gesproken sturen ze een voorhoede die moet controleren hoe het gesteld is met de veiligheidssituatie, maar dit uitstapje was niet vermeld in ons reisschema.

Het was een zeer welvarende haven. In plaats van winkels met scheepsbenodigdheden waren er luxueuze boetieks, en Silvio dreef ons een ervan binnen. Silvio wenste een paar sieraden voor mij aan te schaffen, zei hij.

'Dat is bijzonder vriendelijk van je, maar ik kan dat niet accepteren,' protesteerde ik. 'Het mag niet. Ik zal ze toch niet kunnen houden.'

'Hoe bedoel je dat je ze niet kunt houden! Dit is niet van mijn regering, het is van mij. Een persoonlijk geschenk van vriendschap, Cherie.'

'Het spijt me verschrikkelijk, Silvio, maar het kan echt niet.'

'Onzin. Hier. Wat denk je hiervan?' Hij hield een peperduur sieraad omhoog. Ik besefte dat het een belediging zou zijn om nee te blijven zeggen.

Wanhopig zocht ik naar iets goedkoops terwijl ik probeerde uit te leggen dat als hij mij iets schonk wat meer waard was dan honderdveertig pond, ik het in geen geval zou kunnen behouden. Het zou rechtstreeks naar de kluis in Downing Street gaan.

'Kijk, dit is mooi,' zei ik, wijzend naar een bescheiden uitziend sieraad van gevlochten gouddraad. 'Nee, nee, nee,' protesteerde Berlusconi, 'Deze hier is zo veel mooier. Vertrouw Silvio nou maar.'

'O, maar dit is echt veel meer mijn stijl.'

Het was hem aan te zien dat hij dacht dat er een steekje aan mij los was.

Villa Certosa is even buitenissig als haar eigenaar. Tijdens onze eerste rondrit kregen we een serenade van zijn persoonlijke gitarist-troubadour, en met enige regelmaat bracht Berlusconi zelf ook een lied ten gehore – waarvan hij er een groot aantal zelf had geschreven, zo bleek. Ook het diner was muzikaal omlijst. De vleugel bevond zich op een vlot verankerd in het midden van een uitgestrekte lagune. Ik had Silvio's vrouw, Veronica Lario, nooit eerder ontmoet. Over het algemeen hield ze zich op de achtergrond. Villa Certosa was echt een project van haar man, zei ze, terwijl het huis in Milaan veel meer haar domein was.

Na de maaltijd dronken we limoncello gemaakt van de citroenen uit eigen boomgaard, voordat er opnieuw muziek op het menu stond. 'Speel jij muziek, Tony? Zing je?'

'Nee, maar Cherie wel.'

Je wordt bedankt, dacht ik.

Het gezicht van onze gastheer lichtte op. De pianist zou me begeleiden, zei hij. Gelukkig kon hij mijn gezichtsuitdrukking in het donker niet zien. Ik koos *Summertime*. Na een paar maten viel hij in. Hij heeft overigens een heel goede stem, vooral voor nummers als *O Sole Mio*. Daarna wierpen Tony en ik elkaar een blik toe. Het was bedtijd voor ons. Maar dat was buiten onze gastheer gerekend.

'En het concert dan?' riep hij uit. Kennelijk zou het klapstuk van de avond de inhuldiging zijn van een auditorium van vierhonderd plaatsen, uitgehouwen in de klifwand. Hij had speciaal een orkest van het vasteland laten overvliegen, zei hij. Om nog maar te zwijgen over de sopraan en de tenor. Er hielp geen lievemoederen aan. Onder het publiek zag ik de lijfwachten, de voorlichtingsmensen en de Garden Girls. Ik was blij dat ik hun gezichten niet kon zien toen Silvio erop stond dat ik nog een keertje *Summertime* ten gehore bracht.

Het 'gewoon een beetje vuurwerk' bleek een van de meest indrukwekkende vertoningen te zijn die ik ooit heb meegemaakt. Het duurde wel twintig minuten en eindigde met een VIVA TONY in spectaculaire koeien- letters aan de hemel. De discretie konden we op onze buik schrijven. Tony bestierf het zo'n beetje.

De dag daarop ging het er wat rustiger aan toe. Voor mij stond er een be- zoek aan een serie bronnen met thalassotherapie op het programma, terwijl Tony zou gaan voetballen met Berlusconi en de lijfwachten. De laatste hin- dernis was de masseur. Mijn man heeft een gloeiende hekel aan mannelijke masseurs. Maar dit was de masseur van AC MILAN. 'Luister, Tony,' zei ik, 'hij masseert voetballers. Geloof me nou maar, hij heeft het echt niet op jouw lichaam voorzien.' Later moest hij toegeven dat het inderdaad een meer dan uitstekende massage was geweest.

Is al dat gedoe de moeite waard geweest? Ik kan niet anders zeggen dan dat deze ervaring zonder twijfel ondergebracht moet worden in de cate- gorie ultrasurrealistisch. En voor wat betreft de IOC-stemmen: Berlusconi heeft niets beloofd en uiteraard zijn de IOC-leden onafhankelijk, maar hij zei dat hij zou doen wat hij kon. We zullen het nooit zeker weten natuurlijk, maar hoewel hij veel excentrieke eigenschappen heeft, is Silvio Berlusconi wel een man die doet wat hij zegt dat hij zal doen.

Rond 19 november 2004 waren er van de negen steden in de race voor de Olympische Spelen van 2012 nog vijf over, en in februari kregen we een IOC- evaluatiebezoek. Ik had ondertussen geleerd dat alle beetjes helpen: de dele- gatie werd geleid door de eerste moslimvrouw die ooit een gouden medaille had gewonnen, en ik heb met haar kunnen praten over de manier waarop sport de positie van de vrouw kan verbeteren. Een ander delegatielid was een Zuid-Afrikaan die actief was geweest in de anti-apartheidsbeweging. We twijfelden er niet aan dat hij aan onze kant stond. Als onderdeel van onze presentatie gaf ik een toelichting bij de nieuwe regelgeving die wij hadden geïntroduceerd ter bescherming van het Olympisch symbool met de vijf ringen wat gezien het genereren van middelen voor de Spelen van groot belang is. Enige tijd daarvoor was ik door het Comité 2012 gevraagd het juristenteam te komen versterken, en het deed me genoegen dat ik mijn expertise op juridisch gebied kon gebruiken om onze zaak te bepleiten.

De locatie die wij hadden voorgesteld voor het onderdeel beachvolley- bal, was de Horseguards Parade, en waar heb je een beter uitzicht dan vanaf het balkon waar de koninklijke familie altijd toekijkt hoe de koningin jaar- lijks in juni het defilé afneemt tijdens de *Trooping the Colour*-ceremonie.

Aangezien die locatie vlak bij Downing Street ligt, hadden ze mij gevraagd de delegatie te vergezellen. In het vertrek achter het balkon bevinden zich Wellingtons uniform en zijn bureau, en dit was de eerste keer dat ik daar ooit binnen was geweest.

Die avond had de koningin de leden van het evaluatiecomité uitgenodigd voor een banket op Buckingham Palace. Het paleis had een prachtige tentoonstelling ingericht die een overzicht gaf van de jarenlange betrokkenheid van de koninklijke familie bij de Spelen. Ook het rijkostuum van prinses Anne was te zien – zij was lid van het Britse paardrijteam tijdens de Olympische Spelen van 1976 in Montreal. Het is moeilijk voorstelbaar dat zo'n prachtige avond waar dan ook ter wereld geëvenaard zou kunnen worden. En hij eindigde net zo koninklijk als hij begon, met de doedelzakspelers van de koningin die de delegatie muzikaal uitgeleide deden.

'Kom, mevrouw Blair, laten we naar het balkon gaan,' zei ze. Zo gezegd, zo gedaan.

Toen ten slotte de laatste noten waren weggestorven, draaide ze zich naar me om. 'Ik geloof dat het uitstekend is verlopen, denkt u ook niet?'

De verkiezingen van 7 mei 2005 staafden mij in mijn overtuiging dat, wat de pers ook mocht beweren, de Britse bevolking nog steeds vertrouwen had in Tony. Met een minder ruime meerderheid misschien – niet verwonderlijk na acht jaar regeren – maar voor de eerste keer in de geschiedenis van de partij verwierf Labour voor de derde keer achter elkaar een regeringsmandaat. En de Conservatieven verhoogden weliswaar hun aantal zetels in het parlement, maar voor de derde keer op rij hadden ze minder dan vijfendertig procent van de uitgebrachte stemmen gekregen.

Deze keer had ik ervoor gezorgd dat ik geen rechtbankverplichtingen had en daardoor kon ik vijftig marginale kiesdistricten voor mijn rekening nemen. Ik voerde grotendeels in mijn eentje campagne, want de partij wilde dat het om Tony en Gordon zou draaien. Het was een emotionele periode voor me aangezien het de laatste keer zou zijn dat ik campagne zou voeren voor de Labourpartij als de echtgenote van de premier.

Een maand na de verkiezingen waren we het er met z'n allen over eens dat de kandidatuur van Londen er goed voorstond. Weliswaar achter de favoriet natuurlijk – Parijs – maar we stonden hoger op de lijst dan iemand had durven voorspellen, en dat was in grote mate te danken aan de energie en vastberadenheid van Seb Coe, die pas een jaar eerder was binnengehaald.

De grote dag waarop het besluit zou vallen, was 6 juli, in Singapore. Voor Tony en mij had het tijdstip niet slechter kunnen uitkomen. Slechts twee dagen daarna zou Groot-Brittannië gastland zijn voor de G8 die elfduizend kilometer van Singapore, in Edinburgh, werd gehouden. Ik zou gastvrouw zijn van de echtelieden van de aanwezige wereldleiders die op 6 juli werden verwacht in Gleneagles. De grote vraag aan de vooravond van Singapore was: Moet Tony Gaan? Er gingen stemmen op in Downing Street dat hij zo vlak voor de G8 beter niet kon gaan, wat voor zin zou het hebben? Hoewel Tony ondertussen wel gewend was lange afstanden te reizen, is dat constante doorkruisen van tijdzones, vlug even tussendoor een uiltje knappen, vlug een hapje eten wanneer je kunt in plaats van wanneer je het nodig hebt, voor geen enkel mens gezond. Het risico bestond dat hij uiteindelijk zowel in Singapore als in Schotland oververmoeid en ongeconcentreerd zou zijn. De G8-top in Gleneagles van 2005 was extra belangrijk voor Tony omdat hij, behalve de gebruikelijke staatshoofden ook de regeringsleiders van China, India, Brazilië, Zuid-Afrika en Mexico had uitgenodigd – bekend als de G8 + 5 – evenals vertegenwoordigers uit Afrika en Azië. Het zou ook voor het eerst zijn dat de aandacht minder gericht zou zijn op actuele onderwerpen als wel op de toekomst, namelijk Afrika en klimaatsverandering. Bovendien wisten we dat we terug moesten zijn in Gleneagles voordat de eerste gasten arriveerden en dat we niet in Singapore konden blijven tot de laatste stemronde. Aan de andere kant gold hetzelfde voor de Franse president Chirac, en we wisten dat hij daar de kandidatuur van Parijs kracht ging bijzetten. Maar Tessa Jowell, destijds minister van Sport en Cultuur en uiterst gedreven om de Olympische Spelen binnen te halen, vond dat we absoluut moesten gaan.

Ik herinner me dat Tony en ik tot diep in de nacht de voor- en de nadelen tegen elkaar hebben zitten afwegen. Ik weet niet precies wat de doorslag heeft gegeven voor Tony – misschien het instinctieve gevoel dat zijn aanwezigheid de balans in ons voordeel zou kunnen doen doorslaan, dat we nu al zo ver waren gekomen en dat het ontzettend belangrijk was dat laatste duwtje te geven. Of misschien wel het besef dat als we er niet naartoe zouden gaan en we zouden verliezen, hij altijd het gevoel zou houden dat hij misschien het verschil had kunnen uitmaken. Het was een beetje zoals atletiek zelf. Het heeft geen zin mee te doen aan een competitie als je niet wilt winnen, zelfs al weet je dat het er misschien niet in zit – en in dit geval waren onze kansen niet erg groot. Het risico om te falen is voor Tony echter nooit een reden geweest het dan maar op te geven. Hij steekt liever zijn nek uit met het risico op succes, wat uiteindelijk datgene is wat hem tot een groot leider maakt.

De grote namen die allemaal hun steun kwamen betuigen in Singapore, dekten een spectrum af dat onvoorstelbaar zou zijn geweest in elke andere wereld: van prinses Anne via de Londense burgemeester Ken Livingstone tot David Beckham, die er fantastisch uitzag zoals alleen hij dat kan in een wit en zilveren trainingspak. Toen we bij het laatste rechte eind kwamen, wisten we dat het een nek-aan-nekrace met Parijs was en aangezien dit de derde keer was dat Parijs bij de laatste zes zat, heerste alom het gevoel dat het uur voor de Fransen was aangebroken.

Het stemmen gebeurt middels een eliminatieproces. Ronde na ronde wordt het laagst scorende land geëlimineerd. Madrid was de onbekende grootheid. Wij wisten dat de Spaanse hoofdstad nadrukkelijk gesteund werd door Zuid-Amerikaanse landen, maar mocht Madrid eruit gaan vóór ons, dan dachten we dat die Zuid-Amerikaanse stemmen eerder naar ons zouden gaan dan naar Parijs.

Tony's vastberadenheid om geen mogelijkheid onbenut te laten – in dit geval: om geen enkel lid van het IOC onaangesproken te laten – was buitengewoon. Hij had met veertig van de ongeveer honderdtien IOC-afgevaardigden afgesproken. We zaten in aangrenzende suites en hadden de afgevaardigden tussen ons tweeën verdeeld, elke twintig minuten één, terwijl de mensen van het kandidatuurteam hun namen afvinkten en Ken in en uit snelde. Nu mijn man al zijn charme en vastberadenheid in de strijd gooide zoals alleen hij dat kan, kon ik mij met een gerust hart wijden aan de mindere goden – hun stemmen waren er niet minder om.

In die twee dagen van intense activiteit kruiste ik voortdurend IOC-leden met wie ik in de twee voorgaande jaren al eens had gesproken. Tot op dat moment had Tony weinig idee gehad van waarmee ik mij achter de schermen precies bezig had gehouden, maar nu zag hij het.

Mensen wilden Tony erg graag ontmoeten en waren oprecht verbaasd dat hij zo benaderbaar was – heel anders dan Jaques Chirac, die ik presidentieel door de hal zag schrijden. Hij bleef niet met mensen staan praten, hij wilde alleen maar gezien worden, alsof hij duidelijk wilde maken dat hij hun een gunst bewees door naar daar te komen. Tony gaf hun het gevoel dat ze hem een gunst bewezen dat hij daar mocht zijn. Het was heel duidelijk dat de contrasterende stijl tussen beiden een reëel verschil maakte. Chiracs definitieve blunder zou weleens de doodsteek kunnen zijn geweest voor Parijs: door op te merken dat de Britse keuken qua gruwelijkheid uitsluitend onderdeed voor die van Finland, kon hij fluiten naar de twee Finse stemmen.

We vlogen rechtstreeks van Singapore naar de luchthaven in Glasgow en kwamen om acht uur 's morgens aan in Gleneagles. Tony ging meteen door naar een vergadering.

De G8-top vindt eenmaal per jaar plaats, telkens in een ander G8-land. In 2005 was de cirkel rond en de top in Gleneagles zou onze tweede worden. De eerste vond in 1998 in Birmingham plaats en was mijn vuurdoop. Destijds had ik twee voorbeelden die ik als inspiratiebron kon gebruiken. Allereerst was daar de G7 in Denver waar Hillary Clinton onze gastvrouw was en waar de vrouwen, naast een ritje in een trein een markt met traditionele ambachten hadden bezocht, gevolgd door een groepsdiscussie waaruit ik had kunnen opmaken dat we allemaal intelligente, geïnteresseerde en, globaal gesproken, goed opgeleide vrouwen waren. Ik was vastbesloten dat wanneer het mijn beurt zou zijn, ik de vrouwen zou bejegenen alsof ze hersens hadden in plaats van louter echtgenote waren.

Drie maanden na Denver had Groot-Brittannië de jaarlijkse bijeenkomst van de staatshoofden van het Gemenebest te gast. Ik was opnieuw niet onder de indruk. Hier waren vijftig vrouwen uit tweeënvijftig Gemenebestlanden, waar velen van hen de rol vervulden van First Lady. Met name in Afrika lijkt die functie meer op die van een koningin: zij heeft soms reële macht en kan belangrijke initiatieven nemen en financieren, met name ten aanzien van vrouwen en kinderen en mensen met een handicap. Dat het ministerie van Buitenlandse Zaken kennelijk van mening was dat wij slechts een kookdemonstratie, een modeshow en een bezoekje aan een fabriek voor Schotsgeruite wollen stoffen waard waren, was ronduit paternalistisch.

Voor mijn eerste G8 besloot ik de vrouwen een wat serieuzer programma aan te bieden. Na het diner was er een voorstelling van de Royal Shakespeare Company, *Shakespeare's vrouwen*, die erg goed ontvangen werd. Uiteraard hadden Hillary Clinton en Aline Chrétien (uit Canada) geen taalproblemen. Ook Flavia Prodi niet trouwens. Evenals haar echtgenoot, de Italiaanse premier, was ze universitair docent geweest, en haar Engels was uitstekend. Mevrouw Hashimoto en mevrouw Jeltsin hadden tolken nodig, maar desalniettemin meende ik dat ik beter iets te hoog kon mikken dan paternalistisch te zijn.

De dag daarop had ik toestemming gekregen om gebruik te mogen maken van de koninklijke trein, en nam ik ze allemaal mee voor een lunch op Chequers. Uitgaande van het aloude gezegde 'Schoenmaker, blijf bij je leest' had ik Rosalyn Higgins – toen nog docent aan de LSE, later president van het Internationaal Gerechtshof in Den Haag – uitgenodigd ons iets te komen vertellen over internationale mensenrechten. Ik kon me namelijk niet voorstellen dat ik de enige vrouw was van een man in een leidende positie wier echtgenoot van haar verwacht dat zij in staat is dingen met hem te bespreken. Nu waren we acht jaar verder, en mijn opvattingen waren in grote lijnen dezelfde gebleven. We bevonden ons weliswaar in Schotland, maar we zouden ons buigen over de gehele wereld.

Na twee dagen non-stop lobbyen gevolgd door een vlucht van twaalf uur had ik een jetlag en liep op mijn tandvlees. Maar ik was ervan overtuigd dat slapen niet zou lukken, want het resultaat van de stemming in Singapore kon elk moment bekend worden gemaakt. Ik besloot me te laten masseren om wat tot rust te komen. Terwijl ik daar zo lag, helemaal ingesmeerd met olie en in zijn algemeenheid in onpresentabele toestand, sluimerde ik eindelijk weg. Plotseling werd er op de deur geklopt...

Het was Gary.

'Mevrouw B.? Ik dacht dat u wel graag zou willen weten dat we bij de laatste twee zitten...'

De masseur kon nog zo zijn best doen maar elke spier in mijn lijf was gespannen. Eindelijk werd er opnieuw aangeklopt.

'Mevrouw B.? Het spijt me verschrikkelijk u dit te moeten mededelen, maar... we hebben gewonnen!'

Als ik door een zwerm bijen gestoken was, had ik niet hoger kunnen springen. Ik wurmde me haastig in een trainingspak en was de deur uit voor je Steve Ovett kon zeggen, spurtend door de gang met een lachende Gary achter me, door de openbare ruimtes, naar onze suite en mijn fantastische echtgenoot.

We waren allebei uitzinnig van vreugde.

'Je hebt het 'm geflikt,' zei ik, toen we eindelijk tot bedaren waren gekomen. En het was waar. Tegen hoeveel afgevaardigden ik ook aardig was geweest, Tony was degene die het verschil had uitgemaakt.

Even flitste er paniek over Tony's gezicht.

'O mijn god,' zei hij, 'Wat moet ik tegen Chirac zeggen?'

De relatie met Chirac was toch al moeizaam vanwege Irak. 'Wat we verder ook doen,' zei Tony giechelend, terwijl hij een vermanende vinger opstak, 'denk erom: *geen* leedvermaak!'

Die avond waren we te gast bij de koningin voor het diner. Tegen het einde van de eerste gang boog mijn Cliff-en-Elvisminnende vriend meneer Koizumi zich over de tafel en zwaaide met zijn vork. 'En, wat vind je ervan, Jacques?' informeerde hij luid genoeg voor alle aanwezige oren, die van de koningin incluis. 'Uitstekend eten hier, hè!' Waarop hij smakelijk begon te lachen. Ik keek naar de gezichten om me heen. Dat van Chirac was een studie in diplomatie. Dat van de koningin in totale mystificatie.

'Ik heb niets gezegd,' verklaarde Chirac aan Hare Majesteit.

'Wat niet gezegd?' informeerde de koningin.

Koizumi was gedurende het hele diner in een onstuitbare uitgelaten stemming en wist uiteindelijk iedereen te bewegen tot het zingen van *Happy Birthday* voor George Bush, wiens verjaardag het was.

Tegen het einde van de avond wisten de koningin en prins Philip mijn aandacht te trekken. 'Fantastisch nieuws, mevrouw Blair,' zei ze zachtjes terwijl ze een tersluikse blik wierp op Chirac.

'Uiteraard,' zei de prins, 'ben ik al zo oud dat ik het niet meer zal meemaken.'

'O, sir, zegt u dat alstublieft niet. Ik hoop van harte dat u er bij zult zijn.' En dat meende ik oprecht. Ik voelde eigenlijk veel sympathie voor de man.

'Wel, we moeten realistisch blijven,' voegde de koningin eraan toe. 'Het zal voor Charles en de jongens zijn, niet voor ons.'

Wat vreselijk, dacht ik plotseling. Hoe kunnen we nu in vredesnaam de Olympische Spelen houden zonder de koningin? Ze glimlachte en verwijderde zich. Merkwaardig hoe dingen kunnen uitpakken. Ik was helemaal ontdaan van de gedachte dat de koningin er niet meer bij zou zijn.

Het programma voor de wederhelften van de staatshoofden en regeringsleiders had een verrassend koninklijk tintje, realiseerde ik me later. De volgende ochtend bezochten we het kasteel van Glamis waar de koninginmoeder geboren en getogen is. In het verlengde van de G8-themaonderwerpen Afrika en klimaatsverandering had ik ervoor gezorgd dat er bomen waren geplant namens elk van de aanwezige dames, het spiegelbeeld van een plan in Burkina Faso dat bedoeld was om het planten van inkomenproducerende bomen te bevorderen.

De ochtend daarop was ik met André aan het kletsen terwijl hij bezig was mijn haar weer enigszins in fatsoen te brengen, toen zijn mobiele telefoon ging. Hij luisterde zonder iets te zeggen, liep vervolgens naar de tv en zette die aan. Het was zijn vriend, zei hij, om te vertellen dat alles met hem oké was maar er was een of andere ontploffing in Londen geweest. Later kwam ik erachter dat zijn vriend in Aldgate East werkte, de buurt van de eerste bom. Zoals elke andere moeder gingen mijn gedachten allereerst uit naar de veiligheid van mijn kinderen. Ik belde Jackie, maar kon haar niet bereiken op haar gsm. De vaste telefoons in Downing Street werkten echter wel, en alles was in orde met Leo en Kathryn. De lijfwachten hadden hen al opgepikt van school en ze waren nu onderweg naar huis. Vervolgens belde ik Nick in Oxford en ten slotte Euan in Amerika. Niet dat mijn twee oudste zonen nu meer gevaar liepen dan een dag of een week geleden, maar als iets dermate beangstigends toeslaat in het hart van alles wat je dierbaar is, kun je je al getroost voelen gewoon door de stem van degenen die je dierbaar zijn te horen. Toen de enormiteit van de gebeurtenissen langzaam duidelijk werd, voelde ik me zowel woedend als verdoofd. Dat waren straten die ik kende. De bom op de Piccadilly-metrolijn was afgegaan onder Russell Square, waar de eerste vergaderingen over Matrix destijds waren gehouden. De bus die zonder enig mededogen doelwit was geworden nadat de ondergrondse was gesloten, bevond zich in Upper Woburn Place, waar het oude gebouw van de arbeidsrechtbank vroeger stond. Er werd besloten dat de top gewoon zou doorgaan. Anders zou het lijken alsof de terroristen gewonnen hadden. Alle staatshoofden en regeringsleiders begrepen meteen dat Tony terug moest naar Londen en dat Jack Straw die ochtend de zitting over klimaatverandering zou voorzitten.

Mijn eigen programma ging ook door, maar de sfeer was verre van wat ik had gepland en verwacht. Onder de gasten die ik die avond had uitgenodigd, waren Darcey Bussell, Anish Kapoor en Alexander McCall Smith, die niet alleen de auteur is van de populaire boekenreeks *Het beste damesdetectivebureau*, maar ook professor emeritus medisch recht en bioethiek van de Universiteit van Edinburgh. De avond mondde uiteindelijk uit in een discussie over de subtielere aspecten van de moraalfilosofie.

Nog een droevig postscriptum en een overwinning voor de terroristen. Ik had Chicken Shed uitgenodigd, een theatergroep die workshops organiseert voor jongeren en kinderen, en ook voor kinderen met een handicap. Vanwege de versterkte veiligheidsmaatregelen, zo kreeg ik te horen, had Jo Gibbons besloten de voorstelling te annuleren. De theatergroep mocht niet naar binnen. Ik kon het bijna niet verdragen. Hoewel er die dag zulke verschrikkelijke dingen waren gebeurd, maakte de gedachte dat zo'n speciale groep mensen die heel lange reis naar Schotland voor niets had gemaakt, me razend.

Die nacht lag ik in dat luxueuze hotel omringd door alle mogelijke veiligheidsmaatregelen, en het was afschuwelijk. Ik dacht aan al die honderden, misschien wel duizenden mensen die vannacht de slaap niet zouden kunnen vatten omdat ze een naaste hadden verloren. Iemand van wie ze nooit afscheid zouden kunnen nemen. Van de euforische stemming van de vorige dag naar deze vreselijke tragedie, het was gewoon niet te bevatten.

31

Zegening

Als het noodlot toeslaat, ontstaat er een diepe behoefte aan zinge-
ving. Maar het duurde niet lang voordat mijn 'Wat doen wij hier?'
veranderde in 'Wat doe ik hier?' Gaandeweg groeide in mij de overtuiging dat ik mijn eigen stem moest zien te vinden.

Een van de laatste gesprekken die ik met Fiona had gevoerd in de zomer
van 2003, had me met de neus op de feiten gedrukt: er moest iets veranderen. 'Je moet onderduiken,' had ze gezegd. 'Wees weer gewoon moeder en
advocaat en niets meer. De pers kan je bloed wel drinken. Zij hebben alle
kaarten in handen en winnen van ze lukt je nooit.' Hoe kon ik ooit de dingen doen die ik wilde doen als dat haar overtuiging was? Maar toen mijn
nieuwe team er eenmaal was, ging het gaandeweg beter.

Beslissingen komen vaak voort uit wat je *niet* wilt, en ik wist nu tenminste wat dat was. Ik was niet bereid de rest van mijn leven te blijven piekeren
over wat andere mensen vonden van de kleding die ik droeg. Het deed er
in het echte leven absoluut niet toe en zelf vond ik het al helemaal onbelangrijk. Wat ik daarentegen wel belangrijk vond, zo realiseerde ik me hoe
langer hoe meer, was helpen andere vrouwen mondig te maken. De helft
van de wereldbevolking bestaat uit vrouwen en toch worden ze op z'n best
niet voor vol aangezien, en op z'n slechtst misbruikt en onteerd.

Tegen de zomer van 2005 kenden Laura Bush en ik elkaar iets langer dan
vier jaar en hoewel onze politieke standpunten van elkaar verschilden, waren we zeer zeker bevriend – we waren altijd blij elkaar weer te zien en bij
te kunnen praten.

Tijdens de top in Gleneagles had Laura voorgesteld dat ik haar zou
vergezellen op een bezoek aan Afrika, vlak na de G8. Ze zou samen met

haar dochter Jenna eerst naar Zuid-Afrika gaan, waar haar andere dochter Barbara in een aidskliniek had gewerkt, en vervolgens doorreizen naar een aantal andere landen alvorens de reis af te ronden in Rwanda, en Laura vroeg me met hen mee te gaan. Aangezien ik betrokken was geweest bij de werkzaamheden van het Internationale Strafhof, was ik benieuwd naar wat het Rwanda-tribunaal had bewerkstelligd, en iedereen – dat wil zeggen, Tony en het ministerie van Buitenlandse Zaken – leek het een uitstekend idee te vinden. Maar vervolgens werd de onvermijdelijke vraag gesteld: wie zal dat betalen? Laura's aanbod mij een lift te geven in de Airforce One, werd verworpen als 'niet passend', en ik kon hoe dan ook niet de hele reis meemaken omdat ik juridische verplichtingen had. Natuurlijk was Rwanda een te arm land om zelfs maar een bijdrage te overwegen. Het ministerie van Buitenlandse Zaken liet me weten er niet voor te zullen betalen. Downing Street zei: 'Daar hebben we geen begroting voor.' Dus, nadat ze bij de verschillende overheidsinstanties langs was geweest, kreeg Sue uiteindelijk te horen dat 'mevrouw Blair uit eigen zak zal moeten betalen'.

Dat was de laatste druppel. 'Jullie beweren de situatie in Afrika meer onder de aandacht te willen brengen, maar jullie willen er niets voor doen,' zei ik tegen de betrokken privésecretaris. 'En voor wat betreft het ophoesten van tweeduizend pond uit mijn eigen portemonnee, zodat Sue en ik Groot-Brittannië kunnen vertegenwoordigen, dat weiger ik eenvoudig. Ik zal Laura Bush zeggen dat ik niet mee kan gaan omdat de Britse regering het niet belangrijk genoeg vindt.'

Het was belachelijk. Groot-Brittannië was de belangrijkste ontwikkelingspartner van Rwanda. Er werd meer dan vierendertig miljoen pond rechtstreekse hulp gegeven. Op heel veel niveaus was het een succesverhaal, een oase van stabiliteit en economische groei, en als we meer invloed wilden hebben op de aspecten die ons zorgen baarden – democratisering en mensenrechten – dan was het overduidelijk een goed idee om het land te bezoeken in gezelschap van de First Lady van de Verenigde Staten. *Niet* gaan zou een gemiste kans zijn om de Britse belangen te bevorderen. Op traditionele Downing Street-wijze kwam de zaak uiteindelijk terecht bij het kantoor van het kabinet, en Gus O'Donnell, kabinetssecretaris en hoofd van de Civiele Dienst, besloot dat dit bezoek wel degelijk door de Britse regering zou moeten worden bekostigd. Toen dat eenmaal was geregeld, kwam alles op zijn pootjes terecht.

Ik moest via Nairobi vliegen, en in het spoor van onze succesvolle gooi naar de Olympische Spelen besloot ik een bezoek te brengen aan een lokaal project voor jonge voetballers. We namen net zo veel voetballen en t-shirts met '2012' erop mee als we maar in koffers wisten te proppen, en met een lokale held aan mijn zijde – de beroemde marathonloper Paul Tergat – hebben we geprobeerd duidelijk te maken dat de Olympische Spelen niet alleen een Londense aangelegenheid waren, maar dat het ging om sport wereldwijd en haar bijdrage aan het verbeteren van het lot van de armen in onze wereld. Die avond sprak ik tijdens een diner op de Britse ambassade zowel met de Keniaanse opperrechter als met mensenrechtenadvocaten, en heb toen uit de eerste hand vernomen over de snel verslechterende situatie in het land, nog niet algemeen bekend op dat moment. Ik vertrok de volgende ochtend in mineurstemming. Op de luchthaven realiseerde ik me hoe groot de invloed van China was geworden toen elk bord dat ik tegenkwam in het Chinees vertaald bleek te zijn.

Ik werd bij aankomst op de luchthaven van Kigali ingehaald met een geheel eigen interpretatie van het Britse volkslied, en toen de rode loper werd uitgerold, realiseerde ik me dat dit een heus staatsiebezoek zou worden. Ik werd begroet door de vrouw van de president en een welkomstdelegatie. De Britse delegatie bestond uit mijzelf, Sue en Ken McKenzi, onze veiligheidsman. Twintig minuten later zette het orkest opnieuw in, deze keer met het Amerikaanse volkslied, terwijl de Airforce One bijna geluidloos tot stilstand kwam. De deur ging open en er stroomden vijftig mensen naar buiten, Laura en Jenna als laatsten. Van mijn ontvangstcomité maakte ook de Britse ambassadeur deel uit, en wij Britten propten ons alle vier in zijn Range Rover terwijl boven onze hoofden helikopters patrouilleerden. Alles wat kon bewegen, was door de Amerikaanse geheime dienst gevorderd, brandweerwagens incluis. Bij het ceremoniële verlaten van de luchthaven restte ons geen andere keuze dan ons te laten meezuigen door het Amerikaanse konvooi.

Onze eerste stop was het Gisozi genocidemuseum, waar we een krans legden bij het gedenkteken voordat we het met behulp van de Britse Aegis Trust gebouwde museum zelf betraden. In dit museum worden de achtergronden en de geschiedenis toegelicht van de burgeroorlog die het land heeft verwoest en de rest van de wereld beschaamd. Meer dan achthonderdduizend Tutsi's werden vermoord, plus nog een kleiner aantal Hutu's. In praktisch alle conflicten worden kinderen niet verantwoordelijk geacht en met mededogen behandeld, maar in Rwanda is dat niet het geval geweest. Net zoals verkrachting werd het vermoorden van kinderen een oorlogswapen. Tutsi's waren als kakkerlakken, zo luidde de propaganda, en om ze uit te roeien werden baby's en peuters bij hun beentjes vastgehouden en werd hun hoofd tot moes geslagen tegen een muur. Het is moeilijk je een gruwelijker misdaad tegen de menselijkheid voor te stellen, en Laura en ik stonden in die zaal en huilden. Later ontmoetten we een aantal overlevenden – moeders en verkrachtingsslachtoffers – die tien jaar later nog steeds moeite hadden om erover te praten. Zoals mijn ervaringen in de rechtszaal met seksueel misbruik me geleerd hebben, zijn er ook bij een verkrachting nog gradaties van gruwelijkheid.

Na Laura's vertrek bleef ik zelf nog een extra dag in mijn hoedanigheid als juriste. De aanstichters van de volkerenmoord zouden berecht worden door het Internationaal Straftribunaal voor Rwanda, gevestigd in Arusha in Tanzania, maar de zaken die daar werden behandeld, vormden slechts het topje van de ijsberg. In Rwanda zelf was een enorme achterstand in de afwikkeling van de rechtszaken tegen mensen die in binnenlandse gerechtshoven zouden worden voorgeleid. Hun rechtsstelsel kon de stroom eenvoudigweg niet aan. De realiteit is verre van eenvoudig. Louter op basis van aantallen zou het tweehonderd jaar duren om alle zaken die op dit moment bij de rechtbank liggen, af te handelen. Simpel gezegd: het zal onmogelijk zijn recht te doen geschieden. Terwijl de mensen die in Arusha hun proces afwachtten – terecht – een goede medische behandeling kregen tegen hiv/aids, stierven hun slachtoffers, voornamelijk vrouwen die herhaaldelijk en gewelddadig verkracht waren, voordat ze een getuigenis konden afleggen omdat er voor hen geen soortgelijke behandeling beschikbaar was. Terwijl het tribunaal zich bezighoudt met de hoofddaders, is Rwanda zelf gaan pionieren met een nieuw systeem voor de andere verdachten, bekend als de Gacaca-rechtbanken. Ik heb een van die rechtbanken bezocht tijdens een proces vergezeld door Janet Kagame, de vrouw van de president, een rijzige, imponerende vrouw van ergens in de veertig en moeder van vier kinderen.

Hun rechtspraak is deels gebaseerd op de wijze waarop traditionele stammen hun geschillen oplosten, en deels op de werkwijze van de ZuidAfrikaanse Waarheids- en Verzoeningscommissie. We keken toe hoe mannen die werden beschuldigd van individuele geweldsmisdrijven of diefstal, werden voorgeleid aan een dorpsvergadering die uit wel honderden mensen leek te bestaan. De indruk die me tot op de dag van vandaag is bijgebleven is: kleur. De jurken van de vrouwen, het woud van parasols als bescherming tegen de zon, en de beschuldigden, volledig gekleed in roze. Getuigen werden opgeroepen, de mannen antwoordden, en een daarvoor aangestelde groep van negen ouderen uit de lokale gemeenschap sprak vervolgens haar oordeel uit. Het wordt allemaal afgehandeld binnen één dag. Er is geen doodstraf, maar als iemand schuldig wordt bevonden, kan hij tot meer dan twintig jaar gevangenisstraf worden veroordeeld. Rechtspraak zonder franje, mag je wel stellen.

De redenering achter de Gacaca-rechtbanken is dat het kwaad dat door de genocide werd berokkend, de gemeenschap als geheel werd aangedaan en dat de gemeenschap als geheel ook behoort te bepalen hoe het moet worden bestraft. Voor westerse juristen die de principes van een eerlijke procesgang met de paplepel hebben binnengekregen, is dat wel even slikken. Hoe zit het bijvoorbeeld met partijdigheid en de rechten van de beschuldigde? Alleen: wat is het alternatief? Hoe kun je een land helen na een burgeroorlog van dergelijke omvang en gruwelijkheid? Ik zeg niet dat ze de waarheid in pacht hebben, maar het was zowel leerzaam als fascinerend om te discussiëren over wat werkt en wat niet werkt. Eén ding is mij duidelijk geworden: als het gaat om misdaden op een dergelijke schaal, in een land dat zo arm is als dit, dan is een juryrechtspraak, of zelfs een proces waar recht wordt gesproken door een tribunaal van drie rechters, geen praktische oplossing. Maar om de handdoek in de ring te werpen en dan maar helemaal niets te doen, is ook geen oplossing. Als niet wordt erkend dat deze misdaden hebben plaatsgevonden, blijven er etterende wonden achter. De slachtoffers de kans te geven hun verhaal te vertellen, is althans een erkenning van datgene wat ze hebben moeten doormaken. Het ligt ongelooflijk ingewikkeld en ik kan niet pretenderen dat ik het antwoord weet, maar een deel van dat antwoord moet toch wel liggen in het volgen van de aard van de betrokken samenleving, in te spelen op een systeem dat al is ingebed in hun cultuur, in plaats van een systeem van buitenaf op te leggen. Dat is echter een behoorlijk controversieel standpunt. Na mijn bezoek aan Rwanda sprak ik voor een faculteit internationaal recht in Genève, en uit de reacties was duidelijk op te maken dat niet alle hoogleraren en studenten bereid waren dit als mogelijke oplossing te aanvaarden. Voor sommigen kon er niets bestaan buiten een eerlijk proces, met alles erop en eraan.

Hoewel het land in de slechts tien jaren die zijn verlopen sinds het einde van de oorlog meer heeft bereikt dan voor mogelijk werd gehouden zijn er nog steeds enorm veel onopgeloste problemen, waarvan het probleem van de weeskinderen niet het minste is. Ik vond het dan ook fantastisch te zien dat tussen de namen van de personen die in 2008 *New Years Honours* kregen, ook Mary Blewitt stond. Zij riep SURF in het leven, een steunfonds voor de overlevenden van de Rwandese genocide. Ze is Brits onderdaan en Rwandese overlevende, die zelf tweeënveertig leden van haar familie verloor.

Tijdens mijn tweede bezoek aan Rwanda in maart 2007, achttien maanden na mijn eerste bezoek met Laura Bush, opende ik een centrum voor overlevenden bekostigd door de Britse overheid en beheerd door SURF, dat niet alleen praktische adviezen verstrekt maar ook een opleiding biedt voor traumaconsulenten. Nu er langzamerhand tegemoet wordt gekomen aan de onmiddellijke behoeften van het land op het gebied van onderdak en voedsel, is er een reële behoefte aan psychologische bijstand.

Dat tweede bezoek was met name bedoeld om een seminar bij te wonen voor vrouwelijke parlementsleden uit de gehele wereld, maar met name uit Afrika, van wie Ellen Johnson-Sirleaf, de president van Liberia, een lichtend voorbeeld is, een echt rolmodel. Om de teugels over te nemen in een land dat zo verwoest is door oorlog, zonder enige infrastructuur van betekenis, is een immense taak op elke leeftijd, laat staan als je achtenzestig bent. Ik was gevraagd te spreken over geweld tegen vrouwen, en terwijl ik zat te luisteren naar de andere gedelegeerden, realiseerde ik me wat voor lange weg we in het Verenigd Koninkrijk al hadden afgelegd. In Sudan bestaat er bijvoorbeeld niet eens een woord voor verkrachting. In Rwanda zijn er als gevolg van de oorlog zes vrouwen op elke vier mannen. Een van de positieve consequenties daarvan is dat negenenveertig procent van de parlementsleden nu bestaat uit vrouwen, wat onvermijdelijk een verschuiving van de regeringsprioriteiten met zich meebrengt. In scherp contrast daarmee staat Kenia: de vrouwelijke afgevaardigde op het seminar was een van de slechts zes vrouwelijke parlementsleden daar. We luisterden naar haar relaas over haar jarenlange pogingen een wet aangenomen te krijgen tegen echtelijk geweld en verkrachting, maar de houding van het parlement is niet anders dan die van de rest van de mannelijke bevolking, legde ze uit. Ze citeerde een parlementslid dat had opgemerkt: 'Het is een algemeen bekend feit dat als een Afrikaanse vrouw "nee" zegt, ze "ja" bedoelt.'

De avond van het officiële diner was een van de meest bijzondere van mijn leven. Tegen het einde van de avond begon de charismatische en legendarische 'prinses van Afrika', Yvonne Chaka Chaka, te zingen. De gedelegeerden hadden maar weinig aanmoediging nodig om hun stoel opzij te schuiven, en al snel stonden zelfs de twee presidenten op de dansvloer terwijl ik een microfoon in mijn handen geduwd kreeg om mee te zingen met *No Woman No Cry*. Ondanks de problemen waarmee vrouwen in Afrika te kampen hebben, was dit een vreugdevolle viering van het leven, een spontane uiting van warmhartige uitbundigheid.

Onder de dansers bevond zich ook de Britse ambassadeur. Ik heb twee soorten diplomaten leren kennen bij het ministerie van Buitenlandse Zaken: diplomaten die deel uitmaken van de gevestigde orde, de hooggeplaatste mensen die onderhandelingen op hoog niveau voeren en die terechtkomen in Washington of Parijs, en dan die andere soort, die nooit in Washington of Parijs zal eindigen en dat ook niet zou willen. Deze mensen steken graag de handen uit de mouwen en kunnen een enorm verschil maken voor de manier waarop de bewoners van dat land leven of sterven. Jeremy Macadie behoorde tot deze laatste categorie: joviaal, onopvallend en relaxed maar oprecht betrokken. En de Rwandezen waren dol op hem.

Dat het kantoor van het kabinet uiteindelijk had ingebonden inzake dat eerste bezoek aan Rwanda in de zomer van 2005, was een keerpunt, niet alleen in mijn relatie met Downing Street, maar ook met de pers. Vanaf dat moment begonnen ze te luisteren naar wat ik te zeggen had over kwesties die ik onder de aandacht wilde brengen en die hoe langer hoe vaker te maken hadden met vrouwen.

Ieder jaar concentreert Breast Cancer Care zich op een specifiek zorgpunt en in oktober 2005 publiceerden ze een rapport dat aantoonde dat onze boodschap in etnische en minderheidsgemeenschappen nog steeds niet overkwam. Met name binnen de moslimgemeenschap maakt het taboe inzake het spreken over vrouwenlichamen het moeilijk om vrouwen bewust te maken van het belang van zelfonderzoek, zo noodzakelijk voor een vroegtijdige opsporing van kanker. Met het oog daarop had Breast Cancer Care de ambassadeur van Pakistan uitgenodigd om de bevindingen van het rapport met haar te bespreken. Het probleem was in Pakistan zelf nog veel groter, zei ze, en ze nodigde mij daarop uit voor een bezoek aan haar land aan het begin van het jaar daarop, met als doel het onder de aandacht brengen van de boodschap over het belang van zelfonderzoek en vroegtijdige onderkenning van mogelijke borstproblemen. Breast Cancer Care betaalde mijn reiskosten en de Pakistaanse regering zegde toe Sue's onkosten voor haar rekening te nemen, zodat de liefdadigheidsorganisatie geen geld zou verliezen. Het ministerie van Buitenlandse Zaken had ook ingestemd met mijn voorstel om vanuit Pakistan door te reizen naar Afghanistan. Ik had contact gehouden met de minister voor Vrouwenzaken en ze wilde heel graag dat ik met eigen ogen zou zien wat er allemaal was bereikt in de nasleep van de jarenlange Taliban-heerschappij.

Net als voor iedere vrouw met een opgroeiend gezin kwam ook voor mij het cruciale moment dat mijn kinderen het nest verlieten, en laat niemand onderschatten hoe moeilijk dat is. Net zoals zij moeten leren het zonder jou te stellen, moet jij ook leren het zonder hen te stellen. Maar hoe pijnlijk dat ook is, het heeft ook voordelen. Toen ik nog vier kinderen thuis had, was ik zelden langer dan drie dagen achter elkaar weg, terwijl ik nu langere reizen kon maken. Tegen de tijd dat ik naar Pakistan en Afghanistan ging, studeerde zowel Euan als Nicky al aan de universiteit. Dat betekende, althans voor mij, nooit 'uit het oog, uit het hart'. Eens een moeder, altijd een moeder. Ik belde Leo en Kathryn iedere dag, en dan probeerde ik mijn telefoontjes altijd zo te timen dat ze me konden vertellen wat ze die dag allemaal hadden gedaan. In die tien jaar sinds we op Nummer 10 waren komen wonen, was de manier van communiceren al radicaal veranderd. Nu weten ze dat, waar ter wereld ik ook mag zijn, ik altijd aan de andere kant van mijn gsm ben. Het heeft iets surrealistisch om in een truck te zitten die zich een moeizame weg baant over een bergpas, of bezig te zijn je armen in te smeren met anti-muggencrème in equatoriaal Afrika, en dan Leo aan de lijn te krijgen die je vraagt waar je zijn zwembril hebt gelaten, of Kathryn die vraagt of ze een paar schoenen mag lenen en, nu ze me toch spreekt, of ik vind dat zwarte dan wel bruine mascara beter zou staan – maar het houdt je ook met beide benen op de grond.

De twee bestemmingen van mijn reis begin 2006, Pakistan en Afghanistan, hadden niet meer van elkaar kunnen verschillen. In de Pakistaanse middenklasse is je geslacht geen belemmering voor het bereiken van hoge posten, en toch de vrouwen die ik daar heb ontmoet, behoorden een generaal, drie pas geslaagde gevechtspiloten en de gouverneur van de centrale bank. Ze leven echter in een totaal andere wereld dan de vrouwen die opeengepakt in vluchtelingenkampen zitten, opgezet na de recente aardbeving in Noord-Pakistan, of de vrouwen in Kashmir, die zich vanwege hun uiterst behoudende cultuur van top tot teen moeten bedekken.

Pakistan kent het hoogste percentage borstkanker in heel Azië, deels vanwege omgevingsomstandigheden, maar ook omdat de vrouwen niet aan zelfonderzoek van hun borsten doen. In geïndustrialiseerde landen heeft tachtig procent van de vrouwen die naar de dokter gaat met niet-goedaardige borstgezwellen, een eerste- of tweedegraads tumor, waarvoor heel wat behandelingen bestaan die leiden tot een positieve prognose. In Pakistan, daarentegen, heeft tachtig procent van de vrouwen die daar naar een dokter gaat met een gezwel, al een derde- of vierdegraads tumor. Dit betekent dat de prognose niet goed is en dat velen van hen niet veel anders rest dan palliatieve zorg.

Ik sprak met een vrouw die een bed deelde met een andere vrouw waarbij de voeten van de één naast het hoofd van de ander lagen. Ze huilde. Toen ik haar vroeg waarom ze in het ziekenhuis lag, trok ze haar ziekenhuishemd open en toonde me een etterende tumor in haar linkerborst. Ze was tweeënveertig en had jonge kinderen. De Britse arts vertelde me dat ze pas naar het ziekenhuis was gekomen toen ze de pijn en het ongemak echt niet meer kon negeren. Er was nog maar weinig wat ze voor haar konden doen. In Groot-Brittannië zouden ze een dergelijke tumor nooit te zien hebben gekregen, zei hij, want het zou nooit in zo'n vergevorderd stadium zijn gekomen zonder behandeling.

We hadden een afspraak met Bernadette Chirac in Kabul, maar toen Sue en ik op de luchthaven aankwamen, bleek onze vlucht te zijn geannuleerd. Gelukkig vertrok er de volgende ochtend vroeg een VN-vlucht en mochten wij met hen meeliften.

Kabul zelf was onvoorstelbaar. We reden van de luchthaven een hoofdstad binnen die volledig in puin lag vanwege de oorlog. De minister had een bezoek voor mij georganiseerd aan de grootste meisjesschool in de stad. De school telde achtduizend leerlingen in leeftijd variërend van vijf tot eenentwintig jaar, en om die allemaal les te kunnen geven, werd er in een ploegensysteem gewerkt. Veel klaslokalen lagen vol puin en er zat geen glas in de ramen, maar de lessen gingen door omdat de verloren tijd moest worden ingehaald. Ze hadden dringend een scheikundelab nodig, vertelde het hoofd van de school me, en gymtoestellen waren er ook niet. En wat leerboeken betreft: ik heb er meisjes beduimelde exemplaren van Pakistaanse tijdschriften van slechte kwaliteit zien lezen, en de Koran, en dat was het wel. Er reisde een journalist van de *Sunday Times* met ons mee en bij terugkomst kon er voldoende geld worden ingezameld voor zes nieuwe klaslokalen en een scheikundelaboratorium. Sindsdien heeft een Zwitserse liefdadigheidsinstelling, *Smiling Children* genaamd, zich over hun lot ontfermd en opleidingen voor onderwijzend personeel georganiseerd.

Ik wist dat er in Afghanistan een kwestie speelde rond de benoeming van vrouwelijke rechters bij het Hooggerechtshof. Volgens de ouderwetse en conservatieve opperrechter Shinwari zouden vrouwen niet over de noodzakelijke kwalificaties ten aanzien van de sharia beschikken. Ik vatte de koe bij de hoorns en kaartte het onderwerp aan bij president Hamid Karzai. Het kwam voor hem kennelijk niet als een verrassing, en later die middag vertelde mij een groep vrouwelijke parlementariërs dat zij hem hierover al herhaaldelijk hadden aangesproken. De nieuwe Afghaanse grondwet stipuleert dat een derde van de parlementsleden vrouw moet zijn, en het was nu al duidelijk dat ze niet met zich zouden laten sollen. De mannen hadden gescheiden ruimtes gewild in de zaal waar de debatten plaatsvonden, maar de vrouwen hadden dat simpelweg geweigerd en tegenwoordig zitten de parlementsleden op alfabetische volgorde. Nu ze letterlijke naast elkaar zaten, waren de mannen wel gedwongen nota te nemen van de vrouwelijke aanwezigheid. De vrouwen vertelden me vastbesloten te zijn de opvatting aan te vechten dat vrouwen niet gekwalificeerd zouden zijn om als rechter te worden benoemd in het Hooggerechtshof, en dat hebben ze gedaan ook. Later hoorde ik dat ze een campagne hadden georganiseerd in het parlement, en toen president Karzai Shinwari opnieuw voordroeg als opperrechter, werd zijn benoeming door het parlement verworpen en is er een meer liberale opperrechter benoemd.

Ontegenzeglijk staat de president onder enorme druk van de conservatieve elementen binnen zijn regering, en een voorbeeld van de concessies die hij heeft moeten doen op het gebied van vrouwenkwesties, is zijn eigen vrouw. Vóór het Taliban-tijdperk werkte ze als arts, nu mag ze dat niet meer.

Ik heb het zeldzame voorrecht gehad haar te mogen ontmoeten. Ik had van de president gehoord dat ze intens verlangde naar een baby – een bekentenis die me destijds verbaasde – en dat hij vreesde dat ze geen kinderen kon krijgen. Toen ik haar ontmoette, voelde ik dat aura van triestheid om haar heen hangen. Ik praatte met haar over de implicaties van het wonen in zo'n inherent gevaarlijke stad, waarop ze antwoordde dat zij er geen last van had omdat ze nooit verder kwam dan het paleis. Ze had zelfs geen toestemming gekregen die ochtend met mevrouw Chirac de opening van een kinderziekenhuis bij te wonen.

'Het is niet veilig,' verklaarde ze.

'Maar als het veilig genoeg is voor de vrouw van de Franse president, zou het toch veilig genoeg moeten zijn voor u?'

Ze glimlachte en zei nogmaals: 'Ik kom gewoon nooit buiten.'

Bij mijn vertrek zei ik te hopen dat ze me ooit op een goede dag zou komen bezoeken in Groot-Brittannië. Het is er niet van gekomen. Maar wat wel gebeurde, is dat ze, zes maanden na mijn bezoek, zwanger werd, en ik hoop dat ze op een gegeven moment haar stem zal durven laten horen en in staat zal zijn een grotere rol te spelen in haar land.

De rol van First Lady's is vooral in moslimlanden heel belangrijk, vind ik. Toen ik Pakistan bezocht, gaf de vrouw van de minister-president voor het eerst een openbaar interview waarin ze het woord 'borst' gebruikte. Daardoor heeft ze mogelijkerwijze duizenden levens gered. Het werk van Sheikha Mozah in Qatar is een lichtend voorbeeld van wat er bereikt kan worden. Haar Shafallah Centrum voor kinderen met een handicap is van wereldklasse, met faciliteiten waaraan het Westen aan kan tippen. In mijn hoedanigheid als beschermvrouw van *Scope*, een Britse charitatieve instelling die zich inzet voor mensen met spastische verlamming, sprak ik een conferentie toe in het Shafallah Centrum, over de weg voorwaarts voor kinderen met handicaps in de Golfregio. Daar is niet geld het probleem, maar de stigmatisering van zowel lichamelijk als geestelijk gehandicapten. In gesprekken met families in het centrum hoorde ik van een aantal jonge vrouwen dat hun huwelijksvooruitzichten, vanwege een gehandicapte broer of zus, aanzienlijk minder gunstig waren. Dat was ook een van de redenen waarom families dergelijke kinderen liever uit zicht hielden.

Mijn collega's van *Scope* konden slechts dromen van het niveau van de beschikbare faciliteiten, maar zij konden de mensen in het Shafallah Centrum deelgenoot maken van hun ervaring en deskundigheid op het vlak van inclusie en integratie, geschraagd door hun overtuiging dat dit niet alleen beter is voor de kinderen zelf, maar ook een kwestie van fundamentele mensenrechten. Zo'n tien procent van de wereldbevolking, oftewel 650 miljoen mensen, leeft met een handicap. Het is de grootste minderheid ter wereld. De speciale behoeften die zij hebben zijn nu erkend in het VN-verdrag inzake de rechten van mensen met een handicap, en ik heb over de betekenis van dat verdrag kunnen spreken, niet alleen tijdens de conferentie in het Shafallah Centrum, maar ook op het televisiestation Al-Jazeera. Groot-Brittannië was een van de eerste landen die het verdrag ondertekenden op 30 maart 2007, en Qatar volgde in juli 2007.

In de tien jaar die we in Downing Street hebben doorgebracht, had ik toegang tot mensen met de reële macht om dingen in beweging te brengen, en ik beken daar schaamteloos gebruik van te hebben gemaakt uit naam van de liefdadigheidsinstellingen waarbij ik betrokken was. Als voorbeeld kan ik mijn bezoek aan Qatar en Koeweit in 2007 in mijn hoedanigheid als voorzitter van Barnardo's noemen. Veel mensen zien Barnardo's nog steeds als een organisatie die weeshuizen onder haar hoede heeft, maar het laatste Barnardo's weeshuis sloot zijn deuren al aan het begin van de jaren zeventig. De ervaring van Barnardo's met minder bevoorrechte kinderen gaat een eeuw terug, maar toch blijft de organisatie altijd streven naar vernieuwing. Tegenwoordig concentreert zij zich op het verlenen van de diensten die kinderen nodig hebben, waar en wanneer ze die nodig hebben. Met name zet de organisatie zich in om ervoor te zorgen dat kinderen niet uit huis gehaald hoeven te worden maar bij hun ouders kunnen blijven, en ze beheren een onwaarschijnlijk aantal projecten gericht op het helpen van minder bevoorrechte kinderen. Ik heb het genoegen gehad een aantal daarvan te kunnen bezoeken, zoals de Dr B's restaurants, waar jonge mensen met een handicap praktische vaardigheden aanleren om te kunnen werken in de cateringsector, maar in een tempo dat beter aangepast is aan hun handicap. Niet alleen leren ze hier omgaan met de druk van een 'gewone' baan, maar anderen leren meer te kijken naar wat ze wel kunnen, in plaats van naar wat ze niet kunnen. Kinderen uit een andere cultuur krijgen vaak te maken met specifieke problemen, en Barnardo's heeft projecten die zich daarop richten verspreid over heel Groot-Brittannië, overal waar de behoefte bestaat, variërend van een initiatief ontplooid in samenwerking met de Chinese gemeenschap in Belfast, tot het steunen van kinderen van asielzoekers in Manchester. De stichting werkt met de moeilijkste kinderen in onze samenleving, zoals ik kon constateren tijdens mijn bezoek aan het centrum in Islington dat een toevluchtsoord biedt aan kinderprostituees in King's Cross. Wat Barnardo's altijd nodig heeft, is geld, en in 2007 mocht ik voor hem een cheque van een half miljoen pond in ontvangst nemen van de regering van Koeweit.

Overal waar ik ben geweest, viel het me weer op hoe vindingrijk vrouwen zijn. Niet alleen houden ze hun gezin bijeen, ze vormen ook een bron van wijsheid en kracht, zijn bereid kilometers te lopen om water te halen, of hun kinderen naar gezondheidscentra te dragen waarvan ze weten dat daar medicamenten beschikbaar zijn. En toch zijn deze vrouwen zo vaak uitgeleverd aan de willekeur van ongewenste zwangerschappen en seksueel overdraagbare ziektes. Ik herinner me dat ik samen met Salma Kikwele, de First Lady van Tanzania, een kraaminrichting bezocht en dat ik daar een jong meisje, niet ouder dan zestien, in haar eentje zag zitten. Ze had een doodgeboren kind gekregen. Er was hier geen ruimte voor privacy, noch bij geboorte, noch bij dood. We werden gevolgd door een horde fotografen en het kwam bij geen van hen op dat enige kiesheid hier gepast kon zijn. We zagen ook de laatste perswee van een baby die werd geboren, en terwijl het kleine meisje aan haar moeders borst werd gelegd, werden we aan elkaar voorgesteld. Achteraf hebben ze ons verteld dat zij het kleine meisje Salma Cherie had genoemd, naar ons beiden.

417

Elke cultuur kent haar eigen problemen. In landen waar seksuele activiteit alomtegenwoordig is, heb je te kampen met hiv/aids. In landen waar jonge vrouwen worden uitgehuwelijkt zodra ze seksueel actief worden, veroorzaken zwangerschappen op te jonge leeftijd fistels – waarbij de vagina zo is ingescheurd dat er een opening ontstaat tussen blaas en vagina. Het is een aandoening die redelijk eenvoudig te verhelpen is, maar voor jonge vrouwen in een klein dorpje ver van de bewoonde wereld is een dergelijke behandeling niet beschikbaar, en vaak worden ze vanwege het urineverlies en de stank beschouwd als onrein en verstoten door hun familie. Voor ons in het Westen is die situatie gewoon niet te bevatten.

Mijn geloof en mijn gezin zijn de twee steunpilaren die mijn leven zin geven. Maar aangezien mijn moeder niet katholiek was, kan ik moeilijk beweren dat ik in een traditioneel katholieke omgeving ben opgegroeid. Misschien is dat de reden dat mijn eigen standpunten en die van de Kerk soms verschillen, meestal om pragmatische redenen. In de conventionele zin van het woord kan ik daarom niet beschouwd worden als een goed katholiek. Het klopt ook dat ik omstreeks mijn vijfentwintigste een tijdje, op z'n zachtst gezegd, zeer spaarzaam ben geweest met mijn kerkbezoek. Maar toen mijn kinderen eenmaal geboren waren, veranderde dat, en ik heb gemerkt dat die wekelijkse bezinningsperiode die de mis mij schenkt, ongelooflijk belangrijk is. Na zo veel jaren zijn de rituelen een tweede natuur geworden, en dat is op zich al iets troostrijks en geruststellends.

De paus wordt door katholieken gezien als de opvolger van de heilige Petrus, en een ontmoeting met hem wordt beschouwd als de ultieme zegening. Na de geboorte van Leo is mijn geloof alleen maar sterker geworden, en ik hoopte dat Tony de gelegenheid zou krijgen hem een keer te ontmoeten.

Begin februari 2003 viel het niet mee in Downing Street te wonen. Op de achtergrond hoorden we trommels slaan, en telkens als we naar buiten kwamen, werden we onthaald op een koor van gejouw en geschreeuw: 'Blair leugenaar!' en: 'Blair moordenaar!' De sfeer was vreselijk gespannen en we leefden onder enorme druk.

Een van Tony's adviseurs voor buitenlands beleid was Francis Campbell, een overtuigd katholiek uit Noord-Ierland, die ook samen met Tony aan oecumenische projecten werkte en ondertussen wel wist dat Tony oprecht geïnteresseerd was in religie. Downing Street had zich zeer gekant tegen het idee dat Tony een ontmoeting met de paus zou hebben. Het vestigen van de aandacht op Tony's dubieuze gewoonte om naar de kerk te gaan, was een verschrikkelijk slecht idee, vonden ze. Maar toen de Irak-oorlog steeds dreigender opdoemde, zagen zelfs zij in dat een dergelijk bezoek een diplomatiek doel zou kunnen dienen aangezien het Vaticaan, nog afgezien van alle andere aspecten, contacten had met de Iraakse christenen, en Tony het nooit heeft opgegeven te proberen een diplomatieke oplossing te vinden.

Aangezien religie zo'n heikel onderwerp was, werd echter besloten het bezoek pas op het allerlaatste moment aan te kondigen. Dit betekende dat wij niet op de ambassade konden logeren. Daarom regelde Francis logies voor ons in het Pontifical Irish College dat priesters uit Ierland opleidt. Deze oplossing bracht weer haar eigen problemen met zich mee, want niet alleen was het Iers seminarie uiterst katholiek, maar de hele Ierse dimensie speelde ook mee: de katholieke Kerk had immers altijd haar steun gegeven aan een verenigd Ierland. Het hoeft geen betoog dat dit de eerste keer was dat een Britse minister-president daar te gast was. Aanvankelijk werden we ondergebracht in de kamer van de kardinaal, maar toen werd de gedachte aan een gehuwd paar in het bed van de kardinaal hun plotseling te veel, en werden we verhuisd naar de kamer ernaast.

Aangezien het schoolvakantie was, hadden we de kinderen kunnen meenemen, behalve Nicholas, die met vakantie was. Johannes Paulus II was niet alleen de paus, maar ook een belangrijke historische figuur, en ik was heel blij dat sir Stephen Wall – Tony's belangrijkste adviseur inzake EU-aangelegenheden – Kate Garvey, Gary en Nick van de beveiliging, die allemaal hoewel niet praktiserend, toch katholiek waren, met ons mee hadden kunnen gaan. Ook Magi Cleaver was erbij.

Een audiëntie bij de paus is onder alle omstandigheden een indrukwekkende gebeurtenis, en als ik er bovendien aan dacht hoe trots mijn grootmoeder geweest zou zijn, kon ik mijn emoties helemaal niet meer in bedwang houden. Al die vermanende woorden om me te gedragen, om mijn catechismus te leren, waren niet vergeefs geweest.

Francis had ons verteld wat er zou gaan gebeuren, maar de werkelijkheid was zo ontzagwekkend dat ik me als een kind voelde, met stomheid geslagen. Ik realiseerde me dat het hele ritueel waarschijnlijk al honderden jaren onveranderd zo verliep. Toen we eenmaal binnen de muren van het Vaticaan waren, was ons privébezoek officieel geworden en werden wij door de soldaten van de Zwitserse Garde in plechtige processie door prachtig beschilderde gangen naar het middeleeuwse hart van het Vaticaan gebracht. In een dergelijke omgeving – die massieve blokken steen en marmer – kun je niet anders dan je bewust zijn van de geschiedenis, maar ik was me ook bijzonder bewust van het historische karakter van Tony's komst hier. Hij was toen nog praktiserend anglicaan hoewel hij al jaren met de kinderen de mis bijwoonde. Ik wist dat Francis die informatie had doorgegeven en mijn vurige wens was dat Tony toch ter communie zou mogen gaan. Met Francis' hulp had ik een brief te dien einde geschreven, maar ik wist niet of het zou gaan gebeuren of niet. Ik wist ook niet of ons gevraagd zou worden de ring van de paus te kussen.

Ik was grootgebracht met een diepe verering voor het pausdom en alles waarvoor het stond. Het gevoel was zo diep geworteld dat het deel uitmaakte van mijn hele wezen, en ik vroeg me af of Tony wel besefte hoe bijzonder dit moment was. Hoewel hij het zich misschien niet realiseerde, was de geschiedenis die hij op school had geleerd, anglicaanse geschiedenis. Voor ons katholieken zag de geschiedenis van Engeland er heel anders uit: Elizabeth I was een slechte koningin en Maria Tudor was verkeerd begrepen. Het was of mijn hele leven mij had gebracht naar dit ene moment, door deze eindeloze opeenvolging van gangen en troonkamers. Al die jaren waren de Engelse katholieken in de minderheid geweest, dacht ik, en plotseling kreeg ik het gevoel dat we niet langer een minderheid waren.

Eindelijk bereikten we de privévertrekken van de paus en we beseften dat we ons in het kloppend hart van het Vaticaan bevonden, in de kamer achter het balkon vanwaar hij de menigte op het Sint-Pietersplein zegent. Terwijl Tony als premier zijn privéaudiëntie met de paus had, vroegen Vaticaanse functionarissen of Leo het leuk zou vinden op de pauselijke troon te zitten. Natuurlijk vond hij dat leuk, hoewel hij te jong was om te begrijpen wat voor eer dat was. Na ongeveer twintig minuten mocht ik me bij mijn echtgenoot voegen. Johannes Paulus II zat op een stoel, een stokoude man gekleed in pauselijk wit, broos en duidelijk oververmoeid. Hij sprak met mij over het feit dat ik Leo op zo'n rijpe leeftijd had gekregen, en wat een goed voorbeeld dat was. Vervolgens kwamen een voor een de anderen van onze groep binnen om voorgesteld te worden. Toen het Leo's beurt was, stak de paus zijn hand uit om zijn ring te laten kussen, en Leo overhandigde hem simpelweg een klein tekeningetje dat hij had gemaakt. We hebben nog steeds een prachtige foto van het moment waarop dat kleine jochie de paus recht in de ogen kijkt, gesigneerd door Johannes Paulus zelf. Die foto is ons ongelooflijk dierbaar.

Het gesprek met Tony zal een halfuur geduurd hebben en de kwestie-Irak was inderdaad ter sprake gekomen, vertelde hij me later. De Heilige

Vader had duidelijk gemaakt tegen geweld te zijn, maar was geëindigd met de woorden: 'Uiteindelijk is het uw beslissing en uw geweten. Het is uw taak om dergelijke beslissingen te nemen en, welke beslissing u ook zult nemen, ik ben ervan overtuigd dat u het goede zult doen.' Ik weet dat Tony daar veel steun uit heeft geput.

De pers meldde later dat de paus Tony het vuur na aan de schenen had gelegd. Dat was niet waar. Hij is juist heel vriendelijk behandeld en bij wijze van gunst kregen wij de Kamer der Tranen te zien, het vertrek waar de zojuist verkozen paus een aantal minuten alleen wordt gelaten, waar hij de enormiteit van zijn uitverkiezing tot zich laat doordringen, en waar hij zijn tranen de vrije loop kan laten.

Terwijl wij werden rondgeleid en een paar onbekende hoekjes van het Vaticaan te zien kregen, naast natuurlijk de magnifieke Sixtijnse Kapel en de catacomben, kregen we te horen dat we waren uitgenodigd om ons de volgende dag bij de paus te vervoegen voor een mis in zijn privékapel, en dat het Tony toegestaan zou zijn ter communie te gaan. Dat was opnieuw een moment van pure vreugde voor mij. Francis Campbell en ik hadden al een aantal Engelse kerkgezangen uitgezocht voor het geval dat, en als dank voor hun gastvrijheid hadden wij twee seminaristen van het Iers seminarie uitgenodigd zich bij ons aan te sluiten, alsmede twee van het Schots seminarie plus nog twee vertegenwoordigers van het Engels seminarie. Toen we de volgende ochtend in de kapel aankwamen, zat de paus al voor het altaar, kromgebogen in zijn stoel, bijna dubbel geklapt. Hij had daar al een uur zitten bidden, fluisterde een non ons toe. Op dat ogenblik leek hij mij zo'n uitzonderlijk symbool. Ondanks zijn broosheid was hij nog altijd de paus, en er was geen verzwakking van zijn geesteskracht te bespeuren, alsof zijn kracht voortkwam uit zijn zwakte, en toen hij opstond en zich naar ons wendde, vulde een immense energie de kapel.

Voor mij zijn socialisme en katholicisme altijd onlosmakelijk met elkaar verbonden geweest. De bevrijdingstheologie van de Young Christian Students die zo'n stempel heeft gedrukt op mijn meisjesjaren, is van fundamenteel belang geweest voor mijn opvattingen over de politiek: Christus als de radicaal die de armen te eten gaf. Dat was waarin Tony en ik elkaar aanvankelijk hadden gevonden. En deze buitengewone man uit de Poolse arbeidersklasse, die was opgegroeid onder de dreiging van het nazisme en vervolgens het communisme, was het levende voorbeeld van alles waarin mijn man en ik geloofden, politiek in de beste zin van het woord. Door hem te worden gezegend is voor ons beiden een grote troost geweest.

In tegenstelling tot de langverwachte audiëntie bij Johannes Paulus II koesterde ik geen enkele verwachting over een ontmoeting met zijn opvolger Benedictus XVI, drie jaar later. Ik was in Rome om een toespraak te houden voor de Pauselijke Raad voor de Sociale Wetenschappen. Pas na afloop van mijn toespraak werd ik benaderd door een functionaris van het Vaticaan.

'De Heilige Vader zou u graag ontmoeten,' zei hij.

'Maar ik ben er niet op gekleed,' zei ik, 'Mijn hoofd is zelfs niet bedekt.' Het protocol rondom een bezoek aan de paus is heel precies. Als vrouw afkomstig uit een niet-katholiek land op officieel staatsbezoek behoor je zwart te dragen. Witte of crèmekleurige kleding kan uitsluitend worden gedragen door de koningin van een katholiek land. En daar stond ik in mijn crèmekleurige mantelpakje.

Hij wuifde mijn bezwaren weg. 'De Heilige Vader zal dat helemaal niet erg vinden,' zei hij. 'Komt u nu maar gewoon mee.' Dus ging ik, samen met mijn vriendin Sarah Carello en Kateena O'Gorman van de raadskamer. Ik had een gesprek van ongeveer twintig minuten met de paus, over Tony's voorgenomen bekering tot het katholicisme, en ook over zijn plannen voor een geloofsfonds waarvan ik wist dat hij hoopte op steun van de paus. Ik vertelde hem dat ik dacht dat mijn echtgenoot heel graag beide zaken met hem zou willen bespreken en vroeg hem of dat mogelijk zou zijn. Ja, natuurlijk, zei hij, en een van de laatste reizen die wij maakten tijdens Tony's premierschap, was naar Rome voor een ontmoeting met paus Benedictus. Bij die gelegenheid was ik opnieuw gekleed in een lange, zwarte rok, een zwart jasje en een sluier, zoals het gebruik voorschrijft.

Na die eerste audiëntie met paus Benedictus was er een foto in de pers verschenen van mij in mijn crèmekleurige mantelpak, de kleding die ik had gedragen voor mijn lezing. De Britse pers wreef zich weer eens vergenoegd in de handen. Het voormalige, tot het katholicisme bekeerde, parlementslid Ann Widdecombe meende te midden van alle ophef er ook nog even het hare van te moeten zeggen: 'Wie denkt ze wel dat ze is? De koningin van Spanje?' Nee. Gewoon een meisje uit Crosby dat met haar neus in de boter viel.

32

Afscheid

In de afgelopen tien jaren is een van de dingen waaraan ik het meeste plezier heb beleefd het kanselierschap geweest van de John Moores University. De jmu omvat verschillende bekende instituten, waaronder het Liverpool Mechanical Institute en het Liverpool College of Art – waar John Lennon nog heeft gestudeerd. In maart 2002 onthulden Yoko Ono en ik een standbeeld van Liverpools beroemdste zoon op de recent herdoopte John Lennon Airport. Toen ik haar voorstelde aan de nieuwe vicekanselier van de jmu, Michael Browne, zei hij: 'U weet toch dat uw echtgenoot vroeger op onze universiteit heeft gezeten?' Ze keek naar hem met ogen als schoteltjes. Bleek dat ze al die jaren geld had geschonken aan de verkeerde universiteit! Ze had zelfs een dotatie gegeven voor een studiebeurs die zijn naam droeg…

Mijn band met de jmu ontstond in 1997, toen ze mij een eretitel aanboden en daarmee de uitspraak uit het Evangelie van Marcus logenstraften dat een profeet nooit in eigen land wordt geëerd, laat staan in zijn geboortestad. Om op een straatlengte van de plek waar ik opgroeide gehuldigd te worden, was voor mij de ultieme eer. Twee jaar later vroegen ze mij om kanselier te worden, en ik heb die functie met groot genoegen aanvaard. De jmu zet zich enorm in voor toelating van jongeren wier ouders geen universitaire achtergrond hebben. Met andere woorden, voor mensen zoals ik. De functie van kanselier is grotendeels ceremonieel, gewoon eenmaal per jaar diploma's uitreiken en lintjes doorknippen als er nieuwe faciliteiten of gebouwen worden geopend.

Alles aan de jmu is heerlijk theatraal. Mensen die eretitels ontvangen, krijgen een toga die speciaal voor hen wordt ontworpen en gemaakt door de vakgroep Mode, en die uniek is. Toen ik werd geïnstalleerd als kanselier, werd er voor de gelegenheid een nummer voor fanfare gecomponeerd en gespeeld. Onderwijs op z'n best moet horizonverbredend werken in plaats van vernauwend, en de grote verscheidenheid aan titels die ik jaarlijks uitreik bij de JMU is daar een demonstratie van, van rechten en astrofysica tot het Liverpool Institute for Performing Arts (LIPA), dat gevestigd is in Paul McCartney's oude school. Na twee ambtstermijnen als kanselier moest ik mij terugtrekken. Mijn opvolger, dr. Brian May, beroemd en virtuoos gitarist van de rockband Queen en minder beroemd astrofysicus, is het levende bewijs dat academische uitmuntendheid en popcultuur elkaar niet wederzijds uitsluiten. Zijn benoeming is ook bijzonder passend: nog afgezien van JMU's alom bekende betrokkenheid bij het artistieke leven van Liverpool – Phil Redmond, de schrijver van de populaire Britse televisieserie *Brookside,* kreeg een JMU-eredoctoraat – heeft de universiteit ook een van de belangrijkste vakgroepen astrofysica in Groot-Brittannië.

Ik ben naar afstudeerceremonieën geweest van andere universiteiten, maar ik kan eerlijk zeggen dat die van John Moores iets bijzonders zijn. De kathedraal van Liverpool, waar de ceremonie wordt gehouden, is de grootste van het hele land en dat versterkt het gevoel dat het hier om een groots gebeuren gaat. Het gebouw zit altijd afgeladen vol met familieleden die, terecht, ongelooflijk trots zijn op hun zoon of dochter, vaak de eerste van de familie die het tertiair onderwijs heeft doorlopen.

Gelukkig heb ik meer dan een louter ceremoniële rol mogen spelen, en op de achtergrond was ik – misschien meer als lelijk eendje dan als zwaan – altijd zeer betrokken. Ik steunde hen zoveel ik kon. Onderwijs is de toekomst en de JMU belichaamt wat er bereikt kan worden als je de talenten van de lokale gemeenschap ten volle benut, perfect samengevat in het motto van de JMU: '*Dream, Plan, Achieve*' (Droom, plan, presteer). Gelukkig zullen mijn contacten met de JMU blijven bestaan; als kanselier emeritus ligt het zeer zeker in mijn bedoeling de banden te onderhouden en ondersteuning te bieden waar ik maar kan.

De waarde van een goede opleiding kan nooit overschat worden, en nergens gaat dat meer op dan in sociaal achtergestelde wijken. In de afgelopen paar jaar heb ik tweemaal een bezoek gebracht aan de Belvedere School, gelegen op nog geen anderhalve kilometer van Liverpools centrale havendok. Mijn eerste bezoek vond plaats vlak nadat sir Peter Lampi en de Sutton Trust een experiment hadden gefinancierd om toelating tot deze uitstekende school niet langer beperkt te houden tot de kleine groep geluksvogels die het schoolgeld kan betalen, maar tot alle meisjes uit Liverpool die het toelatingsexamen wisten te halen. Toen ik de tweede keer terugkwam, bleken diezelfde meisjes ondertussen hun GCSE (algemeen certificaat secundair onderwijs) te hebben gehaald, en de resultaten waren omhooggeschoten. De *Girls' Day School Trust*, tot welke groep scholen deze behoort, besloot nog een stapje verder te gaan en Belvedere werd de eerste succesvolle onafhankelijke school die zich als 'academie' mocht aansluiten bij het nationale systeem. Het academieprogramma is een blijvende nalatenschap van Tony's vastberadenheid om het globale niveau van het onderwijs omhoog te brengen, en niet te kiezen voor nivellering op een lager niveau onder het mom van gelijke kansen. Belvedere werd in de jaren tachtig van de negentiende eeuw opgericht als een van de eerste scholen in het land die meisjes een afgeronde opleiding boden. De school heeft opnieuw een voortrekkersrol op zich genomen en ik ben ervan overtuigd dat zij, door haar deuren te openen voor alle begaafde meisjes van Liverpool ongeacht hun achtergrond, een voorbeeld zal zijn voor vele andere scholen.

Ik heb Belvedere een paar dagen nadat het een academie was geworden bezocht samen met Hilary Heilbron, de dochter van Rose Heilbron, een rolmodel voor dat slungelige meisje uit Crosby dat ervan droomde strafpleiter te worden net zoals zij. Hilary is nu ook een Queen's Counsel – en een goede vriendin – en gezamenlijk hebben we een nieuwe studiebeurs in het leven geroepen die jaarlijks in Hilary's moeders naam zal worden toegekend om jonge vrouwen van haar vroegere school in staat te stellen rechten te studeren aan de universiteit.

Het congres van de Labourpartij van 2006 was mijn laatste als echtgenote van de partijleider, en we waren ons daar allemaal maar al te zeer van bewust, terwijl ik voor de twaalfde keer op rij stond te kletsen met de standhouders. De tijden waren zeer zeker aan het veranderen. Zo was er geen sprake van een verkwikkend fotomoment tegen een achtergrond van woeste golven, zoals dat het geval was geweest in Blackpool, Brighton en Bournemouth. We zaten in Manchester. En dat niet alleen, onze oude vriend Bill Clinton was ook meegekomen – het levende bewijs, mocht dat nog nodig zijn, dat het neerleggen van een hoge functie bij lange na het einde niet is.

En toen volgde de toespraak van Tony. Na alle ellende rondom Irak werd die begroet met een staande ovatie, en geen wonder. Zelfs de aartsconservatieve *Daily Telegraph* noemde het 'de meest verbluffende toespraak uit zijn carrière'. Tony riep de partij met klem op zich niet naar binnen te keren. We waren het zo gewend geraakt dat alles altijd maar beter werd, zei hij, dat het heel gezond was je af en toe te herinneren hoe beroerd de dingen waren geweest in die slechte, oude tijd vóór New Labour. 'Doe een stap terug en wees trots,' zei hij, 'Dit is een veranderd land.' Hij herinnerde ons eraan dat de uitdagingen waarvoor wij in 1997 stonden, grotendeels Brits waren geweest, terwijl de uitdagingen waarmee we nu te maken hadden, grotendeels mondiaal waren. Wat hij er niet bij vertelde, was dat hij van plan was daar een zeer prominente rol in te gaan spelen.

Hij ontlokte de grootste hilariteit toen hij het over mij had. 'Ik hoef me tenminste geen zorgen meer te maken dat mijn vrouw de benen zal nemen met die vent van hiernaast,' zei hij.

Gordon had in zijn toespraak een dag eerder verklaard hoe bevoorrecht hij zich had gevoeld met Tony te mogen samenwerken. Het nieuwsagentschap Bloomberg had vervolgens gemeld dat iemand mij had horen zeggen: 'Nou, dat is gelogen,' en de pers had zich daar als een team rugbyspelers in een scrum op gestort. De waarheid is dat, wat mijn gevoelens ook geweest mogen zijn, ik het nooit heb gezegd. Het leek wel alsof de pers eenvoudigweg haar botte-Cherie-moment moest hebben, en dit was het – nog zo'n Labourcongrestraditie waaraan hopelijk een einde is gekomen.

Voor wat ons vertrek betreft: ik had nog wel een maandje in Downing Street willen blijven, maar dat was louter uit praktische overwegingen. Als we hadden kunnen blijven tot de schoolvakantie, zou dat minder storend zijn geweest. Ik had ook gehoopt dat het huis in Connaught Square klaar zou zijn, zodat we daar hadden kunnen intrekken, maar helaas. Tony moest zijn zetel opgeven, zodat er tussentijdse verkiezingen zouden kunnen worden gehouden voor het zomerreces. Hij was vastbesloten geweest te vertrekken op zijn eigen voorwaarden. Dat was gelukt, en hij kon het land in goede staat doorgeven aan zijn opvolger.

In tegenstelling tot vorige bewoners van Downing Street 10, voor wie het vertrek wel eens als een schok was gekomen en die soms maar vierentwintig uur hadden om hun boeltje te pakken, was onze verhuizing zorgvuldig gepland. Het inpakken heeft maanden in beslag genomen: nog afgezien van de verzamelde bezittingen van tien jaar gezinsleven was er ook nog een kamer vol souvenirs van regerings- en charitatieve bezoeken. Ik beken dat ik een hamsterende natuur heb, en ik vond het moeilijk afstand te doen van geschenken die met zo veel zorg voor ons waren uitgekozen en waarvan een groot aantal afkomstig was van kinderen. We hebben ze nog steeds.

Tony had woensdag 27 juni gekozen als zijn laatste dag in functie. Normaal gesproken mogen er geen kinderen aanwezig zijn tijdens het vragenuurtje aan de minister-president, maar de voorzitter van het Lagerhuis gaf speciaal toestemming, zodat Leo en de oudere kinderen toch mochten komen (hoewel Nicky het helaas heeft moeten missen vanwege de overstromingen), en hun vader voor de laatste keer antwoord konden horen geven op de vragen van de oppositieleider. Het was een prachtig moment in het Lagerhuis: verspreid over de zaal zag ik een groot aantal van Tony's vroegere en huidige collega's die waren gekomen om dit moment samen met ons te beleven: Jonathan, Anji, Kate Garvey, Hilary Coffman, Sally Morgan en nog vele anderen. Ze waren allemaal zo belangrijk geweest in de jaren dat hij aan de macht was, en ze waren allemaal gekomen om afscheid van hem te nemen en hem het beste te wensen... Toen het Huis opstond om te applaudisseren, werd ik overmand door emoties en zag alles door een waas.

Je thuis na tien jaren te moeten verlaten, is altijd moeilijk en we waren allemaal verdrietig toen we moesten vertrekken, maar in mijn geval was dat niet zozeer vanwege het huis zelf als wel vanwege de mensen. Hoewel er in elke door de overheid gerunde organisatie onvermijdelijk mensen komen en mensen gaan, is er onder het niet-politieke personeel een zekere mate van continuïteit, en als je tien jaar met elkaar te maken hebt gehad, kun je die relaties niet zomaar ongedaan maken, als zandkastelen die worden weggespoeld als de volgende vloed opkomt. Voordat we die beroemde voordeur achter ons konden dichttrekken, moesten we eerst uit onze eigen voordeur vertrekken, uit Nummer 11, de deur van het appartement dat tien jaar lang de grens had gevormd tussen onze woning vol met rondslingerend speelgoed, een aquarium, piano, PlayStations, gitaren, iPods, computers, gezelschapsspelletjes en de normale gezinschaos (en dan heb ik het nog niet eens over mijn eigen verzameling dossiers en juridische naslagwerken), en het gesloten centrum van Britse politieke macht – een grens waarvan veel te veel mensen meenden dat ze die konden passeren zonder te kloppen. Er waren tijden dat ik niets liever wilde dan een grendel voor die deur schuiven en een bord ophangen met GESLOTEN.

Maar dat alles was nu verleden tijd. Op de keukentafel liet ik een fles champagne achter, en cadeautjes voor Sarah en de kinderen; ik wilde net zo aardig zijn voor Gordon en Sarah als de Majors voor ons waren geweest. Daarna trokken we de deur van het appartement voor de laatste keer achter ons dicht en begaven we ons – eerst naar beneden, daarna weer naar boven, want er is op de eerste verdieping geen rechtstreekse verbinding tussen Nummer 11 en Nummer 10 – naar de staatsievertrekken, waar het personeel zich al verzameld had. Tony sprak een woord van dank uit voor al hun harde werk, en ik nam het woord om iedereen te bedanken voor hun vriendelijkheid en hartelijkheid ten aanzien van ons hele gezin. Toen werd ons gevraagd daar te wachten terwijl iedereen naar beneden liep voor het applaus terwijl we het pand verlieten – een laatste Downing Street-traditie voor alle vertrekkende premiers.

Terwijl wij wachtten op het teken dat we naar beneden konden gaan, liep Tony naar het raam en bleef daar een paar ogenblikken bewegingloos en in zijn eentje staan. En voor de laatste keer nam hij het uitzicht over de Horse Guards Parade in zich op. Toen draaide hij zich abrupt om en ging ons voor bij het afdalen van die historische trap waar aan beide zijden portretten hingen van vroegere premiers en waar een plaats was ingeruimd voor 'Tony Blair 1997–2007', naar de hall en de gangen beneden, waar al die bekende gezichten zich hadden opgesteld.

Ik had niet voorzien hoe moeilijk het zou zijn om afscheid te nemen, en hoe emotioneel. Er waren tijden geweest in de tien voorgaande jaren dat de buitenwereld een bijzonder vijandige plek had geleken en dat de steun van de mensen die hier rondom ons stonden meer betekende dan zij ooit zullen weten. Garden Girls, boodschappenjongens, voorlichtingsmensen, chauffeurs, conciërges, lijfwachten – door al de jaren heen zijn ze zo'n beetje deel gaan uitmaken van de familie, de enige mensen in de wereld behalve mijn bloedverwanten die mij kenden zoals ik echt was: de Cherie met wie ze kletsten over het wel en wee van hun gezin, over relaties en carrières, over ouderschap en kinderen – en niet de Cherie die in de media werd afgeschilderd. Ik herinner me dat een van de veiligheidsmensen ooit tegen me zei: 'Het is maar goed dat u gevoel voor humor heeft, mevrouw B,' toen er een wel heel onflatteuze foto van mij was gepubliceerd.

'Daar heb ik gelukkig nooit gebrek aan gehad,' antwoordde ik. 'Ik ben tenslotte een Liverpoolse. Het zit in de vaste bedrading van mijn dna.'

Na alle knuffels en omhelzingen waaruit het moeilijk losmaken was, de gebogen hoofden, de polsen waarmee tranen werden weggewist, de onderdrukte giechels hier en daar, kwam er een moment dat wij daar gewoon alleen met ons zessen stonden, wij als gezin, in die hal met de bekende zwart-wit geblokte vloer, met die lange gang die helemaal doorloopt naar de kabinetskamer aan de achterzijde van het gebouw, en dat we naar elkaar keken en bij onszelf dachten: Dit is het dan. Toen rechtte Tony zijn rug, nam Kathryn bij de hand en zei: 'Oké jongens, de laatste keer dat we door die deur gaan. Vooruit met de geit.'

Ik staarde uit het raam van de Daimler terwijl we het oorlogsmonument passeerden, een strak voor zich uitkijkende Tony naast me. Hij was terecht kwaad. Zelfs al had ik een heel luchthartige opmerking – dat dacht ik althans – gemaakt tegen de pers, ik had het niet mogen zeggen. We hadden het er al zo vaak over gehad: Tony zou op zijn eigen voorwaarden vertrekken en het zou op een waardige en gepaste manier gebeuren, en wat ik daarnet had gedaan, was noch gepast, noch waardig. Het was niet mijn dag, het was Tony's dag. Ik wist dat, en hij wist dat, en ik zat daar naast hem en voelde me dwaas en nietig. En toen, net op het ogenblik dat de wagen de Mall op draaide, haalde hij zijn schouders op, nam mijn hand en grijnsde naar me, die aanstekelijke grijns waaraan ik nooit weerstand heb kunnen bieden. Hij grijnsde omdat hij van me houdt. Omdat hij weet dat ik mezelf gewoon niet kon inhouden. Mijn onvoorspelbare karakter is tenslotte ook een van de redenen waarom hij van mij houdt. Ik ben impulsief en hij niet. Ik ben het ruwe oppervlak waar zijn vonken vanaf kunnen springen.

Hij zei niets, en dat verwachtte ik ook niet. Als je iemand al dertig jaar kent, worden een heleboel dingen niet gezegd omdat je elkaar zo goed kent dat het niet nodig is ze uit te spreken. Tony is opvliegend, een erfenis van zijn roodharige moeder, heb ik altijd gedacht. Hij schiet uit zijn slof maar binnen een minuut is het voorbij. Als hij iets onaardigs zegt, weet ik dat hij het niet meent. Ik weet dat het gewoon de spanning is. En als hij me dan om mijn mening vraagt, weet ik dat hij het weer goed wil maken.

In al die jaren heeft Tony, hoe groot de spanningen ook waren, niet eenmaal zijn geduld verloren, niet in het openbaar, niet tegen zijn personeel. De enige plek waar hij zijn frustraties en zorgen kwijt kon, was thuis. Zelfs de kinderen begrepen dat en hadden geleerd het zich niet persoonlijk aan te trekken. Hij stond onder ongelooflijke druk en als hij slechtgehumeurd was, wisten we dat hij niet echt boos op ons was. En wij betaalden die prijs met veel plezier om hem zo veel mogelijk bij ons thuis te hebben. Thuis heeft hij zich altijd het gelukkigst gevoeld, en dat was een van de redenen waarom we vanaf het begin van ons huwelijk een open huis hebben gehad, iets waarmee we ook door zijn gegaan toen we op Nummer 10 woonden. Waarom zou je op kantoor vergaderen als je dat ook thuis kunt doen?

Toen de Victoria Memorial in zicht kwam aan het einde van de Mall, zag ik nog één keertje die jubelende menigte van tien jaar geleden voor me. Ik was zo trots op hem toen, en ik ben zo trots op hem nu. Ik herinnerde me hoe hij was bij onze eerste ontmoeting, een kwetsbare jongeman die net zijn moeder had verloren, en de veerkracht en vastberadenheid die hem helemaal naar Downing Street en de rest van de aardbol hebben gebracht. Maar het meest trots ben ik op wat hij heeft weten te bereiken voor ons, als gezin. We zijn er samen ingestapt, hebben onze kinderen zien opgroeien en ons gezin zien uitbreiden, en we zijn er heelhuids aan het andere einde uit-gekomen, nog steeds gelukkig en samen, ieder van ons bezig op onze eigen manier de ervaringen van de afgelopen tien jaar te verwerken, en nieuws-gierig naar de volgende fase in ons leven.

Woord van dank

Dit boek gaat eerst en vooral over een familie die onderweg is en daarom had ik het niet kunnen schrijven zonder de aanmoedigingen van Tony en onze kinderen Euan, Nick, Kats en Leo, die weten dat ze het middelpunt van mijn leven vormen. Mijn moeder en mijn zussen (ja, allemaal) en de uitgebreide familie Blair staan altijd voor me klaar en ik dank hen voor hun steun. Voor dit project heb ik op schaamteloze wijze een beroep gedaan op hun geheugens.

Vaak wordt me gevraagd hoe ik toch zo veel ballen tegelijk in de lucht weet te houden, en om heel eerlijk te zijn zou ik dat in mijn eentje helemaal niet kunnen en doe ik dat ook niet alleen. Er zijn heel wat speciale mensen die me in de loop der tijd op de een of andere manier hebben bijgestaan; sommigen zijn eerder in dit boek al ter sprake gekomen, anderen niet. Zonder een fantastische groep vrouwen die ervoor zorgen dat mijn leven en mijn gezin draaiende blijven, was het me allemaal niet gelukt, dus speciale dank aan Jackie en Maureen, maar in de loop der jaren ook aan vele anderen. Eeuwige dank ook aan Angela Goodchild en Sue Geddes, die er samen voor zorgen dat ik georganiseerd blijf, en niet gek word. Aan Martha Greene, die zo veel aspecten van mijn leven regelt; aan Hilary Coffman voor haar adviezen en haar steun; aan David Bradshaw voor de kunst van het schrijven van toespraken; aan Faith O'Hara voor haar vaardigheid en begrip; en aan de onverstoorbare André Suard voor zijn geduld, laoyaliteit en altijd goede humeur.

Bij Matrix kregen Amanda Illing en het geweldige team, net toen ze dachten dat ze mijn onverdeelde aandacht hadden, te maken met een onderbreking van mijn werkzaamheden omdat ik dit boek ging schrijven. Het zijn er zo veel, dat het ondoenlijk zou zijn hier namen te noemen, net als

van al diegenen die me inspireren en terzijde staan bij mijn liefdadigheidswerk.

De tien jaar in Nummer 10 zou ik zonder mijn vriendinnen niet zijn
doorgekomen en ik dank ze met heel mijn hart voor hun steun; ze weten
zelf wel wie ik bedoel! Speciaal wil ik de mensen op het partijbureau van
de Labourpartij bedanken, dankzij wier niet-aflatende inzet we op Nummer 10 zijn terechtgekomen, en gebleven; en al diegenen die in Downing
Street werkzaam zijn, met name de afdeling recepties, die altijd nauw met
mij hebben samengewerkt bij ontvangsten en die ervoor zorgden dat het
bezoekers uit binnen- en buitenland aan niets ontbrak. Ik ben blij dat ik alle
anonieme helden van Whitehall die ik zo goed heb leren kennen, kan bedanken: de it'ers en de afdeling communicatie, waar men mijn amateuristi-
sche interesse in computers altijd goedgeluimd wist op te vangen. De Garden Girls en de veiligheidsmensen die zich al die weekeinden op Chequers
en tijdens onze vakanties ontpopten als een soort surrogaatfamilie – en
niet te vergeten de chauffeurs. David Heaton, de huismanager in Downing
Street, en zijn staf die ervoor zorgden dat het huishouden vierentwintig
uur per dag bleef draaien en zonder wie Downing Street 10 überhaupt niet
zou functioneren. Veel dank aan de staf van Chequers, waar we ons ieder
weekend konden terugtrekken. Mijn aanvankelijke angst toen ik de eerste
dag op Nummer 10 aankwam, bleek volledig ongegrond. Ik kan iedereen
verzekeren dat de hardwerkende en loyale mensen er iedere premier met
dezelfde toewijding en professionaliteit tegemoet zullen treden als ze ons
behandelden.

Vervolgens wil ik iedereen bij mijn uitgeverij Little Brown bedanken
voor hun aanmoedigingen, advies en geduld, met name Ursula McKenzie,
Antonia Hodgson en Vivien Redman. Ik zou niet eens aan dit boek zijn begonnen als ik niet had kunnen rekenen op jullie standvastigheid en steun.
Jullie moesten veel meer werk verzetten dan gebruikelijk is bij dit soort
projecten, en ik bedank jullie oprecht voor jullie enorme inzet.

Tot slot wil ik eer bewijzen aan mijn agente Kate Jones, die als eerste
vertrouwen had in dit boek en wier visie en aanmoedigingen me op weg
hielpen en daarna zorgden dat ik doorging. Ze heeft de eerste ruwe versie
gelezen, maar nooit het uiteindelijke werk onder ogen gekregen omdat ze,
als zo veel waardevolle mensen, veel te jong door de kanker werd geveld.